Gabriel Figueroa:
Travesías de una mirada

En 2007 se cumplieron cien años del natalicio de Gabriel Figueroa Mateos (ciudad de México, 24 de abril de 1907 - 27 de abril de 1997). En atención a esa efeméride, instituciones públicas y privadas organizaron múltiples actividades dedicadas a la revaloración del legado fílmico e iconográfico de quien fuera el más afamado cinefotógrafo mexicano del siglo XX. En el marco de esas conmemoraciones se presentó en el Museo del Palacio de Bellas Artes, entre el 6 de febrero y el 4 de mayo de 2008, la exposición retrospectiva *Gabriel Figueroa. Cinefotógrafo*. La Dirección de Artes Visuales de Fundación Televisa —contando con la colaboración del Instituto Nacional de Bellas Artes, la Filmoteca de la Universidad Nacional Autónoma de México y el Instituto Mexicano de Cinematografía—, tuvo a su cargo la organización de la muestra.

Para la presente entrega, *Luna Córnea* se propuso, en primera instancia, trasladar a su formato editorial los temas, tesis, imágenes y documentos que conformaron *Gabriel Figueroa. Cinefotógrafo*. Felizmente, esa recomposición de materiales acopiados e investigados con propósitos museográficos —que siguen siendo parte de una exposición itinerante que se presentará, entre 2008 y 2011, en las ciudades de Monterrey, Tijuana y Los Ángeles—, se enriqueció de manera notable con la participación de especialistas que no formaron parte del equipo curatorial de aquella exposición. Las revisiones realizadas por esos críticos e investigadores confirmaron que sobre la obra y trayectoria de Figueroa, merecedoras de numerosos homenajes pero igualmente sometidas a las simplificaciones de los lugares comunes, había aún mucho por decir.

Por todo lo anterior, *Luna Córnea* 32 es mucho más que el libro-catálogo de la exposición que se presentó en el Palacio de Bellas Artes. De la muestra sólo habrán de extrañarse las ediciones videográficas de momentos fílmicos que permitían apreciar la cinefotografía de Figueroa, así fuera de manera fragmentaria, en el ámbito al que estuvo originalmente destinada: la proyección, en pantalla grande, de relatos compuestos por imágenes en movimiento.

La mirada de Gabriel Figueroa Mateos recorre más de medio siglo en las historias entreveradas, imposibles de separar, de la fotografía y la cinematografía mexicanas de la pasada centuria. En la prolífica trayectoria que siguió como creador de imágenes, fue retratista de estudio, reportero gráfico, fotógrafo publicitario, *stillman*, iluminador, camarógrafo, cinefotógrafo y figura emblemática de una fábrica de sueños que ofreció a varias generaciones de espectadores entretenimiento y educación sentimental. En esta edición el lector tendrá noticia de la variedad de géneros que Figueroa frecuentó con el ojo de su cámara: comedias, tragicomedias, melodramas, epopeyas históricas, adaptaciones de novelas y telenovelas, cintas que reforzaron la conciencia nacionalista o que evidenciaron la fatiga del canon que tuvo en los cielos, paisajes y rostros retratados por el fotógrafo de *María Candelaria* y *Río Escondido* algunas de sus expresiones más sublimes.

En las más de doscientas cintas que componen su filmografía, Figueroa dejó muestras de dominio técnico, cuidadoso manejo del encuadre y el claroscuro, afinidad con la estética de otros artistas plásticos y capacidad para acompasarse con las transformaciones de un arte que era al mismo tiempo industria, espectáculo y medio de comunicación. Figueroa no sólo nos legó las tomas y secuencias que componen sus obras cinematográficas: los pasadizos de su memoria nos brindan la oportunidad de reflexionar sobre el cine como obra colectiva, espacio comunitario y lenguaje universal.

Al igual que la exposición retrospectiva, *Luna Córnea* 32 se despliega como travesía en torno y a través de la mirada de Gabriel Figueroa. Asumimos que sus imágenes remiten tanto a la manera de ver de un creador individual como a las visiones o perspectivas que éste compartió con otros compañeros de ruta. Al respecto conviene recordar que las aportaciones visuales de Figueroa se enmarcaron en procesos de trabajo colectivo que requirieron del talento de otros artistas: directores, guionistas, músicos, escenógrafos, actores, editores y otros fotógrafos que no lejos de su cámara retrataron las mismas escenas.

Figueroa trabajó para una industria fílmica que involucraba más intereses que los meramente artísticos. Por otra parte, es evidente que las obras cinematográficas, más allá de las valoraciones que merezcan por parte de la crítica especializada, se vinculan de diferentes maneras a los imaginarios sociales. El cine como expresión cultural no se reduce a un inventario de películas terminadas. Fotográfica y cinematográfica en un principio, pero difundida por las más diversas vías, la obra de Figueroa fue a fin de cuentas la de un iconógrafo multidisciplinario.

El viaje que *Luna Córnea* emprendió por el universo iconográfico de Gabriel Figueroa contó con apoyos brindados por varias instituciones y no pocas personas —destacándose, entre estas últimas, Gabriel Figueroa Flores, hijo del cinefotógrafo y generoso custodio de su memoria documental—. Quien suscribe estas líneas dedica el trabajo que realizó para la presente edición a María y a Tolita Figueroa Flores, hijas también de don Gabriel, a quienes considera las mejores obras de su filmografía. | **Alfonso Morales Carrillo**

PÁGINA 1:
Rafael García Jiménez.
La actriz Paulette Goddard, el director Emilio el Indio Fernández y Gabriel Figueroa preparando una escena para la película The Torch *[Del odio nació el amor], versión en inglés de* Enamorada *(Emilio Fernández, 1946). Cholula, Puebla, 1950. Archivo Gabriel Figueroa.*

PÁGINAS 2 Y 3:
Filmación de una escena de la película Pedro Páramo *(Carlos Velo, 1966), donde intervienen los actores John Gavin (Pedro Páramo) y Claudia Millán (Doloritas Preciado). Colección Fundación Televisa.*

CONSEJO NACIONAL PARA LA CULTURA
Y LAS ARTES
Presidente: Sergio Vela Martínez
CENTRO NACIONAL DE LAS ARTES
Director: Benjamín Juárez Echenique
CENTRO DE LA IMAGEN
Director: Alejandro Castellanos Cadena
Jefa del Departamento Editorial: Alejandra Pérez
Zamudio

LUNA CÓRNEA
Director: Alfonso Morales
Editores invitados: Claudia Monterde y Héctor
Orozco
Diseño editorial: Carolina Herrera Zamarrón
Asistente editorial: Juan Leduc Riley
Corrección de pruebas: Valentina Gatti
Cuidado de producción: Pablo Zepeda Martínez
Reprografía: César Flores y Agustín Estrada
Digitalización de imágenes: Natalia Estrada,
Gustavo Fuentes, Gabriel Figueroa Flores, Fernanda
Sánchez, Astrid Villanueva Zaldo, Alberto Benítez,
Édgar Jaramillo, Luis Alberto González
Comunicación: Valentín Castelán
Ventas por Internet: www.educal.com.mx

Director fundador: Pablo Ortiz Monasterio
Consejo editorial: Manuel Álvarez Bravo†,
Graciela Iturbide, Patricia Mendoza, Víctor Flores
Olea, Pedro Meyer, Mariana Yampolsky†, Olivier
Debroise†, Roberto Tejada, Gilberto Chen, José A.
Rodríguez, Alejandro Castellanos, Gerardo Suter,
Francisco Mata y Alberto Ruy Sánchez

Centro de la Imagen
Plaza de la Ciudadela núm. 2, Centro Histórico,
México, DF, CP 06040.
Tel/Fax: 14 50 37 05 / 06
lcornea_ci@correo.conaculta.gob.mx

Editor responsable: Alejandra Pérez Zamudio
Licitud de título: 12478
Licitud de contenido: 10049
*Número de reserva al Título de Derechos
de Autor:* 04-2002-111817493000-102
Preprensa: emiliobreton@mac.com
Impresión a cargo de Editorial RM, S.A. de C.V.
Río Pánuco 141, Col. Cuauhtémoc, CP 06500,
México, DF, ERM 990804 PB2
Impreso en Everbest / China
ISSN: 0188-8005. ISBN: 978-607-7515-17-3
Tiraje: 7 000 ejemplares (5 000 edición en rústica y
2 000 en pasta dura).
Los trabajos aquí publicados son responsabilidad
de los autores. La revista se reserva el derecho de
modificar los títulos y subtítulos de los artículos.
Número 32 / 2008.

Luna Córnea 32 es una publicación editada por: Consejo Nacional para la Cultura y las Artes, Centro Nacional de las Artes, Centro de la Imagen, con la colaboración de Fundación Televisa, Instituto Mexicano de Cinematografía y Editorial RM.

La presente edición de Luna Córnea se basó en el trabajo de investigación y curaduría que sustentó la exposición retrospectiva *Gabriel Figueroa. Cinefotógrafo,* cuya primera presentación se llevó a cabo en el Museo del Palacio de Bellas Artes, de febrero a mayo del 2008. Dicha muestra se realizó bajo los auspicios de Fundación Televisa, el Instituto Nacional de Bellas Artes y el Instituto Mexicano de Cinematografía.

Coordinación general: Mauricio Maillé, Fernanda Monterde. *Curaduría:* Alfonso Morales. *Cocuraduría:* Claudia Monterde, Héctor Orozco. *Investigación:* Alfonso Morales, Héctor Orozco, Claudia Monterde, Gustavo Fuentes. *Diseño museográfico:* Mauricio Maillé, Salvador Quiroz. *Conservación:* Fernando Osorio, Gustavo Lozano, Pilar Hernández, Gonzalo Reyes. *Realización videográfica:* Emilio Maillé, Luis Lupone. *Producción:* Adriana Casas, Iván Gómez, Eduardo Durand. *Asistentes de museografía:* Josefina Dellatorre, Mariana Silva, Aurelio Ríos. *Asistentes de investigación:* Acacia Maldonado, Martha Flores. *Edición videográfica:* Gustavo Ángel, David Torres, Eun Hee Ihm, Astrid Villanueva, Omar Torres, Andrés Eichelmann, Patricio Saiz. *Impresiones fotográficas contemporáneas y piezografías:* Gabriel Figueroa Flores, Fernanda Sánchez, John O'Leary. *Digitalización:* Gabriel Figueroa Flores, Fernanda Sánchez, Iván Gómez, Gustavo Fuentes, Eunice Miranda. *Movimiento de colecciones:* René Castellanos. *Documentación:* Gonzalo Roa.

Agradecemos el apoyo de las siguientes instituciones, empresas y personas para la realización tanto de la exhibición como de la edición número 32 de Luna Córnea:

Instituto Nacional de Bellas Artes (María Teresa Franco, Roxana Velázquez); Filmoteca UNAM (Guadalupe Ferrer, Iván Trujillo, Francisco Gaytán, Antonia Rojas); Instituto Mexicano de Cinematografía (Marina Stavenhagen, Cristina Prado, Dora Moreno); Televisa/División Fílmica (Carlos Sandoval, Jaime Aguilar Álvarez, Alfonsina Martiñon, Tatiana Morales); Televisa/Protele (Salvador Rocha Cito, Lissete Flores, Francisco Fernández); Canal 22 (Jorge Volpi, Ricardo de León); Canal 11; Museo de Arte Carrillo Gil (Itala Schmelz, Vania Rojas); Archivo Cinemas Lumière (José Díaz, Carlos Vasallo, Lucio Ortigoza); Museo Nacional de la Estampa; Colección Luis Márquez Romay, Archivo Fotográfico Manuel Toussaint, Instituto de Investigaciones Estéticas UNAM (Ernesto Peñaloza); Museo Nacional Centro de Arte Reina Sofía; Archivo General de la Nación (Elizabeth Zamudio, Beatriz Santoyo, Alma Vázquez y Lucila Calderón); Colección Fundación Rulfo AC (Víctor Jiménez); Hemeroteca Nacional (Fernando Hernández); Fototeca Monterrey (Loreto Garza Zambrano); Filmoteca Española (Elena Cervera); SOGEM (Alejandro Licona); Abel Quezada AC (Familia Quezada Rueda, María José Sánchez-Blanco); Centro de Investigación y Estudios Cinematográficos UDG (Ignacio Mireles); Archivo Manuel Ramos (Elia del Carmen Ramírez Bocardo); Archivo Hermanos Fuentes; Archivo María Jiménez.

Antonieta Flores de Figueroa, Gabriel Figueroa Flores, Tolita Figueroa, María Figueroa, Susannah Glusker, Rodrigo Moya, Andrés Siegel, Esther Cimet, Ava Vargas, Emilio Maillé, Pascual Espinosa, Javier Hinojosa, Agustín Estrada, Ramón Reverté, Susan Flaherty, Carlos Monsiváis, Luis Lupone, Alberto Lima, Ekaterina Álvarez, Juan Manuel Aurrecoechea, Fernando del Villar, Brenda Anaya, Carla Pallares, Mayte Montero, Carmen Parra, Paul Leduc, Luis Kelly, Emilio Cárdenas Elorduy, Carlos Somorrostro, Adolfo Martínez Solares, Leopoldo Soto, Leticia Medina.

*PÁGINAS 6 - 9: **Delta Foto** (agencia fotográfica italiana). Imágenes del fotorreportaje Figueroa ha scoperto Venezia, publicado en el diario Milano-sera, el 5 de septiembre de 1952. Archivo Gabriel Figueroa.*

LUNA CÓRNEA 32

13   CANDILEJAS

19   FIGUEROA ANTES DE FIGUEROA
     Elisa Lozano

31   GABRIEL FIGUEROA, *STILLMAN*
     Eduardo de la Vega Alfaro

54   CUANDO VIAJAN LAS ESTRELLAS
     Héctor Orozco

59   EL CINE DOCUMENTAL DE GABRIEL FIGUEROA
     Arturo Garmendia

81   RANCHO GRANDE

89   TRANSITANDO *LO MEXICANO*
     Ceri Higgins

115 FIGUEROA, EDUCADOR VISUAL
     Juan Manuel Aurrecoechea

127 CHARROS CONTRA GÁNGSTERS

145 LA BOLA

153 *LA GENERALA*

163 MURALES AMBULANTES

181 LA *CONCIENCIA PICTÓRICA*
     DE GABRIEL FIGUEROA
     Claudia Arroyo Quiroz

211 DE LUCES Y SOMBRAS
     Ernesto Peñaloza Méndez

233 MODERNAS SOMBRAS FUGITIVAS
     José Antonio Rodríguez

291 *EL INDIO*

295 VINICIUS DE MORAES ESCRIBE
     SOBRE GABRIEL FIGUEROA
     Ángel Miquel

305 METRÓPOLI

313 BARRIO BAJO

333 NOCHE

GABRIEL FIGUEROA
TRAVESÍAS DE UNA MIRADA

343 SOLAZ Y ESPARCIMIENTO

350 EL DOLOR DE VIVIR
Carlos Monsiváis

357 BUÑUEL

367 ÁLVAREZ BRAVO, *STILLMAN*

379 PANTALLA CHICA

395 NUEVA OLA

397 DE CUANDO MI CÁMARA SE CRUZÓ
CON LA DEL GRAN GABRIEL FIGUEROA
Rodrigo Moya

411 AMOR, AMOR

418 EL VERANO O NARDA
Claudia Monterde

433 PLÉYADE

441 EL ÚLTIMO GRITO DE TARZÁN
César Blanco

447 EL MONSTRUO DE LA LAGUNA NEGRA
Y GABRIEL FIGUEROA
Gina Rodríguez

458 MISMALOYA, CIUDAD ABIERTA
Héctor Orozco

469 APARICIONES

481 GABRIEL FIGUEROA Y JUAN RULFO
Douglas Weatherford

506 BREVE NARRACIÓN

509 RECORDANDO A B. TRAVEN
Gabriel Figueroa

531 PRUEBAS DE LUZ

536 DE LA PANTALLA A LA PIEZOGRAFÍA
Gabriel Figueroa Flores

558 PERSONAJES FRENTE AL MAR

Mario Moreno *Cantinflas* (asistente del fotoestudio Daguerre) a Rosita Arenas (*Chayito*):

—Sabe usted Chayito, que aquí le "traíba" las pruebas de sus retratos.
—¿Deveras?, ¿y qué tal, me veo bien?
—Pues mire usted... pa' ser sincero, ¿verdad?, una cosa bien, bien, que digamos, no salió.
—Ah, ¿no?
—Pero como le digo una cosa le digo la otra, mal, mal, también que digamos, no. Por eso aquí le traigo las pruebas.
—Pero si no salió nada.
—Por eso digo que aquí le traigo las pruebas de que no salió nada, pa' que vea que no miento. Pero tampoco de que no salió nada, porque si usted se fija bien, fíjese esta cosa así como... como panorama, ¿verdad?... Ve este como árbol, pues no es árbol, es una especie así como de luz que se me metió, por eso se pasó de tueste, pero en cambio esta... esta sí es como bosque, ¿no?, es como borregos. Son manchas, son manchas del hiposulfito que también no agarró. En cambio esto sí ya es más borroso, esto qué se va a ver...
—Tanta ilusión que tenía por ver esos retratos.
—Y yo también Chayito, pero no se preocupe, en una descansadita que tenga, sube usted pa' arriba y entonces sí, le agarro un estilo así como de Figueroa, le meto a usted tres o cuatro *spot lights*, le doy a usted su retocadita... que ni usted misma se va a conocer.
—Bueno, tan pronto tenga un rato libre subiré a verlo.
—Y ahorita ya me voy porque don Ole, ya ve usted cómo es, en cuanto yo le falto se hace bolas. Nos vemos preciosa.

Diálogo de la película *El señor fotógrafo*
(Miguel M. Delgado, 1952)

María Herrero y Mario Moreno Cantinflas *en tres stills de* El señor fotógrafo. *Ciudad de México, 1952. Colección Fundación Televisa.*

Mario Moreno Cantinflas, Gabriel Figueroa y el alumbrador Daniel López (a la izquierda de la imagen), durante la filmación de una escena de El señor fotógrafo. Chapultepec, ciudad de México, 1952. Colección Fundación Televisa.

Gabriel Figueroa Mateos nació en la ciudad de México el 24 de abril de 1907. Desde edad temprana conoció la orfandad y los vaivenes de la fortuna. Su madre murió cuando él vino al mundo y su padre nunca se pudo recuperar de esa pérdida. Junto con su hermano Roberto, Gabriel pasó su infancia al cuidado de tías paternas. Creció en un entorno familiar en que hubo escritores liberales, simpatizantes de diferentes caudillos revolucionarios y viudas empeñosas. Dilapidada su herencia por la mala administración de los albaceas, los hermanos Figueroa abandonaron sus estudios para ganarse la vida. Gabriel dejó de asistir a la Academia de San Carlos y al Conservatorio Nacional, a donde había sido conducido por sus primeras inclinaciones artísticas: el dibujo y la música. La fotografía, que comenzó a aprender con Lalo Guerrero, se convirtió en su medio de subsistencia.

Entre 1927 y 1932, Gabriel Figueroa se formó como fotógrafo. Trabajó en un estudio de la calle Guerrero, donde la gente era retratada al frente de telones pintados y bajo luz natural. Después estuvo a las órdenes de Juan de la Peña, encargado de un negocio que varios fotógrafos capitalinos fundaron para competir contra unos colegas rusos que se habían instalado en la avenida Hidalgo. (Para mejorar el bajo precio que éstos cobraban por sus trabajos, Figueroa llegaba a producir diariamente, a cambio de un peso de salario, hasta cien docenas de retratos ovalados.) Pero fue en el fotoestudio Brooklyn donde se le revelaron los misterios del artificio fotográfico. Al frente de ese local estaba José Guadalupe Velasco, pionero en el uso de iluminación artificial, gran maestro en el retoque de negativos y bohemio cultor del desnudo artístico. La fama de sus trucos embellecedores —las bocas de corazón y pestañas bien delineadas, entre ellos— le hicieron ser el favorito de actrices y bailarinas del teatro de revista: "Toda la vida lujuriosa de México iba ahí a retratarse", recordaría años más tarde su discípulo. Finalmente, en sociedad con su amigo Gilberto Martínez Solares, el joven Figueroa estableció su propio fotoestudio. Artistas como Sara García, Consuelo Frank o la bailarina Issa Marcué le encargaron sus imágenes promocionales.

En la realización de esos retratos en que son reconocibles los influjos del pictorialismo y el expresionismo, Figueroa afinó sus artes fotográficas. Revistas como *México al Día* o *Filmográfico* publicaron las imágenes con que contribuyó a la difusión de las famas y modas de una época que deseaba dejar atrás la polvareda revolucionaria. Mientras trabajaba en el estudio que Gilberto Martínez Solares estableció en la calle Madero, trabó amistad con Alex Phillips, uno de los cinefotógrafos estadounidenses que colaboraba en la naciente industria fílmica mexicana. Con su recomendación pudo ingresar, como *stillman*, a los estudios en que sucedían milagros como el que hizo reencarnar a Marlene Dietrich en el cuerpo de Andrea Palma.*

Chelo Gomez

Martha Lineal

Rosa Mareué

Elisa Robles

Elia Granados   Matilde

Lupita

Figueroa antes de Figueroa

Elisa Lozano

A Paulina Michel, por múltiples motivos.

Mucho antes de ser rutilante estrella del firmamento cinematográfico, Gabriel Figueroa Mateos dedicó algunos años de su vida profesional a la realización de retratos promocionales de estrellas, a la fotografía fija de cine (*still*) y a la fotografía publicitaria. Una etapa poco abordada —según comprueba la revisión historiográfica—, pero fundamental en la formación del cinefotógrafo más laureado de México.

Decenas de esas imágenes primigenias circularon ampliamente en la prensa nacional ilustrada que hacia finales de los años veinte y durante la década siguiente viviría una de sus etapas más vigorosas. Para entonces, Figueroa contaba con cierta experiencia, había asimilado bien las enseñanzas de Juan de la Peña, a quien auxilió en las tareas de laboratorio, y las de José Guadalupe Velasco, a quien admiró por su forma de iluminar y retocar imágenes.[1]

Luego de ello, el joven fotógrafo instaló un estudio propio con el fotoperiodista Rafael Carrillo, etapa durante la cual documentó el juicio del general Jesús Palomera López que se publicó en el diario *La Prensa*, el día 8 de marzo de 1929, cuyas fotografías son: "de una luz uniforme. Nítidas y pulcras periodísticamente en su hechura", y hoy se consideran como la "entrada pública de Gabriel Figueroa al universo de las imágenes en México".[2]

Unos meses después del trágico acontecimiento, el futuro cinefotógrafo se inició en el medio del espectáculo fotografiando a figuras de teatro y cine.

Credencial que acredita a Gabriel Figueroa como redactor gráfico de la revista México al Día, *expedida en la ciudad de México el 29 de mayo de 1930. Al reverso se puede leer la siguiente anotación: "Bueno para salas y escenario". Archivo Gabriel Figueroa.*

El retrato promocional de estrellas tuvo gran auge durante la era del cine silente, cuando en Hollywood apareció *Photoplay* (1911), la primera revista de aficionados a la que seguirían: *Movie Life, Picture Play, Secreeland* y *Vanity Fair* (1914) una de las más populares. Todas publicaban retratos de los actores de moda y momentos de las filmaciones e influyeron en el establecimiento del *star system* de la Meca del cine,[3] así como en la construcción de una singular estética visual, imitada en las primeras revistas de cine editadas en México como *Photophilm* y *Magazine Fílmico*.[4]

IZQUIERDA:
Gabriel Figueroa Mateos. *Retrato de la actriz Adriana Lamar posando para una imagen promocional del maquillaje Coty. El anuncio apareció publicado en la contraportada de la revista* Filmográfico, *núm. 16, julio de 1933. Colección Fundación Televisa.*

Esos primeros registros relacionados con la industria del cine se caracterizan por continuar con la estética pictorialista, son imágenes estilizadas, enfocadas a la glorificación de la belleza, obtenidas mediante el uso de una iluminación dramática que llena el cuadro de numerosas variaciones tonales. Los retratistas manipulaban la luz para enfatizar los rasgos faciales de la estrella y utilizaban fondos a menudo dispuestos para dar un efecto de alto relieve. El norteamericano James Abbe fue uno de los artistas más influyentes en personalidades como Ruth Harriet, Louis y Edwin Coger, con un estilo identificable por el uso de la iluminación suave. Los efectos de *flou* y la borrosidad de la imagen se perciben en México en las imágenes tempranas de artistas de la lente que incursionaron en la fotografía fija y en esta dinámica, como Ezequiel Carrasco, Agustín Jiménez, Alex Phillips, y en las de Figueroa publicadas en la revista *México al Día*.

México al Día

Dirigida por Luis G. Peredo, el realizador de *Santa* (1918) y *La llaga* (1919), dos cintas importantes del periodo silente, esta revista se caracterizó por contar entre sus filas con una nómina de notables fotógrafos, desde viejos maestros de la lente como Librado García *Smarth*, Hugo Brehme o Martín Ortiz, hasta Manuel Álvarez Bravo, Luis Márquez, César, María Amparo Hernández y Gilberto Martínez Solares, entre otros.

Gabriel Figueroa. Retrato de Consuelo Frank en la portada de la revista México al Día, número correspondiente al 1º de mayo de 1931. Hemeroteca Nacional, UNAM.

Una convergencia de estilos, miradas e influencias que enriqueció la obra primigenia del joven Figueroa, quien por entonces se desempeñaba como "redactor gráfico" de la misma, lo que le permitió acceder libremente a las salas y escenarios teatrales, familiarizándose así con el mundo de la farándula.

En las páginas de la citada revista aparecen, de líneas limpias que le vale la portada; signadas por Figueroa, un plano americano de Consuelito Frank con un mantón oscuro, otra de la *vedette* Marina Marcué, de cuerpo entero, ataviada con un singular tocado; dos retratos de las hermanas Blanch y uno de la bailarina de danzas regionales Rebeca Viamonte, resuelto en el más puro estilo pictorialista, como denota la línea del cuello que se desvanece, la pose de perfil, con los ojos cerrados y la textura del ondulado pelo suelto.

México al Día tiraba 78 mil ejemplares a la semana, lo que da cuenta de la amplia circulación de dichas fotografías.

Diversiones. Revista de espectáculos, sociales y variedades

Mario Losana Méndez fundó la revista el 3 de abril de 1927, dirigida esencialmente al público masculino, como indican sus secciones de toros y de "desnudos artísticos". Tres años después, Gabriel Figueroa obtiene la portada con el retrato de la actriz teatral Josefina Díaz de Artigas, en pose de tres cuartos, en el que, una vez más, los bordes difuminados delatan la perdurable influencia del estilo pictorialista.

La luz

En su estudio sobre el tema, el francés Jacques Loiseleux observa tres significados en la construcción o diseño de luz en una imagen: el técnico, referido a la cantidad y calidad de los rayos del sol, o bien de alguna fuente artificial; el psicológico, por ser una representación de las variaciones emocionales que ella misma nos induce en la realidad, siendo la

Gabriel Figueroa Mateos.
Retrato de Marina Marcué,
hermana de la actriz y
bailarina Issa Marcué,
publicado en la revista
México al Día, el 1° de
enero de 1931. Hemeroteca
Nacional, UNAM.

memoria afectiva la guía para recrearla; y el cultural, ya que para construirla el fotógrafo apela a su cultura estética. La constante observación de la luz le permite crear su propia *mnemoteca* lumínica, es decir, una colección de sentimientos y emociones ligados a impresiones luminosas que pondrá en práctica en la construcción de imágenes.[5]

En el lapso que nos ocupa, la cultura estética de Figueroa se nutría, además de la pintura y de los magazines, del cine clásico hollywoodense y, en particular, del sistema de iluminación de tres puntos consistente en: una luz principal de ataque o efecto (*key light*); una luz ambiental o de relleno (*fill in light*), frontal detrás de la cámara, para compensar los contrastes y despejar las sombras; y una luz posterior o contraluz (*back light*), utilizada para despegar a los actores del fondo, que puede sustituirse o complementarse con una o varias luces laterales.[6]

A la manera de George Hurrell, Figueroa crea una gramática visual propia, identificable por el uso dramático de la luz que permite a las áreas sombreadas jugar un papel importante en el diseño dentro del cuadro: el uso de iluminación a lo "Rembrandt", la luz cenital para erotizar a las estrellas que retrata y, sobre todo, la agudeza para captar a sus retratados será evidente en las imágenes que aparecen en la revista *Filmográfico*.

Filmográfico

Esta publicación, dirigida por el periodista de espectáculos y apasionado del cine Roberto Cantú Robert, vio la luz el mes de abril de 1932, y es entre sus páginas donde se aprecia más claramente la evolución de Gabriel Figueroa, asiduo colaborador de la misma desde sus primeros números.

Del corpus de imágenes que publica mencionaré algunas que me parecen notables por la forma en que resuelve todos los elementos que componen el cuadro.

En primer término, el de Consuelito Frank, absolutamente glamoroso gracias a una pose cuidada —la mano sobre el rostro, que repetirá en los retratos de Mercedes Soler o en el de una empleada de la empresa Colgate— y un impecable esquema de iluminación con numerosas fuentes artificiales; un intenso *back light* y luces laterales para lograr los brillos en el pelo, en la mirada y en los labios; y un fondo casi difuminado que hace resaltar más a la estrella. El mismo diseño lumínico, con un fondo liso y claro, se observa en el retrato de Ramón Pereda, caracterizado como el Conde de Luna en la cinta *Cruz Diablo* (Fernando de Fuentes, 1934).

Una forma de iluminar muy diferente al utilizado en el retrato de la tapatía Marta Ruel, absolutamente dramático, debido al fondo oscuro y a una luz que dibuja

Gabriel Figueroa Mateos. Retrato de la bailarina norteamericana Porta Porter. Revista Filmográfico, núm. 30, septiembre de 1934. Hemeroteca Nacional, UNAM.

perfectamente el rostro de la actriz y enfatiza sus poderosos pómulos, como sucede también en el de Esperanza Treviño.

Destaca además, el de la bailarina norteamericana Porta Porter, cuya esbelta figura se acentúa con el pronunciado escote de la espalda sobre el que delicadamente posa su mano, mientras que el rostro, parcialmente cubierto por una profunda sombra, transgrede uno de los puntuales de la fotografía clásica: la legibilidad.

Con estas imágenes de impecable factura, Gabriel Figueroa se gana pronto el respeto de editores y personalidades del medio, como evidencia la nota siguiente:

> Gabriel Figueroa es uno de los elementos más destacados de nuestro pequeño mundo cinematográfico y en donde además, goza de grandes simpatías por su laboriosidad y cuidado en las ocupaciones de su profesión. El compañero Figueroa ha sido uno de los más entusiastas en la colaboración de nuestra revista, para la que ha tenido una labor de verdadero artista, la que agradecemos sinceramente.[7]

Publicidad

Que la fotografía no era un concepto ajeno a la publicidad había sido ya bien demostrado por Lázló Moholy-Nagy, quien en 1927 afirmaba: "En la actualidad sabemos que incluso la publicidad requiere fuerzas creativas, al igual que cualquier otra forma de creación plástica. Sobre esa base, entre otras cosas, se plantea el vínculo mental y material que establecemos entre la publicidad y la fotografía como *creación óptica*".[8] En sus escritos sobre "la publicidad fotoplástica" Moholy-Nagy elimina la línea divisoria entre la fotografía pura y la fotografía aplicada, y eleva la fotografía publicitaria a la categoría de gran arte ya que, para él, cualquier experiencia plástica debía integrarse en la existencia concreta y cotidiana.

En México, la revista *Mundo Cinematográfico* evidenciaba en el artículo "La enorme fuerza de una buena publicidad" que eran los cinematografistas quienes mejor la entendían y aprovechaban, por ello no extraña que las agencias de publicidad contrataran a fotógrafos relacionados con el mundo del cine conscientes de la fuerza de ese medio.[9]

Con la actriz Adela Jaloma como modelo, Figueroa realiza por lo menos cinco anuncios diferentes para la Boutique Pardueles. Un fino erotismo y cierto humor se observa en estas imágenes, centradas más en el físico de la actriz que en el producto en cuestión, ya que se recurre a las mismas poses para anunciar zapatos o ropa interior. Una publicidad que revela las formas de comunicación emergentes e incluso los códigos morales de la época.

DOS CAMPEONES
MANO A MANO

Adela Jaloma, campeona
de atractivo y el TELÉFONO
MEXICANA, campeón del
servicio telefónico eficiente.–
(Foto G. FIGUEROA)

Gabriel Figueroa Mateos.
La actriz Adela Jaloma
en un anuncio de
la compañía Telefó-
nica Mexicana. Revista
Filmográfico, núm. 10,
enero de 1933. Hemeroteca
Nacional, UNAM.

La misma Jaloma, ahora ataviada con unos pantaloncillos cortos que dejan ver sus largos muslos, advertía las ventajas de utilizar el moderno Teléfono Mexicana, mientras sostenía entre sus manos el auricular de un enorme aparato, el mismo que en otro impreso parece aún mayor al ser sostenido por un pequeño que llama a su "papaito".

Mientras que para la Fábrica de Camisas México, Figueroa aprovechó la buena química en pantalla entre Rodolfo Girón y Carmen Guerrero, "la pareja ideal de la cinematografía nacional", para realizar varios anuncios en una especie de secuencia narrativa.

En las imágenes publicitarias realizadas por Figueroa para los polvos faciales Coty, la crema facial Diadermina y la manteca vegetal Copo de Nieve, aparecen otras actrices del momento: Adriana Lamar, Virginia Zuri y Lilia Rosas, respectivamente, quienes con su imagen avalaban la calidad del producto anunciado, de enormes proporciones, por cierto.

Por la misma época, Gabriel Figueroa colabora —al igual que otros fotógrafos como César, Agustín Jiménez y Gilberto Martínez Solares— en la edición de la *Primera Guía Cinematográfica de México,* editada por el publicista Santini, en el mes de marzo de 1934. La misma contenía datos de los hacedores de cine: directores, productores, técnicos, publicistas, maquillistas, diversos anuncios (películas, laboratorios, emulsiones), además de promover la carrera de los actores y actrices activos al presentar una síntesis curricular y su retrato. Figueroa realiza más de una decena de imágenes que demuestran su absoluto dominio técnico, la preocupación por los elementos de la puesta en escena y un especial cuidado en la pose, sea ésta muy estudiada o bien con alguna característica del personaje que interpretaban en el momento —un gesto o el vestuario, como en la de Domingo Soler o Luis G. Barreiro— o con la incorporación de algún elemento evidentemente cinematográfico —como el enorme reflector que sirve de fondo para el retrato del entonces maquillista y futuro director Alberto Gout.

Para el Verano no hay Zapato más cómodo y elegante que esta reciente creación de *La Palestina* ¿Usted que opina? *Adela Jaloma*

LA PALESTINA
UNICA ZAPATERIA PARA DAMAS
TACUBA 49   MEXICO D.F.

Gabriel Figueroa Mateos.
La actriz Adela Jaloma
en un anuncio de las
zapaterías La Palestina.
Revista Filmográfico,
núm. 14, mayo de
1933. Hemeroteca
Nacional, UNAM.

Paradójicamente, el anuncio de "Gabriel Figueroa Mateos. Fotógrafo" aparece sin su efigie, sólo enumera las películas en las que había participado hasta entonces: *Suprema ley* (aunque, en realidad, esta película no se terminó hasta 1936), *Chucho el Roto, Revolución, Almas encontradas, La noche del pecado, Sagrario, Profanación, El Tigre de Yautepec, Enemigos, La mujer del puerto* y *La sangre manda*.[10]

Pese a lo que pudiera creerse, la fotografía comercial resultó para Figueroa un medio atractivo; él mismo diría: "me gustaba hacer trabajos de publicidad, no me gustaba encerrarme en un estudio y que la gente posara para mí".[11] Incluso alguna vez tuvo la intención de instalar, junto con el también cinefotógrafo Nacho Torres, un estudio de fotografía comercial,[12] proyecto que no concretó por dedicarse en cuerpo y alma a la cinefotografía.

Artistas fugaces, cuerpos esculturales, cantantes populares, actores dramáticos, *vedettes,* galanes y niños quedaron registrados ante la cámara fija de Figueroa, quien con su singular visión e impecable factura contribuyó a la evolución de la fotografía de espectáculo y de la imagen publicitaria nacional de la tercera década del siglo pasado.

Una etapa clave en la formación del cinefotógrafo más laureado de México, quien, según sus propias palabras,[13] nació con la vocación de la felicidad y la encontró.

Notas

1 Alberto Isaac, *Conversaciones con Gabriel Figueroa*, México, Universidad de Guadalajara/Universidad de Colima/CIEC, 1993, p. 20.

2 José Antonio Rodríguez, *Modernas sombras fugitivas. Las construcciones visuales de Gabriel Figueroa*, texto inédito generosamente proporcionado por el autor.

3 David Fahey, Linda Rich, *Masters of Starligth. Photographers in Hollywood,* Inglaterra, Columbus Books, 1987.

4 Agradezco el dato a la investigadora Esperanza Vázquez Bernal.

5 Jacques Loiseleux, *La luz en el cine,* España, Paidós, 2005, pp. 15-17.

6 Bordwell, Janet Staiger, Kristin Thompson, *El cine clásico de Hollywood. Estilo cinematográfico y modo de producción hasta 1969,* España, Paidós Comunicación, 1997.

7 *Filmográfico,* 5 de abril de 1933, vol. 1, núm. 12, p. 34.
Otras revistas del periodo, como *Revista de Revistas* y *Mundo Cinematográfico* publicarán imágenes de Figueroa, sobre todo *stills* y fotorreportajes.

Gabriel Figueroa Mateos. Retrato de la actriz Josefina Díaz de Artigas. Portada de la revista Diversiones, *sábado 2 de agosto de 1930. Hemeroteca Nacional, UNAM.*

8 "Die Photographie in der Reklame", *Photographisque Korrespondenz,* Austria, 1° de septiembre de 1927, vol. LXIII, núm. 9, en Lázló Moholy-Nagy, *Pintura, fotografía, publicidad,* España, Paidós Fotografía, 2005.

9 *Mundo Cinematográfico,* año V, núm. 50, 1934, p. 7.

10 Los otros retratados son: Andrea Palma, Max Urban, Gaby Sorell, Álvaro González, Arcady Boytler, J. B. Carles, Fernando Soler, Joaquín Busquets, Adolfo Girón, Carlos Véjar, J. B. Kroger, José Bohr, Roberto Gavaldón. Agradezco a Héctor Orozco los datos y referencias proporcionadas, así como sus pertinentes comentarios.

11 *Op. cit.,* n. 1, p. 17.

12 *Cinema Reporter,* 21 de junio de 1940.

13 *Imagen y obra escogida,* México, UNAM, CESU, 1985; Elena Poniatowska, *Todo México. La mirada que limpia. Gabriel Figueroa,* México, Diana, 1996, p. 209.

Gabriel Figueroa Mateos. Retrato de la actriz Lupita Gallardo en la portada de Filmográfico, *núm. 19, octubre de 1933. Hemeroteca Nacional, UNAM.*

Gabriel Figueroa Mateos. Actriz Esperanza Treviño, hermana del pianista Tacos. Revista Filmográfico, *julio de 1934. Hemeroteca Nacional, UNAM.*

LA VENUS JAROCHA | Reconocido como fabricante de memorables imágenes en movimiento, Gabriel Figueroa accionó su cámara de fijas, en los albores de su carrera, para captar en un *still* vertical su primer icono cinematográfico: una mujer ataviada con un largo vestido negro, recargada en un farol, interpretando a una prostituta en el puerto de Veracruz. La poderosa imagen incrementó su popularidad al servir de base para que un artista de la compañía Vargas Cine Publicidad realizara el cartel de dicha película, *La mujer del puerto*, dirigida por el cineasta ruso Arcady Boytler.

La fortuna de esta imagen no es resultado de la casualidad ni únicamente de la habilidad técnica del *stillman* Figueroa, quien, a pesar de su corta edad, tenía una amplia experiencia en retratar estrellas al mejor estilo de los fotógrafos de Hollywood, imitando poses e iluminación de los retratos que aparecían en diferentes revistas especializadas, como *Cine Mundial*. De esta revista, Figueroa conservó encuadernados los números correspondientes a 1933, justo el año en que tomó esta y otras imágenes de Guadalupe Bracho Pérez Gavilán —nombre real de la guapa actriz—, quien aportó mucho para que sus retratos fueran copias al carbón de aquellos en que aparecía la actriz sueca Marlene Dietrich, cuya imagen era, a su vez, el resultado del estricto diseño y control de su director, Josef von Sternberg, y de sus obsesiones estéticas y eróticas: "Quiero que de frente evoques un cuadro de Félicien Rops y, de espaldas, un Toulouse-Lautrec", recordaría la actriz en sus memorias.

Durante su juventud, Guadalupe fue diseñadora de sombreros en La Ciudad de Londres, boutique ubicada en las calles de Madero y

Don English. *Marlene Dietrich en dos stills de la película* Shanghai Express *(Josef von Sternberg, 1932).*
Tomados del libro Marlene Dietrich Portraits 1926-1960, *Schirmer/Mosel Munich, Alemania, 1984.*

Palma. Tres años después puso su propio local —decorado por su amigo, el pintor Adolfo Best Maugard— en la calle Venustiano Carranza, al que bautizó como Casa Andrea. El creciente prestigio de la tienda la llevó a relacionarse con las estrellas del Teatro Arbeu, despertando en ella la pasión por la actuación. Como incipiente actriz se apropió del nombre por el cual la conocían todas sus clientas y el apellido de una de ellas. Así nació Andrea Palma, quien viajó a Hollywood para probar suerte en plena depresión económica, sobreviviendo gracias a sus dotes de costurera y a algunos trabajos de "extra" en películas protagonizadas por sus primos, Ramón Novarro y Dolores del Río.

Pero su suerte cambió cuando Marlene Dietrich arribó a la Meca del cine para filmar *Blonde Venus* (1932); desde entonces Andrea se convirtió en su sombrerera particular y con el tiempo en su asistente y amiga, conociendo y dominando todos sus secretos profesionales, los cuales empleó a su regreso a México, al probarse en el estelar de *La mujer del puerto*. "Al leer el argumento y ver el personaje, caí muerta de emoción; sobre todo por la segunda parte, pues coincidía mucho con las cosas que estaba haciendo Marlene. Además había alguna semejanza con ella; bueno, yo no tenía su cuerpo, pero en fin, más o menos".[1] Y así era, más o menos, con su gesto adusto, sus ojos adormilados, su ceja levantada y los pómulos salidos. "¡Cómo no iba a ganar [el papel] si venía bien estudiada! Sabía de poses y miradas fatales copiadas de Marlene; sabía poner y usar pestañas postizas, sombreros, trajes, etcétera...".[2]

La crítica de la época la elogió como la mejor actriz del cine mexicano, pero le reprochó la evidente imitación.[3] El cotejo resultó

Gabriel Figueroa Mateos. Retrato de la actriz Andrea Palma que la productora Eurindia Films utilizó para anunciar la filmación de El primo Basilio, *película dirigida por Carlos de Nájera. Revista* Filmográfico, *noviembre de 1934. Archivo Gabriel Figueroa.*

inevitable tanto en la película como en los *stills* y fotografías de estudio tomadas por Figueroa. Estigma que persiguió a la actriz por el resto de su vida. | **Héctor Orozco**

Notas

1 *Cuadernos de la Cineteca Nacional, testimonios para la historia del cine mexicano*, núm. 1. Cineteca Nacional, edición facsimilar de 1986, p. 50.
2 Tomado de un recorte de *El Nacional,* 8 de diciembre de 1986. Centro de documentación e investigación de la Cineteca Nacional, expediente 00128.
3 Como ejemplo, véase a Rafael Bermúdez Zataraín en *El Universal,* 16 de febrero de 1934 y a Luz Alba en *Ilustrado,* 22 de febrero de 1934.

Gabriel Figueroa, *stillman* o la génesis de una estética (1932-1935)

Eduardo de la Vega Alfaro

Debió ser hacia abril o mayo de 1932 cuando, gracias a su amigo y colega Gilberto Martínez Solares, Gabriel Figueroa conoció a Alex Phillips quien, contratado ex profeso en "la Meca del cine", algunos meses antes había fungido como fotógrafo de una nueva versión fílmica de la afamada novela de Federico Gamboa, *Santa*, obra producida por la Compañía Nacional Productora de Películas (CNPP) y dirigida por Antonio Moreno. Más que "la primera película sonora mexicana", como se le calificó durante mucho tiempo, a la cinta de Moreno sí le cabe el mérito de haber sido la obra inaugural del cine mexicano con claros propósitos industriales. Ello en el favorable contexto surgido a raíz del rechazo que los públicos de Iberoamérica habían mostrado hacia las películas habladas en español hechas en Hollywood.

Gabriel Figueroa.
Andrea Palma, en el
papel de la prostituta
Rosario. Still de
La mujer del puerto,
película dirigida por
Arcady Boytler en 1933.
Filmoteca UNAM.

Como a otros mexicanos con quienes colaboró en diversas cintas, Phillips había conocido a Martínez Solares en California y, para mayo de 1932, trabajaba en la realización de *Águilas frente al sol*, segunda producción de la CNPP también dirigida por Antonio Moreno. Fue entonces cuando el joven Figueroa debió externar a Phillips su interés por aprender y trabajar en el medio fílmico mexicano. Convencido del talento de Figueroa, Phillips logró que se iniciara como *stillman* (fotógrafo de fijas) en la película *La sombra de Pancho Villa (Revolución)*, que empezó su rodaje a principios de junio de 1932, bajo la producción y dirección del tenaz cineasta michoacano Miguel Contreras Torres, uno de los pocos que había logrado mantenerse en activo durante la década de los veinte haciendo una serie de películas nacionalistas entre las que cabe mencionar *El Zarco (Los plateados)*, *El caporal*, *De raza azteca*, *El hombre sin patria*, *Aguiluchos mexicanos*, *El relicario* y *Soñadores de la gloria*.

La película de Contreras Torres, primera de una larga serie de visiones melodramáticas sobre la feroz lucha de facciones que sacudió al país entre 1910 y 1917, fue fotografiada al alimón por Alex Phillips y Ezequiel Carrasco quien, a su vez, contaba con una amplia trayectoria que podía remontarse hasta 1916, fecha en la que fue camarógrafo de *Fatal orgullo*, malograda cinta dirigida por Felipe de Jesús Haro. Es muy probable que desde ese momento Gabriel Figueroa comenzara a asimilar las enseñanzas de Phillips y Carrasco y, en tal sentido, puede decirse que no pudo tener mejores maestros a su alcance. Pero, ¿cuáles eran los precedentes que avalaban a Figueroa para solicitar el apoyo de Phillips a fin de que pudiera incorporarse al entonces todavía precario medio cinematográfico nacional?[1]

Nacido en la ciudad de México en 1907, Gabriel Figueroa Mateos, nieto del célebre abogado, periodista y escritor liberal don Juan A. Mateos, también abuelo de Adolfo López Mateos, quien fuera presidente de la República

8

Atractivas fotografías
de 11 x 14
para el
Pórtico
y
Vitrinas

luego de haber destacado como militante vasconcelista y funcionario público. Realizó estudios de preparatoria en San Ildefonso y se formó como pintor y músico en la Academia de San Carlos y en el Conservatorio Nacional, y ya con algún interés y experiencia en los terrenos de la fotografía, hacia la segunda parte de 1926, Figueroa había logrado trabar contacto con algunos de los mejores exponentes de la vanguardia artística nacional cuando, por cuestiones personales, se fue a vivir a la céntrica calle de Mixcalco, convirtiéndose en vecino de Diego Rivera y Guadalupe Marín, así como de Germán y Lola Cueto, quienes asimismo le presentaron a personalidades de la talla de Manuel Rodríguez Lozano y Antonio Ruiz *el Corcito*. El entonces aspirante a artista, que desde pequeño había cultivado su cinefilia en el cine Mina de la colonia Guerrero, dedicó parte de su tiempo a fotografiar los magníficos tapices elaborados por Lola Cueto así como las pinturas y esculturas de los otros artistas mencionados, esto con propósitos de difusión y publicidad. Gracias a esa labor, Figueroa comenzaría a introducirse en los conceptos de la estética nacionalista y de la vanguardia, y lo más probable es que desde entonces se interesara en la *perspectiva curvilínea*, planteada por Gerardo Murillo *Dr. Atl* a sus discípulos y colegas mexicanos, aspecto sobre el que volveremos más adelante.

Tiempo después, su relación y aprendizaje al lado de Eduardo Guerrero y de José Guadalupe Velasco, dueño del estudio *Brooklyn* y experto en iluminación artificial, permitirán que Figueroa desempeñe arriesgados trabajos como el de captar imágenes de los juicios sumarios celebrados en contra de algunos de los principales jefes de la frustrada rebelión escobarista, ocurrida entre marzo y abril de 1929.[2]

"Te conseguí trabajo como fotógrafo de fijas, *stillman*, en la película *Revolución*, de Miguel Contreras Torres", recordaría Figueroa que le dijo Alex Phillips. Tal obra fílmica, titulada en créditos y en publicidad como *La sombra de Pancho Villa*, derivó de un viejo proyecto finalmente frustrado, ello si hemos de creer al testimonio que Contreras Torres dejó escrito en el prólogo de su muy curiosa e interesante novela *Nace un bandolero*, publicada por él mismo en 1955. Según esto, a fines de 1920, luego de dar a conocer su película *El caporal* a don Adolfo de la Huerta y al general Álvaro Obregón, Contreras Torres quiso filmar una cinta sobre la vida de su admirado Francisco Villa, para lo que contó con el apoyo del primero de los dos políticos mencionados que, por entonces, fungía como presidente interino de la República Mexicana después del triunfo de la Rebelión de Agua Prieta. Gracias al aval de De la Huerta, Contreras Torres pudo visitar a Villa en la hacienda de Canutillo, pero el célebre caudillo se negó a ser el principal intérprete del filme bajo el contundente argumento de "No, señor. Yo no sirvo pa' payaso".

Con la realización de *Revolución*, el ex militar constitucionalista, Contreras Torres, pretendió, doce años después, reivindicar en parte aquel doloroso fracaso. Según una nota publicada en *El Universal,* el 6 de febrero de 1933, la película contó con el apoyo del gobierno federal que "facilitó

Impreso promocional de la película La sombra de Pancho Villa. *(Miguel Contreras Torres, 1932). Documento ilustrado con stills realizados por Gabriel Figueroa y Ezequiel Carrasco, a los que se superpuso la figura recortada del general Francisco Villa, esta última procedente de una imagen atribuida a John Davidson Wheelan. Acervo Cinemas Lumière.*

cinco mil hombres de las tres armas para que se pudiera llevar a efecto la reconstrucción de las batallas de Celaya y de Zacatecas", y el general Lázaro Cárdenas, paisano del director y a la sazón secretario de la Guerra, prestó su cooperación para "presentar esa película tan interesante, y dio órdenes para que el Depósito General de Artillería facilite cañones y armas que sirvan para hacer un adorno militar al vestíbulo del Teatro Regis, así como algunos trofeos de la revolución, que serán exhibidos durante los días en

que sea proyectada la referida cinta cinematográfica". La misma fuente señalaba que, con toda intención, se había hecho coincidir el estreno del filme con el aniversario del inicio de la Decena Trágica, justificando que dicho acontecimiento había motivado, a su vez, el levantamiento encabezado por don Venustiano Carranza "que dio al traste con las maniobras de la reacción".

No sin antes aclarar que los créditos de *La sombra de Pancho Villa* (*Revolución*) carecen del dato sobre quién desempeñó el trabajo de fotógrafo de fijas (por lo demás cosa muy frecuente en esa época), cabe señalar que una parte de los *stills* que se conocen de ella están firmados por Ezequiel Carrasco. Eso se puede prestar a varias conjeturas como que, de alguna forma, Figueroa compartió su labor con el mencionado camarógrafo quien, por lo que puede inferirse, captó también en las fotos fijas muchas de las secuencias épicas filmadas en exteriores, incluidas las que

Gabriel Figueroa.
Stills *de* La sombra
de Pancho Villa.
Filmoteca UNAM.

representaron la batalla de Zacatecas y que forman parte del filme, que bien pudieron ser tomadas de otra película. El caso es que Figueroa se inició en el medio fílmico mexicano como *stillman* de las escenas filmadas en estudio y en momentos "apacibles" (por tanto, lo más probable es que Alex Phillips haya hecho la labor fotográfica de ese mismo tipo de escenas), aunque al menos dos de las imágenes que carecen del sello de Carrasco y que, por lo mismo, deben atribuirse al entonces debutante, son buenos ejemplos de un depurado trabajo que pudiera considerarse un valioso antecedente de lo

que, con el paso del tiempo, se convirtió en su estilo característico. En una de ellas (que corresponde a un *full-shot*) pude verse, en primer término, un par de jinetes (el que queda de frente es Contreras Torres, a su vez, protagonista del filme) rodeados de un sobrio escenario bucólico-religioso que incluye el perfil de una bella iglesia de estilo colonial, jacales típicos y un fragmento de montaña. La segunda deja ver a otro par de hombres (Luis G. Barreiro y Manuel Tamez), recostados en el centro del patio de algún rancho o jacal con un grupo de caballos al fondo. Ataviados de sombreros, rifles y sarapes, ambos personajes se ofrecen a la mirada justo en el momento en que uno enciende un cigarrillo con el fuego que el otro le brinda. Lo que más llama la atención de este preciso cuadro es el frondoso maguey que se recorta del lado derecho y que parece extender sus pencas hacia la zona donde

los personajes se sitúan. Se trata de un par de elaboradas imágenes de raigambre nacionalista y costumbrista que ya muestran el marcado interés de Figueroa por un sentido plástico que, en este caso, incluso contrasta con las fotos de Carrasco. Pero también llama la atención el hecho de que, en relación a las secuencias correspondientes al filme, esas fotografías poseen una singular belleza

que las emparenta con algunos cuadros de Ernesto Icaza y de José Clemente Orozco, lo que revela que Figueroa era ya muy consciente de las grandes posibilidades estéticas del incipiente cine nacional.

Gracias al marcado crecimiento en el rubro de la producción fílmica mexicana, en 1933 Figueroa pudo continuar y desarrollar su trabajo como fotógrafo de fijas en cuando menos nueve películas, algunas de ellas de enorme significación en la historia del cine nacional. Si tomamos en cuenta que en dicho año se produjeron 21 largometrajes, Figueroa habría participado en casi la mitad de ese total, lo que entre otras cosas revela el hecho de que desde un principio su trabajo fue valorado y bien aceptado en el medio.

Producida por la Industrial Cinematográfica de don José Alcayde, *Almas encontradas* —primera de la serie de cintas en que Figueroa se vio involucrado a lo largo de la fecha señalada— inició su rodaje el 13 de febrero, en los estudios de la Nacional Productora. Acorde con una nota firmada por Chano Urueta y publicada en la revista corporativa *Mundo Cinematográfico*, durante los primeros días de ese mes, *Almas encontradas*, de la cual el autor del artículo había escrito el argumento, era un ejemplo de "cinematografía nueva, pero cinematografía mexicana, sin caer en el ridiculismo folclórico", y había sido hecha con "técnica y estética mexicana: ésa es la labor que tratamos de llevar adelante [en la película], por encima de los posibles contratiempos. Y en bien de la superación cinegética mexicana".

Con dirección de Raphael J. Sevilla (pionero del cine mexicano con sonido integrado a la imagen gracias a la realización de *Más fuerte que el deber*, filmada a partir de marzo de 1930), y fotografía de Ross Fisher, *Almas encontradas* resultó un típico melodrama ubicado en el mundo de las carpas populares acerca del cual el cronista estadounidense del *New York Times*, Harry T. Smith, el 24 de junio de 1933, dijo que: "Las escenas en las fábricas de hilados, en las calles y en los cabarets tienen un aire de autenticidad, la fotografía es buena y la reproducción de sonido clara". Además, la cinta logró abrir mercados para el cine nacional debido a su relativo éxito en salas de los Estados Unidos, concretamente de Nueva York y Texas.

Por lo que puede apreciarse a partir de los *stills* que se conocen, Gabriel Figueroa (que en esta ocasión sí tuvo crédito en la pantalla) se ciñó a llevar a cabo su labor de la manera más profesional y precisa posible. Debido a esto, y a que hoy es imposible conseguir alguna copia de *Almas encontradas*,

esos *stills* han resultado valiosos testimonios para completar la información, tanto de su trama como de sus propuestas estéticas.[3] En tal sentido,
resultan muy significativos al menos tres de ellos.[4]

Una de esas fotos fijas —que muestra un plano general de la casa del
ventrílocuo, interpretado por Juan José Martínez Casado— es descrita por
María Luisa López-Vallejo de la siguiente forma:

> Al fondo, a la izquierda, algo puede apreciarse de la cocina y de una cama
> tendida. En un rincón, "sentado" en una silla con la pierna cruzada, con
> sombrero oscuro y fría expresión, con el brazo izquierdo descansando en
> un cojín, aparece el muñeco de pasta de Roberto. Al centro de la habitación
> hay una mesa en cuya carpeta se ha colocado un florero con flores artifi-
> ciales y algunos libros. Al lado derecho, al fondo, junto a la ventana, se ve
> una mesa pequeña. [...] Sobre ella todo está preparado para que alguien se
> disponga a comer: una sopera con su tapa, un par de platos, un cubierto,
> un vaso, un jarrón de agua fresca, un platón con algunas frutas, etc. La
> silla, que se encuentra al frente de la mesa que se está describiendo, tiene
> el respaldo y el asiento recubiertos con tela en buen estado. En el piso del
> cuarto se ve un gastado tapete extendido. La idea de la pulcritud parece
> ambientar completamente la escena de esta foto.[5]

Gabriel Figueroa.
Stills de la película
Almas encontradas
(Raphael J. Sevilla, 1933).
Filmoteca UNAM y
Colección Fundación
Televisa (izquierda).

Fotomontaje promocional de la película Juárez y Maximiliano (Miguel Contreras Torres/ Raphael J. Sevilla, 1933) ilustrado con un still de Gabriel Figueroa Mateos. Acervo Cinemas Lumière.

Es muy probable que esa imagen, que también incluye un modesto candelabro que pende en el centro del encuadre, una puerta de madera, un calendario y una alacena con platos de ornato, corresponda al arranque de la secuencia final de la cinta. Pero observada más allá de la profusa descripción de los elementos que la componen, la imagen revela un sofisticado trabajo expresivo a partir de detalles: como las líneas verticales que a su vez la subdividen y los contrastes lumínicos que parecen evocar algunos cuadros intimistas de Vincent van Gogh, sobre todo *La habitación de Vincent en Arles* (1889).

Otro de esos *stills* captados por Figueroa durante el rodaje de *Almas encontradas,* muestra a Sofía Haller, quien interpretó a la madre del protagonista en afligida oración ante un altar hogareño, con la efigie de una virgen y gran ramo de flores blancas; en la imagen siguiente puede verse al villano, el Erizo (Joaquín Busquets), recostado en un catre (por la atmósfera parece estar en un cuartucho de vecindad reproducido en estudio): a sus espaldas, Chepina (Amparo Arozamena), sentada y con la pierna cruzada, fuma mientras platica con el hombre.

El sólido trabajo de Figueroa permite suponer que, en su segunda experiencia formal como realizador, Raphael J. Sevilla ilustró con tono verista, acaso influido por el "realismo poético" francés, un argumento que seguramente pretendió erigirse en una crítica social disfrazada de melodrama, ello si tomamos en cuenta los notables antecedentes biográficos y políticos de Chano Urueta, personaje al que nos habremos de referir con más detalle en las páginas siguientes.

El 18 de mayo de 1933 dio principio el rodaje de *Juárez y Maximiliano (La caída de un imperio)*, codirigida por Miguel Contreras Torres y Raphael J. Sevilla, y fotografiada por Alex Phillips, Arthur Martinelli, Ross Fisher, Manuel Gómez Urquiza y Ezequiel Carrasco. Filmada en los estudios México-Films, en locaciones de Veracruz —Jalapa y pueblos circundantes—, el Jardín Borda de Cuernavaca y Querétaro —cerro de Las Campanas y alrededores—; esa "superproducción" debió representar otra buena experiencia para Figueroa.

Gabriel Figueroa.
Still *de la película*
Juárez y Maximiliano.
*Centro de Investigación
y Estudios
Cinematográficos,
Universidad de
Guadalajara.*

La cinta, criticada con justa razón por la desmesurada exaltación a las figuras de Maximiliano (Enrique Herrera) y Carlota (Medea de Novara), marcó un hito en la historia de la exhibición del cine mexicano al permanecer seis semanas en su sala de estreno, el céntrico cine Palacio de la capital del país.

De los diversos *stills* que tenemos a la mano, vale la pena detenerse en los dos que desglosan el momento climático en que la tríada Mejía-Miramón-Maximiliano está a punto de ser ejecutada ante un improvisado paredón, situado en la cúspide del cerro de Las Campanas. En este caso, asombra el parecido que las fotos tomadas por Figueroa guardan con *La ejecución de Mejía, Miramón y Maximiliano por tres pelotones de fusilamiento*, pintura realizada por François Aubert en 1867, que a su vez serviría de base y referencia al famoso cuadro *La ejecución de Maximiliano*, de Édouard Manet, elaborado en ese mismo año. La similitud en las poses de los ejecutados y en otros detalles, como los nopales situados encima de la barda en ruinas, ubicada a espaldas de aquéllos, puede hacer suponer que quienes hicieron la cinta conocían muy bien la mencionada obra de Aubert, seguramente reproducida en periódicos de la época, y en un afán de "realismo histórico", quisieron reproducirla fielmente en pantalla.[6]

François Aubert.
*Tarjeta de visita
que reconstruye el
fusilamiento de Tomás
Mejía, Miguel Miramón
y el emperador
Maximiliano de
Habsburgo, en el Cerro
de las Campanas.
Querétaro, 19 de
junio de 1867. Archivo
Luna Córnea.*

Concluido el rodaje de *Juárez y Maximiliano*, hacia principios de 1933, Figueroa ya se encontraba trabajando para *La noche del pecado*, una nueva cinta dirigida por el incansable Miguel Contreras Torres, en este caso, con un reparto encabezado por Ernesto Vilches, Ramón Pereda y Medea de Novara. Los *stills* que se preservan de este desaforado melodrama en el que ronda el fantasma del adulterio femenino (de ahí el título del filme), ofrecen escaso interés con la salvedad de uno, espléndido, en

el que los tres actores mencionados aparecen rodeados de un ambiente suntuoso que incluye una pared tapizada de formas cuadriculares, floreros enormes, un busto de mármol, muebles modernistas, lámparas en espiral y hasta un extraño tapete muy parecido a los que diseñaba Lola Cueto por esa misma época. Tanto el camarógrafo Alex Phillips como el *stillman* Figueroa debieron sentirse a sus anchas en el momento de la filmación de dicha escena, pletórica de elementos cubistas que en su contraste de líneas parecen anunciar la posible ruptura de las convenciones matrimoniales, por desgracia no asumida plenamente al final de la cinta.

La producción de *Sagrario*, otro desaforado melodrama, sólo que ahora realizado por Ramón Peón y Juan Orol, permitió a Gabriel Figueroa mantenerse muy activo en el medio fílmico nacional. La cinta fue realizada a partir del 25 de julio de 1933, en los estudios México Films, y en algunas locaciones de la capital del país como el bosque y lago de Chapultepec. Todo permite suponer que en este caso Figueroa, otra vez con la guía de Alex Phillips, consiguió que algunos de sus *stills* revelaran su marcado gusto por la estética expresionista. Ello puede apreciarse con mayor claridad en dos imágenes:

La primera permite ver al convaleciente obrero Juan Rivero (Julio Villarreal), quien está rodeado por su esposa Elena (Adriana Lamar) y por otros dos personajes; en el fondo, un haz de luz que a su vez contiene la sombra de la mujer, presagia la tragedia que se avecina sobre el matrimonio. La segunda imagen muestra al doctor Rueda (Ramón Pereda) y a la joven Sagrario (María Luisa Zea) consternados ante el cadáver del anciano Rivero, tendido en el piso: a los personajes los envuelve una atmósfera sombría que incluso se prolonga en los tonos lúgubres del vestuario portado por los tres.

Gabriel Figueroa.
Stills *de la película*
Sagrario *(Ramón
Peón, 1933). Centro de
Investigación y Estudios
Cinematográficos,
Universidad de
Guadalajara.*

Por su parte, el rodaje de *Profanación*, cinta de misterio que marcó el muy fallido debut de Chano Urueta como director, significó una nueva ocasión para que Figueroa lograra algunos espléndidos *stills* a partir de secuencias filmadas en exteriores, en particular los que corresponden a las tomas iniciales, referidas al sepelio de un cacique azteca. Teniendo en primer término a un grupo de indígenas hieráticos y como fondo las pirámides y montañas del valle de San Juan Teotihuacán, uno de dichos *stills* es otro alarde de experimentación en los terrenos de la perspectiva curvilínea, incorporada al medio fílmico por vía de la foto fija. Unas nubes que presagian tormenta completan a la perfección el sentido ominoso de tal imagen, en la que no es muy difícil advertir la influencia que el concepto paisajístico de Gerardo Murillo y la estética eisensteiniana tuvieron, sobre todo, en las primeras obras de Urueta —aventurero en Hollywood, destacado militante del movimiento vasconcelista y uno de los primeros teóricos del "cine mexicanista"—, ello a través de una serie de artículos publicados en *Mundo Cinematográfico* entre febrero y junio de 1933.[7]

Otro *still* de dicha cinta destaca por sus evidentes rasgos expresionistas, y hasta nos atrevemos a decir que se trata de un homenaje explícito a una

Gabriel Figueroa.
Stills *de la película*
Profanación *(Jesús
Chano Urueta, 1933).
Filmoteca UNAM.*

Gabriel Figueroa.
Still *de la película*
El Tigre de Yautepec
(Fernando de Fuentes,
1933). Colección
Fundación Televisa.

secuencia muy similar contenida en *El gabinete del doctor Caligari*, concretamente aquella en la que el zombie Césare se introduce en la recámara de una bella joven para tratar de asesinarla. Similares contrastes lumínicos e idénticas poses hacia el interior del encuadre no dejan lugar a dudas a ese respecto.

La producción de *El Tigre de Yautepec*, iniciada durante la primera semana de septiembre de 1933 en los estudios México-Films y en locaciones del estado de Morelos, marcó otro momento significativo en la incipiente carrera de Gabriel Figueroa, toda vez que fue la primera ocasión en que colaboró con el veracruzano Fernando de Fuentes, quien con la realización de *El anónimo* (1932), *El prisionero trece* (1933) y *La calandria* (1933) ya despuntaba como el director de más talento en el medio fílmico mexicano.

Del conjunto de *stills* que se preservan de dicho filme, destacaríamos el intenso *close up* a una mujer que, aterrada, intenta en vano proteger a su pequeño hijo del grupo de jinetes que se lanza contra ambos en medio de una calle polvorienta. Homenaje explícito por parte de De Fuentes al momento más conocido de la masacre en la escalera de Odessa de *El acorazado Potemkin* (Sergei Eisenstein, 1925), dicha secuencia, y el *still* que le corresponde, son ejemplos del profundo influjo que el cine soviético de vanguardia llegó a tener entre los cineastas mexicanos de mayores ambiciones estéticas.

Antes de que finalizara el mes de septiembre, Figueroa ya ejercía de nuevo su trabajo en la filmación de *Enemigos*, el tan ambicioso como frustrado segundo largometraje de Chano Urueta. El número 2 de la revista *Artes de México* (invierno de 1988), dedicado al trabajo creativo de Gabriel Figueroa, ofrece como portada una de las fotos que el futuro gran camarógrafo tomó durante la filmación de la cinta de Urueta, espléndidamente fotografiada por Alex Phillips. Un tanto diferente a la toma fílmica original debida a Phillips, en esa imagen "están ya muchos de los elementos estéticos que [Figueroa] desarrollaría posteriormente en su obra: el cuidado de la composición, los cielos exhibidos con fuerza y el cultivo de los temas mexicanos", esto según los acertados comentarios incluidos en la presentación de la citada fuente. Pero además, dicha foto fija vendría a ser un contundente ejemplo del interés del entonces joven *stillman* por ir más allá del mero ejercicio profesional para alcanzar algo que podríamos calificar como estéticamente "esencial".[8]

En el mismo número de *Artes de México*, Figueroa declararía a Margarita de Orellana:

A mí me fascinaban los paisajes pero al verlos en la pantalla, cuando examinábamos los *rushes*, me daba cuenta de que el paisaje fotografiado no correspondía con el que yo había visto. No estaba ahí. Pensé que fallaba la lente o la película. Leí entonces el libro de Leonardo da Vinci, *La luz, la sombra y el color*. Él escribía sobre la importancia del color de la atmósfera, algo que la gente mira sin tener conciencia de ello. Entonces me preocupé por detectar eso que se interponía entre la cámara y el paisaje. Con filtros de blanco y negro empecé a contrarrestar esa capa de la atmósfera que me molestaba. Por fin, en la pantalla comenzó a salir lo que mi ojo veía [...] Agregué a esa visión nueva la *perspectiva curvilínea* desarrollada por el *Doctor Atl*. Así saqué partido de los cielos de México, que son hermosísimos.

Estas declaraciones de Figueroa, dichas a propósito de su trabajo para *Allá en el Rancho Grande*, también pueden aplicarse, al menos en algún sentido, para la referida imagen de *Enemigos*, que incluye a un grupo de revolucionarios y soldaderas que descansan en medio de un pasaje desértico; una de ellas está recostada y parece enferma o en trance de dar a luz. Cabe añadir que el *still* correspondería al inicio de una de las secuencias pretendidamente más intensas del filme: aquella en la que uno de "los alzados" —Carlos L. Cabello— reclama al jefe —encarnado por Miguel M. Delgado— que deponga su actitud de tensa espera ya que todos están a punto de morir de

Gabriel Figueroa.
Still *de la película*
Enemigos, *dirigida por*
Chano Urueta. *Imagen
tomada el 12 de julio
de 1933. Archivo Gabriel
Figueroa.*

sed, demanda que deriva en una pelea a puñetazos entre ellos. La foto de Figueroa rescata el sentido dramático de ese momento a través del cielo encrespado y de las líneas que enfatizan la *perspectiva curvilínea* que, como bien apuntara Charles Ramírez Berg, se opone a las nociones clásicas para destacar, como signo propio del arte pictórico mexicano, las formas esféricas de la naturaleza.[9]

En otras palabras, luego de los ya señalados precedentes anotados a propósito de *La sombra de Pancho Villa* y *Profanación*, mucho de lo que habría de asociarse al estilo de Figueroa como camarógrafo se introdujo al medio fílmico mexicano a través de los experimentos y hallazgos llevados a cabo durante su propia labor como *stillman*.

Según consta en una copia del documento, el 23 de octubre de 1933 Gabriel Figueroa firmó contrato con la empresa Eurindia Films para que a cambio de "400 pesos por los 21 días de trabajo", fungiera como fotógrafo de fijas de la película *La mujer del puerto*, realizada al alimón por Arcady Boytler y Raphael J. Sevilla.

El día 24 del mes siguiente se inició el rodaje de la cinta, quedando Figueroa comprometido a desempeñar su tarea "lo mejor posible" y a entregar al término un total de "100 fotografías en sus copias correspondientes 8 x 10 [pulgadas], siendo por cuenta [de la empresa] todos los gastos que esto origine". De ese total de imágenes se conocen y conservan algo así como la tercera parte, y de entre ellas siempre han destacado, en parte por su gran calidad, cuando menos tres.

Gabriel Figueroa.
Still *de la película*
La mujer del puerto
(Arcady Boytler, 1933).
Centro de Investigación
y Estudios
Cinematográficos,
Universidad de
Guadalajara.

Fotomontaje de la película La mujer del puerto, *ilustrado con dos stills de Gabriel Figueroa. Colección Fundación Televisa.*

La primera, superclásica, muestra a la singular Andrea Palma recargada en un poste, con un cigarro en la boca y ataviada con un vestido negro que completa a la perfección la densa atmósfera expresionista que la rodea. Ya en pantalla, esa imagen corresponde al momento en que la prostituida *Rosario* espera con paciencia a su clientela mientras, en *off,* se despliega la melodía-tema del filme ("Vendo placer a los hombres que vienen del mar/ y se marchan al amanecer/ ¿para qué yo he de amar?"), interpretada en la sensual voz de Lina Boytler.

En la segunda, diríase de signo contrario a la anterior, se observa a la protagonista del filme vestida de blanco, ascendiendo feliz una escalinata en el marco de un ambiente paradisíaco mientras es perseguida por su atractivo galán (Francisco Zárraga). Magistralmente captada por las respectivas lentes de Alex Phillips y Gabriel Figueroa, esa imagen es el digno preludio del rito amoroso que más tarde derivará en el himeneo efectuado en un florido campo primaveral, ello, en claro homenaje al paisajismo poético incorporado al cine por Sjöström y Stiller, los grandes exponentes del cine sueco.

La última foto fija es, en sí misma, una obra maestra. En ella aparece de nuevo Andrea Palma, con su mismo atavío oscuro y arrastrando un chal del mismo tono, pero ahora su mirada se dirige a la zona donde el mar embravecido, que se estrella contra la dársena, parece estar a la espera para devorar el cuerpo de la mujer. La muy compleja y vanguardista composición incluye líneas horizontales y transversales que se unen en el fondo, así como pequeñas nubes que se pierden en lontananza. Estamos ante una bella y conmovedora imagen que, en este caso, antecede al rito de la inmolación

Gabriel Figueroa.
Still de la película
La sangre manda (José
Che Bohr/Raphael
J. Sevilla, 1933).
Filmoteca UNAM.

como auto castigo tras haber adquirido la conciencia del incesto, tema principal de este clásico del cine primitivo mexicano.

Figueroa cerró el año de 1933 prestando sus servicios como *stillman* a *La sangre manda*, obra que a su vez marcó el debut de José Bohr Elzer en la cinematografía nacional, a la que aportaría varios títulos que también pueden considerarse como clásicos en su etapa de arranque industrial. En este curioso e interesante caso habría que destacar el sólido trabajo de Figueroa, quien supo aprovechar muy bien los escenarios *art déco* y las atmósferas barrocas propuestas por Alex Phillips para lograr impecables *stills* de escenas interiores filmadas en los estudios México Films, las oficinas de la Consolidada y casas particulares. Sin embargo, en su clara búsqueda por incorporar elementos vanguardistas a un trabajo que el medio fílmico consideraba como menor, los exteriores parecían inspirarlo aún más. Prueba de ello es un *still* tomado en la calle de alguna colonia de clase media de la capital del país, que muestra a diversos personajes dentro y en torno de un lujoso auto estacionado a las afueras de una casa modesta. Aquí resalta la manera en que el *stillman* captó, sobre todo, las líneas sugeridas a partir de la fachada del mencionado hogar y de las sombras proyectadas sobre ésta. La foto integra un juego geométrico de figuras rectangulares, algunas de las cuales incluso se extienden más allá de los límites del rectángulo (la foto misma) que las contiene.

Aunque es difícil establecer la fecha exacta de tales acontecimientos, debe agregarse que, hacia fines de junio de 1933, Figueroa debutó como fotógrafo en diversas tomas del documental de mediometraje *El vuelo glorioso de Barberán y Collar*, dirigido por René Cardona. Y, entre octubre y noviembre, fue operador de cámara de las secuencias multitudinarias filmadas para *Viva Villa!*, cinta producida por la Metro Goldwyn Mayer, dirigida por Jack Conway y con fotografía del gran James Wong Howe. Esas experiencias serían importantes en la trayectoria de nuestro artista quien, a partir de entonces, comenzaría a desplazar su eje de interés más allá de las labores de *stillman*.

A fines de enero de 1934 Figueroa retomó su carrera al participar en la producción de *Chucho el Roto*, la entonces muy esperada *ópera prima* del enjundioso Gabriel Soria, quien llegaría a ser otro de los directores más talentosos de la etapa primitiva del cine mexicano con sonido integrado a la imagen. En tal año se filmarían 25 largometrajes, lo que demostraba el esfuerzo de los cinematografistas mexicanos para tratar de consolidar la industria. Entre otras cosas, la película de Soria, que también marcó el debut en el cine nacional de su protagonista Fernando Soler, resultaría un nuevo alarde estético de Alex Phillips, muy bien aprovechado por el autor de las fotos fijas para plasmar excelentes imágenes, como aquella que permite ver a dos hombres encerrados en una estrecha bartolina mientras en las paredes se proyectan las sombras sinuosas de la reja lo que, según los cánones de la estética expresionista, simbolizaría el estado

de agobio claustrofóbico padecido por ambos personajes.

Preparado para ejercer con solvencia otros menesteres en el campo de la fotografía dentro del medio fílmico, en mayo de 1934 se dio por fin la oportunidad para que Gabriel Figueroa debutara como iluminador en la cinta *El escándalo*, adaptación de la novela homónima de Pedro Antonio de Alarcón, dirigida por Chano Urueta y fotografiada por Víctor Herrera. Del tercer fracaso estético y comercial al hilo por parte de Urueta se conservan sólo unas cuantas fotos fijas de Agustín Jiménez. Nuestro desconocimiento del filme hace imposible alguna otra consideración acerca del significado que cobró esa nueva experiencia en la vida artística de nuestro personaje.

Gabriel Figueroa.
Stills *de la película*
Chucho el Roto *(Gabriel
Soria, 1934). Colección
Fundación Televisa.*

Antes de que Figueroa volviera a tener una nueva oportunidad de demostrar sus capacidades en algún otro ámbito de la labor fotográfica, aún cumpliría tareas de *stillman* en dos películas muy ambiciosas para su época: *Corazón bandolero*, de Raphael J. Sevilla, y *Cruz Diablo*, realizada por Fernando de Fuentes. Sobra decir que ambas fueron fotografiadas de manera magistral por Alex Phillips. En la primera de ellas, Figueroa tuvo ocasión de coincidir por primera vez con Emilio Fernández, quien luego de haber vivido y trabajado en Hollywood regresó a México para incorporarse al medio fílmico local, primero en calidad de actor secundario y argumentista. Una curiosa foto de rodaje con la fachada del bello convento de Tepotzotlán de fondo, incluye a un sonriente Emilio Fernández mirando hacia la cámara, lo que podría considerarse como una especie de feliz anuncio de las futuras complicidades artísticas entre él y el *stillman*.

Por su parte, *Cruz Diablo*, en la que también actuó Emilio Fernández, permitiría de nuevo a la dupla Phillips-Figueroa dar rienda suelta a su muy marcado gusto por el expresionismo, de lo cual sobran ejemplos.

A partir del 13 de noviembre de 1934, Figueroa volvió a colaborar en una nueva empresa con Miguel Contreras Torres. A través de una carta, fechada el 29 de octubre de ese mismo año, se había comprometido con el cineasta michoacano a fungir "como segundo cine-fotógrafo y fotógrafo de fijas en los exteriores de su próxima película *Tribu (La raza indómita)*", ello a cambio de "la suma de $225.00 (doscientos veinticinco pesos) por semana, a partir del día en que empiece a trabajar, por ambos conceptos, y después en interiores la suma de cien pesos semanarios por el tiempo [que] haga únicamente las fotografías fijas. En los interiores yo podré nombrar un suplente para la toma de fijas, de mi misma competencia y así reconocido; esto en caso de que yo necesite ocuparme de la cine-fotografía de otra película, de

Gabriel Figueroa. El director Fernando de Fuentes revisando material fílmico de la película Cruz Diablo, *1934. Colección Fundación Televisa.*

lo contrario seguiré con usted […]". Así las cosas, *Tribu* marcó otro hito en la particular trayectoria de Figueroa, ya que fue la primera vez que compartió crédito de fotografía, en una cinta de argumento, con su maestro Alex Phillips, ello a más de su trabajo como *stillman*.[10] De más está abundar en el hecho de que la cinta dirigida por Contreras Torres es rescatable por sus espléndidos logros en el plano visual.

Poco antes de que concluyera el año de 1934, Figueroa inició su colaboración como iluminador para la cinta *El primo Basilio,* realizada por Carlos de Nájera, a partir de la novela homónima del lusitano José María Eça de Queiroz. Fotografiada por el camarógrafo estadounidense Alvin Wyckoff, la segunda producción de la empresa Eurindia Films también llevó entre sus intérpretes principales a Andrea Palma y Domingo Soler, pues se trataba de aprovechar el éxito de *La mujer del puerto.* Como en otros casos, es muy posible que Figueroa también haya cumplido labores de *stillman.* Y, al igual que una buena parte de la producción nacional de la época, la cinta de De Nájera sobresalió por su calidad fotográfica, que aquí debe atribuirse, entre otros factores, a la rápida madurez alcanzada por Figueroa en apenas dos años de laborar en el medio fílmico.

Otro documento preservado por la familia Figueroa-Flores, éste firmado y fechado el 20 de noviembre de 1934, señalaba el compromiso de Gabriel Figueroa para llevar a cabo tareas como fotógrafo y *stillman* de la cinta *Martín Garatuza,* financiada por Antonio Prida Santacilia y dirigida por Gabriel Soria. La película inició su rodaje el primer día de 1935, pero las mencionadas labores se acreditaron a Alex Phillips y Agustín Martínez Solares, respectivamente. Lo más probable es que, ante algún contratiempo para el inicio del rodaje (que en el contrato estaba marcado para diciembre de 1934),

Figueroa haya aceptado colaborar en *El primo Basilio* y que el acuerdo con la empresa de Prida Santacilia fuera cancelado.

El caso es que, en la segunda quincena de febrero de 1935, Gabriel Figueroa ya estaba colaborando como fotógrafo de fijas en *María Elena*, melodrama musical y de aventuras dirigido por Raphael J. Sevilla e inspirado en la melodía homónima de Ernesto Cortázar. La filmación dio inicio con Jack Draper como fotógrafo y William H. Clothier como operador de cámara. El mismo Figueroa recordaría:

> Fue la primera película [mexicana] de gran producción planeada en inglés y en español sin doblaje. Hanson & Bush de la Ford de México fueron los productores [...] Fue la primera película de Pedro Armendáriz y en ella figuraron también, Carmen Guerrero, Beatriz Ramos y Emilio Fernández [...] Yo era *stillman* pero por dificultades en la producción quitaron al director. La siguió dirigiendo Miguel M. Delgado [...] pero Raphael J. Sevilla les ganó el pleito en México. La producción se suspendió por un mes y cuando reanudaron, Jack Draper ya tenía un compromiso en los Estados Unidos, así que les sugirió que me tomaran a mí y él me dejaría a su operador, Bill Clothier. Así fue, yo terminé la película.[11]

Figueroa recordaría también haber hecho trabajo de iluminación para la cinta y Emilio García Riera acredita la fotografía a Draper y Alvin Wyckoff, y señala como operadores de cámara al mismo Figueroa y a William H. Clothier.[12] Tal confusión en cuanto a las funciones que nuestro artista llevó a

*Gabriel Figueroa.
Still de la película* Tribu
*(Miguel Contreras
Torres, 1934).
Al centro, Emilio el
Indio Fernández en el
papel del traductor
Ixtzul. Archivo
Gabriel Figueroa.*

Gabriel Figueroa.
Emilio el Indio
Fernández y Amparo
Arozamena en un
still *de la película*
María Elena *(Raphael*
J. Sevilla, 1934).
Archivo Gabriel
Figueroa.

cabo en *María Elena,* no le restan méritos al resultado final por lo que toca a la excelente calidad estética de sus *stills* y, sobre todo, de su fotografía, que desde un principio fue destacada por el crítico Luis Cardoza y Aragón en su comentario publicado el 25 de febrero de 1936, en la revista *Todo.*

A pesar del prestigio ya ganado hasta entonces, Gabriel Figueroa todavía continuó ejerciendo como *stillman.* Un contrato, fechado el 11 de abril de 1935, lo comprometía a desempeñarse en calidad de tal para la producción intitulada *Sor Juana Inés de la Cruz,* codirigida por Ramón Peón y Armando Vargas de la Maza, con fotografía de Alex Phillips y protagonizada por Andrea Palma. El rodaje de esa película seudo biográfica dio pie para que Figueroa continuara experimentando con el tratamiento de la imagen, tal como lo demuestran dos *stills* de sobria e impecable factura. Uno de ellos remite claramente a diversos cuadros que representaron a "la Décima Musa" rodeada de sus libros y en actitud desafiante; el otro corresponde a la secuencia final y muestra a la célebre poetisa al momento de su muerte, representada en una atmósfera de halos lumínicos que proceden de los temas y técnicas de nuestra gran pintura de la etapa colonial; del hecho fúnebre son testigos otra monja y un sacerdote en trance de oración.

Por la época de la realización de *Sor Juana Inés de la Cruz* debieron dar principio formal las actividades de Clasa (Compañía Latinoamericana S. A.), empresa de producción cinematográfica de la que fueron principales socios Alberto J. Pani, Hipólito Signoret, Aarón Sáenz, Agustín Legorreta y Salvador Elizondo. En sus memorias, Figueroa destaca la manera en que Rico Pani, hijo de Alberto J. Pani, le ofreció un jugoso contrato para incorporarse a dicha compañía como camarógrafo. A fin de consolidar sus conocimientos, Figueroa obtuvo del magnate una especie de beca para ir a estudiar a Hollywood viendo de cerca el trabajo de Gregg Toland, entonces considerado uno de los mejores fotógrafos del mundo.

Cuando Figueroa emprendió aquel viaje a "la Meca del cine" acaso pudo intuir que atrás quedaba el breve pero intenso periodo de formación y que en adelante se abrían para él las posibilidades de un promisorio futuro, toda vez que, gracias a sus tareas como *stillman* y operador de cámara, ya tenía muy claro el tipo de estética fílmica a la que habría que darle pleno sentido. A su regreso a México le esperaban trabajos como operador de cámara para *Vámonos con Pancho Villa!* (1935), la obra maestra de Fernando de Fuentes; como codirector de fotografía (con Jack Draper) en *Las mujeres mandan* (Fernando de Fuentes, 1936); como *stillman* y codirector de fotografía en *Cielito lindo* (Roberto O'Quigley y Roberto Gavaldón, 1936)[13] y, por fin, como camarógrafo único de *Allá en el Rancho Grande* (De Fuentes, 1936), película fundacional de la industria fílmica nacional y ganadora del primer premio internacional para el cine mexicano en el festival de Venecia, reconocimiento que le fue otorgado a su excelente trabajo en el plano visual.

Gabriel Figueroa.
Andrea Palma en dos stills de la película Sor Juana Inés de la Cruz *(Ramón Peón/Armando Vargas de la Maza, 1935).*
Filmoteca UNAM.

Notas

1 No hay que olvidar que, en 1932, la cinematografía mexicana sólo pudo hacer seis películas de largometraje, un mediometraje, a más de algunos cuantos cortos aunque, eso sí, todos con sonido integrado a la imagen.

2 En uno de los pasajes de sus memorias, el camarógrafo mexicano recordó haber sido contratado para tomar fotos del juicio militar contra el rebelde Jesús Palomera López, capturado en San Luis Potosí y llevado a la ciudad de México. Figueroa vendió algunas de esas imágenes al diario *La Prensa*, lo que pudo haberle causado problemas con el gobierno, hecho que lo obligó a refugiarse durante unos días en la ciudad de Puebla. [Cfr. Gabriel Figueroa, *Memorias*, México, UNAM/El Equilibrista, 2005, pp. 29-30.]

3 Como señalara Roman Gubern, "Al igual que el paleontólogo que hace inferencias a partir del hueso procedente de un pasado remoto, el estudioso del cine tiene que valerse a veces de fotos [fijas] para establecer antecedentes o procedencias estilísticas, para formular hipótesis globales". [Cfr. Roman Gubern, "Las huellas del *film*", *La imagen congelada*, España, Fundación Mapfre, 1994, p. 16, citado en Julia Tuñón, *Luna Córnea*, México, 2002, núm. 24, p. 38.]

4 Para mayores detalles acerca de la iconografía del filme véase Eduardo de la Vega Alfaro, *Raphael J. Sevilla (1902-1975),* Pioneros del cine sonoro IV, México, Universidad de Guadalajara/Conaculta, 2003, pp. 56-57.

5 María Luisa López-Vallejo y García, *Ibid.*, p. 56.

6 De acuerdo con las indagaciones de Douglas Johnson, la pintura de Aubert se basó a su vez en un boceto a lápiz y en una fotografía, ambas imágenes elaboradas por él mismo, pues posiblemente fue testigo del hecho histórico. [Cfr. *Saber Ver. Lo contemporáneo del arte*, México, noviembre-diciembre 1993, núm. 13, pp. 44-49.]

7 Para una síntesis de la vida y obra de Chano Urueta, véase Eduardo de la Vega Alfaro, "Avance de la monografía de un cineasta mexicano", *Panorama. Revista de la Universidad Autónoma de Baja California*, julio-septiembre de 2007, núm. 53, pp. 40-46.

8 De acuerdo con el testimonio de Gabriel Figueroa Flores, hijo del artista, se sabe que tal imagen, de la que su autor conservó el negativo, fue rechazada por la empresa productora o distribuidora a causa de su "esteticismo" y

"poco valor comercial", razón por la cual no formó parte de la publicidad del filme.

9 Cfr. Charles Ramírez Berg, "Figueroa's Skies and Oblique Perspective", *Spectator*, verano de 1992, vol. 13, pp. 30 y ss.

10 Cabe precisar que Phillips y Figueroa también trabajaron juntos en dos documentales: *El vuelo glorioso de Barberán y Collar* (René Cardona, 1933) y *Desfile atlético del 20 de noviembre de 1936, conmemorando el XXVI aniversario de la iniciación de la Revolución mexicana* (Fernando de Fuentes, 1936). En ambos casos compartieron crédito con otros camarógrafos.

11 Figueroa, *op. cit.*, n. 2.

12 Figueroa, *Ibidem*, p. 33 y Emilio García Riera, *Historia documental del cine mexicano*, México, Universidad de Guadalajara, 1992, vol. 1, pp. 170- 171.

13 Según los datos proporcionados por los propios suscriptores de la *Primera guía cinematográfica mexicana,* editada en marzo de 1934 por Santini/Publicistas, Figueroa trabajó en la filmación de *Suprema ley* —realizada por Rafael E. Portas y fotografiada por Alex Phillips en 1936— antes de su última participación como *stillman* en la cinta *Cielito lindo*. En lo personal, creo que puede tratarse de un error ya que al momento del rodaje de dicha cinta, se supone que Figueroa estaba bajo una especie de contrato de exclusividad con Clasa, lo que hace muy poco probable que prestara sus servicios para alguna otra empresa.

Cuando viajan las estrellas

Héctor Orozco

Anécdota fundamental en la biografía de Gabriel Figueroa Mateos, su viaje a Hollywood en 1935 fue un parteaguas en su vida personal y en su carrera profesional, la cual inició una larga ruta ascendente tras su retorno. Y de ello debió haber estado algo cierto el cinefotógrafo, por lo que conservó

Still *de la película* Gold Diggers of 1935, *dirigida por Busby Berkeley. Colección Fundación Televisa.*

cuidadosamente varios de los documentos referidos a este viaje iniciático, gracias a los cuales podemos reconstruir lo que, más allá de la leyenda, fue su paso por la Meca del cine.

Todo comenzó alrededor de abril de 1935 cuando se funda la Cinematográfica Latinoamericana S. A. (Clasa), compañía que intentó imponer el modelo de producción de los estudios norteamericanos contratando de manera exclusiva a sus guionistas, actores, directores y personal técnico. Por conducto de uno de sus socios, Rico Pani, Clasa le ofrece a Figueroa —quien hasta entonces había recorrido los oficios de *stillman*, iluminador y operador de cámara— un contrato como cinefotógrafo y la oportunidad de viajar comisionado a Hollywood para conocer y comprar lo último en equipos de filmación, así como colocarse en un estudio como aprendiz para desentrañar los secretos del oficio y ponerlos al servicio de la naciente productora.

El 19 de julio de 1935, Clasa compra por 572.40 pesos (más 16.74 de seguro) el boleto de avión núm. 11181 con destino a la ciudad de Los Ángeles, California, a nombre de Gabriel Figueroa M. Sus nuevos compañeros de Clasa y amigos cercanos del medio cinematográfico

se aprestan a organizar una fiesta de despedida en un local ubicado en el número 15 de la avenida Iztaccíhuatl. Entre los asistentes estaban el escritor Rafael F. Muñoz, el asistente de cámara Álvaro González *el Frijol*, el fotógrafo Raúl Martínez Solares, el entonces asistente de dirección Miguel M. Delgado, el productor Alfonso Sánchez Tello, el actor Domingo Soler, los cinefotógrafos Jack Draper y Víctor Herrera (con quien se encontrará en Hollywood), el actor Luis G. Barreiro, el director Fernando de Fuentes, las actrices Esther Fernández y Adela Aguilar, el empresario y socio de Clasa Rico Pani y la vestuarista Georgette Somohano, entre otros.

Por fin, el momento perentorio llegó el 25 de julio a las seis de la mañana, cuando despegó del Puerto Aéreo Central de la Ciudad de México un avión de Aerovías Centrales, S. A., con Gabriel Figueroa a bordo.

A su llegada, Figueroa se trasladó a Hollywood y se instaló en el famoso Hotel Roosevelt, desde donde llamó por teléfono a la única persona que conocía en esa ciudad, Charlie Kimball, editor de la película *María Elena*, en la cual Figueroa había sido iluminador y *stillman* en febrero de ese año. Pero la llamada la contestó el señor Gerardo Hanson, productor de dicha cinta y socio de Hanson & Bush de la Ford de México, quien al poco rato apareció en el hotel y sacó de allí a Figueroa

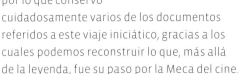

Instantáneas de Gabriel Figueroa tomadas durante su primera estancia en Los Ángeles, California, 1935. Archivo Gabriel Figueroa.

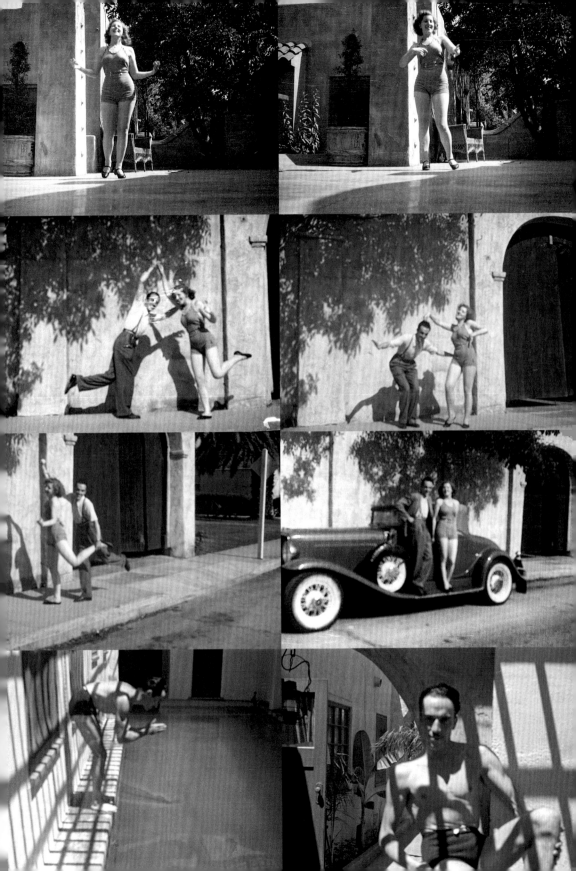

para llevarlo a unas villas en Vine Street, donde vivían él, Kimball y el actor Barry Norton.

Figueroa ocupa sus primeros días en visitar las casas manufactureras Mitchell Camera Co., Mole Richardson, Fearless Camera Co., Estudio Equipment y The Wholsale Supply Co. con el fin de conseguir fotografías, catálogos y listas de precios de los diferentes productos encomendados, así como, siempre que fuera posible, presenciar demostraciones de su funcionamiento. Recopilada esta información, los siguientes días se dispuso a visitar las productoras más importantes: M. G. M., Paramount, Warner Bros. y R. K. O. para cerciorarse de que los aparatos que le mostraron estaban siendo usados en dichos estudios y preguntar a los diferentes camarógrafos y técnicos su opinión en relación a los productos seleccionados, asunto que probablemente facilitó una carta que el cinefotógrafo de *María Elena*, Alvin Wyckoff, había dirigido a Frederick L. Kley, un ejecutivo de la American Society of Cinematographers, pidiéndole que apoyaran en todo al novel fotógrafo.

Portada de un álbum de postales de Los Ángeles. California, ca. 1940. Colección Alfonso Morales.

Un mes después de su llegada, Gabriel Figueroa envió la información recaudada a Miguel M. Delgado en la ciudad de México. Ésta incluía datos sobre reflectores de arco, lámparas, película Eastman Super X, cámaras Bell & Howell y Mitchell, generadores eléctricos, cables, *switches*, cohetes de humo, bombas, un *dolly* Velocilator y un *blimp*, un *tilt head*, lentes de 35, 40, 50 y 75 milímetros, y una lista de *stock shots* solicitados expresamente por el director Fernando de Fuentes.

Una vez cumplido el primero de los encargos, Figueroa se presentó con una carta de su amigo Alex Phillips en las instalaciones de Global Entertainment Corporation, donde se ubicaban los estudios propiedad de Samuel Goldwyn —socio fundador de Paramount y de Metro-Goldwyn-Meyer, quien para entonces tenía su propia productora—. Dicho documento estaba dirigido al reconocido cinefotógrafo Gregg Toland, quien en esos momentos trabajaba en la filmación de *Splendor*, película dirigida por Elliott Nugent y protagonizada por Miriam Hopkins. Toland aceptó de buena gana la intromisión del joven aspirante, dejándole diariamente un pase en la entrada de los estudios durante quince días. Así, Figueroa llegaba diariamente al foro y se sentaba a una distancia prudente para observar y aprender lo más posible: "nunca estuve ni a tres metros de la cámara" recordaría años más tarde, ya que los policías del estudio lo vigilaban constantemente.

Su rutina en esos días consistió en ir a los Samuel Goldwyn Studios, ubicados en el 1041 de North Formosa Ave., después ir a comer a Musso & Franck Grill en el 6667 de Hollywood Blvd. y por las tardes verse con Kimball en los laboratorios Consolidated Film Industries, donde se editaba *María Elena*. Al salir de ahí, por lo regular, se marchaban al 3427 de Wilshire Blvd. a tomar la copa con Norton y Hanson en el Brown Derby Restaurant. Los fines de semana organizaban grandes fiestas que terminaron por obligarlos a desalojar las villas y mudarse a los departamentos Lido, donde se les unió el cinefotógrafo Víctor Herrera. Los domingos gustaban de visitar las playas de Santa Mónica o la isla de Catalina.

Figueroa debió regresar a la ciudad de México los primeros días del mes de noviembre, habiendo traído consigo los pedidos de una máquina reveladora para 500 mil pies de negativo Bell & Howell, una impresora, una moviola con proyector, dos más sin proyector, una *cinex testing machine*, una montadora de negativos, una impresora óptica, una máquina numeradora y una *lapping machine* pero, sobre todo, un sinfín de anécdotas y vivencias que determinarían su futuro personal y profesional. Como la visita que con sus amigos Herrera y Hanson hizo a los estudios de Hal Roach en Culver City, donde conoció a los famosos cómicos Oliver Hardy y Stan Laurel (*el Gordo y el Flaco*), o su convivencia con otras grandes estrellas como Marlene Dietrich, Dolores del Río o con alguna joven aspirante con quien se retrató en las calles de California al lado de su primer automóvil, un apantallante Auburn 12 cilindros. Y, por supuesto, su perdurable amistad con Toland.

De regreso al Aeródromo de Balbuena, Figueroa fue recibido por varios de sus amigos, quienes con una manta blanca lo arrojaban hacia las alturas en señal de triunfo mientras el periodista Mario Galán esperaba para entrevistarlo. "No puedo envanecerme de haber aprendido cuanto hay que aprender de un arte y de una industria tan vastos, en tres meses que estuve en Hollywood al efecto. Pero sí creo que podré tomar por mi cuenta y a completa satisfacción la fotografía de una película, así como la organización del departamento respectivo. En fin, abrigo la convicción, sin alardes, de que sabré merecer la confianza que la Clasa puso en mí al enviarme allá con el fin de perfeccionar mis conocimientos técnicos". Pero cuando el reportero quiso inmiscuirse más allá de la labor profesional al preguntarle: —"¿Y las estrellas?", Gabriel Figueroa se limitó a responder: "No sé... ¡Yo fui a trabajar!".

Lamentablemente Figueroa no pudo retribuir del todo a la compañía que lo favoreció con su confianza, ya que Clasa se

Gabriel Figueroa. Los cómicos mexicanos Inocencio Pantoja y Santiago Ramírez, imitadores de Stan Laurel y Oliver Hardy (el Gordo y el Flaco), en un still de la película Sagrario, *dirigida por Ramón Peón en 1933. Filmoteca de la UNAM.*

declaró en quiebra antes de que Figueroa pudiera responsabilizarse del departamento de fotografía en alguna de sus producciones —sólo colaboró como operador de cámara, bajo las órdenes de Jack Draper, en *Vámonos con Pancho Villa*— pero a cambio, pagó con creces a toda la industria dándole prestigio a nivel internacional, lo cual se reflejó indudablemente en incrementos de capital.

Gabriel Figueroa en los estudios de Hal Roach. A su lado, el actor Stan Laurel (el Flaco), el editor mexicano George McManus, el productor Gerardo Hanson, el actor Oliver Hardy (el Gordo) y el cinefotógrafo mexicano Víctor Herrera. Culver City, California, 1935. Fondo Gabriel Figueroa.

El cine documental de Gabriel Figueroa

Arturo Garmendia

El cardenismo y el cine

El año de 1933 fue de bonanza para el cine mexicano: se produjeron 21 películas (frente a las seis del año anterior), entre las que se cuentan cintas tan interesantes como *El prisionero trece, La mujer del puerto* y, sobre todo, *El compadre Mendoza.* Pero, a la vez, se hicieron evidentes obstáculos para su desarrollo inmediato, como el hecho de que las películas mexicanas tenían más éxito en los cines de segunda corrida y, por lo tanto, dominaban sólo un segmento secundario del mercado mientras las buenas conciencias derechistas exigían al Estado ejercer la censura ante películas críticas hacia la Revolución —como las mencionadas de Fernando de Fuentes—, o el caso de incesto que mostraba la cinta de Arcady Boytler.

A su vez, los productores eran acusados por la prensa de espectáculos de obrar como si el cine fuera un "negocio de viudas", pues no invertían en una segunda película en tanto no hubieran extraído toda la ganancia posible de la primera, y los técnicos cinematográficos veían crecer la oferta de servicios y disminuir su demanda. Tampoco era ajeno a esta situación el hecho de que los productores no tenían todo a su favor ante la proclamada tendencia izquierdista del candidato a la presidencia de la República, el general Lázaro Cárdenas.

De él se decía que era un hombre interesado en el cine y, una vez que tomó el poder, en diciembre de 1934, la especie pudo comprobarse a la luz de los siguientes hechos:

- En enero de 1935 firmó un decreto que comprometía al gobierno federal a prestar todo el apoyo posible a la industria cinematográfica, fomentando el cooperativismo.
- Se discutió en el Congreso una iniciativa presidencial que proponía la creación de un banco cinematográfico refaccionario, que eventualmente fue creado, pero que en el momento requería de cien millones de pesos como capital constitutivo, cifra que ese año el gobierno no podía erogar.
- Pero la mayor evidencia de ese apoyo fue impulsar la primera película de los estudios y la productora Clasa Films Mundiales: *¡Vámonos con Pancho Villa!*, proporcionándole no sólo contingentes militares, uniformes, trenes, caballada, armamento y municiones para las

Agencia fotográfica de Enrique Díaz. Desfile conmemorativo del XXVI aniversario del inicio de la Revolución mexicana. Ciudad de México, 20 de noviembre de 1936. Archivo General de la Nación, Fondo Enrique Díaz, Delgado y García.

PÁGINAS 60 - 63: Membretes de compañías fílmicas que se anunciaron en La primera guía cinematográfica mexicana, *editada por Santini Publicista en 1934. Archivo Gabriel Figueroa.*

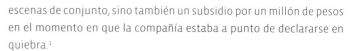

»EL ANONIMO»

Argumento y Dirección de
Fernando Fuentes
con
Gloria Iturbe, Gloria Rubio,
Julio Villarreal, Carlos Ore-
llanz y L. G. Barreiro.

'El Prisionero 13'

Argumento de Miguel Ruiz,
Dirección de Fernando de
Fuentes con ALFREDO DEL
DIESTRO, Adela Jaloma.
Adela Sequeyro y Arturo
CAMPOAMOR.

Su Ultima Cancion

La primera producción del
eminente tenor Dr.
ALFONSO ORTIZ TIRADO,
con María Luisa Zea.

«El Héroe de
Nacozari»

— con —
RAMON PEREDA,
Luz Díaz, Ant. R. Frausto, y
Conchita Banuet.
Esta película será distribuida
mundialmente por "Cinema-
tográfica Mexicana," S. A.,
exceptuando la República
Mexicana.

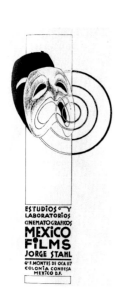

ESTUDIOS Y
LABORATORIOS
CINEMATOGRAFICOS
MEXICO
FILMS
JORGE STAHL
6ª F.MONTES DE OCA 117
COLONIA CONDESA
MEXICO D.F.

escenas de conjunto, sino también un subsidio por un millón de pesos en el momento en que la compañía estaba a punto de declararse en quiebra.[1]

- El presidente Cárdenas asistió al último día de rodaje de *Las mujeres mandan* (De Fuentes, 1936), la segunda producción de Clasa, probando así su interés personal por la compañía. Desgraciadamente, como la primera, también fracasó en taquilla, al igual que la primera.

- Ese mismo año se decretó que los productores del cine nacional estaban exentos del pago del 6% de impuesto sobre la renta.

- El Partido Nacional Revolucionario (PNR), en el que sin duda influía Cárdenas, participó en la producción del filme *Judas* (Manuel R. Ojeda, 1936) de corte agrarista, anunciando que dispondría de un millón de pesos para desarrollar la industria cinematográfica local haciendo empréstitos a las cooperativas que rodaran temas revolucionarios. Un nuevo fracaso económico lo disuadió de seguir por ese camino.

- Finalmente, casi como uno de sus actos de gobierno, Cárdenas expidió en 1939, un decreto por el cual impuso a las salas cinematográficas del país la obligación de exhibir, por lo menos, una película mexicana cada mes.

Como se puede deducir, el régimen cardenista tenía el mayor interés por desarrollar la industria cinematográfica mexicana en general y, en lo particular, en el cine documental. Como lo establecía un periodista de la época, al comentar el estreno de uno de esos filmes (*Puebla, relicario de América*, de José Rodríguez Lanuza):

> La película documental es como rama de la moderna cinemato-grafía un complemento indispensable de la propaganda. Libro que mueve cosas, que evoca costumbres, que refleja las posibilidades de los pueblos, cinta la más apropiada para dar a conocer la cultura de las naciones, lazo único para afianzar el conocimiento de las gentes. Los gobiernos de todo el mundo —principalmente Alemania y Rusia— que necesitan se conozcan ampliamente sus problemas, sus medios de cultura, sus luchas, han esparcido por todo el mundo cintas docu-mentales, que son los mejores vehículos para propagar el espíritu de los pueblos.[2]

Por ello, las medidas que implementó para el efecto fueron las adecua-das, y si no se tuvo éxito en consolidar una vigorosa industria nacio-nal en ese momento fue por circunstancias ajenas a su voluntad. Y, sin embargo, hay que considerar que en el despegue de la industria local a partir del éxito de *Allá en el Rancho Grande* (De Fuentes, 1936), algo debe haber contado la infraestructura legal y financiera propuesta por el cardenismo.

Veamos ahora en detalle lo acaecido en el contexto del fomento al cooperativismo fílmico promovido por la administración cardenista. Desde luego, es notorio que de esta política se derivó un inusitado impulso a la producción fílmica documental de las oficinas y dependencias públicas, y aun del partido oficial, el Partido Nacional Revolucionario, como puede observarse en el siguiente cuadro:

PRODUCCIÓN FÍLMICA DOCUMENTAL NACIONAL 1933 – 1937[3]				
Título	Director	Fotógrafo	Año	Producción
1. *El vuelo glorioso de Barberán y Collar*	René Cardona	A. Phillips, R. Fisher, A. Fernández y G. Figueroa	1933	Industrial Cinematográfica de México
2. *Ese Guadalajara*	Salvador Pruneda	-	1933	Secretaría de Educación Pública
3. *Exposición ganadera*	Manuel G. Gómez	-	1934	Secretaría de Agricultura
4. *Humanidad*	Adolfo Best Maugard	Agustín Jiménez	1934	Beneficencia Pública
5. *Cuernavaca*	Rolando Aguilar	Gabriel Figueroa	1935	-
6. *Huejotzingo*	Rolando Aguilar	Raúl y Gilberto Martínez Solares	1935	-
7. *La manifestación obrera en pro del presidente Cárdenas*	-	-	1935	Partido Nacional Revolucionario
8. *Desfile atlético del XXV aniversario de la Revolución*	Gustavo Sáenz de Sicilia	-	1935	Partido Nacional Revolucionario
9. *El vuelo de Amelia Earhart*	-	-	1935	-
10. *Puebla, relicario de América*	José Rodríguez Lanuza	Ezequiel Carrasco	1935	Mexicana Argos
11. *Pátzcuaro, lago de ensueño*	-	Ezequiel Carrasco	1935	Mexicana Argos
12. *Veracruz, la flor del trópico*	-	Ezequiel Carrasco	1935	Mexicana Argos
13. *Uruapan*	Manuel R. Ojeda	Ross Fisher		-
14. *El santo desierto de Cuajimalpa*	Manuel R. Ojeda		1935	-
15. *Tehuantepec*	Roberto Montenegro	Agustín Jiménez		-
16. *Taxco*	Roberto Montenegro	Agustín Jiménez		-
17. *Irrigación en México*	Ignacio Miranda	Agustín Jiménez	1935	Comisión Nacional de Irrigación
18. *Gigantes de piedra*	Juan J. Ortega (?)	Ezequiel Carrasco	1935	Comisión Nacional de Irrigación
19. *Décimo noveno concierto de la compañía El Águila en Chapultepec*	Gustavo Sáenz de Sicilia	Víctor Herrera	1936	Compañía petrolera El Águila
20. *Desfile atlético del 20 de noviembre de 1936 conmemorando el XXVI aniversario de la iniciación de la Revolución mexicana*	Fernando de Fuentes	G. Figueroa, A. Phillips, J. Draper, A. P. Delgado y A. González	1936	PNR / Departamento Autónomo de Educación Física

PRODUCCIÓN FÍLMICA DOCUMENTAL NACIONAL 1933 – 1937				
Título	Director	Fotógrafo	Año	Producción
21. *Petróleo. La sangre del mundo*	Fernando de Fuentes	Gabriel Figueroa	1936	Compañías petroleras extranjeras establecidas en México
22. *México progresa*	-	Víctor Herrera	1936	Cooperativa Grupo Éxito
23. *Viaje al Sureste*	Humberto Ruiz Sandoval	Roberto Turnbull	1936	Secretaria de Relaciones Exteriores
24. *Pescadores de Janitzio*		Agustín Jiménez	1936	Juan Pezet
25. *Jícaras de Michoacán*	-	Agustín Jiménez	1936	Juan Pezet
26. *Cuadros de Michoacán*	Leonardo Jiménez	Agustín Jiménez	1936	Comisión Nacional de Irrigación
27. *Lagos de maravilla*	Leonardo Jiménez	Agustín Jiménez	1936	Comisión Nacional de Irrigación
28. *Charanda*	Leonardo Jiménez	Agustín Jiménez	1936	Comisión Nacional de Irrigación
29. *Guadalajara*	Leonardo Jiménez	Agustín Jiménez	1936	Comisión Nacional de Irrigación
30. *Sistemas de riego*	Chano Urueta	Raúl y Gilberto Martínez Solares	1936	Comisión Nacional de Irrigación
31. *La Secretaría de Guerra y el Plan Sexenal*	José Altamirano	Ezequiel Carrasco	1936	Secretaría de Guerra
32. *Toma de posesión de Miguel Alemán Valdés como gobernador de Veracruz*	Miguel Zacarías	Ross Fisher	1936	Gobierno del Estado de Veracruz
33. *Amanece en el erial*	Rolando Aguilar	-	1936	Secretaría de Educación Pública
34. *Manifestación anticomu-nista en Monterrey*	Gustavo Sáenz de Sicilia	-	1936	-
35. *Los funerales del Arzobispo de México Monseñor Pascual Díaz y Flores*	Gustavo Sáenz de Sicilia	-	1936	-
36. *Inauguración de la carretera México-Laredo*	Gustavo Sáenz de Sicilia	-	1936	-
37. *La fiesta de las flores*	Gustavo Sáenz de Sicilia	-	1936	-
38. *Exposición agrícola y ganadera en San Jacinto, DF*		Ross Fisher	1936	Roberto A. Morales
39. *Vigésimo concierto de la compañía El Águila*	Gustavo Sáenz de Sicilia	Ross Fisher	1937	Compañía petrolera El Águila
40. *Llegada de niños españoles a Veracruz*	-	-	1937	PNR / Departamento Autónomo de Prensa y Propaganda

De los cuarenta documentales producidos entre 1933 y 1937, catorce se hicieron a iniciativa de alguna entidad gubernamental, financiando para el objeto a alguna cooperativa; diez por la iniciativa privada (tres de ellos por compañías petroleras); y tres por el PNR. Los 13 restantes no consignan fuentes de financiamiento.

En el primer año de la muestra un filme fue oficial y otro privado; en el segundo sólo el Estado financió dos filmes y, en 1935, inicia su patrocinio la Comisión Nacional de Irrigación, establecida en Michoacán (el estado natal del presidente) con dos documentales. Dicha Comisión fue el organismo estatal más activo dentro de esta actividad. El año siguiente filmó otros cinco documentales y, para el efecto, integró un equipo técnico en el que colaboraron Agustín Jiménez, al frente de la cámara; el periodista Juan José Ortega, argumentista; Raúl Lavista, compositor de música de fondo; los hermanos Rodríguez en el sonido y el ingeniero Ignacio Miranda, del Departamento de Publicidad y Propaganda de la Comisión, como asesor técnico, si bien en los créditos aparece como director. El grupo, como parte de su formación, visitó los estudios hollywoodenses de la 20th Century Fox.[4]

Así pues, en 1935, la producción nacional se integró con dos documentales oficiales, tres privados y dos del PNR, más siete de procedencia desconocida.

En cambio, 1936 fue el de mayor producción: se hicieron veinte filmes, de los cuales nueve fueron encargos gubernamentales y cuatro de capital privado (dos de compañías petroleras), uno del PNR y el resto de origen impreciso, ya que no se cuenta con información al respecto.

En 1937 sólo se filmaron dos: uno de la compañía petrolera El Águila y otro del PNR, y para 1938, año de la expropiación petrolera, la actividad decreció o desapareció. Emilio García Riera consigna que, a partir de ese año, cesa la información al respecto.[5]

Desde el punto de vista temático, las dependencias gubernamentales registraron ceremonias oficiales, resultados de programas de gobierno y acciones de fomento agrario o turístico; mientras que la iniciativa privada se concentró en documentar lugares típicos y pintorescos, actos culturales y de entretenimiento, y eventos de interés público o religioso, como los funerales de quien fuera Arzobispo de México en ese momento. Por su parte, el PNR se dedicó a dejar constancia del apoyo popular al cardenismo (*La manifestación obrera en pro del presidente Cárdenas* y los desfiles deportivos con motivo del aniversario de la Revolución) o de respaldar alguno de sus actos de gobierno (*Llegada de niños españoles a Veracruz*). Sin embargo, lo más interesante en este terreno, el conceptual, es que a través del cine documental pareciera haberse dado un soterrado debate ideológico, entre las fuerzas de derecha e izquierda en el país.

En efecto, mientras la izquierda oficial buscaba prestigiar la imagen del régimen, sectores de derecha intentaban lo contrario. Para

ello contaban con el oficio de Gustavo Sáenz de Sicilia (precursor del cine mudo mexicano, periodista, productor y director con inclinación al cine documental había filmado, por ejemplo, de 1924 a 1929, la serie de cortometrajes *Aguiluchos Mexicanos,* como homenaje a la aviación nacional) quien había dirigido el primer documental sobre el desfile deportivo del 20 de noviembre en 1935 (para ser sustituido, al año siguiente, por Fernando de Fuentes), y que tenía relación con la compañía petrolera El Águila, para quien filmaba los conciertos que la compañía patrocinaba. No tuvo empacho, pues, Sáenz de Sicilia, en filmar una *Manifestación anticomunista en Monterrey* que disgustó profundamente al movimiento obrero en general y que llevó a los miembros de la CROC, y de la Unión de Trabajadores de Estudios Cinematográficos de México (UTECM), a oponerse a su exhibición. "Sáenz de Sicilia andaba en ese tiempo en plena militancia sinarquista, de ultraderecha —comenta García Riera—, y cabe suponer que eso obstaculizó gravemente su carrera en el cine".[6]

Reprografía de un retrato del capitán Mariano Barberán y el teniente Joaquín Collar, pilotos aviadores que tripularon la aeronave Cuatro Vientos en su viaje trasatlántico. Archivo General de la Nación, Fondo Enrique Díaz, Delgado y García.

Sin embargo, la controversia principal estaba centrada en la posible expropiación petrolera, y el documental referido a ese asunto, por una serie de circunstancias, más que una explosión produjo una implosión, como se verá adelante.

Primeros trabajos de Gabriel Figueroa

Desde su primera incursión en el cine, a los 24 años de edad, hasta su debut como fotógrafo con *Allá en el Rancho Grande*, en 1936, Gabriel Figueroa trabajó en más de 20 cintas, recorriendo los oficios de fotógrafo de fijas, iluminador y operador de cámara. Durante el primer lustro de su carrera estuvo detrás de la cámara de cine en por lo menos cuatro documentales, gracias a la iniciativa gubernamental de fomento al cooperativismo. De ellos, dos —*Cuernavaca,* de Rolando Aguilar y *Desfile atlético del 20 de noviembre de 1936 conmemorando el XXVI aniversario de la iniciación de la Revolución mexicana,* de Fernando de Fuentes— han desaparecido. Del primero se ignora si fue concluido, pues la Filmoteca de la UNAM conserva sólo algunos *rushes* que pudieran haber sido hechos durante la filmación, mientras que el segundo presumiblemente se perdió en el incendio de la Cineteca Nacional en 1982. Los que sobreviven fueron rescatados por la Filmoteca de la UNAM y exhibidos en la reciente exposición homenaje al fotógrafo, en el Palacio de Bellas Artes. Se trata de los documentales sobre los pilotos españoles Barberán y Collar, y sobre la industria petrolera en el país, que se reseñan a continuación.[7]

El vuelo glorioso de Barberán y Collar (1933).   En junio de 1933, el capitán Mariano Barberán y el teniente Joaquín Collar cubrieron, a bordo del avión Cuatro Vientos, 7,885 kilómetros en su histórico viaje Sevilla-Camagüey. En un vuelo sin escala, atravesaron el Atlántico por su parte central, la más larga, ancha y solitaria, algo no intentado hasta aquella ocasión, aún cuando ya el océano había sido vencido en vuelos directos por el norte y por el sur. Pretendían llegar a La Habana, pero la escasez de combustible y el mal tiempo los obligaron a aterrizar en el campo de aviación de Camagüey que previeron siempre como aeropuerto alter-

Videograma digital de la película El vuelo glorioso de Barberán y Collar, *dirigida por René Cardona en 1933. Filmoteca UNAM.*

nativo. Desde ahí, una vez repuestos del estrés y las fatigas de un viaje que se prolongó durante 39 horas y 55 minutos, y otra vez a bordo del Cuatro Vientos, se trasladaron a la capital. Debían proseguir el viaje hacia la ciudad de México, destino final del periplo, para visitar después la exposición universal de Chicago.

No arribarían, sin embargo, a la capital mexicana, donde más de 60 mil personas, encabezadas por el líder de la Revolución, Plutarco Elías Calles, aguardaron bajo la lluvia y durante casi todo un día su llegada. Tras su salida de La Habana, nunca más volvió a saberse del Cuatro Vientos y sus pilotos.

Unos 300 mil voluntarios mexicanos y españoles radicados en México registraron alrededor de 200 mil kilómetros cuadrados del territorio para localizar los restos del aparato y a sus tripulantes, vivos o muertos. Se les buscó asimismo en el mar. Treinta días después cesó la búsqueda, cuando se encontró un salvavidas de la aeronave en una

playa mexicana. El Cuatro Vientos, se dijo entonces y esa es la versión oficial, había caído en aguas del Golfo de México.

El Cuatro Vientos era, en su tiempo, un avión poderoso: un sesquiplano (biplano, con un par de alas mucho menor que las otras dos), de duraluminio, que podía llevar 5,400 litros de combustible, la gasolina justa para llegar a Cuba. Dotado de un motor de 650 caballos de fuerza, tenía una envergadura de 14.83 metros, una longitud de 9.50 y una altura de 3.34 metros. Solo un detalle preocupaba a Barberán: la hélice era de madera ¿Resistiría su encolado los rigores del trópico?[8]

Hasta aquí los hechos. La película, de cuatro rollos (aproximadamente 25 minutos de duración), carece de sonido el primero y de la imagen el cuarto; no obstante es inteligible gracias al buen montaje original de Ramón Peón.[9] Refleja, desde luego, el entusiasmo popular por la hazaña aeronáutica tanto en Cuba como en México, explicable si se considera que sólo algunos años antes, en 1927, Charles Lindbergh había realizado, en el Espíritu de San Luis, el primer vuelo trasatlántico de Nueva York a París: un recorrido de sólo 5,800 kilómetros.

El vuelo glorioso... incluye imágenes del arribo de los pilotos españoles a Camagüey, su traslado en un convertible a La Habana, donde recibieron las llaves de la ciudad, y su despegue, al día siguiente, rumbo a la ciudad de México. Atestigua la nerviosa espera de la multitud, los oficiales del ejército, el encargado de negocios de Cuba, los periodistas y un grupo de aviadores que finalmente reciben la orden de salir a encontrar, en el aire, a los esperados viajeros, calculando que ya están próximos. Pero la decena de aviones que sobrevuela las inmediaciones no los divisa, y les ordenan regresar.

En el campo aéreo, los subjefes estudian un plano, tratando de visualizar qué obstáculos podrían impedir la llegada de Barberán y Collar e, inmediatamente después, abordan sus naves para hacer un reconocimiento de mayor extensión. Luego, mediante un montaje de imágenes de diversos comunicadores (telefonistas, telegrafistas, teletipistas, operadores de radio de onda corta, locutores de la XEW y otros) se representa la búsqueda de los pilotos y, mediante otro de titulares de periódicos, detalla cómo poco a poco las esperanzas de encontrarlos se van perdiendo. Sólo en un momento dado aparece la noticia de que han sido encontrados, en Minatitlán, Veracruz, para ser desmentida a continuación.

En el curso del mes de búsqueda un voluntario, Alfonso Morelos, fallece accidentalmente y sus restos reciben tratamiento de héroe. A

su sepelio asisten personalidades hispanome-
xicanas que, de viva voz y por medio de man-
tas, carteles y pancartas, se juran amistad
perenne y sincera.

Viene a continuación una manifestación
de agradecimiento organizada por la colonia
española en México, encabezada por los niños
de las escuelas de la misma. El multitudinario
contingente cruza las principales calles del
centro histórico para desembocar en el Zócalo,
donde lo recibe un cortejo de notables, encabezado por el señor presidente, quien cede la
palabra a José Puig y Casal, embajador de la Madre Patria, quien expresa
que la sangre de los pilotos caídos consagra la amistad hispanoamericana. El remate del filme es simbólico: tres banderas entrelazadas, las
de Cuba, España y México, ondean en el horizonte, mientras en sobreimpresión se dibuja un signo de interrogación, que inquiere sobre el
paradero de los héroes.

En 1941, sin embargo, comenzó a cobrar cuerpo otra historia. En
esa fecha, la revista mexicana *Hoy* recibía una carta que hablaba sobre
la caída del aparato en la sierra Mazateca, entre los estados de Puebla,
Oaxaca y Veracruz. Y allá fue un equipo de periodistas, encabezado por
el más tarde notable escritor Edmundo Valadés, que después de treinta
días de búsqueda aseguró haber encontrado el Cuatro Vientos. Los resi-
dentes en la zona les confirmaron los hechos: Barberán salió del accidente con las piernas fracturadas y Collar, ileso, buscó ayuda. El fajo
de dólares que mostró a un individuo excitó la codicia de éste que, en
complicidad con otros lugareños, decidió matarlos para apropiarse del

*Videograma digital
de El vuelo glorioso
de Barberán y Collar.
La imagen registra el
momento en que los
aviones del primer y
segundo regimiento de
Los Aguiluchos de la Fuerza
Aérea Mexicana salieron
a recibir, en vano, al
Cuatro Vientos.*

*Agencia fotográfica
de Enrique Díaz.
Manifestación de
duelo y solidaridad del
pueblo mexicano ante
la desaparición de los
intrépidos aviadores
Barberán y Collar, la cual
inició en el Hemiciclo a
Benito Juárez y continuó
hasta el Zócalo. Archivo
General de la Nación,
Fondo Enrique Díaz,
Delgado y García.*

dinero. Lo hicieron a traición y a tiros de escopeta. Valadés menciona los nombres de los culpables, pero no aporta fotos ni prueba material alguna acerca del suceso o de los restos del avión. En 1947 se llevó a cabo otra expedición a la zona. Encontraron entonces un par de auriculares, un cinturón de seguridad y un altímetro, pero ninguno de esos objetos pertenecía al Cuatro Vientos. El periodista Jacobo Zabludowsky llevó a cabo, en 1973, otra búsqueda, también infructuosa.[10]

¿Cuál es el valor del filme? Desde luego uno histórico, por rescatar un momento decisivo en la historia de la aviación hispanoamericana y por documentar la amistad entre nuestros pueblos —que no tardaría en ser puesta a prueba con la Guerra Civil española, y la actitud generosa y solidaria del general Cárdenas al recibir en México a los exilados que produjo el evento—. Tiene también el valor de dar constancia de los avances técnicos del cine nacional de la época, en materia de sonido y fotografía aérea; y es, en sí, un reportaje bien armado a partir de material de primera mano, improvisado sobre la marcha de los acontecimientos. Es también uno de los primeros trabajos de Gabriel Figueroa, antes de que fuera a Hollywood a perfeccionar sus conocimientos con el maestro Gregg Toland.

Desfile atlético del 20 de noviembre de 1936 conmemorando el XXVI aniversario de la iniciación de la Revolución mexicana (1936).[11] El acontecimiento que registra esta cinta puede parecer banal, y sin embargo ha sido suficiente para que De Fuentes trazara todo un cuadro de época a partir de él: el 20 de noviembre de 1936, el presidente Lázaro Cárdenas preside un desfile "en el que se exponen los adelantos que en el deporte se han logrado gracias a los esfuerzos del régimen". Tras la discreta presentación, a cargo del mandatario en persona, el destacamento de organismos privados, representantes de las fuerzas públicas y clubes deportivos, presenta un serie de tablas gimnásticas, fragmentos de las cuales han sido montados ágilmente en una secuencia de vivos movimientos que evolucionan al compás de una serie de marchas entrelazadas en la banda sonora.

En un clima de inminencia, los atletas se preparan y el público ocupa las mejores posiciones; después, la Asociación de Charros Mexicanos abre el desfile, que es filmado en diferentes ángulos pero desde un solo lugar de la Avenida Juárez. Organizaciones estudiantiles, sindicatos obreros. Sencillo pero seguro, el estilo de De Fuentes ordena armoniosamente el despliegue de gimnastas a través de una geografía previamente trazada en unos cuantos planos, que van de Chapultepec a Palacio Nacional.

El arribo del cortejo al Zócalo se plantea mediante una serie de planos que reciben a los atletas: la avenida Madero desemboca en la plaza mayor, para después ir desplazando el encuadre hasta quedar colocado bajo el balcón presidencial en Palacio Nacional. Para esta secuencia, De Fuentes ha seleccionado no únicamente formaciones ejercitándose sobre la marcha, sino también agrupaciones sobre vehículos, pirámides humanas, gimnastas sobre aparatos y hasta deportistas practicando juegos organizados. Como culminación, se ofrecen brevemente imágenes de motociclistas circulando o aviones sobrevolando el lugar que, gracias al empleo de sonido directo —que contrasta con la música de fondo anterior—, sugieren la presencia de un sector motorizado de mayor importancia. El clímax de la cinta está dado por una tabla gimnástica ejecutada por miles de atletas que, al concluir, entonan el Himno Nacional. Aquí la acción se concentra en un solo lugar, por lo que la cámara debe tomar emplazamientos a distintas alturas, en diferentes posiciones, a fin de registrar dinámicamente el conjunto. Nuevamente, el ritmo impone el diseño del montaje, en el que es posible admirar la perfección del corte del mayor cineasta mexicano de su época. La imagen de un atleta sosteniendo la bandera nacional cierra el corto simbólicamente.

Agencia fotográfica de Enrique Díaz.
Desfile conmemorativo del XXVI aniversario del inicio de la Revolución mexicana. Ciudad de México, 20 de noviembre de 1936. Archivo General de la Nación, Fondo Enrique Díaz, Delgado y García.

A través de esta descripción hemos intentado sintetizar las características que definen el estilo de Fernando de Fuentes. En este mediometraje, como en la mejor parte de su obra, una estructura rigurosamente calculada regula con acierto los elementos dramáticos; hay un prólogo que sitúa un arranque que plantea, una exposición que desarrolla, una secuencia que culmina y un epílogo que resume el tema único de la cinta: un desfile deportivo. Hay además una dosificada progresión dramática que va de los actos más sencillos (gimnasia individual) a los más complicados (gimnasia y canto colectivo), sosteniéndose en un agudo sentido del ritmo. Hay un encuadre parco que presenta una imagen sin adjetivos: de todo esto se deduce una objetividad en que reside el acendrado clasicismo de De Fuentes.

Gracias a esta depurada narración es posible desprender de la cinta su mensaje, el justo retrato del ambiente de una época: la serenidad con que son presentadas sus imágenes permite integrarlas sin esfuerzo al panorama social de la época. Para explicar por qué el desfile abre con un grupo de personas en trajes típicos y no con cualquier otra asociación, basta pensar que a un periodo descolonizador como fue el de Lázaro Cárdenas corresponde una vuelta a los orígenes, la búsqueda de una nacionalidad (no está de más recordar que la cinta que filma De Fuentes ese mismo año es *Allá en el Rancho Grande*); nada define mejor el ambiente del momento que la irrupción en el Zócalo de un conjunto infantil que evoluciona llevando en las manos, las niñas, una hoz, los niños, un martillo. El poder de la imagen de De Fuentes es capaz de transformar un acto oficial que se celebra anualmente en una celebración popular que adquiere acentos épicos que, por otra parte, nunca estuvieron mejor justificados.

PÁGINAS 70 - 75:
Videogramas digitales
de la película "Petróleo"
¡La sangre del mundo!,
dirigida por Fernando
de Fuentes en 1936.
Filmoteca UNAM.

"Petróleo" ¡La sangre del mundo! (1936). De acuerdo con Gabriel Figueroa, el origen del filme se encuentra en el éxito taquillero de *Allá en el Rancho Grande*, que "acarreó una propuesta para todo el equipo que trabajó en ella. [...] El escritor Rafael F. Muñoz, que había participado en *Vámonos con Pancho Villa*, tenía empleo en alguna de las compañías petroleras [...] en el área de prensa o publicidad. Un día llegó a hablar con Fernando de Fuentes para decirle que las compañías petroleras, en su conjunto, querían hacer un documental para enseñarle al pueblo mexicano cómo se movía esa industria, cuál era su riqueza, cuáles sus propósitos, etc".[12]

Esto, en un momento en que la veintena de empresas extranjeras que explotaban la riqueza petrolera se mostraba renuente a acatar la legislación mexicana: el establecimiento de *guardias blancas* en los campos donde se extraía el petróleo, el apoyo a movimientos contrarrevolucionarios, la presión a través de conductos diplomáticos, aún la amenaza de una intervención extranjera armada fueron, entre otros, los motivos que condujeron a la expropiación petrolera, realizada en el contexto de una revisión del contrato colectivo del

Sindicato de Trabajadores Petroleros de la República Mexicana, que las empresas estaban reacias a firmar. Figueroa lo advierte y anticipa:

> Cuando nos hicieron aquella propuesta, me di cuenta del verdadero propósito de las compañías petroleras, que no era educar al pueblo, sino inclinar la balanza en contra de la expropiación y tratar de lograr que la gente se enfrentara contra el gobierno. Lo primero que se me ocurrió fue negarme a hacer una película que iba en contra de mis ideas, pero pensé que si yo no la hacía, la haría cualquier fotógrafo y acabarían por tener un documento a su gusto. Decidí entrar a sabotear, sin que nadie se enterara.[13]

Antes de conocer los resultados de esa estrategia, describamos el filme: de 15 minutos de duración lo primero que llama la atención es que tiene una estructura impecable: sigue el proceso de producción del petróleo paso a paso, rigurosamente, y aunque no hay intertítulos que lo precisen, bien podría dividirse en ocho capítulos o segmentos, de la siguiente manera:

Localización de yacimientos. Un grupo de geólogos se interna en la selva en busca de nuevos yacimientos. Un "chapopoteadero" (zona anegada en cuya superficie sobrenada esta substancia) puede ser una buena señal. Acampan y desarrollan estudios para detectarlo a una profundidad que puede ir de los 400 a los tres mil metros. Hacen explotar cargas de dinamita y son aparatos sumamente sensibles los que recogen las ondas sonoras, cuyas características pudieran señalar lugares favorables para la acumulación.

Exploración. Un contingente de peones desmonta, a golpes de machete, la zona que se va a explorar, mientras una caravana de trabajadores tiende rieles para comunicar el sitio con la ciudad más cercana. Arriban plataformas ferrocarrileras con maquinaria pesada (grúas, excavadoras, calderas, tuberías y materiales de construcción para levantar un campamento: habitaciones e instalaciones industriales. Se levanta la torre perforadora de la que, en un momento dado, brota incontenible el chorro de petróleo. No siempre es así: generalmente —en el 60% de los casos— el pozo resulta improductivo, y si bien en la década de los veinte, la época de auge de la industria nacional, se perforaron 6500 pozos petroleros, sólo dos mil dieron resultado.

Producción. Se instalan potentes calderas que producen la energía necesaria para activar las torres de acero que taladran capas de roca durante días enteros, mientras se nos informa que la industria extractiva nacional llegó a producir, entre 1920 y 1924, 160 millones de barriles de petróleo, lo que nos colocó como el segundo productor en el mundo, aventajados sólo por los Estados Unidos.

Almacenamiento. Para evitar su evaporación, en las proximidades de los pozos deben construirse plantas de tratamiento para el petróleo crudo. En el periodo de auge mencionado hubieron de construirse dos mil depósitos para albergar 95 mil barriles de petróleo cada uno y, en las cercanías de los depósitos, plantas de tratamiento inicial consistente en separar el combustible del gas natural, y tanques y tuberías para contener y conducir a este último.

Refinación. Para el procesamiento del recurso se eligió el puerto de Tampico. En sus alrededores se establecieron enormes plantas de refinación, tan grandes que tan sólo una de ellas, por su capacidad y número de obreros ocupados, era en ese momento la segunda en el

mundo. Aquí se separaban los distintos elementos de petróleo crudo para producir lo mismo gasolinas, lubricantes, combustibles ligeros y pesados, y derivados petroquímicos para nuevos productos.

Preservación. En paralelo se desarrolló toda una industria destinada a fabricar los diversos envases necesarios para almacenar y transportar los derivados del petróleo. Las fábricas de latas y barriles de lámina o acero se producen en serie, en cantidad suficiente para ser enviados a todos los rincones del mundo. Embarcaciones de distintos países llegan a Tampico para abastecerse y trasladar el preciado producto mediante

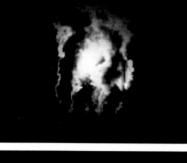

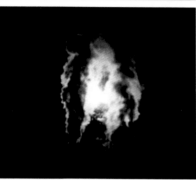

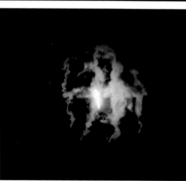

prolongadas travesías; pero además son necesarios oleoductos para su envío terrestre, particularmente para distribuirlo a la región norte del país.

Mercadeo. De acuerdo con las estadísticas que se ofrecen en la cinta, México exportaba anualmente petróleo crudo y sus derivados con un valor de 85 millones de pesos, ingresando al erario 50 millones de pesos al año por concepto de impuestos ("justa contribución al desarrollo nacional", según el filme), pagando a sus 18 mil trabajadores, en toda la república, 60 millones de pesos anuales por concepto de salarios.

Beneficiarios. El documental cierra con una secuencia dedicada a mostrar el impacto benéfico de la industria en la población del país, en particular en sus trabajadores: las compañías extractoras construyen pequeñas ciudades en torno a sus sitios de operación, con habitaciones dignas, escuelas, hospitales, centros recreativos, deportivos y de reunión comunitaria, desembolsando para el efecto 60 millones de pesos anuales. También muestra su contribución al desarrollo mundial, ejemplificada con imágenes de archivo de aviones, dirigibles, ferrocarriles, trasatlánticos y variados vehículos automotores. Una bandera mexicana que ondea al viento preside el final.

La impresión que deja el documento fílmico es la de un ejercicio narrativo de Fernando de Fuentes, que se empeña, después de la fantasía ranchera que acaba de filmar, en realizar el retrato de una pujante industria con la objetividad más rigurosa. Pero ¿por qué esa visión fría, alejada, en la que predominan las máquinas sobre los hombres? La respuesta nos la proporciona Gabriel Figueroa en el siguiente párrafo: "Con toda mala fe les di una idea que fue la que ganó el punto: [...] mostraríamos estadísticas de varios años sobre la cantidad de impuestos, el monto anual de los salarios de los trabajadores y algunos otros gastos, que lógicamente ascendían a varios millones. Cualquier gente, con cierta razón, al verlas pensaría: 'Bueno, si pagan todo ese dinero ¿cuánto ganarán?, ¿cuánto sacarán ellos?".[14]

Pero las cosas no son tan sencillas. En su voluntaria neutralidad *Petróleo. La sangre del mundo* no sirve ni a Dios ni al diablo. En primer lugar, se ostenta como producto de una entidad fantasma, Cinema Industrial Cultura, y omite mencionar por su nombre a las compañías petroleras que están tras la operación. Por otra parte, la fotografía hace más énfasis en los procesos industriales —*stajanovistas*— que en los trabajadores: tal pareciera que las máquinas hacen solas el trabajo. Así, ni capital ni trabajo están suficientemente representados, y mucho menos su antagonismo. Más aún, se refiere al petróleo como un "bien nacional" y no como uno enajenado. Y finalmente, el filme muestra como beneficiarios de la explotación petrolera, al país —a través de los impuestos— y a los trabajadores petroleros —gracias a sus salarios y prestaciones sociales—. Y las ganancias, la plusvalía, quedan convenientemente ocultas ante los ojos de los espectadores sin sentido común, que es exactamente el menos común de los sentidos. (La prueba es que 72 años después nos vienen con el mismo cuento: las compañías petroleras extranjeras en posesión del recurso serían benéficas para México, porque darían trabajo a los mexicanos y más impuestos al gobierno...).

El caso es que cuando el filme se estrenó en el cine Alameda, los proyeccionistas, pertenecientes a la Confederación de Trabajadores de México, se quejaron con su dirigente, Vicente Lombardo Toledano, quien llamó a cuentas a Figueroa, en ese momento dirigente de la Unión de Trabajadores de Técnicos y Manuales del Cine, afiliado a la CTM. "Compañero Figueroa —le dijo el líder— parece mentira que usted, que es un luchador en el campo obrero, no se dé cuenta de la trampa de las compañías petroleras, que hacen este documental para modificar la opinión pública...". Para justificarse, Figueroa le mostró la película: "Fuimos a la azotea y le mostré el rollo —recuerda—. Al terminar me dio dos palmadas: 'Que siga corriendo el rollo'. Eso me probó que había cumplido mis propósitos".[15]

Pues no, sólo probó que era una película inocua. Por fortuna para todos, la campaña mediática de que formaba parte esta película no prosperó. Lo que sí fue de menos a más fue el estilo fotográfico de Gabriel Figueroa, como prueban estas sus primeras incursiones en el cine.

Pasando revista a las imágenes de Figueroa en los años treinta, creo recordar en *Vámonos con Pancho Villa* (fotografiada por Jack Draper, con Figueroa operando la cámara) una secuencia que nos remite ya a lo que será su sello de fábrica: la del ataque nocturno al fortín de los federales, en el que el personaje de Rafael F. Muñoz muere, y una toma de su cadáver, extendido sobre un maguey, es visto en un picado extraordinario. O la imagen de la muerte de Raúl de Anda, abatido a tiros al enlazar a caballo una ametralladora, cuyo cuerpo cae sobre el arma que había capturado, en una clara reminiscencia del mural *La trinchera*, de José Clemente Orozco.

Vienen después los cortometrajes sobre Barberán y Collar, y el desfile deportivo, en los que por ser de fotografía colectiva sería difícil detectar la aportación específica de Figueroa. En cambio, sí hay algo que decir por lo que respecta al documental petrolero. En el tema de la fotografía mexicana se recordará el año de 1931 como aquel en que se impone la fotografía moderna, en oposición a la imagen pintoresquista que había predominado hasta entonces. En el concurso fotográfico de La Tolteca (la fábrica de cemento) celebrado por aquel año, se imponen Manuel Álvarez Bravo, con su obra *Tríptico de cemento;* Agustín Jiménez, con *Síntesis* y *Vidente*; Lola Álvarez Bravo con *Cemento forma;* y Aurora Eugenia Latapí, con dos tomas, todos ellos abocados a eludir la temática y los recursos pictorialistas para incursionar en las formas de la vida urbana, mecánica e industrial.

Pues bien, se da el caso entonces de que Figueroa, cuyas imágenes más características se inscriben en la primera corriente, deba emplearse al máximo en *Petróleo,* en el estilo de la segunda puesto que, como queda dicho, el filme se centra en el proceso industrial y privilegia el trabajo mecánico sobre el humano. Teodolitos, grúas, excavadoras, calderas, tuberías, torres perforadoras, pozos petroleros, plantas eléctricas, barriles, depósitos, plantas de tratamiento, oleoductos, refinerías y petroquímicas extraen, desfilan, trepidan, transforman y transportan al petróleo y sus derivados con una dinámica en ocasiones vertiginosa. ¿Qué podría ser más moderno que esta sinfonía industrial?

Y de aquí, el regreso al costumbrismo más acendrado en *Allá en el Rancho Grande*, su primer largometraje y su primer éxito internacional, recibe el premio a la mejor fotografía en el Festival de Cine de Venecia (1938). Esta ida y vuelta estilística, ¿indicaría un cierto eclecticismo por parte de Figueroa? Más bien, creo que una de las virtudes del fotógrafo es que nunca sintió que su asunto fuera la fotografía del filme y nada más, sino que se veía como parte de un equipo en el que se sentía con libertad para hacer propuestas y dar opiniones pero que, en última instancia, debía respetar el punto de vista del director. Ello explica cómo es que pudo llevar a buen término casi doscientas películas, con directores tan disímbolos como *el Indio* Fernández y Luis Buñuel.

Documentalismo cardenista

A diferencia del cine documental del Porfiriato y de la Revolución mexicana, que a estas alturas podemos considerar ha sido explorado intensivamente gracias a los esfuerzos de investigadores como Aurelio de los Reyes, Manuel González Casanova, Juan Felipe Leal, John Mraz, Margarita de Orellana o Ángel Miquel, otros periodos históricos, como es el caso del cardenismo, permanecen a oscuras pese a ser etapas decisivas en la construcción del México moderno, pródigas en acontecimientos sociales merecedores de su preservación en un documento fílmico. Lamentablemente, por lo que hemos descubierto en estas páginas, el acervo documental no sólo es escaso sino que disminuye con el tiempo. Se dice, por ejemplo, que no sólo se perdió en el incendio de la Cineteca

Equipo técnico de la
película Vámonos con
Pancho Villa (Fernando
de Fuentes, 1935). Colección
Fundación Televisa.

Nacional el documental de Fernando de Fuentes que aquí mencionamos, sino todo un lote de películas provenientes de la Filmoteca de la
Secretaría de Educación Pública, depositadas en sus bóvedas apenas
unas semanas antes del desafortunado suceso.

Carecemos también, por tanto, de una visión crítica de ese men-
guante acervo documental, visión a la que queremos contribuir con
estas notas, a las que agregaremos las siguientes observaciones
iniciales:

- No obstante los esfuerzos en pro de la industria cinematográfica
  nacional, el gobierno del presidente Cárdenas no presionó en manera
  alguna la orientación ideológica de las producciones resultantes.
- Al menos los tres documentales reseñados, dos de ellos de Fernando
  de Fuentes, desarrollan una estructura narrativa clásica: siguen un
  acontecimiento desde su inicio hasta su conclusión, sin trastocamien-
  tos temporales ni disgresiones.
- Hay un prurito de objetividad: la narración describe las acciones que
  se ven en pantalla, sin comentarlas ni interpretarlas.
- Por escasez de recursos o por sobriedad, no se acude a trucajes técnicos (disolvencias, iris, sobreimpresiones) que puedan distraer la atención del espectador.
- Desde luego, los elementos que caracterizarán el estilo de Gabriel
  Figueroa (composición en diagonal, figuras en primer plano, violentos
  claroscuros, cielos negros y nubes voluminosas, etc.) no están aquí
  presentes por filmar en exteriores, sin apoyaturas técnicas.

PÁGINAS 78 - 79:
Videogramas digitales
de la película "Petróleo"
¡La sangre del mundo!,
dirigida por Fernando
de Fuentes en 1936.
Filmoteca UNAM.

No sé hasta qué punto estos elementos pudieran prevalecer en el resto
de los documentales del cardenismo. Por lo pronto, quedan como hipótesis de trabajo.

Notas

1 Salvador Elizondo, "¡Vámonos con Pancho Villa!", *Nuevo Cine*, México, núm. 2, junio de 1961. El planeamiento completo de Elizondo es que "la calidad de la película movió [...] al presidente Cárdenas a otorgar una subvención a la compañía Clasa, de un millón de pesos, con el que la empresa produjo los primeros cortos documentales de interés nacional que se hicieron en México". Sin embargo, como puede advertirse en el cuadro sinóptico mostrado en este artículo, Clasa no realizó ningún cortometraje documental. En cambio, sí produjo su segunda cinta de largometraje, *Las mujeres mandan:* ¿serviría para eso la subvención?

2 Fidel Solís, "La pantalla y sus artistas", *El Universal*, 3 de junio de 1935.

3 Elaborado con datos de Emilio García Riera, *Historia documental del cine mexicano*, tomo 1, México, Universidad de Guadalajara/Gobierno de Jalisco/Conaculta/IMCINE, 1992.

4 Elisa Lozano, "Agustín Jiménez", *Luna Córnea*, núm. 24, México, Conaculta, 2000.

5 García Riera, *op. cit.*, n. 3, tomo 2, p. 8. Añade el autor: "Ante la producción de cine mexicano en 1938, nadie hubiera dicho que México era dirigido por un gobierno revolucionario [...] Ni el gobierno, ni el partido *en* el poder —el PNR— se metieron en nuevos líos de producción de cine [...] No prosperó gran cosa el cine hecho por cooperativas ni se pensó al parecer en un cine de financiamiento sindical. Antes al contrario, los sindicatos de cine, alentados por la poderosa CTM [...] plantearon un conflicto que suspendió por un tiempo la producción de películas. No obstante, hay indicios de que sí llegaron a realizarse otros documentales, entre ellos uno dedicado a los niños de Morelia, producido por el Departamento Autónomo de Prensa y Propaganda.

6 *Ibidem*, tomo 2, p. 250.

7 El material fílmico exhibido en la muestra *Gabriel Figueroa. Cinefotógrafo*, en el Palacio de Bellas Artes, incluía momentos de varias películas de Figueroa, versiones editadas tanto de *El vuelo glorioso de Barberán y Collar*, como de *Petróleo. La sangre del mundo*, y un montaje de escenas charras en torno a ciertos momentos de *Allá en el Rancho Grande*. El documentalista Luis Lupone, quien hizo la edición, consiguió algunos rollos con sonido que corresponden al momento en que se narra la

espera y búsqueda de los aviadores españoles, que contenían la grabación de un corrido sobre la tragedia aérea —*Águilas heroicas* de Raúl Castell, interpretado por la pareja Quirós, acompañados por el guitarrista Antonio Bribiesca—, que fue usado para cubrir el rollo de sonido ausente.

8 Datos tomados de la página web de la revista cubana *Juventud Rebelde*: http://www.juventudrebelde.cu/lectura/2007-07-08/tragedia-de-barberan-y-collar/

9 Entrevistado telefónicamente, Francisco Gaytán, de la Filmoteca de la UNAM, autor del rescate y restauración técnica de la película (con el apoyo de Federico Mota, José Peralta y José Antonio Valencia) refiere que ésta fue localizada en una bodega de Ferrocarriles Nacionales de México, en la estación de Buenavista, hará unos doce años. Menciona que se trata de un ejemplo muy claro de la transición nacional del cine mudo al sonoro. La cinta muestra incluso el equipo de registro sonoro de los hermanos Rodríguez, preparándose para rodar, y a los camarógrafos Alex Phillips y Ross Fisher, abordando los aeroplanos equipados con cámara cinematográfica desde los que harían las tomas aéreas. El uso de intertítulos combinado con locuciones,

muestra que todavía no había seguridad en el empleo del nuevo medio. No obstante, el documental registra con nitidez, en la escena del cortejo fúnebre ante el Hemiciclo a Juárez, los gritos de la muchedumbre, los cláxones de los autos y, en general, el sonido ambiental; y aún el discurso del embajador español flanqueado por Abelardo L. Rodríguez, en el balcón presidencial ante el Zócalo.

10 Cfr. *Juventud Rebelde*: http://www.juventudrebelde.cu/lectura/2007-07-15/donde-cayo-el-cuatro-vientos-ii/

11 Escribí esta crítica para el diario *Esto*, el 19 de noviembre de 1970, gracias a la gentileza del señor Galdino Gómez, por entonces director de la Cinemateca del INAH, quien poseía una copia. Desaparecida esta institución, queda la esperanza de que el mencionado cinéfilo todavía la tenga en su poder. Por otra parte, el artículo fue reproducido por Emilio García Riera en su monografía: *Fernando de Fuentes (1894/1958)*, México, Cineteca Nacional, 1984, pp. 140-141.

12 Gabriel Figueroa, *Memorias*, México, UNAM/DGE-Equilibrista, 2005, p. 86.

13 *Ibidem*, p. 86.

14 *Ibidem*, p. 87.

15 *Ibidem*, p. 88.

En agosto de 1936 Gabriel Figueroa tuvo por fin la oportunidad de asumir la dirección fotográfica de un largometraje, luego de trabajar como *stillman*, iluminador, operador y cinefotógrafo sustituto. *Allá en el Rancho Grande*, la película que filmó bajo la dirección de Fernando de Fuentes, tuvo éxito nacional e internacional, y estableció la fórmula para un género que devino marca registrada de la cinematografía mexicana: la comedia ranchera.

Raúl Argumedo Sandoval.
Still *de la película* Allá en el Rancho Grande *(Fernando de Fuentes, 1936). Escena en la que el actor Tito Guízar, en el papel de José Francisco Ruelas, interpreta la canción tema del filme. Colección Fundación Televisa.*

Esther Fernández y el *cowboy* latino, Tito Guízar, fueron los principales protagonistas de este filme de amoríos campiranos generosamente sazonados con canciones de Lorenzo Barcelata y de otros panegiristas de la patria chica. *Cruz*, la historia que inspiró su trama, fue escrita por los hermanos Luz Guzmán de Arellano y Antonio Guzmán Aguilera. Este último, mejor conocido como Guz Águila, había sido prolífico libretista de obras de teatro de revista cuando tal forma de entretenimiento, en los años veinte del siglo pasado, era una explosiva combinación de humor popular, sicalipsis y comentario político atrevido.

En pleno sexenio del general Lázaro Cárdenas, cuya administración daba impulso a reformas sociales, entre ellas la que alentaba la propiedad comunitaria de las tierras, *Allá en el Rancho Grande* hizo profesión de nostalgia por los tiempos de la hacienda señorial, ubicando sus cortejos y serenatas en un rústico edén que era ajeno a cualquier conflicto de clase o referencia histórica. El nacionalismo jicarista encontró su adecentada prolongación en esta cinta que vindicaba señas identitarias —paisajes, costumbres, hablas, vestuarios típicos— que no correspondían a ningún contexto real sino a la invención de un nuevo folclor mediático.

Para Aurelio de los Reyes, *Allá en el Rancho Grande* fue "suma y síntesis de corrientes literarias llegadas a México desde el siglo [ante] pasado o antes, [...] sainete, revista musical, zarzuela, teatro de variedades, parodia costumbrista, [...] teatro de género mexicano llevado a la pantalla con las características del nacionalismo mexicano de la Revolución", aunque despolitizado. La mezcla y el reciclaje de esas tradiciones explican en buena medida la inmediata popularidad y la posterior permanencia de la película —"el rancho que hizo una industria", a decir de Emilio García Riera— que le abrió camino a la saga eternamente festiva de una vasta constelación de charros bravucones, enamoradizos y cantarines, cuyos máximos representantes fueron Jorge Negrete y Pedro Infante.

Raúl Argumedo Sandoval. Filmación de Allá en el Rancho Grande. El director Fernando de Fuentes y el cinefotógrafo debutante Gabriel Figueroa aparecen flanqueando la cámara. En escena: Emma Roldán, la niña Lucha Ávila, una actriz infantil no identificada y, tendida en la cama, Dolores Camarillo Fraustita. Estudios México Films, 1936. Colección Fundación Televisa.

Doña Ángela entró.

—¡Comadre, comadre! ¿Qué le pasa?, dijo al verla con la expresión mortal en la cara.

—Ya están aquí, murmuró la moribunda. Apenas los distingo. Una cosa negra me pasa por enfrente y me ciega. Sólo los esperaba para que se haga la voluntad de Dios.

De rodillas esperaba doña Ángela junto a la pobre cama, con la mano helada de la enferma entre sus manos.

—Ya no me duele nada. Ya no siento nada. Ya puedo morir en paz. Sólo el aliento se me va. ¡Comadre! ¡Mis hijos! Son suyos. Yo se los entrego en la hora de mi muerte. Ya sé que ustedes los quieren mucho y que pasarán bien la vida. José se volverá a casar, al fin se queda en buena edad, pero que no se desoblique de ellos y les dé de vez en cuando una "garra".

Calló casi desvanecida por el esfuerzo, pero volvió a balbucear poco después:

—Comadre, lo que le encargo más es a Cruz, que no es su ahijada. Yo la recogí cuando se murió mi comadre Josefa. La quiero mucho y también se la dejo. Es mi ahijada de pila. Mírela bien, comadre, como si fuera ahijada suya.

Quiso decir más, pero no pudo. Le salían las palabras inarticuladas. El esfuerzo anterior la mató. La nube negra volvió a cegarla. Se moría. Apenas se le comprendía que pedía a sus hijos, a los que no pudo ver: José Francisco, de doce años; Eulalia, chiquilla de ocho años, y faltaba Salomé, de dos años, que fue

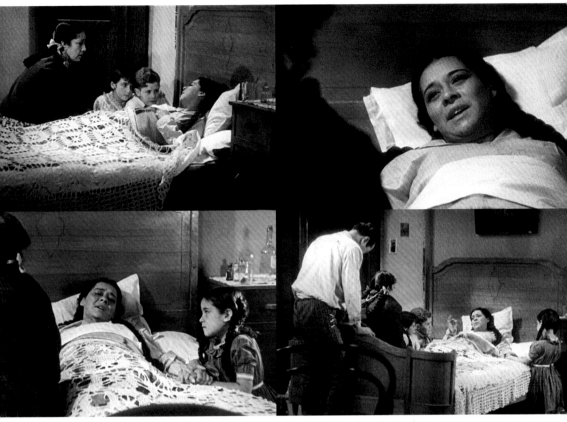

Videogramas digitales de una escena de la película Allá en el Rancho Grande.
*Emma Roldán, en el papel de doña Ángela, atestigua la agonía del personaje
interpretado por Dolores Camarillo* Fraustita.

encontrada en la cocina, debajo de la mesa, mojada, mocosa y comiendo tierra. La llevó una mujer a recibir la bendición de la madre y la sentó a los pies de la cama.

Cruz, la huérfana, se había subido a una petaca y contemplaba la escena con los ojos muy abiertos. Quiso la madre levantar la mano para bendecirlos, pero le faltaron las fuerzas, Doña Ángela la ayudó y así pudo hacer la señal de la cruz. Las mujeres principiaron a rezar y a prender las velas.

En el estoico rostro del marido sólo se dibujaba una arruga entre las cejas, Cruz miró la dura expresión de su padrino: luego oyó los llantos y los rezos de las mujeres. Vio a su madrina que boqueaba. Su manecita encontró algo sobre la petaca en que estaba sentada y al verlo lo dejó caer con horror. Era el brazo mutilado de la criatura que no naciera. Sintió que le faltaba el aire: que no podía respirar e instintivamente salió, huyendo de aquel terrible cuadro y de aquella atmósfera pesada donde su débil corazoncito se oprimía tanto. Se metió debajo de un carro donde estaba el perro y abrazada de él fue calmando su espanto poco a poco.

Fragmento del relato *Cruz*, de Antonio Guzmán Aguilera (*Guz Águila*) y Luz Guzmán de Arellano. Una copia de éste se repartió durante el estreno de su adaptación cinematográfica, *Allá en el Rancho Grande*, en el Teatro Alameda, el 16 de octubre de 1936.

PÁGINAS SIGUIENTES: Stills *de las películas:* Bajo el cielo de México *(Fernando de Fuentes, 1937),* Padre de más de cuatro *(Roberto O'Quigley, 1938),* Cuando viajan las estrellas *(Alberto Gout, 1942),* Adiós Mariquita linda *(Alfonso Patiño Gómez, 1944),* El Gavilán Pollero *(Rogelio A. González, 1950),* Los tres Calavera *(Fernando Cortés, 1964)* y Los cuatro Juanes *(Miguel Zacarías, 1964).* Colección Fundación Televisa*.

Raúl Argumedo Sandoval. Stills de la película Allá en el Rancho Grande.
René Cardona y Tito Guízar (arriba), y Emilio el Indio Fernández y Olga Falcón, bailando el Jarabe tapatío (izquierda),
en dos escenas ambientadas en un palenque. Colección Fundación Televisa.

CINE MUNDIAL

La intimidad de un MAGO

CINE MUNDIAL invita a sus l
res a penetrar en la intimidad
gareña y profesional del Prime
tógrafo del Mundo, Gabriel F
roa, al través de dos jugosos e
resantes artículos, el primero d
cuales presentamos en este nú
en páginas interiores.

★ CINE ★ TEATRO ★ RADIO ★ TELEVISION ★

30 c/

Director: ISAAC DIAZ ARAIZA
No. 562
México, D.
Martes 7
de Septiemb
de 1954.

Transitando *lo mexicano*

Ceri Higgins

El análisis de los cincuenta años de la larga carrera como cinefotógrafo de Gabriel Figueroa nos ofrece una visión ilustrativa de las fuerzas transnacionales que formaron parte integral en el desarrollo del cine mexicano. El presente texto examina la posición central de Figueroa dentro de la industria cinematográfica mexicana como un caso para el estudio de cómo los vínculos industriales, políticos y económicos entre la industria mexicana y la internacional —Hollywood en particular—, impactaron sobre el desarrollo de la cinefotografía y la estética en las películas mexicanas. La vigilancia sobre las actividades de Figueroa, llevada a cabo por la Oficina Federal de Investigación (conocida como FBI), durante un periodo estimado como mínimo en 25 años —entre las décadas de los cuarenta y los setenta—, finalmente revela consecuencias de la intervención norteamericana en la cultura mexicana y la dirección tomada por su carrera de la década de los cuarenta en adelante.

Gabriel Figueroa mostrando un grabado del Taller de Gráfica Popular, obra que formó parte de una colección que incluía fotografías, pinturas y piezas prehispánicas. Archivo Gabriel Figueroa.

Aunque en muchos textos sobre Figueroa se hace explícita su relación con Hollywood, nunca se analiza a profundidad.[1] La mayoría de los escritores asumen una postura nacional cuando analizan a este director de fotografía,[2] por consiguiente, no pueden reconocer las complejas relaciones que sostuvo con Estados Unidos en términos de su desarrollo cinematográfico. Es revelador que Figueroa mencionara a menudo, en entrevistas, sus conexiones con Hollywood, pero sus vínculos con estudios hollywoodenses y su experiencia con las autoridades políticas estadounidenses se simplifican o ignoran para que cuadren en una agenda nacionalista.

Su relación compleja y aparentemente contradictoria con Hollywood, resulta evidente cuando examinamos las declaraciones que hizo en algunas entrevistas: "Hollywood tiene un sistema; con ese sistema no han podido muchas personas, empezando por D.W. Griffith, [...] Abel Gance de Francia, después Eisenstein y Orson Welles, ninguno de esos grandes artistas aceptó el sistema de Hollywood, y por eso prácticamente fracasaron".[3] "En fin, el sistema de Hollywood es algo que algunos no hemos aceptado por su hermetismo".[4] En contraste, Figueroa también afirmó: "Hollywood quedó en mi vida como un espacio de

IZQUIERDA:
Portada del número 562 de la revista Cine Mundial, *publicada el martes 7 de septiembre de 1954. La edición, ilustrada con retratos realizados por Héctor García, dedicaba un extenso reportaje al "Primer Fotógrafo del Mundo". Archivo Gabriel Figueroa.*

formación profesional y una oportunidad para conocer entrañables amistades y el trabajo de otros fotógrafos como Stanley Cortez, Lee Garmes, James Wong Howe, Bert Glennon y George Barnes".[5]

Esta actitud aparentemente ambivalente hacia Hollywood, su rechazo y conexión al sistema, es sintomática de la actitud vacilante que la industria del cine mexicano sostiene respecto a Hollywood. Sin embargo, en un análisis más a fondo del desarrollo profesional de Figueroa y de sus vínculos dentro del foro internacional, fundamentales tanto para la industria fílmica estadounidense como para la mexicana, su postura no resulta tan contradictoria como pudiera parecer.

Incluso antes de que Figueroa se incorporara a la industria fílmica ya formaba parte de los procesos transnacionales. Uno de sus primeros empleos fue como asistente del fotógrafo de retratos José Guadalupe Velasco. Los críticos nunca citan este periodo como determinante en el desarrollo del director de fotografía, pero Figueroa en su autobiografía reconoce la importancia de esta época bajo la tutela de Velasco, quien trabajó en Chicago y, a su regreso a México, fue el primer fotógrafo retratista en el país que utilizó iluminación artificial.[6] Era popular por sus estilizados retratos y la manipulación teatral de los individuos.[7]

Las responsabilidades de Figueroa como asistente de Velasco incluían retoque de negativos, impresión y hechura de retratos en ausencia del fotógrafo.[8] Velasco aprendió en Chicago técnicas que trajo a México, junto con equipos de iluminación y cámaras.[9] A través del conocimiento de las técnicas fotográficas de Estados Unidos, Figueroa se fascinó con el innovador e imaginativo potencial de iluminación e impresión, factores fundamentales para su trabajo como director de fotografía. Su familiaridad con los nuevos procedimientos de iluminación y procesamiento se convirtió en la base de su futuro trabajo, no solamente en retratos fílmicos de estrellas como María Félix, Dolores del Río y Pedro Armendáriz, sino también en su creación de atmósferas y ambientes en exteriores y de estudio.[10]

Mientras Figueroa trabajaba con Velasco, Gilberto Martínez Solares (quien también sería uno de los principales directores de fotografía de su generación) le presentó a Alex Phillips. La Nacional Productora de Películas contrató a Phillips —director de fotografía canadiense en Hollywood— para trabajar en *Santa* (1931), considerada la primera película sonora del cine mexicano. Phillips no era el único extranjero entrenado en Hollywood del equipo que colaboraba en la producción. El director del filme era el español Antonio Moreno, y los actores mexicanos Lupita Tovar y Donald Reed-Ernesto Guillén habían trabajado en la industria estadounidense antes de *Santa*. El ligero equipo de sonido desarrollado en Hollywood por los hermanos Rodríguez, Joselito y Roberto, fue importado a México para esta película.[11] La naturaleza transnacional del reparto, el personal y el equipo de

MURALES *de Abel* QUEZADA

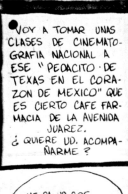

● VOY A TOMAR UNAS CLASES DE CINEMATOGRAFIA NACIONAL A ESE "PEDACITO·DE TEXAS EN EL CORAZON DE MEXICO" QUE ES CIERTO CAFE FARMACIA DE LA AVENIDA JUAREZ. ¿QUIERE UD. ACOMPAÑARME?

ESTE CAFE ES LA ESCUELA DEL CINE NACIONAL.

¡SI, Y ES LA UNICA ESCUELA EN QUE TODO EL DIA ESTAN EN RECREO!

OIGA, RAFAELITO, SIENTO UN EXTRAÑO OLORCITO, ALGO ASI COMO PETATE QUEMADO....

¡ES QUE EN LA OTRA MESA ESTAN UNOS ARGUMENTISTAS Y AQUI VIENEN A INSPIRARSE!

ME DA UD. DOS KILOS DE TEMAS AMOROSOS, TRES DE AVENTURAS Y KILO Y MEDIO DE CUENTOS DE CALLEJA.

¿Y NO QUIERE USTED ALGO DE "FONDO MUSICAL"?

REFUGIADO

OTROS ARGUMENTISTAS TIENEN SUS FUENTES DE INSPIRACION EN LA LAGUNILLA.

¡COMO! ¿ESTA PELICULA MEXICANA CON SOLO CINCO CANCIONES RANCHERAS? ¡IMPOSIBLE!

ES QUE SI LE PONEMOS MAS NO QUEDA ESPACIO PARA EL ARGUMENTO!

¡EL FOLKLORE! ¡NO SE OLVIDEN DEL FOLKLORE!

ARGUMENTISTAS

← MEXICANISIMO

HACE TIEMPO QUE NO LLORA SARA GARCIA EN LAS PELICULAS Y YO ESTOY TRISTISIMA.

¡A MI ME CONMUEVE MAS EVITA MUÑOZ!

¡LE FUI A VENDER UN ARGUMENTO A JULIO BRACHO Y TUVE QUE SALIR HUYENDO PORQUE SE PUSO CREPUSCULAR!

¡LOS DIRECTORES CINEMATOGRAFICOS SON UN CASO CURIOSO Y MUCHO MAS INTERESANTE Y MERECEN ATENCION ESPECIAL!

¡HAY UNOS QUE MERECEN ATENCION MEDICA!

ABEL QUEZADA.

La actriz mexicana Lupe
Vélez y su marido Johnny
Weissmuller posando
para un fotógrafo de la
revista Look. Los Ángeles,
California, ca. 1933.
Colección Fundación
Televisa.

Santa eran representativos de la época del comienzo del cine sonoro en México y, de hecho, de la industria fílmica en su totalidad: con muchos técnicos y actores que iban de Norteamérica a Sudamérica y a Europa; y con la utilización de equipo desarrollado y fabricado por repatriados en Europa y Estados Unidos.

Cuando Figueroa entró a la industria, muchos miembros de la comunidad fílmica mexicana habían estado, o aún trabajaban, en Estados Unidos. Los directores Chano Urueta, René Cardona, Emilio Fernández y Roberto Rodríguez; los actores Ramón Novarro, su prima Dolores del Río, Lupita Tovar y Pedro Armendáriz, entre otros, pasaron una parte significativa de sus carreras en Hollywood o, como en el caso de Fernando de Fuentes, habían sido educados en Estados Unidos.[12] Figuras como el productor argentino Gerardo Hanson, se movían entre el norte y el sur de América, trabajando en filmes en español para el mercado austral y sus versiones en inglés. Hanson y Paul H. Bush de Estados Unidos, produjeron *María Elena* (Raphael J. Sevilla,1935) filmada en México y editada en Hollywood en versiones en español e inglés.[13]

En efecto, la comunidad del cine mexicano condensaba la naturaleza transnacional del cine. Raphael J. Sevilla se había movido entre Hollywood, México y España para dirigir *Él*, estelarizada por su compatriota mexicana Virginia Zurí.[14] Ramón Novarro dirigió *Contra la corriente*, en 1935, para la RKO. Lupe Vélez trabajó en el Reino Unido durante 1935 y estelarizó tres películas. Lupita Tovar estaba también en aquel país para filmar *The Invader* con Buster Keaton, y fue a España para rodar *Vidas rotas*. Ese mismo año Celia Montalván trabajó en Francia, con Renoir, en *Toni*.[15]

Gabriel Figueroa llegó a este mundo transnacional, multicultural y técnicamente móvil por invitación de Alex Phillips, quien le ofreció su primer trabajo en una película como fotógrafo de fijas en *Revolución o La sombra de Pancho Villa* (1932, Miguel Contreras Torres). De la fotografía fija pasó a director de iluminación de *El escándalo*, dirigida por Chano Urueta en 1934; *El primo Basilio,* dirigida por Carlos de Nájera en el mismo año, y *María Elena,* bajo la dirección de Raphael J. Sevilla, en 1935. Urueta se entrenó y trabajó como director para la RKO en Hollywood y fue asistente de Tissé durante la filmación de la película de S. Eisenstein, *¡Que viva México!*, durante 1931 y 1932.[16] Sevilla había pasado también una parte formativa de su carrera como asesor técnico en la Warner Brothers, antes de regresar a México como director.[17] Además, cuando Figueroa comenzó en la industria del cine, los principales directores de fotografía eran extranjeros: el canadiense Alex Phillips; Jack Draper y Ross Fisher, de Estados Unidos, quienes al igual que Phillips fueron contratados en Hollywood.[18]

Por lo tanto, la industria a la que accedió Figueroa era desde el comienzo una preocupación transnacional. En efecto, su vertiginoso despegue durante los siguientes cuatro años, de fotógrafo de fijas a director de fotografía ganador de un premio internacional en 1936, podría verse como resultado del relativamente

Retrato publicitario de la actriz Dolores del Río, ca. 1933. Algunas variantes de esa imagen sirvieron de portada para revistas como Cinegramas y Popular Song-Hits. Colección Fundación Televisa.

rápido crecimiento del cine mexicano. Ante la escasez de técnicos locales preparados adecuadamente, y el apoyo y entrenamiento que recibió en México y Estados Unidos, su carrera fue efectivamente "catapultada".

El punto clave durante los cuatro años que duró la vertiginosa promoción de Figueroa como una de las figuras centrales de la industria mexicana, fue el periodo que pasó en Hollywood en 1935 o, como él mismo lo expresa: "Fue para mí un año decisivo. Aprendí los conocimientos básicos de mi oficio e hice amigos y contactos que me sirvieron toda la vida".[19] Fue el financiero Alberto J. Pani quien patrocinó su estadía en la capital del cine estadounidense. Pani y su hijo Rico, con un grupo de empresarios y un gran subsidio del gobierno, fundaron el nuevo estudio y la casa productora Cinematográfica Latino Americana S.A.

Retrato del actor mexicano Ramon Novarro. Hollywood, ca. 1930. Colección Fundación Televisa.

(Clasa) y le ofrecieron a Figueroa el puesto de director de fotografía de los nuevos estudios.[20] La razón por la que Pani quiso contratar al inexperto Figueroa en lugar de Phillips o incluso Víctor Herrera, el director de fotografía mexicano más respetado del momento, no resulta clara. De hecho, el mismo Figueroa reconoce su propia falta de experiencia y en un primer momento rechazó la oferta. Sin embargo, Pani insistió y sugirió que Figueroa recibiera una beca patrocinada por la compañía para estudiar cinematografía en

Sels de los más destacados cinefotógrafos mexicanos, a quienes injustamente se posterga en la producción de las películas nacionales, utilizando a elementos extranjeros que no son superiores a ellos ni por conocimintos técnicos ni temperamento artístico. De izquierda a derecha: Enrique Solís, Víctor Herrera, Jorge Stahl, Gabriel Figueroa, Agustín Jiménez y Ezequiel Carrasco.

Hollywood. Mientras estuvo en Estados Unidos, fungió también como representante de Clasa y compró, entre muchas otras cosas, dos cámaras Mitchell para los nuevos estudios.[21]

A su llegada a Hollywood, el aprendiz de director de fotografía pasaba las mañanas en los estudios Goldwyn, en Santa Mónica, y las tardes con Charles Kimball, en el cuarto de edición donde lo asistía en la versión en español de *María Elena*, de la cual fue director de iluminación y *stillman*. Fue durante esa época con Kimball que Figueroa desarrolló su conciencia acerca de la importancia de la edición.[22] Durante este periodo, Joe Noriega, otro editor mexicano, y empleado de la RKO, se hizo su amigo y le presentó a Marlene Dietrich, Stan Laurel y Dolores del Río quienes, como otros muchos miembros de la comunidad de Hollywood, eran inmigrantes en Estados Unidos.[23] Sin embargo, el contacto con Gregg Toland sería su influencia más profunda, no sólo en términos del desarrollo de Figueroa como director de fotografía, sino como una ilustración de la rica y culturalmente compleja red de interacciones entre Hollywood, Europa y México.

La red transnacional: Toland y Figueroa

En 1935, aunque no había alcanzado la cúspide de su carrera, Toland era considerado uno de los mejores directores de fotografía de Hollywood y había sido nominado para un premio de la Academia ese año, por su trabajo en *Les Misérables* (Richard Boleslawski, 1934). Alex Phillips dio a Figueroa una carta para Toland quien, al igual que Phillips, había sido asistente de George Barnes y de Arthur C. Miller. Toland "vio algo en Figueroa"[24] y lo tomó como aprendiz durante la filmación de *Splendor* (Elliott Nugent, 1935). Luego, ambos hombres se mantuvieron en contacto. De hecho, durante los siguientes cinco años, Toland visitaba frecuentemente a Figueroa en México para aconsejarlo en su trabajo y Figueroa aprovechó todas las oportunidades para observar el trabajo de Toland y analizar con él los avances tecnológicos en Hollywood.[25] Esta amistad personal y profesional continuó hasta la muerte prematura de Toland en 1948.[26]

Para la década de los cuarenta, el contrato de Toland en Goldwyn no tenía paralelo en la industria ya que estaba al mismo nivel superior de productores, actores y directores. El contrato le otorgaba la libertad de experimentar con técnicas novedosas y desarrollar nuevas tecnologías y estilos. Por ejemplo, al filmar *The Best Years of Our Lives* (William Wyler, 1946) Toland comenzó a hacer experimentos con sets de tamaños domésticos convencionales, al contrario de los estudios normales que permitían lugar para la cámara y las luces, e invitó a Figueroa a verlo trabajar y entre los dos analizar los desafíos.[27]

Sin embargo, el apoyo de Goldwyn a Toland no era el de un mecenas caritativo que alentaba la lucha de un artista de manera individual, como se ha sugerido en algunos escritos acerca de las relaciones de los estudios de Hollywood con los directores de fotografía.[28] Por el contrario, era una inversión en un negocio sólido, con el fin de mejorar la calidad y la eficiencia de los procesos de producción. Por lo tanto, el departamento de finanzas de los estudios sostenía un estrecho control sobre la relación entre las prácticas estándares del estudio y las innovaciones.[29]

La libertad que disfrutaba Toland en su implacable impulso para trascender los límites de la tecnología y encontrar la expresión visual adecuada para un determinado filme o secuencia, influyó en la propia insistencia de Figueroa de elegir las producciones en las que quería trabajar y en su compromiso con las técnicas innovadoras.[30]

Retrato del cinefotógrafo Gregg Toland. Archivo Gabriel Figueroa.

Para mí, la buena fotografía significa mucho más que una imagen bien fotografiada, afirmó [Toland]. Una imagen puede tener una composición cuidadosamente escogida, iluminación, profundidad y carácter excelentes, y aun así no ser aceptada como una fotografía "buena" [...] un director de fotografía experto debe lograr en su película, además de los requerimientos arriba mencionados, imágenes que encajen en el diálogo, la acción y el asunto del cual trata la secuencia.[31]

El actor Conrad Veidt, en un still de la película alemana Orlacs Hände [Las manos de Orlac], dirigida por el expresionista alemán Robert Wiene en 1924. En esta primera versión se basó Karl Freund para su película Mad Love. The Hands of Orlac [Las manos de Orlac] de 1935. Colección Fundación Televisa.

En otras palabras, Toland, y por consiguiente Figueroa, estaban decididos a que la imagen funcionara como manifestación del mundo interior de la narrativa. Esta visión está ligada al arte expresionista europeo en el cual el núcleo intrínseco, emocional y psicológico del tema se logra mediante técnicas no realistas. Las influencias reconocidas por el propio Figueroa —Goya, Durero, Rembrandt y Turner— eran precursores de los expresionistas en su uso de la luz, la composición, el claroscuro, el contraste y en el enfoque subjetivo de sus temas.[32] Figueroa escribió también que los filmes expresionistas alemanes como *The Cabinet of Dr. Caligari* (Robert Wiene, 1920), *Nosferatu* (F. W. Murnau, 1922), *Metropolis* (Fritz Lang, 1927) y *Faust* (F. W. Murnau, 1926) influyeron en él.[33]

De forma significativa, Toland filmó *Mad Love. The Hands of Orlac* del director-camarógrafo Karl Freund en 1935, año en que Figueroa estudiaba con él. Freund había sido director de fotografía en UFA —estudios de cine de Berlín reconocidos internacionalmente— y filmó *Metropolis* con Fritz Lang, *The Last Laugh* (1924) y *Satanas* (1920) con Murnau, antes de llegar a Hollywood con muchos de los inmigrantes alemanes de principios y mediados de los treinta. Freund, el principal exponente de la cinematografía alemana, utilizaba todas las normas establecidas del estilo expresionista en movimientos fluidos de cámara, ángulos extremos y técnicas de iluminación. Su influencia resulta evidente en el trabajo de Toland y no solamente en las películas en las que ambos colaboraron. *Wuthering Heights* (William Wyler, 1939) por la que Toland ganó un Oscar, *The Grapes of Wrath* (John Ford, 1940), *The Little Foxes* (William Wyler, 1941) y la seminal *Citizen Kane* (Orson Welles, 1941), son ejemplos de la forma en que Toland incorporaba y desarrollaba las técnicas de Freund.

Aunque Toland, y posteriormente Figueroa, ampliaron de manera significativa la aplicación de la técnica expresionista en el cine, los dos camarógrafos son más reconocidos por su exploración en la profundidad de campo y en la perspectiva.[34] El desarrollo, a lo largo de la década de los treinta, de emulsiones de película más rápidas, junto con los avances en la tecnología de iluminación, permitieron a Toland experimentar

Still *de la película*
Wuthering Heights
[Cumbres borrascosas],
dirigida por William
Wyler en 1939. Colección
Fundación Televisa.

con aberturas más pequeñas y por ende aumentar la profundidad del foco.[35] Así, el objetivo de Toland —y ciertamente la búsqueda de profundidad de campo por parte de Figueroa— era lograr una mayor expresión de la integridad de los temas narrativos en la producción. La conexión de ambos con las técnicas expresionistas europeas y las prácticas estéticas de cineastas tales como Freund confirman esto y subrayan la naturaleza transnacional de su trabajo personal y de toda la producción fílmica de Hollywood durante esos años.

Tanto Hollywood como la industria fílmica mexicana de los treinta y principios de los cuarenta, eran espacios donde la estética y las prácticas se aglutinaban y luchaban entre sí. Mientras Fein ha sostenido

Still *de la película* The
Grapes of Wrath *[Las viñas*
de la ira], dirigida por
John Ford en 1940. Colección
Fundación Televisa

1 ESTE CARTON ES PARA AGRADECERLE A HOLLYWOOD EL EMPEÑO QUE HA PUESTO EN QUE SE FILME LA VIDA DE **ZAPATA**.— NADIE MAS AUTORIZADO QUE ELLOS PARA DEMOSTRAR QUE **ZAPATA** NO FUE UN PILLO, COMO MUCHOS CREEN, SINO UN ACERRIMO PARTIDARIO DE LAS DEMOCRACIAS Y GRAN ENEMIGO DEL COMUNISMO...

2 CLARO QUE HABRA QUE AUMENTARLE ALGUNOS DETALLITOS.— UN BAILE CON CASTAÑUELAS Y UNA SERENATA, POR EJEMPLO.— PERO, CLARO, ESO ES PARA DARLE "AMBIENTE". ¿NO LES PARECE MAGNIFICA LA IDEA, SEÑORES **EMILIO FERNANDEZ** Y **GABRIEL FIGUEROA**?

lúcidamente que lo transnacional, en términos políticos y económicos, resultaba integral para la industria mexicana, aquí se argumenta que lo transnacional era extensivo a los enfoques estéticos y esto resultaba particularmente evidente en el desarrollo de la cinematografía.[36]

En la medida en que Hollywood reposicionaba personalidades secundarias, como Toland, en el centro del sistema, cualquier conflicto y ambigüedad política al interior del producto —o sea, de las películas— podrían enfrentarse. Al hacerlo, la elite dirigente de Hollywood mantenía el control sobre los medios de producción —es decir la tecnología— y hacía frente a cualquier clase de ideas y filosofías subversivas originadas en desafíos a las normas establecidas.

Aparte de sus obvias influencias, tanto técnicas como estéticas, Toland abogaba también —y se lo trasmitía a Figueroa— por una revaloración del papel y la función tradicionales del director de fotografía. Su contrato con Goldwyn, sin precedentes, quebrantó el concepto de la jerarquía *por encima de la línea* y por *debajo de la línea*, logrando que Toland mantuviera una posición privilegiada dentro de Hollywood, a pesar de que a veces su trabajo causara controversia y expusiera fisuras en el sistema que producía las películas.

El contacto que Figueroa tuvo con Toland le hizo tomar conciencia de la importancia de su propia posición dentro de la cultura y la industria del cine en México, y manejó con sumo cuidado su carrera y su estatus icónico. Figueroa utilizó su posición para ejercer como negociador entre la élite política de México y los trabajadores —particularmente en el sindicato—, como dirigente del sector de camarógrafos y técnicos, del cual fue miembro fundador, así como en la constitución de Clasa Films Mundiales.

Sin embargo, resulta vital tomar en cuenta que los procesos transnacionales no son sopesados equitativamente, ni analizados fácilmente. La carrera y el impulso estético de Figueroa evolucionaron en un terreno política y socialmente complicado. Sería conveniente asumir que Figueroa mantuvo un control absoluto sobre las elecciones que hizo —artísticas, personales y profesionales—, con base en decisiones simples. De hecho, es la impresión que dejan sus propios comentarios y lo escrito por estudiosos como Isaac[37] y Poniatowska.[38] Cuando Figueroa escribió que hubiera sido un "grave error" aceptar la oferta que le hizo Sam Goldwyn de tomar el lugar de Toland en sus estudios, justificó su decisión basándose en que prefería mantenerse en el "ambiente místico" y creativo de México.[39] Sostenía que le hubiera sido imposible explorar el estilo cinematográfico en la forma en que hubiera querido, estando fuera de su país natal.[40] Ciertamente, estos pueden haber sido factores que incidieron en su decisión; sin embargo, debemos considerar la elección de Figueroa de quedarse en México desde el punto de vista más empírico de su contexto histórico transnacional.

Abel Quezada.
Cartón publicado en el diario Ovaciones, *jueves 19 de abril de 1951. Archivo Abel Quezada, A.C. Cortesía de la familia Quezada Rueda.*

Esto es, la enredada madeja de vínculos políticos, sociales y económicos entre México y Estados Unidos que se desgastaban en la cambiante zona de contacto de un nuevo conflicto: la Guerra Fría.

La Guerra Fría de Figueroa

Las estrechas alianzas transnacionales creadas entre Hollywood y la industria mexicana, antes y durante la Segunda Guerra Mundial, continuaron desarrollándose en el periodo de la posguerra y estuvieron mano a mano con el giro de México hacia la derecha en su política nacional. Este cambio político coincidió con el desarrollo de la Guerra Fría y las purgas anticomunistas en Estados Unidos.

El presidente Miguel Alemán (1946-1952) continuó con el desarrollo del sector privado emprendido por Ávila Camacho y se alejó más aún de la nacionalización y las reformas sociales en el nombre de la modernización y el progreso.[41] De hecho, durante la presidencia de Alemán, los gastos por seguridad social cayeron a 13.3 por ciento del total del gasto público del gobierno, la cifra más baja de todos los tiempos.[42] El régimen debía buscar una forma de justificar su falta de asistencia social al campesinado y utilizó al cine mexicano para modernizar y reordenar el discurso nacionalista de los años de guerra, por lo que actualizó el concepto de *defender a la patria* contra fuerzas ideológicamente subversivas. Como resultado, el gobierno justificó la promoción continua de la riqueza industrial, a expensas de las reformas sociales,

Hermanos Mayo.
Carro alegórico en honor
al presidente Miguel
Alemán. Desfile del Día del
Trabajo, ciudad de México,
1 de mayo de 1952. Archivo
General de la Nación, Fondo
Hermanos Mayo.

argumentando que el capitalismo aseguraba la protección de todos los mexicanos, a pesar de que la riqueza producida no se distribuía más allá de la élite gobernante. Pero ¿dónde estaban situados Figueroa y su trabajo respecto de estas estrategias políticas motivadas económicamente? Clarificar esta intrincada situación destacada anteriormente y examinarla en relación con Figueroa, expone las grietas inherentes de las relaciones Estados Unidos-México durante ese periodo y demuestra cómo el funcionamiento de la política y la economía transnacionales afectó, durante la Guerra Fría, la producción de películas mexicanas.

Durante la guerra, Figueroa jugó un papel clave en el esfuerzo de Rockefeller de apoyar una educación visual en América Latina. En 1942 asistió a seminarios en los estudios Disney, con otros trabajadores de la cultura, doctores y educadores. Estos

debates generarían ideas para la realización de cortometrajes dirigidos a audiencias latinoamericanas, con el fin de combatir el analfabetismo, los malos hábitos de higiene, y mejorar los métodos sanitarios y agrícolas.[43]

En 1945, la revista de cine *Novelas de la Pantalla* destacó las ideas de Figueroa para una educación visual en México. Se adaptarían algunos cortometrajes estadounidenses y otros se producirían en México, en un trabajo conjunto con el sindicato del cine.[44] Para 1948, las sesiones de expertos de 1942 se habían convertido en un sistema de propaganda altamente organizado y administrado por el Servicio de Información de Estados Unidos (USIS, por sus siglas en inglés).

A lo largo de todo el país, en las principales empresas de México, los proyectores prestados por Estados Unidos mostraban películas a los trabajadores. Un camión de la embajada estadounidense con equipo de sonido y ayuda de operadores mexicanos, transportó por todo el país una pantalla y un proyector para difundir películas en escuelas y universidades, utilizándose también en mítines políticos y actos públicos bajo los auspicios de la Filmoteca Nacional.

Como un reflejo inverso de los trenes soviéticos de propaganda política, a través de la cultura de los años veinte, los trenes atravesaban el país proyectando imágenes del capitalismo industrial, en lugar del socialismo universal, y trascendían física e ideológicamente la frontera mexicana.[45] Sin embargo, para 1950, el Departamento de Estado de los Estados Unidos había cambiado su área de influencia y privilegió sus contactos con "colaboradores sindicales activos", no en nombre de la seguridad social y la salud, tampoco para diseminar sistemas y prácticas laborales del capitalismo industrial, sino para socavar la potencial subversión comunista en el movimiento sindical.[46]

Fein sugiere que tanto Figueroa como Emilio Fernández "sirvieron [...] a la cruzada anticomunista de Hollywood (y del Departamento de Estado de los Estados Unidos)".[47] Esto podría parecer cierto, particularmente a la luz del entusiasmo de Figueroa por el programa de Educación Visual y la interpretación de Fein de la cinta de 1947, *El fugitivo*, de John Ford, filmada por Figueroa y coproducida por Fernández.

Sin embargo, a pesar de la convincente explicación de Fein sobre la cinta como una pieza de propaganda anticomunista, la película representaba una situación mucho más compleja. Fein define al régimen de Alemán y a la industria del cine mexicano como "colaboradores de la agenda capitalista de la derecha estadounidense".[48] En términos de las ambiciones políticas de Alemán, esto resulta cierto pero, en relación con las figuras clave de la industria del cine, especialmente Figueroa, existe una fuerte evidencia que sugiere todo lo contrario, lo cual hace que el análisis de su papel en la política cultural sea más complejo de lo que sugiere Fein.

En un memorándum, fechado el 26 de abril de 1967, el consulado de la embajada estadounidense en la ciudad de México le escribía al director del FBI, en Washington, respecto de Figueroa:

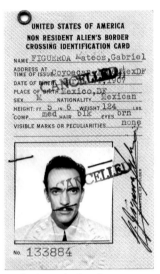

Sello de cancelación sobre la visa que la embajada de Estados Unidos en México había expedido a Gabriel Figueroa el 17 de junio de 1946. Archivo Gabriel Figueroa.

En vista de la importancia de este individuo como director de cine [*sic*], su relación con el ex presidente mexicano ADOLFO LÓPEZ MATEOS y la facilidad con la que obtiene exención de visas del INS para viajar a Estados Unidos, esta oficina no puede garantizar una investigación continua de sus actividades.[49]

No hay indicio alguno de hasta qué punto el FBI instigaba una vigilancia constante de Figueroa, pero los archivos disponibles muestran que, en 1950, existía claramente una investigación y seguimiento de sus movimientos, como lo demuestra un memorándum del cónsul de la embajada, en la ciudad de México, dirigido al director del FBI:

Creemos que el Buró posee en sus archivos una cantidad considerable de material concerniente al individuo antes mencionado [...] Las tendencias políticas de FIGUEROA son por lo general percibidas como pro-comunistas y su nombre ha sido conectado con varias actividades de grupos disfrazados (*front groups*).[50]

A pesar de las recomendaciones del memorándum de 1967, la vigilancia continuó hasta los años setenta y probablemente después.[51] Aunque se limitara la información al respecto, resulta evidente —por las razones dadas por el Departamento de Justicia de Estados Unidos

Abel Quezada. Cartón publicado en el periódico Ovaciones, en agosto de 1950, que hace referencia a la vigilancia policiaca que sufrió Gabriel Figueroa a su regreso del festival de cine de Karlovy Vary, en Checoslovaquia. Archivo Abel Quezada, A.C. Cortesía de la familia Quezada Rueda.

y el Departamento de Estado para no revelar la documentación— que Figueroa, lejos de haber sido considerado un aliado en la "cruzada" contra el comunismo, era de hecho un riesgo para la seguridad nacional de Estados Unidos.

Debido a una oferta hecha por John Ford a Figueroa, luego de la filmación de *El fugitivo,* se puso en evidencia la investigación que sobre Figueroa llevaba a cabo el FBI. Figueroa había firmado un contrato para realizar tres películas con la compañía productora de Ford, Argossy. Sin embargo, el sindicato de los empleados de la industria cinematográfica (IATSE) le negó el permiso de trabajo. La razón que se dio fue que Figueroa instigó una prohibición para el procesamiento de negativos de Hollywood en laboratorios mexicanos, en apoyo a la huelga de los trabajadores de los laboratorios de Estados Unidos.[52] Pero Richard Walsh, presidente de IATSE, había viajado a México para entrevistar a

Figueroa y, en una carta de Gregg Toland a Figueroa, la verdadera razón de la negativa del permiso pareciera ser otra:

> Trataré de poner por escrito todos los hechos y los rumores respecto a que filmes aquí una película [...] Recibí una llamada de Herb Aller quien es el director general local del sindicato. Dijo que acababa de hablar con Walsh [...] y que Walsh le había dicho que bajo ninguna circunstancia se debía permitir que trabajaras aquí. Agregó luego que había hablado contigo en México y que tú eres un comunista confeso. [...] Luego hablé con Ford quien me dijo cómo Walsh había llegado a México de una forma arrogante [sic] y que parecía que quería dar órdenes allí. Ford me habló de tu conversación con Walsh y me explicó que Walsh te había dicho: "Usted habla como un comunista" y que tú habías respondido: "Quizás lo sea y no es de su incumbencia si lo soy o no" [...] Según lo que puedo darme cuenta aquí no te otorgarán la cortesía de dejarte trabajar, cosa que siento mucho.[53]

De forma críptica, Toland agrega. "personalmente espero que hagas lo que haría yo en tu lugar. Te dejo adivinar lo que eso significa... Trata de no mencionar mis cartas en ninguna plática, ya que te las envío en mi calidad de amigo personal".[54]

Dieciséis meses más tarde, en septiembre de 1948, Toland falleció inesperadamente a los 44 años, de un ataque al corazón. En vista de la experiencia de Figueroa con Walsh, su rechazo a tomar el contrato de Toland con Goldwyn iba mucho más allá de su deseo, manifestado públicamente, de quedarse en México para continuar con su plan cinematográfico de recrear la *mística mexicana* en la pantalla. Con los juicios del Comité de Actividades Antiamericanas (HUAC, por sus siglas en inglés) resonando aún en el ámbito internacional, y la continuación de las investigaciones del comité, si Figueroa se hubiera mudado a Estados Unidos, seguramente habría corrido el riesgo de ser citado a declarar.

Gabriel Figueroa, su prima y cuñada Esperanza López Mateos, y su hermano Roberto, en el Congreso Internacional de la Paz, realizado en la ciudad de México en 1949. Archivo Gabriel Figueroa.

Asamblea del Partido Popular, fundado en 1948 por Vicente Lombardo Toledano. Entre los asistentes a esa reunión estuvo Gabriel Figueroa (señalado con una cruz en la fotografía). Ciudad de México, ca. 1949. Archivo Gabriel Figueroa.

Esto se confirmó en 1951 cuando fue nombrado en las audiencias por el director Robert Rossen, y nuevamente en 1952 por Elia Kazan.[55]

Luego de una entrevista con Figueroa llevada a cabo el 9 de marzo de 1950, Wallace Clarke, de las oficinas consulares de la embajada de Estados Unidos en la ciudad de México, envió un memorándum al embajador, luego reenviado al FBI:

> Cuando la conversación derivó a sus creencias políticas y a su afiliación en varias organizaciones políticas en México, no quería responder. Luego lo hizo a instancias mías, con respecto de su calidad de miembro del Partido Popular, afirmando que era miembro de ese partido pero que durante algún tiempo no ha tomado parte activa por no haber estado de acuerdo en algunas de las recientes declaraciones del partido en cuestión. Subrayó que no ha renunciado nunca al partido, pero no aclaró por qué no lo había hecho [...] Rehusó hablar de sus actividades políticas o sus creencias más allá de la declaración de que era miembro del Partido Popular y subrayó que pensaba que ya había dicho demasiado al decir eso.[56]

Figueroa siempre aseguró en público que sus creencias políticas eran un asunto personal y negó categóricamente su afiliación a cualquier partido político.[57] Sin embargo, en el manuscrito de su autobiografía hay una parte marcada para ser borrada en la cual escribe que había sido miembro del Partido Popular (PP) durante dos meses, pero había renunciado debido a infracciones sugeridas a los reglamentos del partido. Además, Figueroa tenía lazos íntimos personales con miembros del partido. Su cuñada y prima, Esperanza López Mateos, con quien tenía una relación

muy cercana, era asistente de Vicente Lombardo Toledano, ex secretario general marxista de la CTM y fundador del PP, en 1948. Lombardo Toledano había sido la figura más prominente en desafiar activamente el desarrollo en México del capital aliado con Estados Unidos —a fines de los años cuarenta e inicio de los cincuenta— y, en 1952, se convirtió en el candidato presidencial del Partido Comunista.[58] Figueroa lo conocía desde fines de los años treinta, cuando Lombardo Toledano era aún secretario general de la CTM.[59] En 1949, Esperanza López Mateos asumió la administración de una importante huelga en la mina Nueva Rosita y Cloete, en Coahuila, en representación de Lombardo Toledano. Figueroa se había involucrado en la organización y apoyo de la huelga.[60] Aunque la acción de los mineros fracasó, la huelga amenazó seriamente los estrechos vínculos entre los propietarios, la American Smelting and Refining Company (ASARCO), con base en Estados Unidos, y el régimen de Miguel Alemán.[61]

Sin embargo, no fueron solamente sus vínculos políticos lo que puso a Figueroa bajo la vigilancia del FBI, y su nombre en la famosa lista negra de Hollywood. Su activismo en los sindicatos políticos era bien conocido. Defensor entusiasta del movimiento sindical, renunció en 1945 al STIC por la corrupción que presenció, tanto en ese sindicato como en la CTM (entonces bajo el liderazgo de Fidel Velázquez). Luego asumió un papel principal en la formación del Sindicato de Trabajadores de la Producción Cinematográfica de la República Mexicana (STPCRM), respaldado y dirigido por celebridades.

A pesar de participar con los gobiernos de Estados Unidos y México en el establecimiento de lazos de producción con Hollywood, a través de su contacto con la RKO y los laboratorios de Estados Unidos, buena parte de su trabajo en el movimiento sindical estaba en conflicto directo con compañías estadounidenses asentadas en México, como ASARCO. Esto, y su apoyo activo a la acción industrial emprendida por sindicatos de Estados Unidos, iba en contra del impulso por estrechar la *relación especial* Estados Unidos-México y proyectarla al pueblo mexicano. De hecho, a menudo esto amenazó su seguridad personal pues su ayuda a los republicanos que llegaron procedentes de España, al finalizar la guerra civil, su afiliación (aunque breve) al PP y sus relaciones personales cercanas con otras figuras prominentes de izquierda del panteón cultural, incluyendo a Diego Rivera y David Alfaro Siqueiros, lo convirtieron en candidato para la investigación del FBI.

La evidencia presentada anteriormente genera un enigma. Por un lado, está la cuestionable presentación de Figueroa como el principal cineasta nacionalista, el padre de un clasicismo independiente, específicamente mexicano, opuesto a la influencia y a la intervención de Estados Unidos. Por el otro, Fein presenta un Figueroa transnacional, integrado en la iniciativa conjunta Estados Unidos-México contra la izquierda, actor principal en la recreación de un nacionalismo mexicano anticomunista de posguerra.[62] Respecto a esta investigación, la hipótesis resulta igualmente problemática.

Sin embargo, estas contradicciones manifiestas pueden ser analizadas como constitutivas de los procesos transnacionales entre ambas. También debe reconocerse que Hollywood era, y sigue siendo, básicamente transnacional.[63] Tampoco podemos limitar la reflexión de lo transnacional en México a sus relaciones con la industria y los

Acto de campaña de los trabajadores cinematografistas a favor de Adolfo López Mateos, candidato presidencial del Partido Revolucionario Institucional. Lo flanquean Mario Moreno Cantinflas y Gabriel Figueroa. Ciudad de México, 1958. Archivo Gabriel Figueroa.

sucesivos gobiernos de Estados Unidos. Sus negocios con otros países latinoamericanos y con España deben ser considerados igual que la inmigración de cineastas a México, como Luis Buñuel, Alejandro Jodorowsky y Luis Alcoriza.

El lúcido e incisivo análisis de Fein acerca de la cooperación o "colaboración" transnacional sirve como paradigma del análisis. Sin embargo, resulta básico vigilar las fisuras inherentes en cualquier intercambio económico, político, social e ideológico. Fein las identifica y expone al nivel de gobierno, y dentro de un espectro más amplio de sucesos. Pero las paradojas —inherentes al interior de las brechas del proceso transnacional— y la madeja central de discordancias que se contradicen, se vuelven evidentes cuando se analiza el trabajo y los actos de los líderes de la comunidad fílmica mexicana, como Figueroa, cuyo trabajo estaba complejamente vinculado con las alianzas transnacionales fraguadas entre México y Estados Unidos.

Alex Kahle (atribuida). Gabriel Figueroa y el director John Ford durante la filmación de The Fugitive *[El fugitivo], 1947. Archivo Gabriel Figueroa.*

La carrera de Figueroa no era un salto suave a la fama y la fortuna planificado con anterioridad, tal como lo sugieren Poniatowksa[64] e Isaac.[65] Su desarrollo de un estilo cinematográfico y su contenido ideológico no fue tan sencillo como apuntan el crítico Ramírez Berg o el historiador Fein.[66] Como se ha demostrado, las aparentes elecciones de Figueroa eran a menudo decisiones hechas bajo presiones políticas extremas, e implicaban un compromiso y actos evasivos que le permitieran continuar con su trabajo creativo. No obstante, yo afirmaría que las fuerzas transnacionales, políticas y económicas alrededor de Figueroa, en la primera parte de su carrera, fueron fundamentales en el desarrollo de una estética que posteriormente influiría enormemente al cine mexicano.

DERECHA: Gabriel Figueroa con la actriz Bette Davis durante su visita a los estudios Clasa mientras se filmaba la película El as negro *(René Cardona, 1943), que llevaba como protagonista al ilusionista David T. Bamberg Fu Man Chu. Archivo Gabriel Figueroa (arriba). Gabriel Figueroa y la actriz Paulette Goddard durante un descanso de la filmación de* The Torch *(Emilio el Indio Fernández, 1950). Colección Fundación Televisa (abajo).*

Notas

1 Cfr. Charles Ramírez Berg, "Figueroa's Skies and Oblique Perspective-Notes on the Development of the Classical Mexican Style", *Spectator*, 13, EUA, 1992, pp. 24-41; Charles Ramírez Berg, "The Cinematic Invention of Mexico the Poetics and Politics of the Fernández-Figueroa Style", *The Mexican Cinema Project*, EUA, UCLA Archive, 1994, pp. 13-24; Alberto Isaac, *Conversaciones con Gabriel Figueroa*, México, Universidad de Guadalajara/Universidad de Colima/CIEC, 1993; Elena Poniatowska, *La mirada que limpia*, México, Diana, 1996; Margarita de Orellana, "Palabras sobre imágenes: el arte de Gabriel Figueroa", *Artes de México*, núm. 2, 1988, pp. 37-53; Raquel Peguero, "La cámara de un melómano tremebundo", *La Jornada*, 24 de abril de 1997, pp. 1-5; Carlos Monsiváis, "Camarógrafo del Indio Fernández", *La Jornada*, 24 de abril de 1997, pp. 9-12.

2 Un escritor que ha cuestionado la exposición nacionalista del trabajo de Figueroa es Carlos Monsiváis, autor y cronista mexicano. En un artículo seminal sobre Figueroa, Monsiváis escribe que sus imágenes trascienden el aceptado nacionalismo de la retórica posrevolucionaria e incluso la misma realidad, para proponer verdades fundamentales acerca de la sociedad mexicana. Figueroa, sugiere Monsiváis, no se adhirió a una "estética nacional increíble" sino que, más bien, sus imágenes expusieron facetas de la sociedad mexicana que cuestionaban la agenda nacionalista elitista. La interpretación visual de la raza y las condiciones sociales del director de fotografía, aun siendo superficialmente seductoras, trascienden su belleza integral para expresar la "ausencia" y la "desolación" de la historia mexicana, de la gente y del mismo país. [Cfr. Monsiváis, *op. cit.*, n. 1] Yo estaría de acuerdo con las observaciones de Monsiváis, sin embargo, el cronista no sigue examinando las implicaciones y las causas de las fisuras en los temas sociales y políticos que él percibe como integrales a la imagen. Aunque el transnacionalismo va implícito en sus comentarios sobre Figueroa (y de hecho en sus escritos en general), no analiza la naturaleza exacta y las implicaciones de las relaciones entre Figueroa, la industria del cine mexicano, la intervención de Estados Unidos, los intereses mutuos y las motivaciones de las elites estadounidenses-mexicanas en las relaciones transnacionales.

3 M. Huacuja, "Gabriel Figueroa" [entrevista], *El Financiero*, ciudad de México, 25 de mayo de 1997, p. 31.

4 J. Galindo Ulloa, "El hombre tras la cámara" [entrevista], *La Jornada Semanal*, ciudad de México, 25 de mayo de 1997, pp. 2-3.

5 Gabriel Figueroa, "Los discursos de Gabriel Figueroa ante la Sociedad de Fotógrafos de Cine de Estados Unidos", *Proceso*, ciudad de México, 13 de marzo de 1995, 958, p. 60.

6 Gabriel Figueroa, *Autobiografía* [manuscrito], Colección Gabriel Figueroa Flores, 1988, p. 24.

7 Velasco utilizaba escenarios y trajes elaborados. Asimismo, cambiaba el maquillaje de las mujeres y les pintaba los labios en forma de arco de Cupido, retocando el negativo de forma laboriosa, agregando pestañas y enfatizando

*Gabriel Figueroa y la actriz Claudette Colbert en
los estudios Paramount. Hollywood, California, 1945.
Archivo Gabriel Figueroa.*

los rasgos de los ojos y la boca. No resulta sorprendente, pues, que el retrato de estudio
se volviera muy popular entre los actores de
teatro.

8 *Op. cit.*, n. 6, p. 24.

9 *Op. cit.*, n. 4, p. 2.

10 *Op. cit.*, n. 6, p. 24.

11 Emilio García Riera, *Breve historia del cine
mexicano 1897-1997*, México, Ediciones Mapa/
Imcine, 1998, p. 76.

12 *Ibidem*, p. 81.

13 *María Elena* fue la primera gran producción
planeada tanto en inglés como en español. Producida por Bush, Hanson y Sánchez
Tello, la película fue filmada por Jack Draper
y Alvin Wyckoff, y fue la primera cinta de
Pedro Armendáriz. Otros actores eran Emilio
Fernández, Carmen Guerrero y Beatriz Ramos.

14 Emilio García Riera, *Historia documental del
cine mexicano (1929-1937)*, México, Centro de
Investigaciones y Enseñanzas Cinematográficas,
1992, p. 113.

15 *Ibidem*, pp. 207-208.

16 J. Lesser, "Tisse's Unfinished Treasure: ¡Qué viva
México!", *American Cinematographer*, julio de
1991, p. 38.

17 *Op. cit.*, n. 11, p. 85.

18 Entre 1931 y 1936, los únicos directores de fotografía mexicanos eran: Guillermo Baqueriza,
Antonio Fernández, Jorge Stahl, Víctor Herrera, Ezequiel Carrasco, Manuel Sánchez Valtierra, Agustín Jiménez, Gilberto y Raúl Martínez
Solares, quienes filmaron un total de veintiséis
películas entre esos años. Tan sólo Phillips filmó
más de treinta películas en el mismo periodo,
Fisher unas veinticinco y Draper, veinte.
Durante este periodo la mayoría de los camarógrafos mexicanos recibieron capacitación
en Hollywood. Luego del éxito de Figueroa con
Allá en el Rancho Grande en 1936, aumentaron
los contratos para los directores de fotografía
mexicanos, aun cuando Phillips seguiría siendo
la figura dominante hasta principios de los
años cuarenta [Cfr. *op. cit.*, n. 14.]

19 Isaac, *op. cit.*, n. 1, p. 26.

20 Aun cuando los estudios sobrevivieron, la compañía productora se declaró en bancarrota a
fines de 1935 y el gobierno de Cárdenas sub-
vencionó a la compañía con un millón de pesos
[Cfr. C.J. Mora, *Mexican Cinema, Reflections of a
Society 1896-1988*, EUA, University of California
Press, 1989, p. 45.]

21 Isaac, *op. cit.*, n. 1, p. 26.

22 A lo largo de su carrera siempre mantuvo buenas relaciones con los editores durante los
años cuarenta y cincuenta, particularmente
con Gloria Schoemann y Carlos Savage. La conciencia de la yuxtaposición de tomas y la importancia de la relación de la composición entre
cada toma resultaba esencial para su posterior
desarrollo como camarógrafo. [Ceri Higgins,
entrevistas realizadas a Carlos Savage y Gloria
Schoemann, el 23 de septiembre de 1999 y el 7
de septiembre de 1999, respectivamente.]

23 Dolores del Río se convirtió en amiga cercana
de Figueroa y regresaría a México para trabajar con él como actriz y productora durante
los años cuarenta y cincuenta. Para un análisis
de la naturaleza transnacional del estrellato
de Dolores del Río, véase A. López, "Facing
up to Hollywood", *Reinventing Film Studies*,
Inglaterra, Arnold, 1999, pp. 419-437.

24 Cfr. *Op. cit.*, n. 6, p. 35; T. Dey, "Master Cinematographer", *American Cinematographer*,
marzo de 1992, pp. 35-40.

25 *Op. cit.*, n. 4, p. 2.

26 Gabriel Figueroa Flores posee en su colección
privada cartas de Toland fechadas entre 1946 y
1947.

27 L. Maltin, *The Art of the Cinematographer*, EUA, Dover, 1978, p. 17; D. Bordwell, J. Staiger, K. Thompson, *The Classical Hollywood Cinema: Film Style and Mode of Production to 1960*, Inglaterra, Routledge & Kegan Paul, 1985, p. 346.

28 *Op. cit.*, n. 6, p. 101.

29 Bordwell, *op. cit.*, n. 27, p. 345.

30 Para una visión general de la relación entre estandarización e innovación dentro del sistema de los estudios, véase *ibid.*, p. 110.

31 *Op. cit.*, n. 6, p. 35.

32 George Mitchell "A Great Cameraman", *Films in Review*, diciembre de 1956, núm 7 (10).

33 *Op. cit.*, n. 6, p. 185.

34 *Ibidem.*

35 Aunque el análisis crítico del foco profundo comienza generalmente con el trabajo de Toland en *Citizen Kane* (Welles, 1941), sus contemporáneos Lee Garmes y James Wong Howe ya habían experimentado con el aumento de la profundidad de campo en la década de los treinta. David Bordwell enumera el desarrollo de la profundidad de foco durante este periodo citando a Wong Howe, Hal Mohr, Bert Glennon y Arthur Miller, mentor de Toland, como figuras clave en la utilización de lentes más anchos que el estándar de 50 mm. [Cfr. D. Bordwell, "Deep Focus Cinematography", *The Studio System*, EUA, Rutgers University Press, 1995.] Aunque resulta significativo que Wong Howe filmó *Transatlantic* (película que utiliza Bordwell como ejemplo) con un lente de 25 mm, el resul-

Gabriel Figueroa y Shirley MacLaine en el festival de cine de Cannes de 1967, evento en que la actriz fue jurado y el cinefotógrafo formó parte de la comitiva que presentó la película Pedro Páramo (Carlos Velo, 1966). *Archivo Gabriel Figueroa.*

tado fue un espectro de foco de entre 1.5 y 9 metros, es decir, de una toma media (*medium shot*) a una toma larga (*long shot*) [Cfr. B. Salt, *Film Style and Technology History and Analysis*, Inglaterra, Starword, 1992, p. 202.], lo cual es un rango mucho más corto que el utilizado por Toland normalmente.

36 A lo largo de la década de los treinta se desarrollaba una nueva película fotográfica más rápida. En 1931, Eastman introdujo su negativo pancromático Super Sensible; en 1934, se introdujo en Estados Unidos el negativo Agfa-Ansco Super Pancromático ASA 32; en 1935, el negativo Pancromático Eastman Super X ASA 40 y, en 1938, Agfa introdujo el Agfa Supreme ASA 64 y el Agfa Ultrajan ASA 120 y Eastman introdujo su Plus X ASA 80 —que luego se convertiría en el material estándar para la industria en Estados Unidos— y el Eastman Super XX con una velocidad de obturación ASA 160 [Cfr. M. Cormack, *Ideology and Cinematography in Hollywood 1930-39*, Inglaterra, MacMillan Press, 1994, p. 83.

Rafael García. Gabriel Figueroa y la actriz Linda Christian durante un descanso en la filmación de Tarzan and the Mermaids [Tarzán y las sirenas]. *Acapulco, México, 1947. Archivo Gabriel Figueroa.*

37 Seth Fein, "Culture across Borders in the Americas", *History Compass*, agosto de 2003, en

Gabriel Figueroa midiendo la luz que recibe Toshiro Mifune, actor japonés, durante la preparación de una escena de Ánimas Trujano (El hombre importante), película dirigida por Ismael Rodríguez en 1964. Archivo Gabriel Figueroa.

http//www.Blackwell-compass.com/subject/history (consultado el 3 de abril de 2006).

38 Isaac, *op. cit.,* n. 1.

39 Poniatowska, *op. cit.,* n. 1.

40 *Op. cit.,* n. 6, p. 197.

41 H. J. Rivera, "Recibió 'el major premio de mi vida' el de la Sociedad Americana de Cinefotógrafos", *Proceso,* ciudad de México, 13 de marzo de 1995, 958, p. 60.

42 Para un informe de las relaciones entre Hollywood y la industria mexicana durante la Guerra Fría véase Seh Fein, "Transculturated Anticommunism, Cold War Hollywood in Postwar Mexico", *Visible Nations, Film and Video in Latin America,* USA, University of Minnesota Press, 2000, pp. 82-85. Para una evaluación de la política económica gubernamental bajo los gobiernos de Ávila Camacho y Alemán durante los años cuarenta y cincuenta, véase Erfani, 1995, pp. 59-83.

43 Erfani, *Ibidem,* p. 74.

44 *Op. cit.,* n. 6, pp. 131-132.

45 Emilio García Riera, *Historia documental del cine mexicano (1943-1945),* México, Centro de Investigaciones y Enseñanzas Cinematográficas, 1992, tomo 3, p. 215.

46 Para un informe detallado del trabajo de la USIS y sus vínculos con la agenda del gobierno mexicano, véase Seth Fein, "Transnationalization and Cultural Collaboration: Mexican Film Propaganda during World War II", *Studies in Latin American Popular Culture,* núm. 17, 1998, pp. 79-104.

47 *Idem.*

48 Fein, *op. cit.,* n. 42, p. 87.

49 El término colaboración resulta problemático cuando se observa desde un contexto europeo. Esto puede ser por las asociaciones fuertemente negativas que posee este término en la historia europea, que hacen que suene a traición y chantaje.

50 Memorándum 4-26-67 Ref: (105-3040) Re Mex letter to Bureau 3-6-67 FBI file no 100-368518.

51 Memorándum del cónsul de la embajada en la ciudad de México al director del FBI, 10.3.50 FBI file no 100-368518.

En marzo de 2003 la autora solicitó copias de la información que se tenía sobre Gabriel Figueroa, amparada en la Ley de la Libertad de Información. En septiembre de 2003, recibió 21 de las 35 páginas revisadas. Las catorce páginas faltantes fueron retenidas por las siguientes razones:

1) Bajo la Sección 552 b1 y b2 se relacionan con otros departamentos del gobierno y la información referente a esas áreas se envió directamente a ellos.

2) Bajo la Sección 552a b1 la información contenida en esas páginas tuvo que mantenerse en secreto en interés de la defensa nacional o de la política internacional, b2 que la información se relacionaba solamente con reglas y prácticas del personal interno y prácticas de la agencia, y b7C y D que podía esperarse que la información contenida constituyera una invasión no deseada de la privacidad personal y podría esperarse que revelara la identidad de una fuente confidencial, es decir, de un informante.

El otro departamento al que se hacía referencia en la sección 552 b1 y b2 era el Departamento de Estado que respondió a su solicitud en noviembre de 2003, con archivos sobre solicitudes de visa y la papelería relacionada con la negativa de otorgarle a Figueroa una visa para Estados Unidos.

52 Archivo A13 138 509, Servicio de Naturalización e Inmigración del Departamento de Justicia de Estados Unidos, ciudad de México, 12 de mayo de 1970. Finalmente, en la segunda mitad de la década de los sesenta, Estados Unidos le otorgó a Figueroa una visa de turista con entradas múltiples. Sin embargo, cuando en 1986 John Huston le pidió que fotografiara *Prizzi's Honour*, el Departamento de Estado negó a Figueroa el permiso para trabajar en Estados Unidos. Si bien poseía una visa de turista de entradas múltiples, estaba marcada con X326 y la letra D, Figueroa siempre era detenido en inmigración mientras los funcionarios investigaban sobre su persona [*Op. cit.*, n. 41, pp. 63-64].

53 Isaac, *op. cit.*, n. 1, p. 40; Figueroa, *op. cit.*, n. 6, p. 40.

54 Carta de Gregg Toland a Gabriel Figueroa, 25 de mayo de 1947, colección privada de Gabriel Figueroa Flores.

55 Richard F. Walsh era el presidente electo de IATSE hasta 1974. Su asistente, Walter F. Diehl, le sucedió hasta su retiro en 1986.

56 Cfr. Isaac, *op. cit.*, n. 1, pp. 42-47; Figueroa, *op. cit.*, n. 6, pp. 133-136, 212-234; Rivera, *op. cit.*, n. 41, pp. 62-63.
Zanuck se había acercado a Figueroa, en 1950, para proponerle filmar *Viva Zapata!*, con el director Elia Kazan. Figueroa no podía obtener la entrada a Estados Unidos para entrevistarse con Kazan y John Steinbeck (quien había escrito el guión de *La perla*) para discutir el guión. Sin embargo, tanto el director como el guionista hicieron arreglos para encontrarse con él en México. Figueroa estaba en fuerte desacuerdo con la personificación de Emiliano Zapata y recomendó reescribir el guión, lo cual hizo Steinbeck. Finalmente Figueroa se rehusó a participar en la película y fue filmada en Texas: se mantuvo en buenos términos con Kazan hasta que el director dio su nombre en el testimonio a la HUAC. [Cfr. Isaac, *op. cit.*, n. 1, pp. 42-44; De Orellana, *op. cit.*, n. 1, p. 41; Figueroa, *op. cit.*, n. 6, pp. 209-211.]

57 Memorándum de Wallace Clarke al Embajador, 9.3.50 FBI File 100- 368518.

58 *Op. cit.*, n. 1: Isaac, pp. 38 y 49; De Orellana, p. 44; Poniatowska, p. 64.

59 *Op. cit.*, n. 46, p. 415.

60 Figueroa había producido un cortometraje financiado por las empresas petroleras. En

Ángel Corona (atribuida). Gabriel Figueroa y Marilyn Monroe conversan en el set donde se filmaba El ángel exterminador, película dirigida por Luis Buñuel. Estudios Churubusco, ciudad de México, 1962. Archivo Gabriel Figueroa.

vez de apoyar el informe de las compañías que debía promover, su apuesta contra la propuesta de nacionalización de la industria a favor de los trabajadores petroleros alteró la película al subrayar las enormes ganancias que obtenían las compañías contrastándolas con los bajos salarios y malas condiciones de los trabajadores. Lombardo Toledano había aprobado la película en nombre de los movimientos del sindicato. No resulta sorprendente que el filme "desapareciera". [*Op. cit.*, n. 6, pp. 110-111.]

61 *Ibidem*, pp. 201-207.

62 Por ejemplo, el ex presidente Abelardo Rodríguez era uno de los principales accionistas de la compañía. [*Ibidem*, p. 201.] La amenaza era tal que el líder minero Francisco Solís (amigo de Figueroa) fue asesinado a su regreso a Coahuila. [*Ibidem*, p. 206.]

63 *Op. cit.*, n. 46, p. 433.

64 Para una visión general de las relaciones y los negocios entre la industria europea y Hollywood, hasta 1930, véase A. Higson, R. Maltby (eds.), *"Film Europe" and "Film America" Cinema, Commerce and Cultural Exchange 1920-1939*, EUA, University of Exeter Press, 1999.

65 Poniatowska, *op. cit.*, n. 1.

66 Isaac, *op. cit.*, n. 1.

67 Cfr. Ramírez, *op. cit.*, n. 1, "'Figueroa's Skies...'", pp. 24-41 y "The Cinematic Invention...", pp. 13-24.

Figueroa, educador visual

(Donde se describen los esfuerzos del cinefotógrafo de los cielos de México en la difusión de instructivos para el barrido higiénico de alfombras y otros materiales educativos de importancia estratégica)[1]

Juan Manuel Aurrecoechea

Para Alfonso Morales

¿Qué podría sacar el campesino o indio analfabeta de la parte de este film [La limpieza es garantía de salud] *en donde se demuestra el peligro de ensalivarse los dedos al hojear un libro, él, que no lee libros porque no sabe leer? ¿O del consejo de no barrer la tapicería de su cuarto sin humedecer la escoba, él, que nada tiene que barrer de los pisos de tierra de su cabaña?*

Una vez pasando esta película en una aldea carpatorrusa, uno de los espectadores exclamó: ¡Mira cómo se vive bien en América! Era la sola deducción que podía sacar este campesino que había sido impresionado no por el fondo del film, sino por las condiciones de exterioridad de la vida americana...

S. G. Askinasi

I

Poco se sabe de la vocación pedagógica de Gabriel Figueroa. En 1942 formuló un ambicioso proyecto de educación visual que promovería durante los siguientes tres años, en los que realizó la fotografía de 23 películas, entre ellas algunas de las más emblemáticas de su carrera: *Historia de un gran amor, Flor silvestre, Distinto amanecer, María Candelaria, Las abandonadas, Bugambilia, La perla* y *Enamorada*.

El cinefotógrafo fue seducido por las tesis que promovieron —desde las primeras décadas del siglo XX— al cine como instrumento de enseñanza y propaganda. En un mundo que progresaba al ritmo de la fábrica, la luz eléctrica, el automóvil y el avión, la enseñanza debía incorporar al cine como instrumento educativo, arma de lucha contra el analfabetismo, para la promoción de hábitos higiénicos y la difusión de técnicas modernas.

> Recurso verdaderamente prodigioso [por] la fuerza ilimitada de comprensión que produce, [ya que] la memoria visual es más activa que la auditiva; [el cine permite] superar el carácter seco y escolástico de la enseñanza [y representa una] economía enorme del trabajo intelectual del alumno [...] impresionando en la memoria casi automáticamente la información, sin exigir agotadores esfuerzos. [El cinematógrafo] reproduce la vida con una ilusión capaz de engañar [*sic*] no sólo al niño sino también al adulto [y debía usarse] en provecho de la humanidad. [Para los teóricos del cine educativo, el medio tenía una] misión civilizadora [ya que aparecía como] el método más eficaz [...]

Cuadro alegórico sobre la buena vecindad entre México y Estados Unidos, 4 de julio de 1942. Archivo General de la Nación, Fondo Presidente Manuel Ávila Camacho.

en la incorporación de un pueblo de cultura inferior a la civilización contemporánea.[2]

Con argumentos como éstos, en marzo de 1942, Gabriel Figueroa propuso a la Secretaría de Educación Pública (SEP) crear un "Departamento de Cinematografía Educativa". Su plan contemplaba la colaboración, en ciudades como el Distrito Federal, entre los planteles escolares y los cines de su entorno: "todos los sábados por la mañana se darán en los cines funciones de carácter educativo, a las que deberán concurrir los alumnos de las escuelas". Para "los poblados pequeños y centros rurales", Figueroa sugirió el uso de películas de 16 mm "para ser proyectadas con aparatos portátiles de fácil manipulación y bajo precio".[3]

"El cine —agregaba el cinefotógrafo— puede además tener una gran importancia en la educación de adultos que no saben leer pero a quienes pueden impartirse muy importantes conocimientos (técnicos, de cultivo, industrialización, exterminio de plagas, higiene, etc.)..." El proyecto pretendía exhibir materiales proporcionados por la Oficina del Coordinador para Asuntos Interamericanos (OCAI) del gobierno de los Estados Unidos, "en tanto la Secretaría produjese sus propios *films* educativos".

La OCAI, creada en agosto 1940 por el presidente Roosevelt y cuyo primer director fue el magnate Nelson Rockefeller, tenía la misión de mantener en la órbita de los Estados Unidos a las naciones de América Latina en el momento de la Segunda Guerra Mundial. Una de las primeras acciones de la OCAI fue lograr que el Banco de Exportaciones e Importaciones incrementase en 350 por ciento su disponibilidad de crédito para América Latina. La asistencia financiera de los Estados Unidos al resto de los países americanos estuvo acompañada por otras muchas medidas recomendadas por la OCAI.

En el caso de México, la oficina de Rockefeller gestionó que las compañías petroleras expropiadas redujeran las presiones a nuestro país, colaboró en la renegociación de la deuda ferrocarrilera que agobiaba las finanzas nacionales y, en 1942, apoyó el acuerdo comercial mediante el cual los norteamericanos otorgaron concesiones arancelarias para el petróleo, el ganado, la cerveza y otros productos agrícolas. En tiempos de guerra, México recibió asistencia técnica en muy diversos terrenos, obviamente en los estratégicos asuntos militares.[4]

Con el fin de crear una opinión pública favorable a los Estados Unidos y revertir la histórica antipatía latinoamericana a todo lo norteamericano, la OCAI destinó grandes esfuerzos y recursos a la prensa, la radio y el cine de México, Centro y Sudamérica.[5]

Francis Alstock, subdirector de la sección cinematográfica de la OCAI, y Kenneth Macgowan, su director de producción, se mostraron muy entusiasmados con el proyecto educativo de Figueroa. Alstock fue un

personaje clave en el decidido apoyo norteamericano al cine mexicano de los años cuarenta que permitió su *época de oro*. En 1943 el gobierno mexicano le otorgó la orden del Águila Azteca. Ese año también recibieron la insignia otros tres personajes de la industria cinematográfica de los Estados Unidos "por su intensa y efectiva obra de acercamiento y amistad con nuestro país". Ellos fueron: Louis B Mayer, en razón de los esfuerzos realizados por su compañía —la Metro Goldwyn Mayer— por dignificar la imagen latina en sus películas; el documentalista Francis Fitzpatrick, quien dedicó ocho de sus famosos *traveltalks* (viajes narrados) a promover el México turístico; y finalmente Walt Disney, quien estaba por estrenar *Los tres caballeros*. Kenneth Macgowan trabajó como productor para la RKO, la 20th Century Fox y la Paramount Pictures. En 1946 dejó la industria para ocuparse de la dirección del Departamento de Artes Escénicas de la UCLA. El teatro que se construyó en el campus de esta universidad lleva su nombre. Macgowan es autor de numerosos libros sobre cine y artes escénicas, como la famosa historia del cine norteamericano titulada *Behind the Screen*.

En octubre de 1942, Macgowan viajó a México y dictó una conferencia sobre la educación visual en el Palacio de Bellas Artes, ante

Los personajes José Carioca, Panchito y Donald Duck en un still de The Three Caballeros [Los tres caballeros], producida por los estudios Disney y dirigida por Norman Ferguson en 1943. Colección Fundación Televisa (izquierda).

Dos fotogramas de la misma película. En la imagen inferior, el gallo Panchito (Pancho Pistolas) empuja una postal del lago de Pátzcuaro, Michoacán. Archivo Luna Córnea.

350 profesores, todos ellos directores de zonas federales de la SEP. Fue este el acto público del proyecto de educación visual que recibió más atención por parte de la prensa y, en este sentido, un momento propagandístico. Se anunciaba que en México el cine estaba a punto de dejar de ser mera diversión o simple pasatiempo, puesto "que se le han encomendado otras tareas más nobles, más dignas y más humanas: ayudar a la educación de los pueblos".

Durante su alocución, Macgowan informó al público que trabajaba sin salario para su gobierno; presentó tres cortos educativos producidos en los Estados Unidos: uno que pretendía demostrar que era "más sencillo enseñar con una película que sin ella", otro de carácter científico, y un tercero que trataba de la migración de las aves del norte al sur de América y que, obviamente, aludía de manera sutil al panamericanismo que promovía el gobierno de los Estados Unidos a través de la OCAI. Finalmente buena parte de su conferencia lo dedicó a elogiar y recomendar el programa de educación visual de Gabriel Figueroa. Los periodistas que cubrieron la conferencia anunciaron que, a partir de 1943, la enseñanza visual se implantaría en nuestro país, y encomiaron la labor de Figueroa, quien a decir de un reportero había recibido el nombramiento honorario de Supervisador [*sic*] Técnico de Enseñanza Visual por parte de la SEP.

Gabriel Figueroa asistió a la conferencia sobre educación visual que, con patrocinio de la OCAI, se celebró en los estudios Walt Disney de Burbank, California, entre el 25 de mayo y el 4 de junio de 1943, en la que también participó, por parte de México, la maestra Eulalia Guzmán, entonces a cargo del departamento de arqueología del Museo Nacional. Los discursos de apertura de la conferencia corrieron a cargo de Walt Disney y del Dr. Enrique Sánchez de Lozada, consejero para asuntos latinoamericanos del gobierno estadounidense. Durante su estancia en Los Ángeles, Figueroa hizo amistad con Jack Cutting, productor de Disney, a quien serviría como guía durante el viaje que el norteamericano realizó posteriormente a diversas zonas rurales de México para preparar la producción de los cortos educativos destinados a América Latina, que la compañía estaba produciendo para la OCAI.

Y es que con la guerra, los estudios Disney se habían transformado de una industria del entretenimiento en una incansable productora de películas de entrenamiento, capacitación y propaganda bélica. Aun antes de la entrada de los Estados Unidos en la guerra, Disney produjo

Fotografía tomada en los estudios Disney durante el Seminario de Educación Visual. En el orden acostumbrado se ve a: Enrique de Lozada (consultor de la OCAI para asuntos latinoamericanos), Luis Alberto Tapia (capellán del ejército boliviano), personaje no identificado, Hernane Tavares de Sa (profesor de la Universidad de São Paulo, Brasil), Arthur D. Wright (presidente de la Southern Education Foundation de los Estados Unidos —según uno de los documentos de la conferencia, esta fundación se dedicaba a "la educación de los negros"—), Kenneth Holland (director de ciencia y educación de la OCAI), Reinaldo Murgeytia (director de la Escuela Normal Indígena del Ecuador), Víctor Sutter (director del Departamento de Sanidad de El Salvador), Calixto Suárez (director del Sistema de Educación Municipal de La Habana, Cuba), Gabriel Figueroa, personaje no identificado, Mervine Le Roy (empleada de la OCAI), Eulalia Guzmán (directora del Departamento de Arqueología del Museo Nacional de México), Walt Disney, Luis Martínez Mont (inspector general del Departamento de Educación de Guatemala), Mildred Wise (consultora de educación para adultos de la OCAI), William H. Cottrell (director del departamento de argumentos de los estudios Disney). Burbank, California, junio de 1943. Archivo Gabriel Figueroa.

cinco cortos por encargo del Film Board de Canadá para estimular la compra de bonos de guerra: *The Thrifty Pig* [El cerdito ahorrativo], *The Seven Wise Dwarfs* [Los siete enanos sabios], *Donald´s Decision* [La decisión de Donald] y *All Together* [Todos juntos]. También produjo para el ejército canadiense *Stop that Tank* [Paren ese taque], *film* de entrenamiento dedicado a capacitar a los soldados en el uso del rifle antitanque MK-1.

Al día siguiente del ataque a Pearl Harbor, Disney firmó un contrato con la armada estadounidense para realizar veinte cortos de entrenamiento. Para 1943, el 94 por ciento de la producción del estudio fue hecha por contratos gubernamentales, con el ejército, la armada, la Office of War Information, el Departamento del Tesoro —para quien realizó

The New Spirit [El nuevo espíritu], corto de propaganda que invitaba a los ciudadanos norteamericanos a colaborar con el esfuerzo bélico pagando a tiempo sus impuestos—. Para la Secretaría de Agricultura de su gobierno realizó *Food Will Win the War* [Los alimentos ganarán la guerra].

Disney trabajó también muy estrechamente con la OCAI, que patrocinó la producción de *Saludos amigos* y apoyó decididamente *Los tres caballeros*. Los estudios mismos se transformaron en instalaciones bélicas: la armadora de aviones Lockheed ocupó parte de los edificios de Burbank; algunos cuerpos del ejército se acuartelaron en el estudio que, además, fue en parte utilizado como almacén de municiones. En 1941, Disney firmó un contrato con la OCAI para la realización de diez cortos educativos para ser exhibidos en áreas rurales de Latinoamérica.

The Grain that Built a Hemisphere [El grano sobre el que se erigió un continente] postula que el "maíz es el mejor símbolo de una América unida por sólidos vínculos de solidaridad, aludiendo a las políticas de buena voluntad y unidad hemisférica". En *The Winged Scourage* [La amenaza alada] los siete enanos de Blanca Nieves se enfrentan a la malaria. *Defense Against the Invasion* [Defensa contra la invasión] explica lo necesario que resulta aplicar las vacunas, y según Richard Shale: "es el único de la serie en que Disney relacionó salud con éxito militar, pues al final unos niños se someten felices a la aguja del doctor haciendo la 'V' de victoria y vacunación". Los otros cortos fueron *Tuberculosis, What Is Disease?* [Tuberculosis. ¿Qué es la enfermedad?], *Insects as Carries of Disease* [Los insectos como transmisores de enfermedad], *How Disease Travels?* [¿Cómo se propagan las enfermedades?], *Cleanliness Brings Health* [La limpieza proporciona salud], *The Human Body* [El cuerpo humano], *Hookworm* [Solitaria], *Infant Care* [Cuidados en la infancia], *Environmental Sanitation* [Sanidad ambiental] y *Planning for Good Eating* [Planeando una buena alimentación].[6]

Figueroa redondeó el proyecto Educación Visual que presentó a la SEP con una lista de 61 cortos facilitados por la OCAI, los cuales fueron agrupados por la oficina de Alstock en seis grandes rubros: educativos (10), ciencia e industria (10), viajes (14), agricultura (9), defensa panamericana (9) y salud (9). Los títulos y las frases que describen su contenido revelan la cara propagandística de la educación visual. He aquí algunos ejemplos: *Colegios norteamericanos* ("vistas de las principales

Videograma digital del cortometraje The Spirit of '43 *[El espíritu de 1943], producido por Walt Disney para estimular el pago de impuestos y el ahorro en tiempos de guerra. Archivo Luna Córnea (arriba).*

Videograma digital del cortometraje Education for Death *[Educación para la muerte], dirigido por Clyde Geronimy en 1943. La cinta, basada en un libro de Gregor Ziemer y distribuido por la RKO Radio Pictures, trataba sobre la educación recibida por "los niños de Hitler". Archivo Luna Córnea (abajo).*

universidades norteamericanas"), *El tren de pasajeros, México forja una democracia* ("la labor gubernamental para alfabetizar al pueblo de Tabasco"), *Excursión científica* ("ejemplos del sorprendente desarrollo de la tecnología en Norteamérica"), *Norteamérica en camión, La ciudad de Washington, Vistazo a Suramérica, No sea que lo olvidemos* ("sobre los monumentos de Washington, Jefferson y Lincoln en el Capitolio de América"), *Walt Disney ve Suramérica, Cosechas del mañana, Gusano tornillo, Construyendo un bombardero, La batalla* ("el gran poder de los Estados Unidos en acción"), *Por la defensa de las Américas* ("mostrando el poder creciente de los Estados Unidos a través de sus bases navales"), *La mujer en la defensa, Con esas armas* ("sífilis e higiene en general. Para hombres solamente"), *Nube en el cielo, Cuidado de la dentadura.*

El secretario de Educación Pública, Octavio Véjar Vázquez, designó, en agosto de 1942, al filósofo Samuel Ramos, entonces presidente de la Comisión Mexicana de Cooperación Intelectual, para atender el proyecto de Figueroa y a las "instituciones de Norteamérica que desinteresadamente ofrecen colaboración".[7]

Jaime Torres Bodet, quien sustituyó en la SEP a Véjar Vázquez en 1943, encargó a su jefe de prensa, el escritor Rafael F. Muñoz, que continuara la labor que venía realizando Ramos. En febrero de 1944, el autor de *Vámonos con Pancho Villa*, informó a Torres Bodet de las enormes

dificultades logísticas que implicaba el uso de las salas de cine para las matinés educativas que proponía Figueroa. A cambio, propuso utilizar el cine público del parque Venustiano Carranza y el Teatro del Pueblo del Mercado Abelardo Rodríguez, en los que, "sin perjuicio de gestionar las de productores de Estados Unidos", se podrían exhibir películas nacionales (como *Mexicanos al grito de guerra, Morelos, Cuando los hijos se van, Mil estudiantes y una muchacha,* así como algunas de *Cantinflas,* que proporcionaría gratuitamente la Distribuidora

Videograma digital del cortometraje The Winged Scourge *[La amenaza alada], producido por Walt Disney en 1943 bajo los auspicios de la Oficina de Coordinación de Asuntos Interamericanos. La cinta trataba sobre los peligros de la malaria y su propagación a través del mosquito anófeles. Archivo Luna Córnea.*

Nacional). También explicó que el Sindicato de Cinematografistas, que presidía Enrique Solís, ofrecía "suministrar personal que se hará cargo de los camiones de exhibición que la secretaría adquirirá para enviarlos fuera de la ciudad de México".[8]

Las ideas de Rafael F. Muñoz indican que el proyecto Educación Visual, de Gabriel Figueroa, se topó con muchos límites a la hora de su implementación por la burocracia estatal. Tras el fin de la Segunda Guerra Mundial no hemos encontrado más documentos sobre la participación del cinefotógrafo en el uso pedagógico del cine. Al parecer, después de 1945 dejó de actuar como gestor de la educación visual.

II

La investigadora norteamericana Ceri Higgins ha cuestionado las tesis que postulan al cine de Figueroa como la respuesta *mexicanista* al cine de Hollywood, o como el creador, con Emilio Fernández, de una novedosa "estética nacionalista" que se aparta de los modelos norteamericanos. Higgins argumenta las complejas relaciones que el cinefotógrafo sostuvo con la industria cinematográfica de los Estados Unidos, de manera que ubica la "estética figueroista" en un enfoque "transnacional".[9] Por su

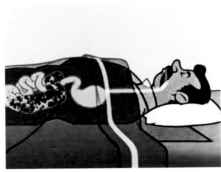

Videograma digital del cortometraje The Unseen Enemy [El enemigo invisible], realizado en 1944. La cinta formaba parte de la serie Health for the Americas [Salud para las Américas], producida por la Oficina de Coordinación de Asuntos Interamericanos para promover la higiene en los alimentos. Archivo Luna Córnea.

parte Seth Fein sugiere que ya en los tiempos de la Guerra Fría: "tanto Figueroa como Fernández sirvieron [...] a la cruzada anticomunista de Hollywood (y del Departamento de Estado de los Estados Unidos)".[10]

La propia Higgins demuestra que Figueroa no sólo fue muy mal pagado por los servicios que prestó a la OCAI, sino que incluso fue calificado como pro-comunista por el FBI y vetado para trabajar en Hollywood por sus posturas sindicalistas y políticas, como su apoyo a una huelga de laboratoristas estadounidenses. "Lejos de haber sido considerado [por el Departamento de Estado del gobierno norteamericano] un aliado en la "cruzada" contra el comunismo, era de hecho un riesgo para la seguridad nacional de Estados Unidos".[11]

En descargo del fotógrafo de *María Candelaria*, hay que señalar que no era lo mismo colaborar con la OCAI y el Hollywood progresista de la época de Roosevelt, promotor del estado benefactor y cuyos enemigos eran los nazis, que con el cine anticomunista norteamericano de la Guerra Fría, controlado por el Comité de Actividades Antinorteamericanas, presidido por el fundamentalista Joseph McCarthy.

III

Pese a que el proyecto de educación visual de Figueroa no se implementó en México, por lo menos tal y como él lo formuló, el gobierno norteamericano sí le dio continuidad.

Para 1948 —afirma Higgins—, las sesiones de expertos de 1942 se habían convertido en un sistema de propaganda altamente organizado y administrado por el Servicio de Información de Estados Unidos. [...] A lo largo de todo el país, en las principales empresas de México, los proyectores prestados por Estados Unidos mostraban películas a los trabajadores. Un camión de la embajada estadounidense con equipo de sonido y ayuda de operadores mexicanos transportó por todo el país una pantalla y un proyector para difundir películas en escuelas y universidades, utilizándose también en mítines políticos y actos públicos bajo los auspicios de la Filmoteca Nacional. Como un reflejo inverso de los trenes soviéticos de propaganda política a través de la cultura de los

años veinte, los trenes atravesaban el país proyectando imágenes del capitalismo industrial.[12]

IV

El epígrafe que preside este artículo revela la ingenuidad del maestro y la sagacidad del alumno. La anécdota del campesino carpatorruso, que parece no entender el fondo del filme *La enseñanza es garantía de salud*, quedándose en la mera exterioridad, sirve a S. G. Askinasi para ilustrar la falta de materiales adecuados para la labor del cine instructivo entre las poblaciones rurales. Creo que quien no entiende el fondo del filme es Askinasi. Pues: ¿no era el verdadero objetivo del cine "educativo y científico" norteamericano convencer al mundo de lo bien que "se vive en América"?

Aquel campesino carpatorruso bien pudo nutrir la ola migratoria que llevó a millones de europeos a los Estados Unidos en la primera mitad del siglo XX. Lo imagino en el Nueva York de los años treinta, como el último empleado de una compañía de limpieza, barriendo alfombras ajenas en el rascacielos de alguna gran corporación capitalista; no con una escoba humedecida, sino con una moderna aspiradora industrial, mientras recuerda con nostalgia las montañas de su lejana tierra natal, donde se topó por primera vez con la magia del cinematógrafo ¿Habrá aprendido la lección?, ¿seguirá pensando "cómo se vive bien en América"?

Notas

1 Alfonso Morales, Claudia Monterde y Héctor Orozco me proporcionaron copia de los documentos del archivo de Gabriel Figueroa Mateos en los que se sustenta este texto. Reconozco su labor de investigación y les agradezco la confianza que tuvieron para facilitarme el valioso material.

2 Los entrecomillados de este párrafo provienen del documento, manuscrito y sin título, localizado en el archivo de Gabriel Figueroa, en el que S. G. Askinasi explica la labor de la Escuela Ambulante Popular Demostrativa en la Rusia subcarpática. Esta región fue incorporada como provincia por la República Checa en 1919. Hasta entonces, había sido dominada por la monarquía Madyarda y sus habitantes, 500 mil campesinos rusos, habían "permanecido en las montañas [...] olvidados por todo progreso europeo". Según el documento, la Escuela Demostrativa, que utilizaba al cinematógrafo como instrumento privilegiado, tenía como objetivo incorporar a los habitantes eslavos de esta región a la cultura checa e inculcarles sus "ideales republicanos y democráticos".

3 Manuscrito de Gabriel Figueroa, inédito y sin título, localizado en su archivo personal.

4 Cfr. Martha Rivero, "La política económica durante la guerra", *Entre la guerra y la estabilidad política. El México de los cuarenta*, México, Grijalbo/Conaculta, 1986.

5 Cfr. José Ortiz Garza, *La guerra de las Ondas*, México, Planeta, 1992; Seth Fein, "La diplomacia del celuloide. Hollywood y la edad de oro del cine mexicano"; *Historia y Grafía*, núm. 4, México, UIA, 1995; "La imagen de México: la Segunda Guerra Mundial y la propaganda fílmica de Estados Unidos", *México-Estados Unidos: Encuentros y desencuentros en el cine,* México, Filmoteca de la UNAM/Cisan/Imcine, 1986; Francisco Peredo Castro, *Cine y propaganda para América Latina. México y los Estados Unidos en la encrucijada de los años cuarenta,* México, UNAM/CCYDEL/Cisan, 2004.

6 Cfr. Richard Shale, *op. cit.*

7 Para abundar en las actividades que realizó Disney en México durante la producción de *Los tres caballeros*, remito al lector al capítulo que dediqué al tema en mi libro *El episodio perdido. Historia del cine mexicano de animación,* México, Cineteca Nacional/Conaculta, 2004.

8 Telegrama de Octavio Véjar Vázquez, dirigido a Gabriel Figueroa, el 15 de agosto de 1942, encontrado en el archivo personal del cinefotógrafo.

9 Memorándum Cine para las Escuelas, encontrado en el Archivo Gabriel Figueroa. El documento, dirigido a Jaime Torres Bodet y firmado por Rafael F. Muñoz, está fechado el 14 de febrero de 1944.

10 La tesis de Higgins es discutible. Ella aduce que el concepto *mexicanismo* tiene un carácter metafísico. Su idea del *transnacionalismo* me parece aún más metafísica y confusa. El *mexicanismo*, por vago que parezca, al menos alude a la particularidad del cine de Figueroa y Emilio Fernández, mientras el enfoque *transnacional* sólo redunda en lo general y abstracto de cualquier cinematografía. [Cfr. Ceri Higgins, tesis inédita sobre la obra de Gabriel Figueroa.]

11 *Ibidem.*

12 *Ibidem.*

La producción fílmica no fue la única vía por la que Gabriel Figueroa Mateos se hizo presente en la vida pública mexicana. Los asuntos políticos y sindicales interesaron, más allá de lo meramente informativo, a quien siempre se enorgulleció de las inclinaciones liberales y revolucionarias de sus ancestros. El cinefotógrafo supo ganar posiciones y aprovechar oportunidades en un sistema de gobierno dominado por el tótem presidencial. De Plutarco Elías Calles a Ernesto Zedillo, todos los jefes del poder ejecutivo tuvieron algún trato con quien a la postre devino figura clave en la definición de las políticas estatales respecto a la industria cinematográfica. Uno de esos mandatarios era su primo y había sido su compañero de juegos infantiles: Adolfo López Mateos.

El abuelo materno de Figueroa, Juan A. Mateos (1831-1913), fue periodista, dramaturgo y poeta, y de su ideario liberal se enteraron los lectores de *Monitor Republicano*, *El Siglo Diez y Nueve* y *El Imparcial*. Durante la invasión

Credencial que acredita al cinefotógrafo Gabriel Figueroa como miembro de la Unión de Trabajadores de Estudios Cinematográficos. Archivo Gabriel Figueroa.

francesa luchó al lado de Porfirio Díaz en el Ejército de Oriente y, al restaurarse la República, fue nombrado secretario de la Suprema Corte de Justicia por el presidente Benito Juárez. Más tarde fue diputado y secretario del Gobierno del Distrito Federal. Manuel Mateos, hermano de Juan, fue uno de los mártires que cayeron en Tacubaya el 11 de abril de 1859. Durante la Revolución antiporfirista, una parte de la familia Mateos simpatizó con las causas zapatistas y otra se inclinó por el carrancismo.

La vida política de Gabriel Figueroa inició a la par que su trayectoria en el cine, a mediados de los años treinta, cuando comenzó a relacionarse con Vicente Lombardo Toledano, líder de la recién fundada Confederación de Trabajadores de México (CTM), gracias a los vínculos laborales que tenía con él su prima Esperanza López Mateos. La participación de Figueroa en la realización del documental *"Petróleo" ¡La sangre del mundo!* (Fernando de Fuentes, 1936), producida por compañías petroleras extranjeras en los días en que se gestaba el conflicto que condujo a la nacionalización de la industria del oro negro, confrontó al cinefotógrafo con los usos propagandísticos del cine. Figueroa fue testigo con cámara de las manifestaciones mexicanas motivadas por el extravío de los aviadores españoles Barberán y Collar, y pocos años

IZQUIERDA:

Rafael García. *Gabriel Figueroa en un mitin de los trabajadores de la industria cinematográfica. Ciudad de México, 1945. Archivo Gabriel Figueroa.*

después se contó entre quienes acogieron con simpatía a los exiliados que arribaron a México a la caída la II República Española.

A principios de los años cincuenta, en el contexto de la Guerra Fría, el senador estadounidense Joseph R. McCarthy inició una cruzada contra cualquier persona sospechosa de simpatizar con el comunismo, sobre todo en el medio cinematográfico. Un grupo de artistas mexicanos —entre ellos Diego Rivera, David Alfaro Siqueiros, Manuel Álvarez Bravo y el propio Gabriel Figueroa—, publicaron un desplegado para protestar por la detención de un grupo de creadores cinematográficos acusados de conspirar contra la democracia de las barras y las estre-

Credencial que acredita a Gabriel Figueroa como miembro del Sindicato de Trabajadores de la Producción Cinematográfica de la República Mexicana (STPC). Archivo Gabriel Figueroa.

llas. Hugo Butler, Albert Maltz, George Pepper y Robert Rosen, exiliados en México, contaron con la amistad del cinefotógrafo. A causa de esos vínculos, y otros que lo relacionaban con personalidades de la izquierda mexicana, fue puesto bajo sospecha por el gobierno estadounidense e imposibilitado para trabajar en Hollywood.

En 1949, a solicitud de Diego Rivera, Figueroa colaboró con la Asociación Juvenil Revolucionaria para enviar un delegado a Budapest, donde iba a tener lugar el Congreso Mundial de las Juventudes. Ese mismo año, ahora por petición de Lombardo Toledano, el cinefotógrafo apoyó la huelga de laboratoristas de Hollywood, impidiendo que los servicios de los laboratorios mexicanos fueran utilizados por los productores estadounidenses. Varios documentos hacen constar la presencia de Figueroa en el Congreso Internacional de la Paz, celebrado en la ciudad de México, y en actividades del Partido Popular, organización de izquierda tolerada por el gobierno.

En 1950 estalló una huelga en las minas de Nueva Rosita y Cloete, Coahuila, explotadas por la compañía American Smelting. Los trabajadores emprendieron una larga caminata de protesta hacia la ciudad de México. Figueroa, al igual que su prima Esperanza y su hermano Roberto, se solidarizaron con *La caravana del hambre*, proporcionándoles a los marchistas hospedaje y concertando un encuentro entre el general Lázaro Cárdenas y los dirigentes Francisco Solís y Manuel J. Santos. La huelga estudiantil que en ese mismo año paralizó al Instituto Politécnico Nacional contó con el apoyo y los consejos del cinefotógrafo.

En 1960, Figueroa visitó al muralista David Alfaro Siqueiros, preso en la penitenciaría de Lecumberri, con la intención de interceder por él ante su primo, el presidente Adolfo López Mateos. Siqueiros había coincidido con el mandatario en la gira que lo llevó a La Habana y a Caracas, y no perdió ninguna oportunidad para reclamarle sus acciones represivas en contra del movimiento ferrocarrilero encabezado por Demetrio Vallejo, tachando al mandatario de títere del imperialismo. Los esfuerzos del cinefotógrafo se frustraron cuando la existencia de una comunicación confidencial fue dada a conocer por Siqueiros en una entrevista periodística. "Mi primera inconformidad política con su Gobierno —había escrito el muralista en la misiva que Figueroa entregó a López Mateos—, [...] surgió cuando usted no presentó ante el Poder Legislativo, en el primer periodo ordinario de sesiones, como lo esperábamos todos los mexicanos de pensamiento democrático, una iniciativa de ley que derogara el inconstitucional artículo 145 del Código Penal, que es el que determina el llamado delito de disolución social."

Gabriel Figueroa, Jorge Negrete y Mario Moreno Cantinflas *encabezando una marcha organizada por el Sindicato de Trabajadores de la Producción Cinematográfica (STPC). Ciudad de México, 10 de septiembre de 1945. Archivo Gabriel Figueroa.*

Figueroa estuvo atento al desarrollo de la protesta estudiantil de 1968. En su archivo se conservan recortes periodísticos, comunicados oficiales y hojas volantes relacionados con ese conflicto, aunque no se ha encontrado, hasta la fecha, ningún documento que esclarezca su posición.

Como se hace evidente en los anteriores apuntes, el ciudadano Figueroa Mateos no sólo se ocupó de las ilusiones fílmicas. Las siguientes páginas se centran en la crónica de la que fue su actividad político-sindical más conocida: el movimiento que dio origen al Sindicato de Trabajadores de la Producción Cinematográfica (STPC), que le valió la enemistad del antiguo Sindicato de Trabajadores de la Industria Cinematográfica (STIC), de la CTM y de su dirigente Fidel Velázquez —a quien seguramente disfrutó ver parodiado por la pareja de cómicos Héctor Lechuga y Chucho Salinas en la comedia futurista *México 2000*, cinta que fotografió en 1982.

Gabriel Figueroa armó un voluminoso álbum con información periodística sobre aquella batalla sindical. Ese recuento fue la fuente principal de la siguiente recopilación realizada por Martha Flores, donde el charro cantor Jorge Negrete, el peladito *Cantinflas* y el fotógrafo de la agonía de María Candelaria, personificaron una trama relacionada con el cine pero que pasó por detrás de la pantalla grande.

Del STIC al STPC

En febrero de 1945, cuando los desacuerdos al interior del Sindicato de Trabajadores de la Industria Cinematográfica (STIC) estaban en su punto más alto, Gabriel Figueroa inició una compilación hemerográfica que guardó memoria de sus avatares como líder sindical en 1945 y 1946.

Algunos de los medios monitoreados por el cinefotógrafo daban antecedentes de la causa principal de aquel conflicto: el abusivo e ilegal comportamiento de Enrique Solís, entonces secretario general de la Sección 2 del STIC.

A principios de 1945, *El Universal* comenzó a contar una historia que iniciaba tres años antes, el 26 de octubre de 1942, cuando Solís, teniendo la representación total del STIC, había retirado a los trabajadores un día de salario, con el pretexto de sobornar a la Secretaría de Hacienda para quedar exentos del pago de impuesto sobre la renta. Además, una carta de la Sección 2 del STIC, informó sobre otra de las sonadas marrullerías de Solís Chagoyán:

*El Universal, **16 de febrero de 1945**. El 9 de enero de 1943, extendida ante un notario e inscrita en el Registro Público de la Propiedad, se realizó la sucesión testamentaria del señor Víctor Manuel Moya y Zorrilla, quien dio en venta la casa número 90 de Paseo de la Reforma, al Señor Enrique Solís Chagoyán, quien hizo el pago de la parte que conforme a la escritura hubo de cubrirse de contado, quedando a deber como parte del precio la cantidad de 100 mil pesos, cuya obligación garantizó como hipoteca sobre el bien expresado. Un día después, el señor Enrique Solís Chagoyán como dueño de la finca, emitió con intervención del Banco Hipotecario Fiduciario y de Ahorros, SA, cédulas hipotecarias por valor de 115 mil pesos cuyo pago garantizó* como hipoteca en primer lugar sobre el mismo bien inmueble.

El 14 de febrero de 1945 se publicó en *El Universal* una nota donde se daba cuenta de cómo Jorge Negrete, líder de los actores, abonó a la mala fama de Solís nuevas denuncias: Le acusó, entre otras cosas, de haber cobrado, en 1943, una cuota extraordinaria con el supuesto fin de entregar a los agremiados terrenos para la construcción de viviendas. Luego de reunir cerca de doscientos mil pesos, había adquirido propiedades que puso a su nombre o a nombre de terceras personas, entre ellas la casa de Reforma número 90, un terreno en la Plaza Revolución y otro en Insurgentes.

Las reiteradas tropelías de Solís causaron descontento en las diferentes secciones del STIC. Ante el escalamiento del conflicto, Fidel Velázquez, secretario general de la Confederación de Trabajadores Mexicanos (CTM), se vio obligado a intervenir, tomando

Enrique Solís, secretario general de la Sección 2 del Sindicato de Trabajadores de la Industria Cinematográfica (STIC). Periódico Así!, año v, núm. 224, 24 de febrero de 1945. Archivo Gabriel Figueroa.

Los cuerpos del delito de que se acusó al líder cinematografista Enrique Solís, aparecen en esta serie de fotografías. En la primera de ellas aparece el camión "El Aguila Descalza", uno de los que utilizó el famoso jefe sindicalista para hacer "limpia" en las oficinas de la Sección 2 del Sindicato de Trabajadores de la Industria Cinematográfica.—En la foto central, otro camión,

Noticia sobre la detención infraganti de Enrique Solís con un camión de mudanza. Excélsior, 12 de febrero de 1945.
Archivo Gabriel Figueroa.

la decisión de destituir a Enrique Solís como secretario general de la Sección 2 del sindicato de cinematografistas. Así le narró Gabriel Figueroa a Alberto Isaac la manera expedita en que, en plena asamblea, el líder de los cetemistas destituyó a Solís:

"¡El señor se va!" Miradas asombradas, pero silencio total. Dijo Fidel que a sabiendas de que rebasaba los procedimientos sindicales, expulsaba desde ese momento a Solís. Nadie lo defendió, ni sus más adictos lambiscones. Fidel remató la suerte: "Mañana los espero a todos en mi despacho. Vayan eligiendo a quien quieran. Así me convertí en Secretario General de Técnicos y Manuales [agrupados en la Sección 2].[1]

Gabriel Figueroa, ya en su condición de secretario general de la Sección 2 del STIC, publicó un desplegado bajo el título "La verdad sobre el escandaloso atraco cometido por Enrique Solís en contra de los cinematografistas":

**El Universal, *14 de febrero de 1945. Cuando este Comité Ejecutivo entró en funciones, después de la grave crisis provocada por las dificultades que se suscitaron entre las* Secciones núm. 2 y 7 del STIC *[los actores decidieron separarse de la Sección 2 para formar la Sección 7], su primera preocupación consistió en recuperar los bienes y valores que se conservaban en poder del ex dirigente Enrique Solís, por su gestión durante los últimos años como Secretario General de nuestra Organización. Solís ofreció entregar los documentos que amparaban la adquisición del edificio ubicado en Reforma número 90 y de un terreno de 5 mil metros de superficie, cercano a la avenida Insurgentes, así como algunas cantidades en efectivo; pero puso como condición que fueran recibidos por el Comité Nacional del STIC, como este organismo puso dificultades en cuanto al procedimiento, nuestro Comité Ejecutivo pidió al C. Fidel Velázquez, Secretario General de la CTM que fuera directamente la Sección No. 2 del STIC quien resolviera este asunto, dada la situación de que los bienes y valores pertenecen a sus agremiados. El C. Velázquez, convencido de la justificación de nuestra solicitud, estuvo de acuerdo con ésta petición y a partir de esta fecha, se inició una búsqueda de documentos, cifras y demás pruebas necesarias para exigir al citado Solís que entregara las cuentas de más de dos millones que manejó durante su*

gestión y para que, asimismo, hiciera entrega legal de los predios de Reforma 90 y de los 5 mil metros de la avenida Insurgentes.

El domingo pasado, el ex dirigente Solís, acompañado del Lic. Humberto Ferral, se presentó en las oficinas de Reforma número 90, donde sustrajo el mobiliario, documentos, valores y demás, con el objeto de trasladarlos a otro lugar —en unos camiones de mudanzas—. Solís se apresuró a asaltar nuestras oficinas para apoderarse de toda la documentación que lo compromete y que constituía la base más firme para procesarlo; violó los sellos, forzó chapas, etc.

Solís fue detenido, conducido a la 7ª agencia del Ministerio Público, de donde, bajo los graves cargos de robo, fraude, abuso de confianza, daño en propiedad ajena, atentado contra las vías federales de comunicación y otros delitos, pasó a la penitenciaría, a disposición del Juzgado 17° penal. Ayer mismo fue puesto en libertad bajo fianza.

Lo más grave consiste en que para la realización de sus propósitos delictuosos ha contado con la complicidad, por lo menos, del Oficial Mayor del Comité Nacional del Sindicato de Trabajadores de la Industria Cinematográfica Similares y Conexos de la República Mexicana, señor Luis Acevedo.

Los acontecimientos pueden resumirse:

A finales de noviembre del año próximo pasado, Enrique Solís promovió en la vía de jurisdicción voluntaria, ante el Juzgado 13° de lo Civil, un juicio para hacer entrega al secretario general del Comité Ejecutivo Nacional del STIC, Salvador Carrillo, de la cantidad de 316 mil pesos, como saldo líquido de los bienes y valores pertenecientes a los miembros de la Sección 2 del STIC. El Juzgado 13° dio entrada al escrito inicial y con una copia de él y sus anexos mandó correr traslado al Comité Nacional, quien por conducto de su Oficial Mayor, señor Luis Acevedo, se notificó, recibió las copias y firmó el acta respectiva; pero Carrillo no quiso presentarse ante el Tribunal a recibir los bienes, por cuyo motivo, Solís promovió la designación de un depositario, a favor del señor licenciado Humberto Farrel.

Farrel no pudo recibir los bienes, pero con la complicidad del Juzgado 13°, el licenciado Solórzano simuló un acta de toma de posesión, hecho que se acreditó ante el titular del tribunal.

Posteriormente Solís transformó su reclamación en un juicio sumario, y el señor Acevedo fue notificado, recibió las copias del traslado y firmó el acta correspondiente, pero tampoco compareció Salvador Carrillo en los autos, de tal manera que se tuvo por contestada afirmativamente la demanda y se citó para la audiencia de pruebas y alegatos. Por última vez, el señor Acevedo fue citado, Carrillo no asistió al juzgado, por lo que se encuentra en estado de sentencia.

Los señores Acevedo y Carrillo nunca entregaron al Comité Ejecutivo la copia de las demandas, de los estados de cuenta y de los comprobantes que les entregó el Juzgado 13°, ni le hicieron saber que Solís había iniciado y proseguía ese juicio.

Nuestro Comité Ejecutivo pide al Presidente de la República, el procurador de Justicia del Distrito Federal y al presidente del Tribunal Superior de Justicia del Distrito

Federal, se proceda con la mayor energía, con estricto apego a la ley a quienes fueren los culpables, comenzando por Solís.

En cuanto al señor Luis de Yturbe, que adquirió la finca de Reforma 90, comprada con dinero de los trabajadores a nombre personal de Enrique Solís, este Comité Ejecutivo está pendiente de las actitudes que adopte para proceder en consecuencia.

Después del incidente de la mudanza, por el que Solís fue enjuiciado, las disputas inter-sindicales se agravaron. Los líderes del STIC aún tenían varios recursos legaloides a su disposición. "Yo no tenía la representatividad del sindicato, porque había sido elegido en votación irregular, a petición de Fidel. Mi nombre como Secretario General de la Sección 2 no había sido, pues, registrado. No podía en consecuencia, actuar contra Solís", recordaba Figueroa en sus *Memorias*.[2]

Cerca de mil quinientos trabajadores del STIC reconocieron como Secretario General de Técnicos y Manuales al cinefotógrafo Gabriel Figueroa. Despojado de su cargo, Enrique Solís buscó cobijo en la Unión de Trabajadores de los Estudios Cinematográficos (UTEC) para trabajar de forma independiente. Como respuesta al asalto de las oficinas, Figueroa, en representación de la Sección 2 del STIC, envió un desplegado a los diarios acusando a Enrique Solís y Salvador Carrillo de ser cómplices del gansterismo de la CTM. La publicación de ese documento orilló a Fidel Velázquez a pedir a las partes que rindieran cuentas sobre lo acontecido. Cuenta Figueroa a Alberto Isaac:

*Recibí un comunicado de la CTM señalándome que todos los asuntos legales del sindicato debían canalizarse a través del licenciado Trueba Urbina. Después Salvador Carrillo en persona, que manejaba —también a su antojo— todo el sector cinematográfico den-*tro de la CTM, me mandó llamar. Estaba furioso por lo de Solís, porque era uno de sus hombres de confianza dentro de esa red de corrupción y poder del gremio del cine.*

Estuve en la oficina de Carrillo. El liderazo era un hombre muy astuto, muy mañoso. Él hubiera querido jalarme a sus filas y no tenerme de enemigo. Me habló de unidad sindical, de lucha "codo-con-codo", de estrategias políticas para el mejoramiento del trabajador. Yo pensaba: "Este está defendiendo su nido de ratas: el STIC." Me habló de la necesidad de usar a los abogados de la CTM, que no debía de ignorar a esa disposición de la gran clase obrera. Yo le contesté de plano que confiaba más en mis propios abogados que eran el licenciado Adolfo López Mateos y el licenciado Pavón Flores.[3]

Carrillo vs. Figueroa

En una asamblea convocada por Fidel Velázquez, la confrontación entre el grupo de Solís y el de Figueroa llegó a la violencia

Antonio Arias Bernal. *Caricatura publicada en Excélsior, el 15 de febrero de 1945. Archivo Gabriel Figueroa.*

física. Gabriel Figueroa contó a Alberto Isaac el desarrollo de los hechos ocurridos el 14 de febrero de 1945:

A las 7 de la tarde, Salvador Carrillo tomó la palabra. A medida que iba hablando, como que se estimulaba y se envalentonaba con su propia retórica. Sus palabras fueron subiendo de tono. "Nuestros enemigos usan el insulto como arma", dijo, "Ahora hasta en los periódicos airean los conflictos internos. Pero no usan nombres, no se atreven. Y ¿las pruebas? Hablan de gansterismo y de corrupción pero no tienen el valor civil de dar nombres. ¿No es así? Se me acercó, ¡a ver, hable! Fidel intervino: "Hable, compañero Figueroa". Me levanté y empecé a hablar. Hice un recuento minucioso de los trinquetes y chicanas del grupo de Carrillo y Solís. Carrillo bufaba literalmente. Me interrumpió varias veces. Yo me volví a verlo. "El compañero Carrillo pide insistentemente nombres. Seguro que le urge mucho. Bien, daré nombres". Carrillo, recuerdo, medio se incorporó. Continué: "Señor Carrillo, su nombre encabeza la lista de los ladrones. Carrillo gritó no sé qué improperios al tiempo que se lanzaba sobre mí. Creo que alcancé a decirle algo así como "¡ladrón!" antes de que me golpeara duramente en la cara. "¡El anillo!", pensé yo. Fue un golpe que me dejó aturdido completamente.[4]

Al día siguiente, como medida de repudio al ataque en contra de Figueroa —quien era atendido en la cama número 11 del sanatorio Reforma—, artistas y técnicos realizaron una manifestación. Por el mismo motivo los estudios Azteca, Clasa y Stahl suspendieron actividades. El 5 de febrero quedó paralizada en su totalidad la industria cinematográfica, mientras 45 de las 54 secciones del STIC exigían la remoción de Carrillo de su puesto sindical.[5] Aunque el golpeador de Figueroa fue remitido a prisión, el 20 del mismo mes quedó libre bajo fianza.

La formación de un nuevo sindicato: el STPC

Después de la agresión a su líder Figueroa y enterada de las anomalías del STIC, la Sección 2, que aglutinaba a los técnicos y manuales de la producción, se separó del sindicato, planteando así una nueva estructura organizacional autónoma, que la CTM acepta en primera instancia. El STIC, por su parte, hizo todo lo posible para que tal separación no se concretara y amenazó a la CTM con convocar a un paro general en caso de que se reconociera a la nueva agrupación.

Antes de terminar febrero, la Sección 7 de los actores, la 45 de autores y adaptadores cinematográficos, y la 47 de directores, se separaron del STIC para, junto con la Sección 2, formar el nuevo Sindicato de la Producción

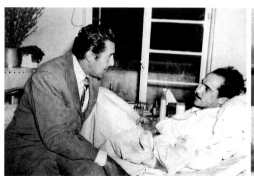 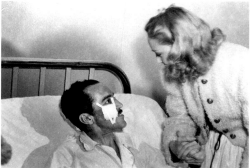

El director Emilio el Indio Fernández y la actriz Amparo Murillo visitan en el Sanatorio Reforma a Gabriel Figueroa, luego de que fuera agredido por Salvador Carrillo, líder del STIC, el 14 de febrero de 1945. Archivo Gabriel Figueroa.

Cinematográfica de la República Mexicana (STPC de la RM). A partir de entonces, Gabriel Figueroa comienza a destacar como líder sindical, al lado de de Mario Moreno *Cantinflas* y Jorge Negrete. Como medida de protesta, el STIC promueve un paro general en todos los cines de la República.

Muchas fueron las amenazas del STIC y la CTM para impedir la formación del nuevo sindicato, pero a pesar de todo, el 2 de marzo de 1945, bajo la aprobación de la Secretaría del Trabajo y Prevención Social, las secciones disidentes lograron constituirse como el STPC de la RM, nombrando como secretario general a Mario Moreno *Cantinflas*, a Gabriel Figueroa como secretario del trabajo y a Jorge Negrete como secretario de conflictos.

La presión de la CTM y del STIC hacia los trabajadores no cesaba. Exigieron a la Secretaría del Trabajo que se contara, uno por uno, a cada trabajador que desconocía al antiguo sindicato y se adhería al nuevo. Fue entonces cuando las Secciones 8, de filarmónicos, y la 9 de compositores, reconocieron y se adhirieron a la nueva organización.

Esto, 4 de marzo de 1945. *Ya hemos presentado nuestra documentación, —dijo Figueroa—. Usted ya sabe por qué y cómo emprendimos esta lucha. Hablamos con el Sr. Fidel Velázquez y éste se opone a que otras secciones del Sindicato de Cinematografistas se separen de él. Nos permiten que los de la Sección 2 nos marchemos, sí, y hasta nos gestionan el registro. Pero nosotros sabemos que lo que quieren hacernos luego es citar a un Congreso de todas las Secciones, condenarnos por divisionistas y darnos un plazo de 48 horas para que volvamos al seno de la organización, para que siga así el círculo vicioso [...].*

El subsecretario del trabajo pide algunos datos sobre la manera de lograr que se autentifiquen las firmas de los trabajadores. Interviene Cantinflas:

Gabriel Figueroa, Jorge Negrete y Mario Moreno *Cantinflas* presiden la asamblea en que se dio a conocer la obtención del registro del STPC. Frontón México, 14 de marzo de 1945. Archivo Gabriel Figueroa.

—Cuando quiera se los reunimos.
Se resuelve que sea en la Arena Coliseo, a la mayor brevedad posible.
—Sí —dice Figueroa—, porque la Asamblea del [Teatro] Fábregas tomó el acuerdo de que el trabajo en los estudios no se reanude hasta que logremos el registro sindical. [...] Por fin, se acuerda que el lunes, en una nueva entrevista, se fijará la fecha de la reunión, donde los inspectores de la Secretaria de Trabajo "autentifiquen" las firmas de los agremiados.

Un par de días después del recuento y con un total de dos mil quinientos miembros aproximadamente se reconoció al nuevo sindicato.

El periodista Santiago Muñoz dio cuenta de lo acordado en la asamblea que se celebró la noche del día 7 de marzo:

Así!, 17 marzo de 1945. *En la asamblea celebrada en el Frontón, [...] en la que como en las anteriores reinó la más absoluta unanimidad y el más completo entusiasmo, se puso de manifiesto la firme voluntad por parte del Sindicato de Trabajadores de la Producción Cinematográfica, de dar la batalla a cuantos* individuos u organismos se opongan a su consolidación definitiva.

En dicha asamblea se consiguió un amplio voto por parte del nuevo organismo para aprobar los siguientes puntos:

1. Mantener la huelga teatral, con carácter indefinido; 2. La separación definitiva, si se considera preciso, de los artistas de teatro y cine, de la CTM; 3. Constituir una Federación Nacional, integrada por sindicatos nacionales que en la actualidad se encuentran al margen de la CTM, o que la abandonarían tan pronto quedará constituida.

El nuevo sindicato de cinematografistas lanzó un ultimátum a Fidel Velázquez, secretario general de la CTM, solicitándole que cumpliera los acuerdos contraídos con el STPC para evitar su segregación:

La CTM se compromete a hacer cesar los actos de sabotaje en todo el país y el STIC a desistirse del juicio de nulidad de registro del Sindicato de la Producción, presentado ante las autoridades competentes, así como de un juicio de nulidad sobre el convenio de titulación de los contratos de trabajo y del amparo presentado sobre este mismo asunto ante el juzgado segundo administrativo. Se formará un nuevo sindicato integrado por dos ramas: la de exhibición y la de producción, con un comité coordinador, quedando las secciones con patrimonio y personalidad propios, y derecho a contratar y a manejar sus propios contratos. Que los estatutos sindicales no se reformen más que por la votación unánime. Se citará a un congreso para nombrar un nuevo comité, en el que no deberán figurar ningún miembro del actual STIC. Una vez

Asamblea de los fundadores del STPC en el Frontón México. Ciudad de México, 14 de marzo de 1945.
Archivo Gabriel Figueroa.

ASAMBLEA DE INFORMACION

NACIO EL FLAMANTE SINDICATO DE LA PRODUCCION CINEMATOGRAFICA DE LA REPUBLICA MEXICANA

Mario Moreno Cantinflas festeja la formación del STPC. Revista Nosotros, 24 de marzo de 1945. Archivo Gabriel Figueroa.

cumplido esto se registrará el nuevo sindicato, cancelándose los dos existentes a la fecha.

Aprobada la legalidad del STPC, el 12 de marzo de 1945, Fidel Velázquez y miembros del STIC solicitaron a la Secretaría del Trabajo no conceder el registro al nuevo sindicato. A pesar de todo, el STPC publicó su estructura organizacional:

El STPC de la República Mexicana, que tiene el registro núm. 2022 de la Secretaría del Trabajo y de Previsión Social, está constituido por un Comité Central, del que se desprenden seis secciones:

1. *Sección de Técnicos y Manuales, que antes era Sección 2*
2. *Sección de Actores, que era la 7*
3. *Sección de Filarmónicos, que era la 8*
4. *Sección de Compositores, que era la 9*
5. *Sección de Autores y adaptadores, que era la 45*
6. *Sección de Directores, que era la 47*

El STPC controla alrededor de tres mil miembros, distribuidos de la siguiente manera:

1. *Técnicos y manuales: mil cien miembros*

2. *Actores: dos mil quinientas personas*
3. *Filarmónicos: 100*
4. *Compositores: 46*
5. *Autores y adaptadores: 140*
6. *Directores: 60*

El Comité Central está constituido por:
Secretario General: Mario Moreno Cantinflas
Secretario del Trabajo: Gabriel Figueroa
Secretario de Conflictos: Jorge Negrete
Secretario del interior: Lic. Antonio Médiz Bolio
Secretario del Exterior: Lic. Adolfo Fernández Bustamante
Secretario de Organización y propaganda: Alfonso Esparza Otero
Secretario de Cooperativas: Genaro Núñez
Secretario de Asuntos Técnicos: Roberto Gavaldón
Secretario de Finanzas: Antonio Helú
Secretario de Estadística: Dr. Roque Carbajo
Secretario de Cultura: Alejandro Galindo
Secretario de Actas: Luis Torres

El licenciado Francisco Trujillo Gurría, secretario del Trabajo y Prevención Social, concedió personalidad jurídica al STPC el día 14 de marzo de 1945. El sindicado subrayó el propósito de seguir formando parte de la CTM, siempre y cuando Salvador Carrillo saliese del STIC y se firmara un pacto solidario entre ambos sindicatos. Dos días después, la industria cinematográfica retornó a sus actividades, aunque el STIC insistió en convocar a un paro general.

Mediante un desplegado publicado en la prensa nacional, el STPC envió, el 8 de abril, una propuesta para resolver el conflicto entre sindicatos. Se sugería principalmente la separación de Salvador Carrillo del STIC; la reestructuración del sindicato a fin de que existiesen las ramas autónomas —una de producción y otra de distribución—; la integración de un Comité Coordinador Nacional en ambas que, a su vez, se encargaría de resolver los problemas de cada área.

El STPC fue reconocido por la Secretaría del Trabajo el 11 de mayo de 1945. Argumentando que esa decisión iba en contra de sus derechos sindicales, el STIC se opuso al acuerdo expuesto por el STPC. Tal rechazo provocó la suspensión de la producción fílmica. Mario Moreno *Cantinflas*, Gabriel Figueroa y Jorge Negrete, junto con el resto de los trabajadores, se acuartelaron para impedir la toma de los estudios cinematográficos.

La Prensa, *15 de julio de 1945. Los "elementos" de* Cantinflas *fueron reconcentrados el día de ayer en los estudios Clasa y Azteca Films, a efecto de evitar una "huelga loca", y que los del STIC, por medio de sucias maniobras,*

CARICATURAS DE 'EXCELSIOR'

LOS TRES MOSQUETEROS

Por FREYRE.

Contra líderes logreros
y en batalla sin igual,
vencieron "Los Mosqueteros"

Rafael Freyre. Gabriel Figueroa, Mario Moreno Cantinflas *y Jorge Negrete, representados como mosqueteros, en una caricatura publicada en* Excélsior *el 16 de marzo de 1945. Archivo Gabriel Figueroa.*

colocaran la clásica banderita en la puerta, sin permitir la entrada a las fuentes de trabajo.

Seis mil trabajadores están pues, dispuestos a derrotar a Salvador Carrillo y han establecido, además, un perfecto control en las entradas y salidas del personal, a efecto de evitar un probable sabotaje.

El STIC continuó empleando medidas de coerción para impedir la consolidación del STPC. El 22 de agosto, la nueva organización publica una carta dirigida al presidente de la República con una larga queja:

Durante más de seis meses, los actores no han podido representar en ninguno de los cines y teatros de la República, a excepción del DF. A partir de la semana pasada, los actores no pueden participar en ninguna transmisión radiofónica que se realice en esta ciudad y en el resto del país. Se los ha impedido el conocido gangster sindical Salvador Carrillo y sus cómplices del STIC, desgraciadamente con la tolerancia de las autoridades y de la CTM.

El 23 de agosto el conflicto con los estudios cinematográficos Clasa y Azteca llegó a su fin, mediante un convenio firmado con intervención del secretario del Trabajo. En una nota publicada en *El Universal*, el STIC se comprometía a no seguir obstaculizando en forma alguna la producción fílmica en dichos estudios y a retirar las demandas de la Sección 50 de laboratoristas.

Laudo presidencial

La revista *Así!* publicó el 15 de septiembre de 1945, una nota donde relataba la formación de nuevos acuerdos.

El presidente Manuel Ávila Camacho tomó cartas en el asunto y envió un escrito a Fidel Velázquez con el fin de solucionar el problema. Le proponía delimitar las jurisdicciones del STIC y del STPC, quedando el primero en el área de distribución, exhibición y elaboración de noticiarios, y el segundo en la producción de películas en estudios cinematográficos y exteriores. Los trabajadores incluidos en actividades que no correspondiesen al sindicato al que pertenecían, tendrían el derecho a ingresar al seno del otro sindicato y éste, a su vez, tendría la obligación de aceptarlos dentro de su régimen estatutario. Por otra parte, las organizaciones en conflicto se obligarían a presentar en el término de 24 horas su resolución. El STIC debería cancelar los registros y anotaciones de las secciones que abarcaba la rama de la producción de películas: Secciones 7, 8, 45, 47 y 50. Dicho convenio estaría vigente hasta que se fusionaran ambos organismos en uno solo. Tanto el STIC como el STPC, el Sindicato de Trabajadores de la Música y la Federación Teatral del Distrito Federal, permitirían que los agremiados trabajaran sin problemas. No deberían existir nuevas pugnas entre los sindicatos y sólo la Secretaría del Trabajo y Prevención Social podría resolverlas.

El STIC atendió la solicitud del presidente Ávila Camacho. La única condición que puso fue que el STIC mantuviese intacta su estructura de sindicato industrial y no se convirtiese en organización gremial. Salvador Carrillo declaró su parecer respecto a los nuevos acuerdos.

El Universal, 4 de septiembre de 1945. A mí me parece [...] que al señor Presidente se le ha ocultado la verdad y que a eso se debe la opinión manifestada por él. [...] Por ejemplo, su deseo de que se cancele el registro de nuestras secciones de producción, es contrario a la existencia de un sindicato de tipo industrial como es el nuestro, que abarca todo el ciclo de la industria, en sus aspectos de producción, distribución y exhibición. [...] No hay ninguna ley que prohíba a nuestros elementos trabajar en lo que mejor les convenga a sus intereses.

[...] Si se aceptan las normas que se fijan en la nota del Presidente de la República, habrá que modificar la estructura del sindicato.

En el mismo artículo se publicó también la misiva con la que Fidel Velázquez daba respuesta al laudo presidencial.

En respuesta a su atenta comunicación de fecha de ayer, [...] me permito manifestar a usted que estoy dispuesto a cooperar en la solución correspondiente, dentro de las facultades que me concede el estatuto de mi organización. [...] Debo informar a usted que el STPC no es miembro de la organización que represento, por lo que me veo en la imposibilidad de llamar a sus dirigentes. En consecuencia, a usted ruego que por conducto de la Secretaria de Trabajo y Previsión Social sean citados los dirigentes STPC para que concurran a las oficinas de la CTM el día de mañana a las diecinueve horas, a efecto de que conjuntamente con los dirigentes de los demás

Jorge Negrete y Cantinflas durante la visita que hicieron al presidente Ávila Camacho para pedirle que hiciera efectiva su propuesta de solución al conflicto de los cinematografistas. La Nación, 15 de septiembre de 1945. Archivo Gabriel Figueroa.

sindicatos pertenecientes a la CTM a quienes ya he citado, asistan a la mencionada hora, con el propósito de resolver el problema.

El 10 de septiembre, en agradecimiento a la solución que Ávila Camacho había dado al conflicto cinematográfico, el STPC realizó una manifestación en la ciudad de México, que congregó a más de tres mil personas. A fin de cuentas inconforme con el arreglo, Fidel Velázquez solicitó al presidente una oportunidad para exponer sus argumentos. El mandatario rechazó categóricamente la petición del cetemista. El 19 de septiembre, *La Prensa Gráfica* consignó la noticia como: "Coto a la rebeldía. Así se interpreta la carta del Presidente a Fidel Velázquez, sobre el lío del cine". Mientras que el 27 de septiembre, la CTM aceptó el laudo presidencial, manifestó reserva hacia algunos de sus puntos. Gabriel Figueroa refirió así los hechos:

Por convocatoria del mero presidente nos reunimos las dos partes en pugna. Se iba a firmar eso que se llamó eufemísticamente el "laudo presidencial" y que en realidad fue una herida permanente para el cine nacional. Era una chapucera invención para calmar las cosas a la manera gatopardesca. Fue elaborado por ejércitos de abogados. La consigna: dejar contentos a los del STIC y —en lo que cabe— al STPC de la RM. Tres horas duró la ceremonia. Una vez firmado el laudo, Ávila Camacho, que era muy solemne, tomó la palabra: "Ahora les voy a pedir que los dos grupos trabajen en armonía, para bien del cine mexicano".[6]

Convenio entre el STPC y la CTM

Acatado el laudo, el STPC y la CTM se comprometieron a dar por terminado el actual conflicto bajo las siguientes condiciones: se reconocerían dos ramas de la producción y de la exhibición; existiría un comité nacional

integrado por igual número de secretarios por cada rama, que tendría una función coordinadora, así como personalidad jurídica y patrimonio propio; habría derecho a contratar y a manejar contratos, siempre y cuando esto no significara perjuicio para las demás secciones.

Para inicios de 1946, siguiendo las determinaciones del laudo presidencial, el STIC, de forma arbitraria, comenzó a boicotear el trabajo de los dirigentes de STPC, solicitando un acuerdo definitivo que exigiera "la prohibición a los exhibidores que presenten películas

Las actrices Mapy Cortés, Gloria Marín como abanderada, y Lilia Michel, encabezando la marcha que el STPC organizó el 10 de septiembre de 1945, para agradecer al presidente Manuel Ávila Camacho las decisiones tomadas para solucionar el conflicto de los cinematografistas. Archivo Gabriel Figueroa.

de Jorge Negrete, *Cantinflas*, Gabriel Figueroa, Fernández Bustamante y otros destacados elementos del Sindicato de la Producción".[7]

El STPC publicó el 12 de marzo de 1946 en el periódico *El Universal*, un comunicado firmado por *Cantinflas*, Negrete y Figueroa, al que titularon "Aún es tiempo señor presidente":

Seguramente recordará usted que con motivo de los actos inmorales y francamente delictuosos cometidos por Enrique Solís, Salvador Carrillo y socios, a petición nuestra, del STIC y de la CTM, tuvo usted a bien dictar una resolución en el conflicto cinematográfico, concediendo a Fidel Velázquez un término de 48 horas para darle cumplimiento.

En su oportunidad, nos permitimos informarle que el mencionado Fidel Velázquez, quién sabe por qué inconfesables componendas con Salvador Carrillo y sus corifeos, en vez de cumplir lealmente con su resolución, se permitió dictar un fallo arbitral, que no sólo desvirtuaba sus propósitos, sino que venía a lesionar gravemente a nuestra organización y a los intereses de nuestros agremiados.

Durante casi un año, nuestro sindicato ha estado en espera de que se normalizara la situación, particularmente con un posible cambio en el Comité Ejecutivo Nacional del STIC, pero éste, por sus méritos, fue reelecto, a proposición insistente y personal del mismo Fidel Velázquez; y Salvador Carrillo y socios vieron muy pronto engrosadas sus filas con Pedro Téllez Vargas, cuando éste salió de la penitenciaría.

En los últimos días, Salvador Carrillo, Téllez Vargas y sus cómplices iniciaron un franco y declarado boicot en contra de la producción nacional, que ha traído como consecuencia que la Asociación de Productores y Distribuidores de Películas Mexicanas hayan comunicado a nuestro sindicato que, en un plazo de 24 horas, procedería a suspender las

labores, ya que las condiciones creadas por el conflicto provocado por el STIC y la pasividad de las autoridades, no les daban posibilidad de tener garantizadas sus inversiones.

En estas condiciones, antes de que nuestros agremiados fueran nuevamente víctimas de un paro, en asamblea celebrada el día de hoy en el Frontón México, por unanimidad tomó el acuerdo de suspender la producción de películas mexicanas por todo el tiempo necesario para que usted, señor Presidente de la República, no dicte precisamente una nueva resolución que sería igualmente ineficaz, sino hasta que con su autoridad legal y moral actúe para que se cumpla su decisión anterior.

Por otra parte, la Confederación Nacional de Electricistas y la Confederación de Obreros y Campesinos, al firmar un pacto de solidaridad y apoyo contra las medidas de la CTM, manifestaron su apoyo al STPC. Los electricistas acordaron suspender el suministro de energía eléctrica si el STIC insistía en boicotear las películas nacionales. Esa medida era de consideración dado que la CNE se conformaba entonces por el Sindicato de Electricistas, la Federación Mexicana de la Industria y Comunicaciones Eléctricas y el Sindicato de Trabajadores de la empresa Ericsson. Al tiempo que se suspendería el servicio telefónico, iba a interrumpirse el suministro de energía eléctrica en 22 estados de la República. Una prueba de ese poder lo dieron los electricistas el 14 de marzo de 1946, a las 14 horas, cuando cortaron la luz del Teatro Iris. Al mismo tiempo, el STPC envió un comunicado al presidente Ávila Camacho en el que nuevamente pedía se cumpliera lo acordado con el STIC.

El sindicato que encabezaban Mario Moreno *Cantinflas*, Gabriel Figueroa y Jorge Negrete reanudó labores con el fin de terminar el conflicto publicó una nota titulada "Conciliación retira al STIC la facultad de producir películas".

El Universal, *22 de marzo*. *Es éste, el golpe más serio que ha recibido la agrupación del señor Salvador Carrillo, como resultado de las demandas presentadas por los bandos en pugna. En cuanto sea aplicado prácticamente el fallo en cuestión, los campos quedarán delimitados: de un lado los manipuladores y del otro los productores, con sus filiales respectivos. Siguen las investigaciones sobre hechos delictuosos en la Procuraduría.*

La Junta Federal de Conciliación y Arbitraje declaró desaparecidas las secciones 2, 7, 9, 45 y 47 que se empeñaba en mantener el STIC. Su fallo advertía que:

1. El STIC no probó su acción; 2. El STPC probó sus excepciones; 3. Se absuelve al STPC de la demanda formulada en su contra por el STIC por cancelación del registro que le otorgó el Departamento de Registro de Asociaciones de la Secretaria del Trabajo y Previsión Social; 4. El STIC probó en parte su acción ejercida en la contrademanda; 5. El STIC probó en parte sus defensas en la contrademanda; 6. En consecuencia, es de cancelarse y se cancelan las anotaciones de las secciones 2, 7, 9, 45 y 47 del STIC; 7. No es de cancelarse ni se cancela la anotación de la Sección 8 del STIC; 8. Gírese oficio al Jefe del Departamento del Registro de Asociaciones de la Secretaria de Trabajo y Previsión Social, enviándole copia certificada de esta resolución para que proceda al inmediato cumplimiento de los puntos sexto y séptimo resolutivos de la misma; 9. Notifíquese personalmente y cúmplase.

La recopilación hemerográfica hecha por Gabriel Figueroa finaliza el 31 de marzo de 1946, cuando los electricistas planean un paro en toda la República. Gracias a este apoyo, el STPC logró consolidarse como representante de una de las industrias más importantes del país. Victorosos en el conflicto cinematográ-fico de 1945, Figueroa, Negrete y *Cantinflas* apoyaron con su fama y su prestigio la campaña política de Miguel Alemán, candidato del PRI a la presidencia de la República.

El cinefotógrafo recordaba que, al llegar Alemán a la presidencia, fueron a visitarlo a sus oficinas algunos miembros del STPC: "le explicamos que ahora nosotros necesitábamos su ayuda para obtener dos senadurías. Una para Juan José Rivera Rojas, secretario general de los electricistas, quien nos había ayudado a obtener nuestro permiso laboral. [...] La otra senaduría era para [Adolfo] López Mateos",[8] abogado que estuvo del lado de Figueroa en el conflicto cinematográfico y quien llegaría a ser, dos sexenios después, presidente de la República.

Notas

1 Alberto Isaac, *Conversaciones con Gabriel Figueroa*, México, Universidad de Guadalajara/CIEC, 1993, p. 51-52.
2 Gabriel Figueroa, *Memorias*, México, UNAM/DGE-Equilibrista, 2005, p. 52.
3 *Op. cit.,* n. 1, p. 55.
4 *Ibidem*, p. 52.
5 Cfr. "Quedó paralizada la producción de cine", *Novedades*, 6 de febrero de 1945.
6 *Op. cit.,* n. 1, p. 56.
7 Cfr. *El Nacional,* 9 de enero de 1946.
8 *Op. cit.,* n. 2, p. 116.

Plana de la Revista de América en la que se informa de la manifestación del apoyo que el STPC le brindó al licenciado Miguel Alemán, candidato a la presidencia del Partido Revolucionario Institucional. Guadalajara, Jalisco, 1946. Gabriel Figueroa.

El licenciado Miguel Alemán, candidato a la Presidencia, es recibido en Guadalajara con todos los honores, por sus partidarios. Aquí le vemos en un balcón cubierto de flores que copian el escudo de la ciudad, saludando a los manifestantes que lo aclaman.

AMIGOS DE MIGUEL ALEMAN

LOS ARTISTAS CINEMATOGRAFICOS SE HAN SUMADO AL MOVIMIENTO ALEMANISTA Y CONTRIBUYEN CON SU ENTUSIASMO Y POPULARIDAD AL EXITO PROPAGANDISTA

Ni simples partidarios, ni organizadores de actos políticos. Algo más: amigos con todo lo que de responsabilidad y compromiso, encierra la palabra. Esa confesión sincera, abierta y leal de amistad destacó en grandes letras durante el acto de recepción al licenciado Miguel Alemán, en Guadalajara. En un gran cartel, se leía: AMIGOS DE MIGUEL ALEMAN. Y lo rubricaba el Sindicato de Trabajadores de la Producción Cinematográfica.

Extrañó, al iniciarse en toda su fuerza la campaña presidencial, que una organización vigorosa, de arrastre nacional como el Sindicato de Trabajadores de la Producción Cinematográfica, se mantuviera al margen de la actividad política. Extraño, especialmente, porque no se ignoraba que los principales jefes de la agrupación eran simpatizadores y algunos hasta amigos personales del candidato del PRI. Mario Moreno, Jorge Negrete y Gabriel Figueroa declararon cuando se les interrogó sobre si el STPC,

no participaría en la lucha cívica, que eran partidarios del licenciado Miguel Alemán, que el político veracruzano lo sabía y que sólo trataban de no dar la impresión de arribistas.

—Somos amigos del señor licenciado Miguel Alemán,— confesaron. Y creemos que nuestro deber de amigos es no crear problemas ni compromisos. Estamos a disposición del señor licenciado Alemán y entraremos abiertamente a la lucha en el momento oportuno.

En la memoria que hizo posible el cinematógrafo, aparato capaz de llevar al mismo plano móvil los registros tomados de la realidad y las ficciones en que ésta es un simulacro más o menos verosímil, la Revolución mexicana fue tema de documentos noticiosos, apuntes propagandísticos, evocaciones exaltadas y visiones carnavalescas con olor a pólvora y tequila.

El actor Raúl de Anda en un still de la película Vámonos con Pancho Villa *(1935), dirigida por Fernando de Fuentes y basada en la novela homónima de Rafael F. Muñoz. En ese filme Gabriel Figueroa trabajó como operador de cámara. Colección Fundación Televisa.*

En los años treinta del siglo XX, luego de fundarse el partido político en que debían dirimir sus conflictos las facciones victoriosas, la memoria histórica de la llamada "bola" continuó su proceso de institucionalización, al tiempo que se construía en la capital mexicana el monumento que celebraba las hazañas de héroes que en vida habían sido contrincantes. En esa década, Figueroa trabajó como fotógrafo de fijas, operador y cinefotógrafo en películas que ilustran los distintos modos en que se reconfiguró, en el terreno de la imaginería fílmica, el recuerdo de hechos, ambientes y personajes que pertenecían a un pasado reciente: *Revolución* o *La sombra de Pancho Villa* (Miguel Contreras Torres, 1932); *Enemigos* (Chano Urueta, 1933); *Vámonos con Pancho Villa* (Fernando de Fuentes, 1935); *La Adelita* (Guillermo Hernández Gómez-Mario de Lara, 1937); y *Los de abajo* (Chano Urueta, 1939). A esta última película y a *La noche de los mayas* —filmada en el mismo año y bajo las órdenes del mismo director—, Figueroa las reconocería, años más tarde, como las primicias de su estilo, afín a la estética de los maestros del muralismo mexicano.

Las reelaboraciones visuales de la revolución en que Figueroa participó, cuando su carrera despegaba, dejan ver el proceso que el cine de ficción siguió para asimilar registros y representaciones de la lucha armada —gráfica, corridos, novelas, obras escénicas, fotografías, pietaje documental—, hasta producir, en las siguientes décadas, un género autorreferencial: películas con temática revolucionaria que no remitían más que al ambiente retratado en otras películas de la misma índole.

Por estas licencias, un impreso promocional de *Revolución* podía combinar un *still* de Figueroa y la imagen canónica de Pancho Villa cabalgando, tomada en 1914 por personal de la compañía estadounidense Mutual Film Corporation. En la versión de la historia de Contreras Torres, director de aquella película, la Revolución tuvo un desfile victorioso en que Carranza, Obregón, Zapata y Villa compartieron los vítores de los habitantes de la ciudad de México, efecto del montaje de dos fragmentos documentales distintos. Esas manipulaciones también implicaban ocultamientos: por muchos años estuvo en la sombra un final de *Vámonos con Pancho Villa* donde la leyenda del Centauro del Norte mostraba su lado más siniestro.

Portada de un impreso promocional de la película La sombra de Pancho Villa *(página siguiente), dirigida por Miguel Contreras Torres en 1932. El anuncio está compuesto por un still de la autoría de Gabriel Figueroa (derecha) y un recorte de la figura de Pancho Villa, procedente de una imagen atribuida a John Davidson Wheelan. Al parecer, esta fotografía fue tomada en 1914, en el curso de la campaña del ejército villista en Ojinaga, Chihuahua, durante el rodaje de una película producida por la Mutual Film Co. que tenía al revolucionario como su principal estrella.*
La imagen de Villa cabalgando hacia la cámara (arriba), acabó por convertirse en el icono más representativo del Centauro del Norte. Acervo Cinemas Lumière y Colección Fundación Televisa.

EXALTA EL SENTIMENTALISMO
Y LA BRAVURA DE UNA RAZA!

La SOMBRA de PANCHO VILLA

PELICULA COLUMBIA

Producción de

MIGUEL CONTRERAS TORRES

·

Distribuida por

**Columbia Pictures
Distributing Co., Inc.
729 – 7th Ave. N.Y., U.S.A.**

Regino Sandoval (Carlos López Moctezuma):
—¿Qué les parece el cuaco?
Esbirro (actor no identificado): —No hay más
Dios que mi jefe, don Regino Sandoval.
RS: —¿Qué tal se ve uno en un animalito como
ése, *Rengo*?
Rengo (Manuel Dondé): —Palabra que nomás
de verlo montado en ese cuaco se le enchina
a uno el cuerpo. Parecía usted una estatua
jefe. Lo que es que esa foto la ponemos en
la sala de cabildos pa' que el que entre diga:
"ése es el mero Regino Sandoval, el más
macho de todos los machos".
RS: —Me lo cuidas como se merece Brígido,
si no allá te lo haya.
Brígido (Agustín Isunza): —Por eso no me he
ido pa'l norte ni me he casado, pa' atender los
caballos de mi jefe.
RS: —¿No era un crimen que ese cuaco estuviera en manos del gachupín de la sabana?
R: —Yo se lo advertí: "a mi jefe le gusta el
Chasco y ya sabe cómo es mi jefe, regáleselo
el día de su santo y se quita de zozobras".
No me hizo caso y Dios lo castigó.
RS: —Dicen que te van a procesar en México
por esa muerte *Rengo*.
R: —¿A mí? Pa' mí no hay más ley que la de mi
jefe. Pos si no, acuérdese de todos los demás.
Fotógrafo (actor no identificado): —Don
Regino, ¿por qué no se toma otro?
RS: —Bueno, me voy a tomar otro. Voy a
arrancar el cuaco y se lo rayo aquí mero,
nomás me aguanta, no tenga miedo aunque
vea que me le voy encima. A ver si me sale
como aquel retrato tan chulo de mi general
Pancho Villa cuando entró a Torreón.

Diálogos de la película *Río Escondido*
(Emilio *el Indio* Fernández, 1947).

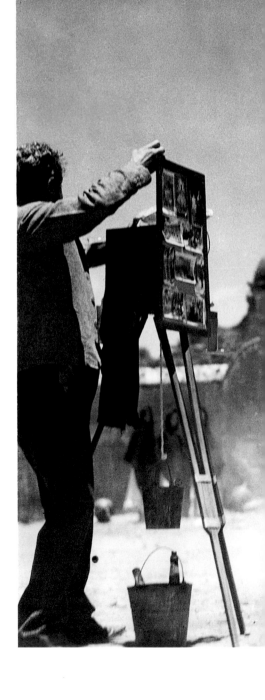

Luis Márquez Romay. Still *de la película* Río Escondido.
Tultepec, Estado de México, 1947. Colección Fundación Televisa.

Still y videogramas de la película Vámonos con Pancho Villa (Fernando de Fuentes, 1935), correspondientes al final expurgado que la Filmoteca de la UNAM rescató en 1973, en formato de 16 mm. En ese desenlace Villa (interpretado por Domingo Soler) asesina a la esposa y a la hija de su seguidor Tiburcio Anaya (Antonio R. Frausto), quien luego caerá abatido por Rodolfo Fierro (Alfonso Sánchez Tello). Aún lloroso y compungido por la muerte de su padre, el hijo sobreviviente de Tiburcio aceptará unirse a las disminuidas huestes del Centauro del Norte. Colección Fundación Televisa y Filmoteca de la UNAM.

LA EPOPEYA ABERRANTE | A mediados de 1982, gracias al paso de una de sus copias por televisión, se descubrió que *Vámonos con Pancho Villa* había sido una película censurada. Con respecto a la versión conocida, el relato continuaba milagrosamente por espacio de diez minutos más. Parecía seguir los lineamientos del guión original. Pero no: en determinado momento lo desbordaba, continuaba por su propio camino impredecible, fuera de cualquier determinación de la novela de Muñoz y de todo lo sospechable. [...]

Ahora resulta que *Vámonos con Pancho Villa* puede ser objeto de una triple lectura, cada una correspondiente a los tres finales ya conocidos del filme. La primera lectura, correspondiente al final de Tiburcio caminando sobre los durmientes de la vía del tren hacia las tinieblas, ya ha sido hecha. [...]

La segunda lectura corresponde al final previsto en el libreto original, rescatado y publicado por el investigador Federico Serrano. [...] Según este final, tras encañonar rabioso a Villa que lo trata de calmar, Tiburcio baja el arma, abraza al hijo sobreviviente y los dos, vehementes y todoaceptantes pero entusiastas, con lágrimas en los ojos, echan a andar detrás del grupo de villistas. [...] El saber trágico como segunda lectura. Y Pancho Villa es señalado por ese saber "como hombre nada común, capaz de las más grandes hazañas", a quien hay que seguir *in extremis*, perdonándole sus vilezas, porque él tiene una doble identidad: la que otorga el maíz y el dios cruel, conciliación de lo superior y lo inferior, cielo y tierra desde un solo horizonte vivido.[...]

La epopeya aberrante como tercera lectura. [...] El padre sacrificado y su pequeño hijo movilizado rinden testimonio, culto y cortejo al eterno retorno del mito, el mito épico y restañado hasta su insensibilidad absurda, por encima de la alevosía y la ética. En la aceptación iluminada, la salvación épica alumbra la barbarie desbordándose a sí misma y a su ignominia.

Fragmento del libro de Jorge Ayala Blanco, *La aventura del cine mexicano*, México, Grijalbo, 1993.

Fernando Palacios, guionista y director, recordaba el momento exacto en que descubrió en una céntrica calle de la ciudad de México, frente a un aparador, a la "espectacular mujer" que respondía al nombre de María de los Ángeles Félix Güereña: jueves 4 de enero de 1940, a las 5:45 de la tarde. Gabriel Figueroa fue el encargado de hacer las primeras pruebas fílmicas del rostro de aquella joven originaria de Álamos, Sonora, a quien el mismo Palacios preparó como actriz e introdujo en el mundo de la farándula.

Fotograma con un acercamiento a los ojos de María Félix en la película Enamorada, *dirigida por Emilio* el Indio Fernández *en 1946.*

En *El peñón de las ánimas* (Miguel Zacarías, 1942) se dio a conocer la belleza altiva de María Félix. En 1943, en la película *La mujer sin alma*, dirigida por Fernando de Fuentes, encarnó por primera vez el rol de fémina seductora y avasallante, luego refrendado en cintas como *La devoradora* (Fernando de Fuentes, 1946) o *La diosa arrodillada* (Roberto Gavaldón, 1947). En 1943 estelarizó *Doña Bárbara*, adaptación fílmica de la novela homónima de Rómulo Gallegos, realizada por Fernando de Fuentes y Miguel M. Delgado, en la que representó a una despótica terrateniente de los llanos venezolanos. De esta película provino el mote que la prensa y el público utilizaron para dar cuenta de sus correrías, en las cuales no hubo distinción entre la realidad y el cine. *La Doña*, diva inspiradora de grandes canciones y protagonista de sonados romances, se impuso en la mitología popular como encarnación del carácter insumiso y el triunfo social.

"La gran película de María Félix, fue María Félix", escribió Octavio Paz. No pocos de los fotogramas de esa cinta estuvieron al cuidado de Gabriel Figueroa. Con la película *Enamorada* (Emilio Fernández, 1946), se inició no sólo una fructífera y amistosa colaboración entre la actriz y el cinefotógrafo, sino también el ciclo con el que *la Doña* se ganó un lugar en el mundo representacional de la Revolución mexicana. En películas como *La Escondida* (Roberto Gavaldón, 1955); *La Cucaracha* (Ismael Rodríguez, 1958); *Juana Gallo* (Miguel Zacarías, 1960); y *La Generala* (Juan Ibáñez, 1970), quien se contaba entre las mujeres más elegantes del México moderno aceptó ser compañera o cabecilla de las huestes que se disfrazaron de alzados y soldaderas.

En los sets y locaciones de una revolución impostada, carnavalesca, ajena a cualquier validación histórica, Figueroa retrató a María Félix embriagándose, disparando balas y groserías o emergiendo de un sueño como sacerdotisa. En una de esas evocaciones de "la bola", hizo también el *close up* en que *la Doña* se perpetuó como resplandor de unos ojos en duermevela.

El fotógrafo y excursionista Rafael García Jiménez, mejor conocido como *el Chaparrito*, tuvo su primer acercamiento al cine a los 17 años como ayudante de *cácaro* en el cine Progreso de la ciudad de Querétaro. A partir de retazos de película que recogía del suelo, imprimía postales que vendía entre el público cinéfilo. En 1943 se incorporó formalmente a la industria del cine nacional como fotógrafo de fijas. Las imágenes captadas por él en el set, la locación o su estudio de la calle Madereros número 169, en Tacubaya, sirvieron para difundir en la prensa y las marquesinas una gran cantidad de películas nacionales, entre ellas *Enamorada*, filmada en Cholula y sus alrededores bajo la dirección de Emilio *el Indio* Fernández en 1946.

Rafael García Jiménez. Stills de la película Enamorada filmada en Cholula, Puebla en 1946.
En la imagen superior, el actor Pedro Armendáriz en el papel de José María, y María Félix interpretando a María Dolores,
en la secuencia final de la película. Colección Andrés Siegel.

Othón Argumedo Albuquerque. *María Félix en tres stills de la película* La Cucaracha, *dirigida por Ismael Rodríguez en 1958. Colección Fundación Televisa.*

María Félix durante la filmación de una escena de la película Juana Gallo *(Miguel Zacarías, 1960) en los estudios Churubusco.*
Colección Fundación Televisa.
DERECHA: *Imagen silueteada de María Félix como* Juana Gallo, *que fuera base para la elaboración de material publicitario del filme.*
Colección Fundación Televisa.

Manuel Palomino. María Félix, como Mariana Sampedro, en una escena onírica de La Generala, *película dirigida por Juan Ibáñez en 1970 (izquierda).*
Imágenes de una secuencia excluida de la versión final de La Generala *(arriba).*
Colección Fundación Televisa.

Gabriel Figueroa siempre reconoció la influencia que sobre su fotografía ejercieron las obras de Diego Rivera, José Clemente Orozco, David Alfaro Siqueiros y Leopoldo Méndez, "maestros míos en el modo de ver a los hombres y a las cosas". En la relatoría que el cinefotógrafo hizo de sus vínculos con la plástica mexicana, daba importancia a la convivencia que de joven había tenido con Lola y Germán Cueto, y con el propio Rivera, cuando todos eran vecinos en una privada de la calle Mixcalco. Contaba que los trabajos de reproducción de los tapices de Lola y de las obras de amigos suyos, entre ellos Antonio Ruiz *el Corcito* y Manuel Rodríguez Lozano, hicieron renacer su interés por la pintura. Asimismo reconocía el papel de animadora que la actriz Dolores del Río había desempeñado, a su retorno de Hollywood, en la consolidación de la mística mexicanista que a mediados de los años cuarenta del siglo XX permitió la sintonía entre el cine y las demás artes nacionales.

Diego Rivera, Gabriel Figueroa y David Alfaro Siqueiros, ciudad de México, ca. 1952.

Son abundantes los ejemplos del intercambio que se dio entre el cine y la plástica en aquel periodo. Rivera, otro más de los cortejantes de María Félix, consideraba que Figueroa había creado el género de los "murales ambulantes". Siqueiros inscribía el trabajo del cinefotógrafo en la búsqueda de nuevas técnicas que liberarían al arte mexicano de los medios tradicionales. Orozco no protestó porque Figueroa, "ladrón honrado", reprodujera en *Flor silvestre* (Emilio Fernández, 1943) la imagen de *El réquiem* (1928). Los escorzos de Siqueiros y la "perspectiva curvilínea" de Gerardo Murillo *Doctor Atl* se hicieron presentes en varias composiciones de Figueroa.

Méndez, integrante del Taller de Gráfica Popular, realizó grabados para ilustrar los créditos de varias películas. Manuel Álvarez Bravo y Figueroa filmaron a Rivera en 1949, año en que el muralista presentaba una muestra retrospectiva y pintaba un retrato de Dolores del Río en el papel que interpretó en *María Candelaria* (Emilio Fernández, 1943): devolución que el cine hacía a la pintura de las influencias recibidas.

No sólo como fotógrafo Figueroa ayudó a la difusión de la iconografía de sus mentores. Álvarez Bravo y Méndez contaron con su apoyo para la edición de los libros que el Fondo Editorial de la Plástica Mexicana dedicó a la gráfica de José Guadalupe Posada, el arte popular y el Muralismo.

La muestra *Gabriel Figueroa y la pintura mexicana*, organizada por el Museo Carrillo Gil en 1996, volvió a hacer evidente que las películas de Figueroa solían ser también el recorrido por varias exposiciones pictóricas.

José María Velasco. Paisaje, 1901. Archivo Luna Córnea.

PATRIA ILUSTRADA | Desde sus inicios como nación independiente, México ha sido una patria ilustrada, poblada por los emblemas, vistas y retratos que le permitieron hacer el inventario de sus paisajes, obras, fisonomías y costumbres, y transformarlos en patrimonio simbólico. La revolución armada de 1910 tuvo entre sus efectos el reforzamiento de esa exaltación de la tierra nativa, que dio impulso, a su vez, a una creativa búsqueda de imaginería propia, la revaloración de las artes populares y la celebración rutinaria de unos cuantos tópicos vernáculos.

En esa obra colectiva que es la invención iconográfica de México se inscribe, en el corto y en el largo plazo, el trabajo más difundido de Gabriel Figueroa, quien pretendió hacer con la cinefotografía lo que otros artistas realizaron con el grabado, la música o la pintura. Las imágenes que creó, o ayudó a producir, son parte del entramado de apropiaciones, intercambios y reinterpretaciones que formaron la identidad y la cultura visual de los mexicanos en el siglo XX.

El México ilustrado se asienta en los ámbitos inmateriales que las imágenes convalidan

Manuel Ramos. Fotomontaje de un paisaje del valle de México, compuesto por una imagen de la cumbre del cerro del Chiquihuite, y otra de los volcanes Popocatépetl e Iztaccíhuatl. México, ca. 1935. Archivo Manuel Ramos/Colección Fundación Televisa.

a través de sus afinidades, guiños y transferencias: paisajes fotográficos que ocupan el mirador de sus antecesores pictóricos; murales que se convierten en fotografías, fotografías que ilustran libros, libros que inspiran películas, películas que se convierten en modalidades de la memoria.

La belleza de las imágenes de Figueroa, apuntaba Carlos Fuentes, "no sólo esconde una voluntad de artificio sino que indica, a su vez, la voluntad, no de reflejar, sino de añadir esas imágenes al mundo, devolverlas no para una imposible duplicación sino para que exis-

tan por sí solas. La propia realidad en la que estas imágenes se basaron dejará de ser real un día (el ecocidio, entre otras cosas, se encargará de ello) y entonces las metamorfosis del arte pasarán por ser la realidad real: veremos el México de Figueroa y no el que realmente fue. La verdad, así, siempre está reñida con los hechos".

Gerardo Murillo **Dr. Atl**. *Volcanes. Petrorrecina sobre fibracel. Colección Instituto Cultural Cabañas.*

LA INVENCIÓN DE MÉXICO | Fernández y Figueroa crearon su singular estilo cinematográfico al asimilar y sintetizar a varios precursores artísticos y fílmicos. [...]

[Una] influencia artística clave fue la de Gerardo Murillo, mejor conocido por el pseudónimo de *Doctor Atl* (1875-1964). Reconocido como el fundador del movimiento artístico nacionalista en México y como "el primer paisajista contemporáneo" de la nación, creó, en las palabras de un crítico de arte mexicano, "una geografía estética de las montañas y los valles de México". [...] Al "inventar" la pintura mexicana, estaba reconstruyendo las técnicas estéticas occidentales ya establecidas, luego las recombinaba para adecuarlas a la experiencia mexicana. Esto afectó todos los aspectos de su obra —los temas que pintó, los materiales que usó, los colores que eligió—, e incluso la formulación de una "nueva perspectiva".

La idea del *Doctor Atl* era complementar la perspectiva lineal tradicional o renacentista (el sistema frontal de diseño pictórico que descansa en líneas paralelas convergiendo en un punto de fuga central) tan dominante en la tradición artística occidental con una *perspectiva curvilínea*, un esquema de representación que enfatizaba las formas esféricas en la natu-

Videograma digital de la película Pueblerina, *dirigida por Emilio* el Indio *Fernández en 1948.*

raleza. Según el *Doctor Atl*, esta perspectiva se aproximaba de manera más realista al acto de ver del ojo humano, y tenía la ventaja adicional de "establecer posibilidades más amplias para una nueva representación de la naturaleza". Para el *Doctor Atl*, la *perspectiva curvilínea* era más compleja y, en consecuencia, más completa, dedicada como estaba a cubrir todos los planos de la pintura —el frente, el campo medio, y el fondo.

La *perspectiva curvilínea* influyó claramente a Fernández y Figueroa, filtrada a través de *¡Que viva México!* (1931) de Eisenstein y de *Redes* (1934) de Paul Strand. Figueroa se refiere directamente al uso de la *perspectiva curvilínea* del *Doctor Atl* para desarrollar su técnica para filmar los cielos nublados por lo que es justamente célebre (se les conoce como "cielos de Figueroa"). Usando filtros infrarrojos para reducir la niebla, dice entonces Figueroa: "agregué la perspectiva curva desarrollada por el *Doctor Atl*, y fui capaz de captar la mayor cantidad de cielo, que es tan hermoso en México".

Lo consiguió usando lentes con gran angular de 25 mm para dar a las líneas horizontales una ligera curvatura. La explicación de Figueroa sobre su aplicación de la *perspectiva*

Videogramas digitales de una escena de la película Río Escondido *(Emilio el Indio Fernández, 1947), donde aparecen los actores María Félix en el papel de la maestra Rosaura Salazar y Fernando Fernández como Felipe Navarro.*

curvilínea, sin embargo, minimiza el hecho de que la logró de una manera más significativa. Al combinar lo anterior con ángulos bajos de la cámara, profundidad de campo y una perspectiva oblicua —en vez de lineal—, la mirada del espectador recorría una línea curva similar a la encontrada en los paisajes del *Doctor Atl*. [...]

[En la *perspectiva oblicua*] los objetos rectangulares son fotografiados desde un ángulo hacia el primer plano de la fotografía. Esto crea dos puntos de fuga en la perspectiva a la izquierda y a la derecha del marco —en vez de uno solo que es lo normal—, e inicia una tensión entre ellos. El espacio entre estos dos puntos de fuga fue llenado con un firmamento lleno de nubes, el "cielo de Figueroa". La tensión del punto de fuga dual se resuelve cuando los ojos del espectador se mueven en un arco imaginario desde uno de los puntos de fuga, a través de la distancia del cielo y las nubes, hacia el otro punto de fuga y otra vez de regreso. Al mover la mirada del espectador alrededor de esa línea curva, Figueroa retoma la *perspectiva curvilínea* del *Dr. Atl*, y frecuentemente acentúa el efecto con círculos y óvalos, usando por ejemplo la forma de un sombrero.

En su estilo, Fernández y Figueroa retoman prácticas cinematográficas surgidas en

María Félix en un fotograma de la película Río Escondido.
Imagen procesada digitalmente e impresa por Gabriel Figueroa Flores. Archivo Gabriel Figueroa.

Hollywood para adecuarlas a la experiencia mexicana, en una proporción que las hace aparecer como propias. [...]

El romper con la perspectiva lineal tiene el potencial de criticar a la práctica cinematográfica dominante a través de modificar o reformular radicalmente la unidad del observador. En última instancia, abre una fisura en la ideología dominante. El uso que Fernández y Figueroa le dieron a la *perspectiva oblicua* con dos puntos de fuga en películas populares, que millones de mexicanos vieron y disfrutaron, representó un rompimiento enorme y creó tal fisura. Sus cintas son significativas no sólo porque tuvieron éxito en crear un espacio para la articulación de *lo mexicano*, sino porque dentro de ese espacio desafiaron a las tradiciones artísticas de Occidente y a la ideología dominante que traían consigo. Este disputado espacio vino a ser conocido y reconocido en las cintas de Fernández y Figueroa como México.

Fragmento de Charles Ramírez Berg,
"La invención de México: el estilo estético
de Emilio Fernández y Gabriel Figueroa",
El cine mexicano a través de la crítica,
México, UNAM/Imcine/Universidad
Autónoma de Ciudad Juárez, 2001.

Edward Weston. Pirámide. México, ca. 1926. Archivo Anita Brenner. Cortesía Susannah Glusker.

TIEMPO INMEMORIAL | En el viaje de reconocimiento y reivindicación de "lo nuestro", propósito rector de la cultura mexicana en los inicios de la era posrevolucionaria, los artistas locales no estuvieron solos. Durante los años veinte y treinta del siglo pasado, creadores procedentes de distintos países contribuyeron a fomentar la autoestima nacional y, al mismo tiempo, a renovar los lenguajes artísticos.

Las miradas foráneas de Hugo Brehme, Edward Weston, Tina Modotti, Anita Brenner, Paul Strand o Sergei Eisenstein, influyeron en la definición de la mexicanidad que Gabriel Figueroa y otros productores de imágenes asu-

mieron como legado. Eisenstein y su equipo —Grigory Alexandroff y Eduard Tissé— estuvieron en México entre diciembre de 1930 y marzo de 1932, con el propósito de realizar la película ¡Que viva México!, que ambicionaba ser una "vasta y multicolor sinfonía fílmica" sobre el país que el cineasta soviético había vislumbrado, años antes, en grabados de José Guadalupe Posada y conversaciones con Diego Rivera.

En la concepción del proyecto fue determinante la lectura de un libro publicado en Estados Unidos en 1929, escrito por la antropóloga Anita Brenner e ilustrado con foto-

Videogramas digitales del pietaje de ¡Que viva México!, filmado por Sergei Mikhailovich Eisenstein entre 1931 y 1932. Versión editada por Grigory Alexandroff, asistente del director durante el rodaje.

grafías realizadas por Edward Weston y Tina Modotti: *Idols Behind Altars* [Ídolos tras los altares]. En opinión de Harry M. Geduld y Ronald Gottesman, ese libro devino una suerte de "escenario espiritual" para el desarrollo del primer tratamiento literario de la película mexicana de Eisenstein. Aurelio de los Reyes, en su investigación *El nacimiento de ¡Que viva México!*, ha documentado las múltiples influencias que nutrieron la apasionada curiosidad del director de *El acorazado Potemkin* (1925) por un país donde la muerte era, además de tragedia y luto, recurso de la sátira política, máscara de carnaval y golosina.

A partir de una estructura basada en cuatro novelas —Sandunga, Maguey, Fiesta y Soldadera—, un prólogo referido al tiempo de la eternidad y un epílogo dedicado al "nuevo México creciente", Eisenstein filmó pirámides, rituales, rostros de mayas y tehuanas, escenas fúnebres o paradisiacas, fugas y martirios entre magueyes. La temática y el tratamiento de las novelas rendían homenaje a los pintores y grabadores que descubrieron al cineasta soviético los sustratos del alma mexicana. Los trazos punzantes de José Clemente Orozco son reconocibles en el episodio trágico que se filmó en la hacienda de Tetlapayac.

José Clemente Orozco. Bajo el maguey, 1926-1928. Tinta y grafito sobre papel.
Colección Museo de Arte Carrillo Gil. Cortesía Clemente Orozco Valladares.

"Hemos hablado de que en mi encuentro con México, el país se me presentó con toda la diversidad de sus contradicciones, como si fuera una proyección hacia el exterior de todas aquellas líneas y rasgos particulares que, pareciera, llevaba y llevo dentro de mí en forma de un complejo nudo", escribiría Eisenstein en *Yo. Memorias inmorales*, años después de su paso por tierras mexicanas.

La realización de la "sinfonía fílmica" se alargó más de lo previsto, enfrentó toda clase de obstáculos y quedó a fin de cuentas inconclusa, luego de que el escritor estadounidense Upton Sinclair, su promotor inicial, le retirara

su apoyo. El cineasta que había renovado con sus obras y escritos la gramática cinematográfica, no pudo editar la pieza en que rendía tributo a los muralistas mexicanos. Pero aun en los montajes que sin el aval de Eisenstein se hicieron después, pervivió la fuerza formalista que había impreso, con la ayuda de Alexandroff y Tissé, a cada una de sus imágenes.

"Del misterio en que al fin quedó sumida su obra maestra —escribió Salvador Novo—, [...] sólo quedó la valiosa enseñanza de que los cielos mexicanos, los magueyes y los calzones blancos se veían muy artísticos adecuadamente combinados con los tipos somnolientos

Videogramas digitales del pietaje de ¡Que viva México!
Versión editada por Grigory Alexandroff.

y estáticos. A partir de Eisenstein, el cine mexicano descubrió el paisaje mexicano-ruso, visto desde el suelo con ángulos novedosos y sugerentemente fotografiados, hasta convertirse, por virtud de la repetición, en una pesadilla".

También lector de *Ídolos tras los altares,* igualmente admirador de Orozco, Gabriel Figueroa hizo sus propias elegías a la planta del maguey como icono representativo no sólo del paisaje de México sino del carácter de sus hombres bragados y sus mujeres estoicas. Aunque era evidente que el estilo del cinefotógrafo de *La noche de los mayas* estaba en deuda con el hieratismo fílmico de ¡Que viva *México!,* fue hasta el final de su carrera que Figueroa reconoció y documentó su afinidad con Eisenstein. Testimonio de ese reencuentro fue la detenida lectura que hizo el cinefotógrafo del libro *The Cinema as a Graphic Art* de Vladimir Nilsen y la conferencia que en 1981 impartió, en Radio UNAM, sobre la obra del cineasta que definía al *film* como "un arte sintético".

Fotogramas de la película Una cita de amor, *dirigida por Emilio el Indio Fernández en 1956.*
Imágenes procesadas digitalmente e impresas por Gabriel Figueroa Flores. Archivo Gabriel Figueroa.

Videogramas digitales del pietaje de ¡Que viva México!
Versión editada por Grigory Alexandroff.

Ángel Corona Villa. Pedro Armendáriz en el papel de Felipe, y María Félix interpretando a Gabriela
en un still de la película La Escondida *(Roberto Gavaldón, 1955). La escena fue filmada en un set de los estudios Churubusco.*
Colección Fundación Televisa.

José Clemente Orozco. El réquiem, 1928. Tinta sobre papel.
Colección Museo de Arte Carrillo Gil. Cortesía Clemente Orozco Valladares.

DERECHA: Fotograma de la película Flor silvestre, dirigida por Emilio el Indio Fernández en 1943.
Imagen procesada digitalmente e impresa por Gabriel Figueroa Flores. Archivo Gabriel Figueroa.

Flor silvestre fue la película que marcó mi estilo, mi imagen de México.

Ya terminada la película, la proyectamos en una función especial con todos los pintores y amigos de Dolores que tenían interés en ver lo que había estado haciendo. A mí me tocó (¡esas casualidades!) estar sentado junto a José Clemente Orozco. Hay una escena del exterior de un velorio en que se ve una puerta al fondo, algunos cirios, algunas personas. Cuando salió esa parte, Orozco se enderezó un poco reconociendo alguna paternidad en eso, y le dije:

—Maestro, soy un ladrón honrado. Eso es copia de la acuarela que usted tiene que se llama *El réquiem*.

—Pues sí, algo reconocí, pero me ha llamado la atención la perspectiva, y sobre todo la transparencia que esto tiene, que no llega a un fondo y se detiene, sino que sigue. Necesita usted invitarme a verlo trabajar para ver cómo logra la perspectiva.

A mí me halagó mucho oír una opinión así de una gente del tamaño de José Clemente. Ya luego Diego Rivera, Orozco y *el Chamaco* Covarrubias iban al set seguido.

Gabriel Figueroa, *Memorias*, México, UNAM/DGE-Equilibrista, pp. 49-50.

La *conciencia pictórica* de Gabriel Figueroa en el imaginario nacionalista del equipo de Emilio Fernández

Claudia Arroyo Quiroz

Introducción

La obra de Gabriel Figueroa como cinefotógrafo es vasta y rica por estar compuesta de muchas facetas marcadas por la diversidad de directores con quienes colaboró y de los géneros cinematográficos, temas y ambientes en los que trabajó. La faceta de su colaboración con Emilio Fernández ocupa, sin embargo, un lugar muy importante dentro de su obra, ya que fue en ella donde creó el estilo visual que se convirtió en el sello distintivo de su cinefotografía y que afianzó el éxito nacional e internacional del cine de este director. El trabajo de Figueroa es, quizá, el aspecto del cine de Fernández que más ha sido elogiado. Considerado como un arte cinematográfico que, nutriéndose de expresiones visuales locales y extranjeras, logró plasmar de manera única las particularidades y atributos del México rural y urbano.

Si bien el trabajo de Figueroa es sin duda digno de un profundo reconocimiento, al mismo tiempo el exceso de elogio ha derivado, en ocasiones, en un confinamiento —y hasta en una fetichización— de la composición visual del cine de Fernández que, en el terreno de la crítica, ha dificultado el análisis del discurso nacionalista de sus filmes. Algunos ensayos de Carlos Monsiváis, por ejemplo, preocupados por el tema de la calidad y por identificar aquellos elementos que han sobrevivido el curso del tiempo, ensalzan la estética visual como superior al contenido literario e ideológico. En su opinión, las películas "retienen una fuerza singular, no la de su proyección ideológica, sino la vehemencia lírica, el vigor, la excelencia visual".[1] El nivel de la "proyección ideológica" es considerado entonces como un contenido objetable, superado por lo visual: "sobre el desvarío argumental y el chovinismo y el machismo, se impone la coherencia visual". De acuerdo con el crítico, esto se debe en parte a la baja calidad de los guiones "rudimentarios", los cuales resultan en "disparates y recitativos de la trama" y en "banalidad declamatoria".[2]

Este enfoque es un tanto problemático porque si, por un lado, es posible argumentar que la composición fílmica puede producir una autonomía relativa de la imagen, por otro lado, la separación categórica de lo visual y lo ideológico no resulta en un análisis productivo del nacionalismo cinematográfico de Fernández. Más que alabar la estética visual de los filmes como superior a su ideología (política o de género), es necesario investigar las diferentes maneras en las que la primera expresa a la segunda.

La efectividad del cine de Fernández obedeció no sólo a su "excelencia visual", sino al hecho de que sus composiciones visuales

Carlos Tinoco.
Emilio el Indio Fernández en el papel de Rogelio Torres y Dolores del Río como Esperanza en un still de Flor silvestre (Emilio Fernández, 1943). Colección Fundación Televisa.

sofisticadas moldearon imaginarios nacionalistas específicos de manera enérgica y eficaz. Por otra parte, la caracterización de los guiones como incoherentes y banales no reconoce su valor como fuentes de sentido, siendo que ellos proveen las composiciones fílmicas con significados cruciales. En vez de aislar la estética visual como el único aspecto del cine de Fernández que merece aprecio, es necesario examinar los diferentes niveles de significación que constituyen los textos fílmicos y cómo la interacción de dichos niveles produce imágenes complejas sobre la nación. En el presente ensayo, la colaboración de Figueroa en el cine de Fernández es considerada como parte integral de un trabajo colectivo, mientras que en el nivel textual es abordada como una parte inseparable del resto de los significados fílmicos, que cumplió una función clave en la configuración visual de un imaginario nacionalista que ha sido bastante elogiado hasta nuestros días.

El equipo de Emilio Fernández

Una manera de entender cómo se produce la interacción de niveles de significación en el cine de Fernández es la de conceptualizar a los filmes como el resultado de un trabajo colectivo. Si asumimos que "por lo general un filme no tiene un único autor sino que opera a través de una idea más complicada de intencionalidad",[3] en el caso de las películas dirigidas por Fernández en los años cuarenta y principios de los cincuenta la noción de "equipo" y la confluencia de varias intencionalidades es particularmente relevante. Esto se debe a que el director trabajó con un grupo estable de cineastas cuyos saberes e intereses convergieron para producir imaginarios nacionalistas poderosos que tuvieron un fuerte impacto en su audiencia desde el estreno de los filmes. La noción de "equipo" cuestiona los acercamientos "autoristas" (*auteurist*) al cine de Fernández que buscan explicar las cintas en función, ya sea de la intención/ideología del director, o del estilo creado por él junto con su cinefotógrafo. Éste es el caso del ensayo de Charles Ramírez Berg (1994) que analiza cómo la influencia de ciertas tradiciones locales y foráneas moldearon lo que él llama "el estilo Fernández-Figueroa", sin apuntar cómo el sentido de ese estilo visual está determinado en cada texto fílmico en gran medida por su combinación con otros significados provistos por la narrativa, el diálogo, el montaje o la música.

La noción de "equipo" es productiva sobre todo con respecto a las películas dirigidas por Fernández en los años cuarenta y principios de los cincuenta, ya que en este periodo el director y su grupo de colaboradores lograron articular un estilo fílmico definido por temas y estrategias de composición características.[4] Si Figueroa y las estrellas fílmicas Dolores del Río, Pedro Armendáriz y María Félix son los colaboradores de Fernández más reconocidos, el guionista Mauricio Magdaleno y la editora Gloria Schoemann han sido mucho menos valorados, siendo que su labor fue asimismo crucial en la producción de sentido en los

Carlos Tinoco.
Equipo de producción de la película Flor silvestre. *Estudios Clasa, ciudad de México, 1943. Colección Fundación Televisa.*

filmes. Otros cineastas que colaboraron de manera constante con Fernández y que también debieran ser reconocidos como miembros de su equipo son el escenógrafo Manuel Fontanals, el diseñador de vestuario Armando Valdés Peza y los músicos Francisco Domínguez y Antonio Díaz Conde. Todos estos colaboradores fueron figuras muy destacadas en la industria cinematográfica de la *época de oro* que trabajaron con otros directores distinguidos además de Fernández.

Aunque la participación de todo el equipo jugó un papel central en la producción de las películas, tanto la crítica como el discurso institucional en México han privilegiado a Fernández, Figueroa y las estrellas fílmicas. Si, por un lado, esta valoración desequilibrada puede ser explicada en términos de la evidente función central que tienen la dirección, la cinefotografía y la actuación en la producción cinematográfica, por otro lado, también alude al énfasis que se ha dado a la estética visual y el papel de las estrellas en el cine de este equipo. En el caso del discurso oficial de México este énfasis ha respondido a una necesidad de institucionalizar tanto a un arte fílmico local como a las figuras más emblemáticas del cine nacional como componentes clave de patrimonio cultural de la nación. El énfasis puesto en la estética visual en ocasiones está relacionado también con una percepción de que los guiones son de calidad inferior, como ya se mencionó, así como a una falta de atención a otros aspectos de la composición fílmica (edición, música, etcétera).

En el caso del cine de Fernández, la noción de "equipo" es útil para reconocer la producción cinematográfica como un espacio no sólo de creatividad, sino también de negociación y conflicto, del cual emergieron imaginarios nacionalistas bastante ricos y complejos. Si esa creatividad derivó en la articulación de una pluralidad de significados en el nivel textual, la negociación y el conflicto a su vez generaron tensiones y contradicciones en ese mismo nivel. Mientras que la creatividad se hace evidente al considerar la trayectoria, obra e intereses de los miembros del equipo, la negociación salta en el discurso individual de los cineastas en diferentes entrevistas publicadas.

La pluralidad de significados que se condensó en el cine del equipo, estuvo determinada por influencias locales y extranjeras que han sido ya muy mencionadas, entre las cuales están: en el caso de Fernández, la pintura muralista, el cine indigenista de los años treinta y el cine de Sergei Eisenstein y John Ford; en el caso de Figueroa, el arte visual mexicano, el cine de Eisenstein y Ford, así como otras corrientes y técnicas aprendidas en Hollywood, sobre todo a través de su tutor Gregg Toland; y en el caso de Magdaleno, sus conocimientos literarios y su propia obra narrativa y dramática, la cual ha sido ubicada dentro de la literatura de la Revolución mexicana. Por su parte, el trabajo de edición de Gloria Schoemann involucró estrategias técnicas, estéticas y discursivas aplicadas a la selección y organización del pietaje, que dotaron a la narración fílmica de sentido y ritmo, y que por ende, jugaron un papel clave en la expresión de ciertas concepciones socio-históricas. La actuación de las estrellas fue asimismo un aspecto clave en el trabajo del equipo ya que cumplió la función central de encarnar las fantasías de identidad nacional proyectadas por las cintas.

Luis Márquez Romay.
Still de la película Maclovia *(Emilio Fernández, 1948).*
Colección Fundación Televisa.

Por otro lado, las tensiones parecen haber emergido sobre todo en el área de la escritura de los guiones, debido a las intervenciones impositivas y arbitrarias del director, según indican Magdaleno y Figueroa en entrevistas.[5] Esta tensión se pone de manifiesto, por ejemplo, en la afirmación de Figueroa de que el director de manera creciente fue introduciendo diálogos con un discurso nacionalista y afín a la ideología "revolucionaria" oficial que afectó mucho a los guiones:

El patriotismo fue el talón de Aquiles de Emilio. Torció muchos guiones con ese afán de mostrar a como diera lugar su fervor cívico. Cuando menos pensaba uno aparecían en las historias los fervorines alfabetizadores o el sermón revolucionario. Y era muy difícil tratar de llevarle la contra en eso. Te miraba como si fueras un traidor a la Patria, con mayúsculas.[6]

El punto importante de recurrir a la noción de "equipo", en todo caso, es estudiar cómo esa pluralidad de significados y tales tensiones se articularon en los textos fílmicos expresando concepciones socio-históricas específicas que, por lo mismo, en ocasiones son ambiguas o contradictorias. Con el fin de ilustrar el papel que jugó la colaboración de Figueroa en la expresión de ciertas concepciones en el cine del equipo de Fernández, a continuación me referiré a la función de la cinefotografía en la representación del indígena en dos de las películas más reconocidas de su filmografía: *María Candelaria* (1943) y *Río Escondido* (1947).

Hermanos Mayo.
Rodaje de María Candelaria película dirigida por Emilio el Indio Fernández. Locación donde se filmó la escena del bautizo de los animales. Xochimilco, 1943. Archivo Gabriel Figueroa.

La fundación simbólica de la *conciencia pictórica*

Desde la primera película producida por el equipo de Fernández, *Flor silvestre* (1943), la cinefotografía de Figueroa había establecido ya un diálogo muy claro con el arte visual mexicano. Esto lo demuestra, por ejemplo, el citado caso de la escena del velorio que emula el cuadro *El réquiem* (1928) de José Clemente Orozco. La segunda película del equipo, *María Candelaria* (1943), no sólo reanuda ese diálogo intertextual sino que también articula una especie de fundación simbólica del estilo pictórico que Figueroa continuaría desarrollando a lo largo de su colaboración con Fernández.

En *María Candelaria*, la pintura emerge como un tema central a través del personaje del pintor que narra la historia principal en un *flashback*. En la secuencia inicial, el pintor aparece trabajando en su estudio, con una mujer indígena como su modelo, mientras que es entrevistado por un grupo de periodistas. Una de las reporteras le pregunta acerca de uno de sus cuadros más famosos, el desnudo de una mujer indígena que no ha querido mostrar en mucho tiempo. Aunque inicialmente el pintor se molesta por la pregunta, finalmente accede a mostrar el cuadro a la reportera y a revelar el misterio que lo rodea. Mientras observan el lienzo, el pintor comienza a hablar sobre la mujer retratada cuando de pronto su discurso se convierte en un *flashback* que narra la historia de María Candelaria (Dolores del Río), una mujer aislada por su comunidad por ser la hija de una "mujer de la calle" que fue apedreada a muerte como castigo a su "pecado".

Entre otras cosas, el *flashback* narra cómo el pintor conoce a María mientras ella acude al mercado a vender sus flores y cómo se obsesiona con pintarla. Finalmente, María accede a posar para él a cambio de su intercesión para liberar a su novio Lorenzo Rafael (Pedro Armendáriz) de la cárcel. Sin embargo, cuando ella rehúsa la propuesta del pintor de posar desnuda, él completa el cuadro con otra modelo indígena. Cuando la gente de la comunidad ve el retrato completo, piensa que María fue quien posó desnuda y la apedrean a muerte por considerarla igual de indecente que a su madre.

Samuel Tinoco.
Still de la película María Candelaria *protagonizada por Pedro Armendáriz, en el papel de Lorenzo Rafael, y Dolores del Río, quien interpreta a la indígena que da nombre a la película. Xochimilco, 1943. Colección Fundación Televisa.*

A través de esta narrativa, la película hace referencia a la tradición pictórica indigenista que se desarrolló en el México posrevolucionario. En particular, el personaje del pintor alude a Diego Rivera, en relación no a su faceta como muralista sino a su pintura de lienzo enfocada en el retrato de "tipos populares". La actriz indígena que interpreta a la modelo del pintor en la película es, de hecho, una de las modelos que trabajaban con el mismo Rivera,[7] mientras que el personaje de María Candelaria como cultivadora y vendedora de flores parece estar inspirado en la serie de retratos de vendedores de flores (*Vendedora de alcatraces*, 1942; *Vendedores de flores*, 1943) que forman parte de los lienzos costumbristas sobre indígenas de Rivera (otros ejemplos son *La molendera*, 1924, y *La canoa*, 1931).

La relación de esta película con la pintura también opera en el hecho de que la narración del pintor en *flashback* conlleva una yuxtaposición de la memoria de este personaje con el punto de vista de la cámara. La memoria del pintor de la historia de María está proyectada cinematográficamente por una cámara que, además, configura muchos de esos recuerdos como si fueran pinturas. El recuento del pasado hecho por el pintor está articulado en el texto fílmico como un tipo peculiar de visión que observa a la mujer indígena y a su entorno en un estilo pictórico. El hecho de que los puntos de vista del pintor y de la cámara estén suturados como una misma visión que recuerda/observa en una forma pictórica puede ser interpretado como la fundación simbólica de la "mirada pictórica" que el mismo Figueroa creó en

su colaboración con el equipo de Fernández al asimilar estrategias de composición pictóricas en su cinematografía. Esta "mirada pictórica" puede ser entendida incluso como una *conciencia pictórica*, si recurrimos al concepto de "conciencia-cámara" propuesto por Gilles Deleuze.

De acuerdo con Deleuze, las categorías analíticas de imágenes objetivas y subjetivas —que se refieren al punto de vista de alguien situado, respectivamente, en el exterior o interior de la escena fílmica—, son meramente nominales e insuficientes para entender la imagen cinematográfica. Para el autor, un personaje actúa en la pantalla y se relaciona con el mundo de cierta manera. Sin embargo, al mismo tiempo, la cámara observa a este personaje y a su mundo desde otro punto de vista que piensa, reflexiona y transforma su punto de vista.

Samuel Tinoco.
Dolores del Río en un
still de la película María
Candelaria. *Colección*
Fundación Televisa.

Con esto en consideración, Deleuze propone "ir más allá de la distinción entre lo objetivo y subjetivo para concebir una Forma [*sic*] pura que se establece como una visión autónoma del contenido", a la que llama también *conciencia-cámara, cogito cinematográfico* y *conciencia estética independiente*. La *conciencia-cámara* está formada por ciertos procedimientos estilísticos tales como diferentes tipos de *encuadre insistente u obsesivo* los cuales son empleados, por ejemplo, en el caso del tipo de *conciencia poética* que, según el autor, ha sido desarrollada en sus facetas estética (Michelangelo Antonioni), tecnicista (Jean-Luc Godard) o mística (Pier Paolo Pasolini).[8]

Con base en este análisis se puede argumentar que, en su trabajo con el equipo de Fernández, Figueroa creó un tipo de *conciencia*

Paisaje de Xochimilco en un fotograma de María Candelaria. Imagen procesada digitalmente e impresa por Gabriel Figueroa Flores. Archivo Gabriel Figueroa.

DERECHA: María Candelaria navegando hacia el Canal de los Muertos en un fotograma de María Candelaria. Imagen procesada digitalmente e impresa por Gabriel Figueroa Flores. Archivo Gabriel Figueroa.

Paseo en trajinera de Lorenzo Rafael y María Candelaria. Videograma digital (abajo).

pictórica que se enfoca en encuadrar las imágenes en movimiento como si fueran pinturas, en ocasiones de manera insistente. En *María Candelaria*, esto es perceptible en las tomas de María en el mercado, con una canasta llena de flores en la espalda, o en su cabaña, moliendo la masa de maíz en el metate, las cuales aluden —y parecieran rendir un homenaje— a los cuadros de Rivera de vendedoras de flores y molenderas ya mencionados.

Esta *conciencia pictórica* también determina la puesta en escena del entorno habitado por la pareja indígena protagonista, al visualizarlo como aislado pero hermoso. Esto se puede notar en la secuencia de la pareja navegando por los canales de Xochimilco en una noche de luna llena. La cámara muestra aquí las imágenes del paisaje más detalladas de toda la película, en las cuales el cielo, las nubes y un vasto grupo de árboles en el fondo se reflejan en los canales de tal forma que la imagen duplicada de los árboles forma largas y delgadas figuras verticales que casi llenan el cuadro. Esta escena es, a su vez, atravesada por la figura de la pareja navegando en su chalupa, que también es reflejada en el agua. Este tipo de escena duplicada por su reflejo en el agua es una estrategia de composición empleada en ciertas tradiciones pictóricas tales como el Impresionismo, como es bien sabido. Este tipo de imágenes fílmico-pictóricas generada por la *conciencia pictórica* en *María Candelaria* y en otros filmes de Fernández y Figueroa constituye lo que Pascal Bonitzer llama "plano-pintura" (*plan-tableau*), un tipo de plano cuya función es esencialmente dialógica porque alude a la disyunción acentuada entre el movimiento del plano y la inmovilidad de la pintura, presentando un discurso ambivalente de dos voces y una mezcla inestable de dos medios diferentes.[9]

Más allá de generar planos-pintura que rindan homenaje a Rivera o que produzcan una estetización del entorno rural, el trabajo de la *conciencia pictórica* en *María Candelaria* también conlleva ciertas implicaciones ideológicas en relación al discurso indigenista de la película. Esto tiene que ver con la forma en que esta peculiar "conciencia" participa en la distinción establecida por la narrativa entre la pareja protagonista y el resto de la comunidad indígena. A través de la historia de María —una mujer indígena marginada por su comunidad por ser hija de una prostituta que finalmente es apedreada a muerte por el supuesto de haber posado desnuda para un pintor—, la narrativa establece una distinción moral muy marcada entre la imagen de la pareja protagonista como virtuosa e inocente, y la imagen de la comunidad como inflexible, atrasada y violenta. Esta distinción busca promover en el espectador una identificación con la pareja y un distanciamiento con la comunidad, como Andrea Noble ha señalado.[10] Esta distinción opera también en un nivel de significación más: el de la actuación. Cada uno de estos grupos de personajes está interpretado por tipos de actores diferentes en términos sociales y fenotípicos: la pareja es interpretada por actores de tez blanca que eran estrellas destacadas de la *época de oro*, y el resto de la comunidad es representada por actores no profesionales de tez oscura originarios de Xochimilco.

Esta marcada distinción entre los dos grupos de personajes expresa ciertas concepciones y fantasías respecto a la población indígena de México. Mientras que la representación de la comunidad expresa una concepción del indígena como una identidad colectiva, homogénea y primitiva, la imagen idealizada de la pareja protagonista parece implicar la fantasía de un indígena aculturado, "civilizado" y

Lorenzo Rafael visto desde el interior de la casa de María Candelaria. Videograma digital.

simbólicamente blanqueado. Estas concepciones y fantasías están inscritas dentro del marco del discurso indigenista que predominó en el periodo post-revolucionario, tanto en la política oficial como en el común de la cultura urbana de las clases medias, según el cual el progreso del indígena requería necesariamente de su asimilación a la cultura nacional. Conocida con el nombre de incorporacionismo, esta perspectiva fue predominante en la política oficial indigenista, exceptuando el periodo cardenista durante el cual surgió el pluralismo como una alternativa que defendía el respeto a las culturas indígenas.[11]

Guardia en la prisión del pueblo de Xochimilco en una escena de la película María Candelaria. *Fotograma procesado digitalmente e impreso por Gabriel Figueroa Flores. Archivo Gabriel Figueroa.*

La *conciencia pictórica* participa en la distinción entre la pareja y la comunidad al reforzar la imagen idealizada de la primera. Si bien la narrativa sitúa a la pareja como la víctima perfecta, al ser sojuzgada por el poder local (el tendero), marginada y destruida por la comunidad, al mismo tiempo la construye como un objeto de deseo y de admiración: María es acosada por el tendero del pueblo, alabada por el cura y adulada por el pintor, mientras que Lorenzo es codiciado por una mujer de la comunidad: Lupe "la rival".

Sin embargo, la instancia que más expresa admiración por la pareja en la película es la *conciencia pictórica,* ya que la escoge como su objeto favorito de contemplación y estetización, exaltando y "construyendo" la belleza de los actores, con lo cual busca promover en el espectador la admiración por ellos de manera acentuada. Esto se expresa en la manera en que esta "conciencia" peculiar encuadra las imágenes en movimiento, produciendo, además de los planos-pintura ya mencionados, una especie de "retratos fílmicos" de María y Lorenzo, en secuencias donde aparecen habitando sus respectivas cabañas y chinampas, aisladas de la comunidad. Por ejemplo, en la escena en la que Lorenzo vuelve de visitar al cura en la iglesia, mira a través de la ventana de la cabaña de María y la encuentra dormida. El marco de la ventana encuadra aquí la imagen de María recostada, lo cual es seguido por tomas inversas (*reverse shots*) en las que las ventanas de la misma cabaña encuadran ahora la figura de Lorenzo con el paisaje soleado de Xochimilco en el fondo. Estos "retratos fílmicos" de Lorenzo están resaltados por el contraste entre la oscuridad interior de la cabaña y el paisaje exterior soleado. En los "retratos fílmicos" de la pareja, el marco de las ventanas funciona como un "encuadre secundario". Éste es un tipo de encuadre interior al encuadre principal provisto por la cámara, generado por el uso de diversos tipos de marcos (puertas, ventanas, espejos, tragaluces, etc), y que tiene la función de separar o reunir ciertos elementos presentes en la imagen.[12]

Lorenzo Rafael en la prisión del pueblo de Xochimilco en un fotograma de la película María Candelaria. Imagen procesada digitalmente e impresa por Gabriel Figueroa Flores. Archivo Gabriel Figueroa.

Inmovilidad estética y pasividad política
La *conciencia pictórica* fundada simbólicamente en *María Candelaria* continuará su trabajo en las siguientes películas producidas por el equipo de Emilio Fernández. Uno de los ejemplos más conocidos de ello

es el de la secuencia inicial de *La perla* (1945), que muestra la imagen de mujeres indígenas envueltas en largos rebozos blancos, paradas e inmóviles sobre la playa, mientras las olas rompen frente a ellas. En una película posterior, *Río Escondido* (1947), esta peculiar "conciencia" reproduce su concepción de la clase popular como objeto de contemplación estética.

Río Escondido es un melodrama político que narra la historia de Rosaura Salazar, una maestra rural que recibe del presidente de la República la misión de restablecer la educación primaria en una comunidad indígena situada en la zona desértica del estado de Chihuahua. Rosaura encuentra a la comunidad de Río Escondido subyugada por el cacique Regino, que ha convertido la escuela en su caballeriza, asesinado al médico, vuelto a la maestra anterior en su querida y monopolizado el agua del pueblo. Con la ayuda de un médico comisionado también por el presidente, Rosaura enfrenta a Regino, reabre la escuela y rehabilita al cura quien también estaba dominado por el cacique. Los problemas resurgen cuando el tirano intenta seducir a Rosaura y ella lo rechaza enérgicamente. Esta confrontación se agudiza cuando Regino asesina a un niño que trata de sacar agua de su pozo privado, lo cual enciende la ira de la comunidad. Con el fin de vengarse del rechazo de la maestra, Regino irrumpe una noche en su casa e intenta violarla pero ella logra defenderse, matándolo con una pistola que le

había regalado el médico. La comunidad aprovecha esta situación de vacío de poder para linchar a los guardias del cacique. Al final, la maestra fallece en el pueblo, a causa de una enfermedad cardiaca que había sido anunciada como terminal desde el inicio de la narrativa y que no le impide realizar su sueño "patriótico" de luchar a favor del progreso en el medio rural.

Esta narrativa ofrece un tratamiento melodramático del tema del caciquismo rural, que ensalza de manera maniquea las identidades de las dos fuerzas en conflicto, al representar al Estado como totalmente comprometido con la modernización y con el progreso de su pueblo, y al poder local como despótico y primitivo. El desarrollo de la narrativa está determinada casi en su totalidad por la intervención de los agentes del Estado (maestra, médico) y los poderes locales (cacique, cura). La comunidad indígena juega un papel secundario, sobre todo en calidad de observadora de los acontecimientos. A diferencia de *María Candelaria*, esta película no hace ninguna distinción entre los personajes indígenas, los cuales están interpretados por actores no profesionales provenientes de la población Tulpetlac, en el Estado de México.

Luis Márquez Romay.
Stills de la película Río Escondido, *dirigida en 1947 por Emilio el Indio Fernández. En el papel de la maestra Rosaura Salazar, María Félix. Colección Fundación Televisa.*

La comunidad funciona aquí de nuevo como un personaje unitario que pone de manifiesto una concepción del indígena como una identidad colectiva con una conducta homogénea. Esta imagen de homogeneidad es reforzada por el diseño del vestuario, ya que todos los indígenas visten el mismo tipo de ropa: los hombres llevan camisa y pantalón de manta, y las mujeres vestidos blancos y largos rebozos negros. El papel secundario de la comunidad está exacerbado por el hecho de que aparece formada por sujetos carentes de voz. A lo largo de la narrativa no escuchamos hablar a los aldeanos, excepto en los breves diálogos sostenidos entre el médico y las mujeres sobre la escasez del agua, y entre la maestra y los niños en el salón de clases.

Si la comunidad indígena aparece representada como una identidad homogénea, pasiva y carente de voz, al mismo tiempo es concebida por la *conciencia pictórica* como un objeto de contemplación estética. Esta estetización recurre a diversas estrategias de composición empleadas por artistas visuales mexicanos. En varias secuencias, los aldeanos aparecen parados e inmóviles, encuadrados de perfil, formando una línea en perspectiva, en un estilo de composición que hace uso del trabajo del grabador José Guadalupe Posada.[13] Las figuras de las mujeres vistiendo rebozos negros a su vez aluden a la serie de litografías de mujeres enrebozadas del pintor José Clemente Orozco, por ejemplo *Guerra* (1928), donde cuatro mujeres dando la espalda, cubiertas por rebozos y vestidos largos, observan un hombre muerto y una vivienda incendiada, o *Soldadera* (1929) y *Mujer mexicana* (1929), que muestran la figura solitaria de una mujer enrebozada.[14]

En *Río Escondido* y en las litografías de Orozco, los rebozos funcionan como una especie de "encuadres secundarios" que envuelven a las mujeres, un recurso visual empleado también en la secuencia inicial de *La perla* antes mencionada. Estos "encuadres secundarios" generan un patrón estético y geométrico (triangular) que, en el caso de *Río Escondido,* caracteriza a las mujeres como un conjunto uniforme y melancólico que da la idea de un grupo de viudas tristes y silenciosas. El diseño de la iluminación también contribuye a la estetización de los aldeanos indígenas en esta película, por ejemplo, en la secuencia del funeral del niño asesinado por el cacique, los rostros de las mujeres aparecen contrastados con la oscuridad del fondo, por medio de una técnica de iluminación (*pan focus*) que Figueroa aprendió con Gregg Toland.[15]

Esta marcada estetización de la comunidad en *Río Escondido,* —que pone de manifiesto un claro interés por crear imágenes artísticas del 'pueblo' mexicano en el cine—, refuerza la imagen del indígena como un sujeto homogéneo y pasivo, y conlleva un efecto inmovilista. Se puede sugerir que, al representar a los aldeanos como figuras estáticas y folclorizadas, dicha estetización impide, en cierto sentido, que estos personajes tengan un papel más activo en el desarrollo de la acción y en los conflictos de poder en la política local. Esto abre entonces la posibilidad de una correlación entre la inmovilidad estética y la pasividad política de los aldeanos. Es importante aclarar que esta pasividad o sumisión no es absoluta, dado que la parte final de la narrativa le permite a los aldeanos cierto grado de movilización política. Esta movilización ocurre, sin embargo, solamente encuadrada por la acción del Estado, ya que es sólo hasta que los agentes del Estado confrontan y eliminan al cacique que los aldeanos se movilizan y linchan a los guardias del cacique. La película incluso expresa explícitamente su apoyo

Fotogramas de la película Río Escondido *(Emilio el Indio Fernández, 1947), procesadas digitalmente e impresas por Gabriel Figueroa Flores. Archivo Gabriel Figueroa.*

al derecho ciudadano a la movilización política a través del discurso de la maestra. Esto sucede durante el funeral, cuando ella confronta al cacique, respaldada por la comunidad que se pone de pie sosteniendo antorchas en un gesto simbólico de su despertar político. La maestra reafirma aquí la lección política que el Estado ha impartido a los aldeanos: "Ya han aprendido que a un pueblo unido no hay injusticia que se le pueda imponer". Esta defensa de la movilización popular es, a su vez, apuntalada por la imagen enérgica de levantamiento campesino ofrecida por *Las antorchas*, uno de los diez grabados creados por el artista gráfico Leopoldo Méndez expresamente para *Río Escondido*, que significativamente abre y cierra el texto fílmico, al inaugurar la secuencia inicial de créditos y servir de fondo para la información final sobre la producción del filme.

Los efectos de la *conciencia pictórica*

Más allá de funcionar como una visión autónoma que recurre a la pintura —y se legitima gracias a ella—, la *conciencia pictórica* creada por Figueroa en el cine de Fernández forma parte inseparable del conjunto de significados expresados en cada uno de los textos fílmicos en los que trabaja. No se trata de un punto de vista imparcial, situado al margen del relato fílmico, por el contrario, la forma específica en la que esta conciencia observa/piensa/recuerda confiere mucho sentido a la puesta en escena y a la acción. Por lo tanto, para poder comprender la significación del trabajo de esta *conciencia pictórica* es necesario analizar la forma específica en la que se desenvuelve dentro del universo ficcional, estético y discursivo de cada filme. En *María Candelaria* y *Río Escondido*, la *conciencia pictórica* observa/piensa/recuerda de tal manera que inyecta significados clave a la representación del indígena en los textos fílmicos. Si en la primera película esta "conciencia" refuerza la idealización de sujetos indígenas simbólicamente aculturados y blanqueados, en la segunda contribuye a construir una imagen de la comunidad indígena como una identidad homogénea y pasiva, a la vez que folclórica y estética. La *conciencia pictórica* realiza entonces un trabajo de configuración visual sofisticado que participa activamente en la expresión de determinadas concepciones sobre la clase popular en el cine de Fernández.

La *conciencia pictórica* creada por Figueroa constituyó una aportación clave para el cine del equipo de Fernández, al proveerlo de un lenguaje visual altamente estetizado al que pronto se le confirió el estatus de arte. Esta valoración contribuyó al proceso de aceptación y eventual consagración del cine del equipo, tanto a nivel local como internacional, confiriéndole fuerza y legitimidad a su imaginario nacionalista. El lenguaje visual sofisticado generado por la *conciencia pictórica* de Figueroa, causó una fuerte impresión entre cierto sector de la clase media urbana de México. El ámbito de la crítica de cine periodística puso de manifiesto la respuesta celebratoria al cine del equipo que expresó, entre otras cosas, una fuerte identificación con su representación de la clase popular. Esta identificación se hizo evidente desde el debut del equipo de Fernández, por ejemplo, por parte de uno de los periodistas cinematográficos más destacados de la *época de oro*, Fernando Morales Ortiz, para quien *Flor silvestre* fue un filme que encarnó "el carácter mismo de nuestro pueblo":

Es la película más brava y realista que se ha hecho en México. [...] Es como el carácter mismo de nuestro pueblo, porque nuestro pueblo palpita en *Flor silvestre* con sus anhelos y sus tragedias; con sus chispazos

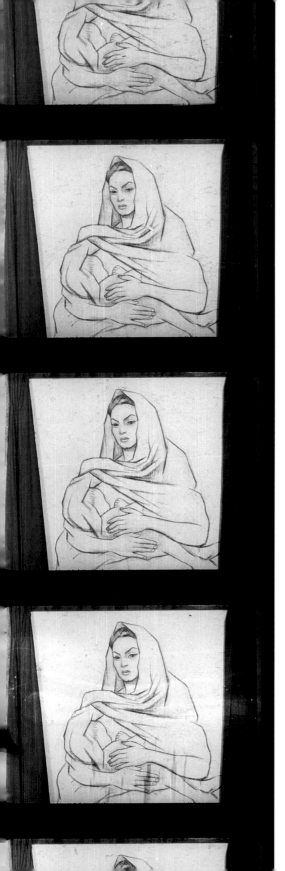

humorísticos y su aguda filosofía de la vida.[16]

A principios de la década de los cincuenta, después de varios años de éxito del cine del equipo, que incluyó premios nacionales e internacionales, el discurso celebratorio en torno a la colaboración de Figueroa con Fernández continuaba. El siguiente comentario de la periodista Natalia Valle, publicado en el periódico oficial *El Nacional*, es sintomático de cómo ese discurso celebratorio seguía expresando una fuerte identificación con la representación de la clase popular realizada por el equipo:

> ¿Sería aventurado decir que Gabriel Figueroa es el fotógrafo mexicano que más profundamente se vincula a su pueblo? Yo creo que no. Yo creo que Gabriel Figueroa es el fotógrafo más identificado con su pueblo, con los dolores, miserias, esperanzas de este pueblo de que ha nacido. [...] Nunca nos hemos sentido más cerca de las miserias y ensueños del pueblo mexicano que admirando una película de Gabriel Figueroa. Él ha sabido reflejar en la pantalla miradas de recelo, de esperanza, de paciencia y de amor. Él ha sabido, como nadie lo supo antes en el arte del cine, recoger el latido más hondo de un pueblo —del suyo—, y mostrarlo al mundo, y hacerle sentir lo que ese pueblo siente, lo que odia y desea.[17]

Podemos suponer que la fuerza visual de la *conciencia pictórica* creada por Figueroa debe haber tenido un efecto significativo en estas percepciones de los filmes como sitios en los que el "pueblo" mismo "palpita" y que recogen su "latido más hondo". Más que acercar a la clase acomodada hacia la clase popular, como se implica en la afirmación de Valle, el cine del equipo de Fernández familiarizó a su audiencia con un imaginario visual poderoso sobre "el pueblo" creado por productores culturales

miembros de la élite de intelectuales y artistas nacionales. Las fantasías sobre la identidad del pueblo, proyectadas tanto por el cine del equipo como por su recepción crítica en el ámbito periodístico, dan cuenta del arraigo del discurso del nacionalismo populista entre las clases acomodadas en el México de los años cuarenta. En este sentido, se puede decir que las enunciaciones fílmicas del equipo de Fernández emergieron en el seno de dicho discurso mientras que a su vez contribuyeron a reforzarlo. En el seno de este discurso es que se fue configurando también el mito del carácter del mexicano en el México posrevolucionario, como lo ha estudiado Roger Bartra.[18]

Es necesario señalar que el proceso de recepción crítica del cine del equipo de Fernández de los años cuarenta es bastante complejo y no se reduce a la respuesta celebratoria únicamente. Si bien éste no es el espacio para revisar tal proceso, podemos mencionar que cada una de las películas fue interpretada de diferentes maneras y algunas fueron incluso objeto de fuertes controversias. A pesar de esta controversia inicial, la obra de Fernández y Figueroa sería con el tiempo consagrada en México, en el ámbito institucional de cultura, como parte fundamental del patrimonio cultural de la nación. En el periodo inicial de la recepción crítica del cine de Fernández en los años cuarenta se dio una exaltación un tanto fetichista de la cinefotografía de Figueroa. Mientras que en ese periodo tal postura implicaba, entre otras cosas, una fantasía de que dicha cinefotografía encarnaba "el carácter mismo de nuestro pueblo", en las décadas subsiguientes la celebración derivaría en buena medida en la consagración nacionalista de una obra que logró el reconocimiento del arte mexicano en el extranjero y que tuvo el valor particular de haberlo logrado en un medio de comunicación moderno como es el cine.

Fotograma de la película Rio Escondido *procesado digitalmente e impreso por Gabriel Figueroa Flores.*
Archivo Gabriel Figueroa.

Notas

1 Carlos Monsiváis, "Notas sobre la cultura mexicana en el siglo XX", *Historia general de México*, México, El Colegio de México, 1981, p. 1516.

2 Carlos Monsiváis, "Gabriel Figueroa: las profecías de la mirada", *Gabriel Figueroa: la mirada en el centro*, México, Porrúa, 1993, pp. 31-33.

3 Peter Brunette y David Wills, *Screen/Play: Derrida and Film Theory*, EUA, Princeton University Press, 1989, p. 122. [La traducción es mía.]

4 De las 41 películas dirigidas por Fernández, entre 1941 y 1978, Figueroa colaboró en 24, Magdaleno en 21 y Schoemann en 23, principalmente en aquellas producidas en los años 40 y principios de los 50. Los cuatro cineastas colaboraron en 13 de las películas de mayor renombre, entre las que se encuentran *María Candelaria, Río Escondido, Maclovia* y *Salón México*.

5 Eugenia Meyer, "Entrevista a Mauricio Magdaleno", *Testimonios para la historia del cine mexicano*, México, Cineteca Nacional, 1976; Alberto Isaac, *Conversaciones con Gabriel Figueroa*, México, Universidad de Guadalajara/ CIEC, 1993.

6 Isaac, *ibidem,* p. 30.

7 Esta modelo se llamaba Nieves [Cfr. Laura Podalsky, "Disjointed Frames: Melodrama, Nationalism and Representation in 1940s Mexico", *Studies in Latin American Popular Culture,* núm. 12, 1993, p. 67.]
En una de las primeras versiones del guión de la película, el personaje del pintor, de hecho, se llamaba Diego Rivera, lo cual fue omitido en la versión final de la película. [Cfr. Julia Tuñón, "*María Candelaria*", *The Cinema of Latin America*, Inglaterra, Wallflower Press, 2003, p. 49.]

8 Gilles Deleuze, *Cinema 1: The Movement-Image*, Inglaterra, Athlone Press, 1986, pp. 71-75. [La traducción es mía.]

9 Pascal Bonitzer, *Décadrages: Peinture et Cinéma*, Francia, Editions de L'Etoile, 1995, p. 30.

10 Andrea Noble, "If Looks Could Kill: Image Wars in *María Candelaria*", *Screen 42*, núm. 1, 2001, p. 88.

11 Alexander S. Dawson, *Indian and Nation in Revolutionary Mexico*, EUA, University of Arizona Press, 2004.

12 *Op. cit.*, n. 8, p. 14.

13 Elías Levín, "Detener la imagen", *Gabriel Figueroa y la pintura mexicana*, México, Conaculta/Museo de Arte Carrillo Gil, 1996, p. 25.

14 El libro *Gabriel Figueroa y la pintura mexicana* [*ibid.*] establece una relación entre las litografías *Guerra* (1928) y *Soldadera* (1929) de José Clemente Orozco, y fotos fijas de *Río Escondido* que muestran a aldeanas, tanto en el funeral como de camino hacia la iglesia, tras el toque de campana del cura.

15 Gabriel Figueroa, "Una nueva manera de filmar", *Gabriel Figueroa: la mirada en el centro*, México, Porrúa, 1993, p. 112.

16 Fernando Morales Ortiz, *Novelas de la pantalla*, 8 de mayo de 1943, en Emilio García Riera, *Emilio Fernández, 1904-1986*, México, Universidad de Guadalajara/CIEC, 1987, p. 40.

17 Natalia Valle, "Gabriel Figueroa y su pueblo", *El Nacional*, 4 de agosto de 1950, en Antonio Saborit, "Gabriel Figueroa: momentos y espacios", *Gabriel Figueroa*, México, Fundación Televisa/DGE Equilibrista/Conaculta, 2007, p. 57.

18 Cfr. Roger Bartra, *La jaula de la melancolía: identidad y metamorfosis del mexicano*, México, Grijalbo, 1987.

Luis Márquez Romay (atribuida). Filmación de una escena de la película Río Escondido, dirigida por Emilio el Indio Fernández. Tultepec, Estado de México, 1947. Archivo Gabriel Figueroa.

Tufic Yazbek. *Estudio fotográfico de Dolores del Río representando al personaje María Candelaria.*
La imagen se utilizó con fines promocionales. Ciudad de México, 1943.
Colección Fundación Televisa.

Videogramas digitales de una secuencia del filme María Candelaria.
El pintor, interpretado por Alberto Galán, es ayudado por una de sus modelos a convencer
a María Candelaria para que pose desnuda.

LAS VENDEDORAS DE ALCATRACES | En 1949, con motivo de la organización en el Palacio de Bellas Artes de una muestra retrospectiva, al cumplirse medio siglo de su carrera artística, el pintor Diego Rivera tuvo la oportunidad de lucirse en todo su esplendor.

La revista *Time*, en su edición del 4 de abril, dedicó al muralista un extenso artículo y publicó en la portada un autorretrato de Rivera solicitado *ex profeso*, privilegio nunca antes otorgado a un artista vivo. "El pato podrido es para narices educadas", decía el llamado de esa pieza periodística que revisaba la trayectoria artística y política del "benevolente niño sapo". Juan Guzmán, fotógrafo de origen alemán que trabajaba como corresponsal de *Time* en México, realizó la mayoría de las imágenes que ilustraron ese recuento.

En ese mismo año, el fotógrafo Manuel Álvarez Bravo y Gabriel Figueroa se propusieron rendirle homenaje a Rivera a través de un filme documental. Imágenes a color del pintor tomando apuntes en los embarcaderos de Xochimilco, deambulando por el Anahuacalli, actuando la realización de un retrato de Dolores del Río, quedaron impresas en el pietaje que Álvarez Bravo filmó con una cámara de 16 mm. Ese material quedó sin editar, guardado en una lata, en el archivo de Figueroa. En 2007, Diego López Rivera y Gabriel Figueroa Flores, el primero nieto del pintor y el segundo hijo del cinefotógrafo, recuperaron los *rushes* para armar *Un retrato de Diego*, ensayo fílmico sobre la conjunción de miradas que había permitido el inacabado documental de 1949.

En el archivo de Juan Guzmán se localizaron varios de los retratos que hizo a Rivera en los días que preparaba su retrospectiva —la cual, ya montada en Bellas Artes, se usó como escenario de una secuencia de *La casa chica*,

cinta dirigida por Roberto Gavaldón—. En una de las imágenes de Guzmán se alcanza a ver el cuadro *Vendedora de flores*, sin duda inspirado en el personaje que Dolores del Río había interpretado en la película *María Candelaria* (1943). El muralista no había sido ajeno a la realización de esa tragedia florida: además de que el pintor de la ficción cinematográfica, interpretado por Alberto Galán, lo tomó como modelo, Rivera llegó a mediar en los desencuentros que se dieron entre el guionista Mauricio Magdaleno y el director Emilio Fernández.

La reinterpretación pictórica que hizo Rivera de un personaje fílmico, a su vez influido por la visión artística de quien hizo de las mujeres con alcatraces uno de sus temas favoritos, demuestra que el reinado de la estética mexicanista del siglo XX se asentó en una compleja red de influencias y apropiaciones iconográficas.

Juan Guzmán (Hans Gutmann Guster).
Diego Rivera trabajando en su estudio de San Ángel y reprografía del cuadro Vendedora de flores. *Ciudad de México, 1949. Colección Fundación Televisa.*

Diego Rivera pintando y tomando apuntes. Videogramas digitales del pietaje filmado por Manuel Álvarez Bravo y Gabriel Figueroa Mateos en 1949, base del documental Un retrato de Diego (Diego López y Gabriel Figueroa Flores, 2007). Archivo Gabriel Figueroa

De luces y sombras:
Gabriel Figueroa y Luis Márquez Romay*

Ernesto Peñaloza Méndez

*Hacer sombra. (De sombrar.) **1**. loc. verb. Impedir la luz. **2**. loc. verb. Dicho de una persona: Impedir a otra prosperar, sobresalir o lucir, por tener más mérito, más habilidad o más fervor que ella. **3**. loc. verb. Dicho de una persona: Favorecer y amparar a otra para que sea atendida y respetada.*

En una amplia entrevista que le hacen a don Luis Márquez Romay en *El Porvenir,* el 7 de junio de 1952, el entonces afamado fotógrafo afirma que él creó una escuela que formó gente —aunque "sin ser directamente su discípulo"— como Gabriel Figueroa.[1] Para 1974, cambia su apreciación e incluso se le percibe un tanto resentido en la entrevista que le hace, en su casa, el investigador Aurelio de los Reyes a un Márquez septuagenario y enfermo. En aquella plática, comenta que no pasó de *stillman* "por la férrea oposición de la jerarquía sindical […] y, porque Gabriel Figueroa fue su principal obstáculo".[2] Lo dice así, como afirmación, pero sin dar argumentos. ¿Qué tanto hay de verdad en estas declaraciones? Intentaré aclararlo en este breve texto.

Luis Márquez Romay. Retrato de familia indígena, ca. 1931. Colección Luis Márquez Romay, Archivo Fotográfico Manuel Toussaint, IIE-UNAM.

Por el principio

La trayectoria de Luis Márquez en el cine tiene origen en su labor como actor de películas silentes, en Cuba,[3] donde participó en tres películas, entre 1920 y 1921: *Entre flores, Dios existe* y *Mamá Zenobia.* También por aquellos años presentó la adaptación teatral de una exitosa película muda, *Capullos rotos*[4] —interpretada por Richard Barthelmess, quien estuvo doblemente nominado para el premio a mejor actor en la primera entrega del *Oscar* en 1929 y, sin embargo, ahora es casi un desconocido—, montaje que logró una muy buena recepción crítica por parte de la prensa especializada. Así, encontramos amplias entrevistas, profusamente ilustradas en las revistas *Mundial* y *Filmlandia,* y artículos en donde se habla de su destacado papel histriónico en *Bohemia, Cine Mundial, Civilización, El Mundo* y *La Pantalla.*[5]

No sorprende esta amplia cobertura de los medios impresos sobre la carrera actoral del "mexicanito" o "Luisito Márquez", como le decían casi siempre, ya que su padre, don José Márquez Bellot, tenía amplia experiencia en estos asuntos como representante teatral de personalidades como Esperanza Iris o el escritor Eduardo Zamacois. En un primer momento, don José se opuso a la inquietud artística de su hijo y lo convenció para trabajar en el Estudio Feliu, en donde aprenderá la parte técnica del oficio fotográfico. Es curioso que en este estudio, ubicado

Agradezco a María José Esparza, Gabriel Figueroa Flores, Illythia Godoy, Elisa Lozano, Claudia Perulles, Miguel Velasco Márquez y David Wood la información proporcionada para elaborar este trabajo.

GALERIA DE MUNDIAL

NUM. 21

LUIS MARQUEZ

He aquí varios "gestos" de este joven actor de la "National Film", con la que hará su próxima producción.

NUESTRA GALERIA

Luis Márquez Romay.
Autorretratos realizados
en el Estudio Feliu.
La Habana, Cuba, ca. 1920.
Colección Luis Márquez
Romay, Archivo Fotográfico
Manuel Toussaint, IIE-UNAM.

en la calle Amistad 55, en La Habana, se especializaran en retratos para aspirantes a "estrellas del celuloide". Allí mismo, el joven Márquez se autorretrató en una amplia gama de estados de ánimo y caracterizaciones: como gánster, chino, mendigo, payaso, galán, corsario y, ¡claro!, charro mexicano.

La nostalgia por la patria, sobre todo de doña Ana Josefa Delfina, madre de Luis Márquez, aunada a la relativa estabilidad política conseguida por Álvaro Obregón (presidente durante el cuatrienio 1920-1924), y un importante apoyo gubernamental en lo educativo, cultural y artístico, promovido por el carismático José Vasconcelos, atrajo a varios de los más importantes creadores del momento. De esta manera, para el año de 1921, la familia Márquez regresa al país y gracias a sus habilidades, adquiridas en Cuba, Luis Márquez se incorpora a la Secretaría de Educación Pública.

Es en la SEP, primero como oficial técnico ayudante de los Talleres Cinematográficos, dependientes del Departamento de Bellas Artes, en donde comienza a recorrer el país fotografiando —casi compulsivamente— todo lo que encuentra a su paso: no sólo los monumentos arquitectónicos, desde las pirámides hasta los nuevos edificios que se erigían en la capital, pasando por gran número de iglesias coloniales, sino también los distintos paisajes de nuestra geografía y, sobre todo, a la gente de México, con su gran variedad de tipos populares y de grupos indígenas.

Al mismo tiempo, se relaciona rápidamente con el mundo del cine y se las ingenia para participar en cuatro películas mudas: *Con las alas abiertas* (1921), de Ernesto Vollrath —con un pequeño papel—; *Bolcheviquismo* (1923), de Pedro J. Vázquez —ya con una presencia protagónica de villano (existen dudas sobre su estreno)—; *El Cristo de oro* (1926), de Manuel R. Ojeda y Basilio Zubiaur —como don Diego de Medina, galán de la guapa y abnegada Isabel (Otilia Zambrano)— y, por último, en *Conspiración* (1927), de Manuel R. Ojeda —encarnando al jorobado Jerónimo (esta película se llamó *Liberación* para el mercado extranjero)—. Además de su trabajo actoral, hace de *stillman* e interviene ocasionalmente en el manejo de cámara, en el revelado y montaje de la película.[6]

Moré. Anuncio de Capullos Rotos, obra teatral que contó con la actuación de Luis Márquez. Propaganda Artística "La Pantalla". La Habana, Cuba, ca. 1920. Colección Luis Márquez Romay, Archivo Fotográfico Manuel Toussaint, IIE-UNAM.

En 1928 funda, junto con Luis G. Peredo y Pedro J. Caballero, la Asociación Cinematográfica Mexicana, con la intención de:

> Reunir a cuantas personas puedan cooperar a la gran obra, desde capitalistas entusiastas, con algunos de los cuales ya estamos en contacto, hasta los aficionados que han aparecido ante la cámara y los cronistas que pueden y deben ayudarnos con su propaganda, en lugar de contribuir a desalentar a los principiantes criticando los defectos que son lógicos en ellos, ya que malas fueron también las primeras películas americanas y hoy constituyen una gran industria de aquel país.[7]

Con este grupo, intentó que los distribuidores norteamericanos aceptaran una película mexicana por mes para su exhibición en los Estados

Unidos, como modesta contraparte a los incontables filmes estadounidenses que llenaban la cartelera nacional. Pese a su entusiasmo
y al de muchos otros artífices de la última etapa del cine silente, la
aventura —que no negocio ni mucho menos industria— agonizó ante
la falta de apoyo de inversionistas, distribuidores, exhibidores y a la
competencia desleal.

Estas experiencias, y un arduo trabajo, le permitieron en pocos
años obtener el nombramiento de jefe de Talleres Cinematográficos de
la SEP y realizar varios documentales de corte etnológico-antropoló-
gico, de los cuales sólo se conserva uno sobre la expedición realizada
por el estado de Oaxaca, con unas muy correctas vistas de paisajes e
interesantes escenas de fiestas populares, donde se registran los bailes
típicos y las bandas musicales, y donde muestra un especial interés en
la indumentaria y las artesanías.[8]

No obstante, como hemos dicho, la actividad principal de Márquez
en este periodo fue la fotografía y, ya para 1931, tiene en su haber un
importante archivo con miles de instantáneas de México y su gente, dos
premios internacionales (São Paulo, 1922, y Sevilla, 1929) y la satisfacción de ver publicadas sus imágenes en los principales diarios y revistas. En agosto de ese año lleva a cabo su primera exposición individual,
la cual fue reseñada en *Excélsior* de la siguiente manera:

La exposición de fotografías mexicanas del artista don Luis Márquez
quedó ayer solemnemente inaugurada en el Teatro Nacional [hoy
Palacio de Bellas Artes], en presencia de distinguida concurrencia

63. VERACRUZ

64. GUERRERO

entre la que se destacaba el señor Subsecretario de Educación, doctor don Alejandro Cerisola, varios funcionarios de la misma secretaría así como numerosos delegados al Congreso Mundial de la Prensa [que se realizaba por esos días en la ciudad de México]. La exposición consiste en 200 fotografías, que son el fruto de la admirable labor realizada por el notable artista durante sus excursiones a través de nuestro país, en la que ha captado los secretos del paisaje y en las que el color y la emoción hacen vibrar sus mejores bizarrías.[9]

La crónica apunta que el discurso de inauguración, recitado por "el joven poeta y crítico don Ricardo López Méndez" (recordado compositor yucateco y escritor del credo mexicano: *México creo en ti...*) fue, además de elogioso, muy aplaudido, y remata con la descripción de las obras que integraban la muestra: "En la exposición pueden admirarse edificios de arte colonial, escenas típicas, costumbres autenticas, danzas. Arqueología, artes populares y todo cuanto integra, en lineamiento general, el sorprendente acervo de la tradición mexicana, así como rasgos especiales del folclore que ha podido aprisionar esa cámara ambulante".[10]

Sabemos que Sergei Eisenstein asistió a la muestra y tomó algunos apuntes de la composición fotográfica del autor. Márquez conoció tanto a Eisenstein como a Tissé y Alexandroff, primero, a través de Roberto Montenegro y de Díaz Legorreta[11] y, después, tuvo la oportunidad de acompañar a Eisenstein en parte de su periplo mexicano para el rodaje de lo que después se llamaría *¡Que viva México!*, como miembro de la comisión gubernamental para "supervisar" al cineasta ruso.

Luis Márquez Romay.
Páginas del libro Mexican Folklore *[Folclor mexicano], editado por Eugenio Fischgrund. México, Helio, ca. 1937. Colección Alfonso Morales.*

Janitzio

A partir de un sencillo argumento, inspirado en una vieja leyenda purépecha que Luis Márquez escuchó en boca de los pobladores de la isla —en un viaje profético con etnólogos y musicólogos de la SEP, en 1922, del

que quedó maravillado por el folclore local y por celebraciones como el día de muertos—, elaboró el proyecto que hizo realidad en 1934: la película *Janitzio*. Para ello contó con un muy buen equipo de filmación, con casi todos sus integrantes recién llegados de Estados Unidos: Carlos Navarro en la dirección, quien en Hollywood había trabajado como asistente de dirección; Jack Draper, cinefotógrafo, en su primer largometraje en la cinematografía nacional, y Roberto O'Quigley en la adaptación del guión. El sonido se debió a José B. Carles y la escenografía a José Rodríguez Granada. Además, contó con Emilio *el Indio*

Luis Márquez Romay.
Pescadores del lago de Pátzcuaro retratados mientras se filmaba la película Janitzio (Carlos Navarro, 1934). Colección Luis Márquez Romay, Archivo Fotográfico Manuel Toussaint, IIE-UNAM/ Colección Fundación Televisa.

Fernández, en su primer estelar como actor, y con la bella María Teresa Orozco en su debut (y despedida) en el celuloide.

La dirección del filme es correcta y la fotografía despliega un preciosismo que denota alguna influencia de las fotografías fijas del propio Márquez en el tratamiento de la luz, los motivos de composición y los encuadres de paisaje: redes, barcas y retratos de los isleños.

En *Janitzio*, entramos en contacto con el pueblo michoacano, que vive en la mayor de las islas del lago de Pátzcuaro, a través de elaboradas imágenes, de una buena interpretación —aunque ligeramente sobreactuada— del entonces joven y atlético Fernández, de diálogos breves y pausados por parte de todos los actores y de un ritmo interior muy lento (a tres años de *Santa* (1931), considerada la primera película sonora en México, la dinámica del cine silente aún es notoria en *Janitzio*).

La historia trata de una tradición terrible, que pesa sobre cualquier mujer de la isla que tenga relaciones con un hombre de afuera; en este caso, se trata de un ambicioso comerciante y acaparador, que mandará apresar injustamente a Zirahuén, un pescador pobre (*el Indio* Fernández) con la intención de tener el campo libre para cortejar a la novia de éste. A cambio de la libertad de su amado, Eréndira, la muchacha indígena (Orozco), se entregará al fuereño y los nativos cumplirán con su deber lapidándola.

En esta historia idílica, dramática y sinfónica, la fotogenia de las redes en forma de mariposa sobre el lago, la magnificencia de las nubes y la inocencia y naturalidad de los caracteres regionales eran los

DERECHA:
Luis Márquez Romay.
Los personajes Eréndira (María Teresa Orozco) y Zirahuén (Emilio el Indio Fernández) en un still de Janitzio. Lago de Pátzcuaro, Michoacán, 1934. Colección Luis Márquez Romay, Archivo Fotográfico Manuel Toussaint, IIE-UNAM/ Colección Fundación Televisa.

principales atributos, así, también, la música de Francisco Domínguez que acentúa notablemente cada momento importante del *film*[12] y, no podía faltar, una bella canción vernácula:

> Ya no recuerdas que yo fui
> tu primer amor.
> El único poseedor
> de tu tierno corazón.
> Si tú me olvidas niña,
> si tú me olvidas,
> yo no podré vivir,
> porque desde que te *vide*
> toda mi vida te di.

La cinta se estrenó con gran éxito en el cine Olimpia, a finales de septiembre de 1935, y se mantuvo en cartelera hasta el 9 de octubre, para reestrenarse, el 18 del mismo mes, en seis de los principales cines de la capital. Lejos quedaron las penurias y los esfuerzos de más de cinco años para que Márquez lograra hacer realidad su proyecto: conseguir una financiación inicial, conjuntar el equipo de filmación y agruparse, en un primer momento, en cooperativa. Después, salir en el tren de Morelia a Pátzcuaro "llevando cámara, lámparas, vestuario, *script*, actores, equipo técnico y muchas ilusiones".[13] Y ¡por fin! iniciar el rodaje... para que, muy pronto, llegara el susto de que el dinero se estaba acabando mucho antes de lo planeado. Márquez realizó entonces un angustiado y urgente viaje a la ciudad de México para conseguir el dinero necesario para concluir el filme. Consigue los fondos, convenciendo a los productores Crisósforo Peralta Jr. y Antonio Manero, dueño de Cinematográfica Mexicana, S.A., y logra salvar el proyecto que tuvo un presupuesto de 1 500 pesos semanales, hasta completar los 55 000 del costo total.

Con la proyección de *Janitzio* varios de sus participantes llegaron al final de su camino. Carlos Navarro jamás dirigió otra cinta, María Teresa Orozco no volvió a actuar y Luis Márquez nunca cumpliría su sueño de convertirse en director de fotografía. Quizá el gran beneficiado, en varios sentidos, fue Emilio *el Indio* Fernández quien, impulsado por el papel protagónico se fue posicionando en la naciente industria cinematográfica. Ya como director, *el Indio* retomó este argumento y, en mancuerna con Mauricio Magdaleno como guionista y el cinefotógrafo Gabriel Figueroa, realizó las películas *María Candelaria* (1943) y *Maclovia* (1948).

Janitzio fue el máximo logro de Márquez en sus afanes con el invento de Lumière. Su papel, además de escribir el argumento, conseguir los recursos, conformar el equipo y realizar difusión en los medios, fue el de hacer la foto fija.[14] Participó también activamente en convencer a la población nativa para colaborar en el proyecto pues, al igual que en *Redes* —filmada el mismo año por Fred Zinnemann y fotografiada por Paul Strand—, la colaboración actoral de los pobladores fue de

Luis Márquez Romay.
Emilio Fernández como
el indio purépecha
Zirahuén en dos stills
de Janitzio, *1934.*
Colección Luis Márquez
Romay, Archivo Fotográfico
Manuel Toussaint,
IIE-UNAM/Colección
Fundación Televisa.

gran importancia para dar verismo a las historias, pero también generó graves problemas presupuestarios al tener que mantener a los actores improvisados que dejaron momentáneamente sus labores cotidianas.

El *stillman*

Después de aquella experiencia, escribió un par de argumentos —*Tehuantepec* y *Carretas*— que nunca se llegaron a realizar a pesar de que trató de hacerlos realidad con el mismo tesón y esfuerzo que en *Janitzio*.[15] Su decisión por participar activamente en la naciente industria cinematográfica lo llevó a renunciar a la SEP, después de casi 20 años de trabajo, para contratarse en los estudios Clasa como fotógrafo de fijas ya que, sindicalmente, era el peldaño previo para escalar a la categoría de cinefotógrafo o director de fotografía. Aunque su esperanza de dar el siguiente paso nunca prosperó, adquirió una gran destreza, calidad y prestigio como *stillman* o foto fijas, durante la llamada *época de oro* del cine nacional, sin embargo, crecía su frustración —sin dejo de amargura— por no poder acceder al limbo exclusivo de los camarógrafos. Si bien el ser director de fotografía no aseguraba la celebridad (quizá Figueroa fue la gran excepción y ello merced a sus premios internacionales),

por lo menos sí significaba una renumeración económica sustancialmente mayor.

Sin conocerse, los primeros encuentros ocasionales entre Gabriel
Figueroa y Luis Márquez se dieron en la prensa. De 1931 a 1935, sus imágenes coinciden en revistas como *México al Día, Filmográfico* y *Revista
de Revistas,* en donde junto con fotografías "artísticas" de Márquez
(paisajes, iglesias y tipos indígenas), el entonces jovencísimo Gabriel
Figueroa presentaba algunos retratos de las estrellas cinematográficas del momento —como Marta Ruel, Andrea Palma, Lupita Gallardo,
Esperanza Treviño o los hermanos Soler—, realizados en el estudio de
los hermanos Martínez Solares, con un estilo que buscaba parecerse
a la glamorosa fotografía hollywodense, estos primeros retratos ya
dejan entrever un talento propio en el manejo de la iluminación.

No será hasta 1947, y durante los años más brillantes de la *época de
oro* del cine nacional, cuando realmente trabajen juntos. Figueroa era
ya un internacionalmente laureado director de fotografía y Márquez un
experimentado *stillman* cuando trabajaron juntos por primera vez en
el rodaje de *Río Escondido,* de Emilio Fernández. Durante los siguientes cuatro años colaborarán en 18 películas, casi todas con *el Indio*
Fernández como director:[16] *Maclovia, Pueblerina, Prisión de sueños*
(de Victor Urruchua) y *Salón México,* en 1948. *La Malquerida, Opio* (de
Ramón Peón), *The Torch, Nuestras vidas* (también de Ramón Peón) y

*Luis Márquez Romay.
Still de la película* Janitzio.
*La imagen, convertida en
cromo para calendario por
M. Fernández, se difundió
ampliamente y dio motivo
a nuevas reelaboraciones.
Colección Luis Márquez
Romay, Archivo Fotográfico
Manuel Toussaint,
IIE-UNAM/Colección
Fundación Televisa.*

Duelo en las montañas, en 1949. *El gavilán pollero* (Rogelio A. González), *Los olvidados* (Luis Buñuel), *Un día de vida, Islas Marías, Siempre tuya* y *Víctimas del pecado,* en 1950 y, finalmente, sólo dos películas en 1951: *El mar y tú* y *La Bienamada.*

Cabe señalar que contar con el número exacto de películas en las que trabajó Márquez como *stillman* es muy complejo debido a que muy pocas veces se da el crédito a este oficio. En la lista de personas que intervienen, siempre en orden jerárquico, empezando por el director o por el productor, pueden llegar a poner, por ejemplo, el nombre de los electricistas, de los choferes o maquillistas, y olvidar al que hace las fotos fijas, aunque se trate de Álvarez Bravo, Jiménez, Márquez, el mismo Figueroa en sus inicios, o tantos otros que coadyuvaron a construir el imaginario de una película.[17]

Lo que sabemos de momento se debe a que Márquez tenía la costumbre de firmar en negro, en la esquina inferior derecha de los negativos originales (al positivar la firma queda en blanco), o marcar en el reverso de la imagen un sello con su nombre y dirección. No sería de extrañar que podamos comprobar en un futuro la factura de Márquez en otras películas.

En este periodo se estableció inevitablemente una relación laboral estrecha entre los dos fotógrafos —cinco películas en 1949 y seis durante 1950— que los obligó a verse necesariamente ¡casi todos los días! Sin embargo, Figueroa no recordó a Márquez en sus *Memorias* ni en las muchas entrevistas que le hicieron en vida.[18] Más que un olvido a la persona, pienso que fue una falta de valoración a un oficio, el del foto fijas, como les llamaban, no sin un ligero matiz peyorativo.

El *still*

Pese a este desdén por los *stillman* o fotógrafos de fijas, su labor es muy importante en la fábrica de sueños que es el cine. Aurelio de los Reyes nos dice que el *still* fotográfico "lo creó Hollywood hacia 1916 para promover sus películas a través de la venta de amplificaciones, en 11 x 14 pulgadas, de escenas de las mismas o de sus actores",[19] y comenta que, en 1920, llegó el *still* a México. Seguramente ante la dificultad técnica de obtener imágenes de buena calidad, directamente de los fotogramas, se vio la necesidad de usar cámaras fotográficas de gran formato (de 11 x 14 pulgadas del cine silente, pasó al 8 x 10 pulgadas con el sonido en el cine) para poder satisfacer la demanda de las revistas ilustradas. De esta manera, el *still* se asocia con la fotografía publicitaria y con el afán del publico por poseer y coleccionar la imagen de sus estrellas favoritas.

Luis Márquez Romay.
Stills de la película
Maclovia, dirigida
por Emilio Fernández
en 1948. El actor Pedro
Armendáriz como José
María (izquierda), y la actriz
María Félix como la india
purépecha Maclovia (abajo).
Archivo Gabriel Figueroa
y Colección Fundación
Televisa.

Regularmente, el *stillman* trabaja con la misma iluminación que el camarógrafo, cerca de donde se encuentra éste, aunque no en el mismo punto, y casi siempre hace sus tomas después del corte, por lo que los actores cambian o relajan la actitud dramática. Otra variante se da en el caso de que alguna foto fija de una escena omitida en la edición final, sea la que se use en la propaganda. Esto provoca, evidentemente, que las imágenes que se difunden para la publicidad de una película no se corresponden del todo a lo que después vemos en pantalla.[20] En relación a este asunto Gabriel Figueroa Flores describe atinadamente la diferencia entre un fotograma y un *still* de *Los olvidados,* de Luis Buñuel: mientras que en el fotograma de su padre se aprecia un momento de seducción sutil entre la madre de Pedro (Stella Inda) y *el Jaibo* (Roberto Cobo), en el *still* de

Luis Márquez Romay.
Still de la película Maclovia
(Emilio Fernández, 1948).
Colección Fundación
Televisa.

Márquez la misma escena deviene en un feliz acercamiento amoroso. El mismo Figueroa Flores nos dice sobre el *still*: "El fin de tomar estas fotografías es principalmente obtener material que pueda utilizarse en la promoción de la cinta y también para otros efectos, como continuidad, vestuario, maquillaje, escenografía, o por si hubiera que repetir alguna escena, como un documento visual fiable".[21] Hay que añadir que el *stillman* muchas veces hace tomas para definir locaciones y, por otra parte, deja constancia de lo que pasa detrás de cámara en un rodaje: bautizos cinematográficos, fotos de grupo del equipo técnico, visitas de personajes importantes al set, sin faltar las instantáneas de la fiesta de final de filmación con el personal en pleno en donde, paradójicamente, se auto excluye al ser él quien hace la toma.

The End

Tanto Luis Márquez como Gabriel Figueroa fueron artífices de imágenes, cada uno con su talante, cada uno con su talento: ambos apasionados por el llamado séptimo arte y por la cultura mexicana.

Márquez se quedó en la sombra de un oficio y Figueroa en la luz que le dio un trabajo destacadísimo y protagónico en el cine nacional. Y, aunque nunca lo dijo públicamente, pienso que sí reconoció la calidad del trabajo de Márquez y de alguna manera, directa o indirecta, lo influyó (entre muchas otras influencias que suelen tener los genios),[22] así lo comprueba un buen número de *stills* de Márquez que guardó en su archivo personal —sobresalen dos magníficas fotografías de *Janitzio*— y el hecho de que lo invitara, en 1950, a imprimir a partir de los

PÁGINAS SIGUIENTES:
Luis Márquez Romay.
Celebración de la Noche
de Muertos en la isla de
Janitzio. Stills de la cinta
Maclovia. *En el primer plano*
de una de las imágenes,
las actrices María Félix y
Columba Domínguez.
Colección Fundación
Televisa.

negativos de sus *stills*, las copias finas para la exposición homenaje que le organizó la Organización Estados Americanos (OEA) en Washington. También creo que el resentimiento de Márquez con Figueroa se debió a que no pudo acceder a las luces de la fotografía en movimiento y se quedó en la sombra quieta de los *stills*; no por falta de méritos, sino por los infortunios de la burocracia sindical o a que, tal vez, la industria necesitaba de buenos foto fijas. La paradoja aquí también es que el propio Márquez no le dio nunca importancia a su trabajo como *stillman*.[23]

Finalmente, al no lograr el objetivo de convertirse en camarógrafo, Márquez Romay abandonó desilusionado la industria cinematográfica y se dedicó, casi de lleno,[24] a su otra gran pasión: la difusión de su valiosa colección de indumentaria mexicana, pero eso es otra historia…

*Luis Márquez Romay.
La actriz Columba
Domínguez como Sara y
Carlos López Moctezuma
como el sargento Genovevo
de la Garza en un still de la
película* Maclovia. *Colección
Fundación Televisa.*

Notas

1 Además de esta entrevista ["Don Luis Márquez, mexicanista ha venido a Monterrey", entre el 7 y el 14 de junio.], este periódico regiomontano dio información de cada una de las actividades de Márquez en la ciudad.

2 Parte de la entrevista fue publicada en el artículo: Aurelio de los Reyes, "Luis Márquez y el cine", *Alquimia* (órgano informativo del Sistema Nacional de Fototecas), núm 10, sep-dic, 2000, pp. 33-40.

3 En 1915, huyendo de los estragos de la revolución, la familia Márquez parte a Cuba, por ser el país de origen de José Márquez Bellot.

4 *Broken Blossoms or The Yellow Man and The Girl* (1919), de D.W. Griffith, el afamado director de *El nacimiento de una nación* (1915) e *Intolerancia* (1916).

5 Existe un álbum con recortes de estos diarios y revistas organizado por el propio Márquez, propiedad del Licenciado Miguel Velasco Már-

quez, a quien agradezco su generosidad para la consulta.

6 Lamentablemente no se conserva ninguna de estas películas, lo que sabemos de ellas es gracias a los argumentos originales y/o a reseñas periodísticas, y a los *stills*.

7 *Cine Mundial*, octubre de 1928, citado en Gabriel Ramírez, *Crónica del cine mudo mexicano*, México, Cineteca Nacional, 1989, pp. 250-251.

8 A finales de 2006, el licenciado Miguel Velasco Márquez donó el original de este documental, en perfecto estado de conservación, a la Filmoteca de la UNAM.

9 *Excélsior*, 13 de agosto de 1931, p. 8.
En un anuncio previo, publicado en el mismo diario, se mencionaba la presencia del señor presidente en la inauguración, aunque evidentemente no asistió.

10 *Ibidem.*

11 Aurelio de los Reyes, *op. cit.*, n. 2, p. 37.

12 Existe la confusión de que la música es de Silvestre Revueltas, esto se debe a que un año antes, en 1933, presentó la primera versión de su poema sinfónico del mismo nombre (*Janitzio*), y a que Domínguez grabó su composición para la película de Navarro con la orquesta de Revueltas. Años después, el mismo Domínguez sería el encargado de la música de varias de las películas de la dupla Fernández-Figueroa.

13 José Luis Sánchez Estévez, "Luis Márquez Romay y su obra. Apuntes sobre la búsqueda del nacionalismo cultural en México" [tesis de licenciatura del Centro Universitario de Ciencias Humanas, A.C.], 1990, p. 51.

14 La calidad extraordinaria de los *stills* permitieron que, del 15 de noviembre de 2006 al 24 de enero de 2007, se presentara la exposición *Luis Márquez Romay. The Janitzio Project*, en la Kean University Art Gallery, con parte de los *stills* que conserva el Archivo Fotográfico Manuel Toussaint, del Instituto de Investigaciones Estéticas de la UNAM. [Cfr. http://www.kean. edu/~gallery/exhibitions/romay/romay.html.]

15 Esta vehemencia de Márquez era conocida. Ya en 1926, Epifanio Ricardo Soto, comentarista de *Cine Mundial*, escribió en la edición de noviembre de la revista: "más dificultades [...] tienen que vencer, para llegar a la meta nuestros peliculeros [...] están amigos míos a quienes estimo tan sinceramente como a Manuel Ojeda [Manuel R. Ojeda, director de *El Cristo de oro* y de *Conspiración*] y a Luis Márquez; conozco su amor, más bien, su obsesión por el cine; sé que para terminar una película, buena o mala, necesitan hacer milagros; y sólo alabanzas puedo tener para su tesón y su fe en el trabajo, deseando que no esté lejano el día en que encuentren el camino del triunfo".

16 La buena relación entre Luis Márquez y Emilio Fernández seguramente se estableció durante el rodaje de *Janitzio* y se mantuvo a lo largo del tiempo, como lo prueban las muchas fotografías de Márquez sobre aspectos privados o familiares del *Indio* que se conservan en el Archivo Fotográfico del IIE-UNAM. Sabemos también que Fernández utilizó, en varias de sus películas, prendas de la valiosa colección de indumentaria típica mexicana conformada por Márquez.

17 Sobre esto hay mucho por hacer, ya que los principales estudios históricos sobre el cine mexicano frecuentemente omiten, en la ficha técnica de las películas, el dato de quién hizo la foto fija. Por fortuna existen algunos trabajos recientes de especialistas que están revalorando el trabajo de los fotógrafos de fijas.

18 Gabriel Figueroa, *Memorias*, México, UNAM/DGE Equilibrista, 2005; Alberto Isaac, *Conversaciones con Gabriel Figueroa*, México, Universidad de Guadalajara/Universidad de Colima, 1993.

19 Aurelio de los Reyes, "Dolores del Río y el proceso de divinización de la belleza en el *still* publicitario de Hollywood" en Rebeca Monroy Nasr [coord.], *Múltiples matices de la imagen: historia, arte y percepción*, México, Colección Ahuehuete, 2003, núm. 7, p. 13.

20 Julia Tuñón analiza esta paradoja del *still* y su uso en la ilustración de trabajos académicos en "La foto, el film y el libro: tres pistas de circo en la investigación de la historia del cine". [Cfr. *ibidem*, pp. 29-54.] David Borwell y Kristin Thompson, en el prólogo de la séptima edición de su exitoso *Film Art. An Introducción* [EUA, Mc Graw-Hill, 2004], se ufanan de que su libro presenta exclusivamente ilustraciones a partir de los fotogramas originales de las copias en 35 mm y 16 mm de las películas, rehusándose a utilizar *stills* debido a que no corresponden a las imágenes que se ven en pantalla.

21 Gabriel Figueroa Flores, "Foto fija", *Los olvidados. Una película de Luis Buñuel* [apéndice], México, Fundación Televisa, 2004, p. 322.

22 Figueroa admite, entre otros varios, a Sergei Eisenstein y a Jack Draper como influencias en su trabajo, con los cuales Márquez tuvo una relación directa y reconocimiento a su obra fotográfica. Sobre la influencia de la pintura en la obra de Figueroa, véase Álvaro Vázquez Mantecón, "Los tres grandes eran cuatro", *Gabriel Figueroa y la pintura mexicana*, México, MACG/CNCA, 1996, pp. 29-38.

23 No es hasta fechas recientes que se comienza a revalorar el *stills*, en algunos casos, inclusive como obras de arte. [Cfr. Robert Osborne, *In the Picture: Production Stills from the TCM Archives*, EUA, Chronicle Books, 2004.]
Pese a la calidad estupenda de sus tomas, por ejemplo, de *Río Escondido, Pueblerina, Salón México* o *Los olvidados*, por mencionar sólo algunas, Márquez no da ningún detalle de esta faceta de su carrera.
En el libro de Carmen Peña Alarid y Víctor Lahuerta Guillén [*Buñuel 1950. Los olvidados*, España, Instituto de Estudios Tiroleses, 2007.] se dedica un capítulo completo al trabajo fotográfico de Luis Márquez. (Este libro fue premiado en abril de 2008 por la Academia de las Artes y Ciencias Cinematográficas de España.)

24 Decimos "casi" porque continuó con la fotografía autoral hasta un año antes de su muerte, en 1978. Justo ahora lo recordamos a treinta años de su deceso.

Luis Márquez Romay. Still *de la película* Salón México, *dirigida por Emilio el* Indio *Fernández en 1948. Archivo Gabriel Figueroa.*

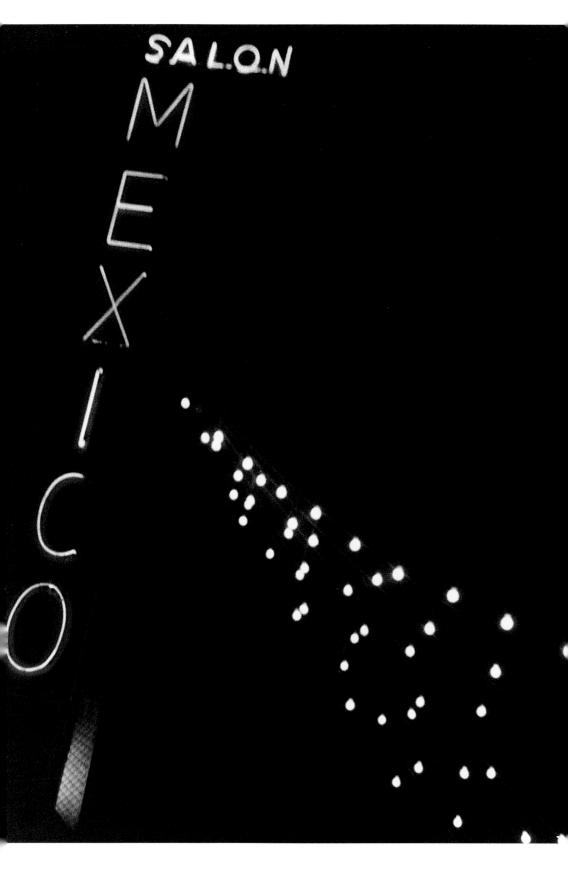

Luis Márquez Romay. Stills *de la película* Salón México.
El cinturita Paco, interpretado por Rodolfo Acosta, agrede a la fichera Mercedes, representada por la actriz Marga López (arriba).
Mercedes besa las manos de su salvador Lupe, el policía interpretado por Miguel Inclán (abajo).
Colección Fundación Televisa.

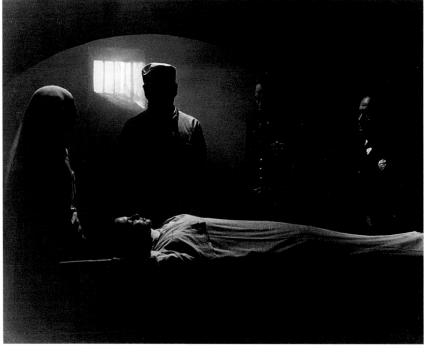

Luis Márquez Romay. Stills de la película Salón México.
Mercedes en una mesa del salón de baile donde trabaja (arriba).
El piloto aviador Roberto, interpretado por Roberto Cañedo, y el policía Lupe frente al cadáver de Mercedes (abajo).
Archivo Gabriel Figueroa.

Modernas sombras fugitivas
Las construcciones visuales de Gabriel Figueroa
José Antonio Rodríguez

I

Todo comenzó para él desde las entrañas mismas del México de la posrevolución. Un joven de apenas veintiún años, instalado ya como fotógrafo al lado de su amigo Gilberto Martínez Solares, fue requerido la tarde de un miércoles de marzo de 1929 para asistir nada menos que a una ejecución. Se trataba del juicio por insurrección del general Jesús Palomera López quien se había alzado en Michoacán contra el gobierno delahuertista. Al caer el día, un militar llegó hasta su estudio de la calle de Hidalgo, y lo conminó —es un decir— a acompañarlo con su cámara no sin antes preguntarle si sabía fotografiar con magnesio, evidentemente, porque la noche les esperaba. El novel fotógrafo pronto se daría cuenta de los sucesos que iba a presenciar y que obligadamente él mismo habría de registrar, a las orillas de la capital, en las gélidas como monumentales instalaciones de la escuela de tiro: el fusilamiento del general sublevado. Tres fotografías de su autoría se llegarían a publicar en la crónica de los sucesos.

> El ajusticiado —escribió un anónimo redactor ahí mismo— llegó relativamente tranquilo hasta el paredón, en donde quitó algunas piedras que le estorbaban para pararse derecho, esto después de escribir unas líneas para su esposa y después quitándose el reloj, y sacando del saco otros objetos los dio a un oficial de su amistad para que los entregara a la misma persona. Segundos después, la fatídica voz de mando se dejaba oír y el cuerpo del general Palomera López caía por tierra sin vida, destrozado por las balas de los soldados que formaron el cuadro. No obstante que no daba señales de vida, fue preciso darle el tiro de gracia, enviando después el cuerpo al Hospital Militar.[1]

Las imágenes fueron entregadas por el joven Gabriel Figueroa esa misma noche a sus contratantes militares. Aunque, todo así lo indica, el fotógrafo se quedaría con algunos negativos de donde salieron unas fotos que, después de recibir la sugerencia de su también socio, Rafael Carrillo, vendería al único periódico que se las aceptaría. Y así, siguiendo los buenos oficios periodísticos de dar a conocer los sucesos de la víspera, aparecieron en la primera plana de *La Prensa* el jueves siguiente. Sólo en ese diario y en ninguno más. Suceso que sorprendería al novel fotógrafo ya que no tenía permiso para dar a conocer por su cuenta los hechos. Sin saber lo que pasaría y un tanto temeroso por tal osadía se fue hacia Puebla por unos días. Cuarenta y ocho horas después entraría

Gabriel Figueroa.
Retrato del actor Rodrigo
Ampudia. Ciudad de
México, ca. 1932. Archivo
Gabriel Figueroa/Colección
Fundación Televisa.

Primera plana del periódico La Prensa donde se da noticia del fusilamiento del general Jesús Palomera López. El reportaje se ilustró con fotografías tomadas por Gabriel Figueroa. 8 de marzo de 1929. Hemeroteca Nacional, UNAM.

en contacto telefónico con su socio, encaminador de almas: "[...] me dijo que regresara   recordaría des pués—, que no pasaba nada, y que el día anterior había ido un militar que lo había ido a llevar a fotografiar otros juicios sumarios de la revuelta escobarista".[2]

Las fotografías resultantes son la entrada pública de Gabriel Figueroa al universo de las imágenes en México. Y las mismas muestran el juicio del general frente a sus ejecutores durante el evento, la silueteada figura de Palomera y, en otra foto, la rigidez cadavérica de su anguloso rostro tendido boca arriba. Fotos de una luz uniforme. Nítidas y pulcras periodísticamente en su hechura. No se anunciaba todavía el virtuosismo que su autor lograría años después en el cine, ni lo que ya había logrado en el retrato de estudio. Pero ahí estaban esas imágenes evidentemente trágicas e inmersas en lo sombrío. Un hecho audaz que no todos los periodistas de entonces lograrían. Porque el reportero Salvador Martínez Mancera, director de la revista *Detective*, recordaría poco tiempo después el momento en que se encaminaría a cubrir el hecho:

> Nunca se me había hecho tan largo el trayecto de la escuela de tiro, ni tan tétrica la plateada cinta de la carretera de Puebla, que parecía la continuación o lo único tangible de las tinieblas. [...] En realidad ya no distinguía nada. Sólo veía pasar sombras y más sombras, rasgadas en corto trecho por los fanales del auto. [...] Nos faltaba poco para llegar, cuando escuchamos la descarga y luego un tiro aislado. [...] Sólo encontramos un cadáver y a un escaso grupo de militares, a quienes, se nos antojó, había sido dedicada, como cosa exclusiva, la macabra fiesta.[3]

No eran para menos, como ya se ve, las preocupaciones del joven fotógrafo. Siempre había que andarse con cuidado en esos momentos del levantamiento escobarista, uno de los últimos ecos de los movimientos armados en el país durante la presidencia de Portes Gil. Sombrío pasaje de armas, ocurrido en las oscuridades de la noche. Parte de un ambiente que años después el futuro cinefotógrafo recrearía junto con sus directores para la ficción fílmica. Pero un hecho éste que curiosamente rememora las formas gráficas en que José Guadalupe Posada llegó a divulgar, unas dos décadas antes, los decesos trágicos de muy diversos personajes públicos para el conocimiento popular (Arnulfo Arroyo, Manuel González, o tantas ejecuciones frente a pelotones de fusilamiento). Testimonios que regeneraron otros testimonios equivalentes. Y en esto a la larga, como se verá, no habrá casualidades: ese sonido de ráfagas en *off* e inmediatamente un tiro en solitario lo oirá el policía de *El fugitivo* (John Ford, 1947) cuando el sacerdote (Henry Fonda) termina por ser fusilado.

Ya para entonces Gabriel Figueroa había trabajado en diversas fotografías comerciales. Estuvo con Lalo Guerrero en su estudio —acaso el mismo taller en donde fueron retratados Tina Modotti y Edward Weston, según sus propios testimonios— para aprender fotografía. Después con otro personaje llamado Juan de la Peña, del que nada se sabe actualmente, con el que retrataba, revelaba e imprimía casi de manera industrial; y poco después trabajaría con un singular fotógrafo, José Guadalupe Velasco, quien había llegado de Chicago a instalar su taller, The Brooklin Photo Studio, en la avenida Aquiles Serdán.

Velasco es el primer maestro que reconoce Figueroa en sus años formativos. Un retratista de la alegre farándula capitalina quien se daba la buena vida en su propio taller ya que ahí fotografiaba a las chicas que le enviaba la casa Domitila de la colonia Doctores: "retrata desnudas a quienes tenían mejor cuerpo. Hacía muy buenos desnudos artísticos, con luz artificial, nada de pornografía". Un fotógrafo —de los pocos que poseen nombre como autores de imágenes eróticas— con el que aprendería el uso de la luz artificial, la que después asumiría como "esencial en la fotografía de cine para crear ambientes".[4] Velasco, de acuerdo a otro testimonio de Figueroa, "cerraba todas las ventanas de su estudio y lo llenaba de luz a su antojo. [...] El caso es que la iluminación la aprendí de él, ahí, en ese estudio".[5]

El trabajo del incipiente fotógrafo que aún se conserva de esos años deja ver un cuidadoso acabado retratístico (forjado en mucho en el taller de los hermanos Martínez Solares). En donde, no de manera casual, se entrelazan las modernas corrientes visuales de los años veinte. Mencionemos unas cuantas obras notables de ese tiempo. He ahí el retrato de Rodrigo Ampudia: con una oscura vestimenta de suave ondulación, en donde algunos pliegues y los mismos contornos de la ropa asoman iluminados en triángulos y semicírculos; un fondo oscuro cruzado con unas tenues sombras y una pálida luz en la esquina superior que vuelve a formar otro triángulo lumínico. Es un retrato de acabado teatral, exorbitado en su trazo, y a pesar del tono de misterio que envuelve toda su

José Guadalupe Velasco. Retrato de la modelo Carmen Rosas. Ciudad de México, ca. 1929. Colección Fundación Televisa.

hechura la imagen se dulcifica por la luz lateral que cae sobre el rostro del joven.

Otro sería el retrato de Andrea Palma, en donde el rostro de ésta emerge luminoso de las sombras de su cuerpo; desde ese espacio oscuro en donde desaparecen los detalles, en donde todo es silueta fragmentariamente iluminada. O el de Lina Boytler, de una luz parcial de sinuosas oscuridades que lo envuelven. Estos dos últimos son de un definido acabado pictorialista, sumamente texturizados y con una luz en el centro de la imagen que se pierde gradualmente en lo oscuro del contorno etéreo. Pero algunos otros trazos, que se definen por el ropaje, por las sombras en geometría, nos remiten a otra cosa. A la confluencia de dos modernidades: al propio pictorialismo que todavía se encuentra en su apogeo, sustancialmente con una reconfiguración del retrato a la Rembrandt, y a una nueva modernidad visual que ya ha surgido para transformar las gramáticas, en donde hay una conciencia de transformar el mismo código pictorialista —la suave borrosidad en todos los detalles en donde no se encuentra ninguna nitidez— pero en donde los nuevos acabados visuales aún se nutren del mismo.

Gabriel Figueroa.
Still *de la película* La mujer del puerto, *dirigida por el cineasta ruso Arcady Boytler en 1933. Archivo Gabriel Figueroa.*

Sí, en estos tres retratos de personajes aprisionados en un microuniverso nocturno, semioscuro, hay una hechura que proviene del expresionismo (no hay que olvidar que el ropaje fue un factor dramático para el cine alemán de entreguerras, con telas ondulantes, polimorfas, dinámicas y/o volátiles). Y en esta simbiosis de corrientes artísticas, todo cuenta en cada uno de los contenidos de la imagen. "Hay que buscar una cierta armonía entre el sujeto y el fondo... [y éste] ser iluminado independientemente del sujeto para producir dibujos con luz y sombra", decían unas recomendaciones para todo aquel que deseara crear retratos plenamente modernos, a la manera del barón Adolf de Meyer, precisamente con quien más eco tiene aquí el joven retratista.[6] Retratos que incluso se llegaron a ver en las portadas de algunas revistas de ese tiempo.[7]

Y estas mismas confluencias se encuentran en algunos *stills* de películas para las cuales Figueroa colaboró como fotógrafo de fijas en sus primeras incursiones en el cine. Pictorialismo y expresionismo se encuentran en las impresiones originales de una escena de *La mujer del puerto* (Arcady Boytler, 1933): esos árboles que, en una colina, se "caen"

Gabriel Figueroa.
Retrato de Lina Boytler,
cantante de origen ruso
conocida como la Venus
del Volga. La artista, esposa
del director Arcady Boytler,
tuvo una breve aparición
en La mujer del puerto
interpretando el tema
musical de la película,
compuesto por Manuel
Esperón. Ciudad de México,
ca. 1933. Archivo Gabriel
Figueroa.

sobre unos personajes en una carreta; en esa arquitectura oscura-
mente oblicua del campanario que "aplasta" al enigmático espadachín
en *Cruz Diablo* (Fernando de Fuentes, 1933). Impresiones texturizadas,
sobre todo la de Cruz Diablo, evocando lo bucólico de un brumoso paisaje rural, pero ahora transformado por las líneas transversales de los
árboles. Corrientes, pues, que se entrelazan para la composición final.
¿Qué está sucediendo entonces?

Es evidente que Gabriel Figueroa era consciente de las gramáticas visuales de su tiempo. Y con ello creó, junto con sus directores,
un complejo entramado de referencias gráficas plenas de modernidades, acaso irrepetibles. Corrientes que se devoran a sí mismas, que se
retroalimentan no importando si las referencias provienen de la pintura o de las imágenes técnicas (la propia foto y el cine), o de los libros
gráficos o de una inventiva propia surgida de lo cinemático. Una fotografía plenamente moderna, profundamente moderna, como una parte

sustancial del cine, que, así, se valió de cuanta corriente y hallazgos visuales se dieron en su tiempo. Un periodo, la primera mitad del siglo XX, por cierto, de una insólita explosión que reconfiguró la historia de lo visual. Y con ello, con esa modernísima visualidad, Figueroa se volvió una figura clave que contribuyó a crear un imaginario sobre México que quedaría para siempre. Modernidad que permeó a las resoluciones gráficas de las escenas, tanto urbanas como rurales, para ofrecerles una nueva dimensión. Pero todo esto, no hay que perder de vista, se dio en momentos clave en donde muy diversas circunstancias culturales también convergieron como gran contexto.

Desde las propias gramáticas del cine, el mismo Figueroa perfilaría su origen: "Todos los fotógrafos partimos del expresionismo alemán de los años veinte, donde había composición, donde se usaban telones pintados, grandes sombras [...], el realce de la belleza o el dramatismo del paisaje a base de la perspectiva".[8] Para Figueroa, el expresionismo bus-

Edward Weston.
Arcos. *Ex convento de La Merced, ciudad de México, ca. 1926. Colección Anita Brenner. Cortesía Susannah Glusker.*

caba "vulnerar la existencia del mundo objetivo para lograr un propósito subjetivo, tendía hacia la deformación y el retorcimiento de las formas objetivas, [los expresionistas] distorsionaron la perspectiva arquitectónica, crearon ambientes alucinatorios, visiones goyescas".[9]

Todo esto fue trasladado al cine mexicano, usando una particular iconografía nacionalista que para los años treintacincuenta se encontraba en gran auge, impactaría como nunca en la conciencia de los espectadores. Del expresionismo mismo saldrá una singular escena de *Cielito lindo* (Roberto O'Quigley, 1936) cuando Lupita (Lupita Gallardo) y Felipe (Arturo de Córdova) se encuentran en la cárcel y van por éste para fusilarlo. Hay ahí una arquitectura que se cae, ventanas de rejas que se distorsionan, muros en líneas transversales, una luz sólo centrada en los personajes y un tono texturizado de la fotografía que lo domina todo. Y el equipo fílmico ahí es tan notable como los acabados visuales: Roberto Gavaldón como codirector; Emilio Fernández como asistente de dirección y Figueroa junto a Jack (Lauron) Draper en la fotografía.

Fotograma de la película The Fugitive [El fugitivo], dirigida por John Ford en 1947. Imagen procesada digitalmente e impresa por Gabriel Figueroa Flores. Archivo Gabriel Figueroa.

Para entonces, desde la foto creativa, Figueroa también conocía las referencias obligadas. Eso se supo en 1945 cuando escribió una brevísima relación de hechos históricos para el catálogo de Manuel Álvarez Bravo —en su primera gran exposición retrospectiva— en donde no dejó de aludir a las convergencias de otras dos modernidades, el pictorialismo y la subsecuente vanguardia:

Sus precursores —entre otros Vallejo [*sic*], Clarke, Lange, Ortiz— dieron un buen impulso a la fotografía, siendo su trabajo de una magnífica calidad técnica con cierta tendencia artística. Lo más notable en su trabajo era el buen alumbrado y la limpieza en la terminación del retrato. [...] Posteriormente, cuando la técnica fotográfica adquirió un desarrollo más amplio, surgió el primer artista con una gran sensibilidad y con tendencias estéticas de base, [Gustavo F.] Silva, quien supo imprimir a su trabajo su personalidad de creador. Sus retratos se caracterizaban por una tendencia, en el alumbrado, composición y expresión, a obtener un terminado retrato al óleo, logrando un resultado plástico de innegable valor artístico.

Luego se presenta [Juan] Ocón, un fotógrafo distinto, de estilo interesante por su juego con la luz, su marcada tendencia a realizar detalles con brillos en los medios tonos y el uso de una difusión que daba a todo su conjunto un aspecto interesante, distinto y bello.

Y finalmente nos alcanza la nueva escuela de [Edward] Weston y su discípula Tina Modotti. Artistas de trazo firme, fuerza en su composición y de positivo valor creador que, marcando una nueva etapa, señalaron una ruta firme a seguir en la técnica fotográfica.[10]

*Martín Ortiz.
Retrato de María Luisa
Escobar. Ciudad de
México, ca. 1930. Colección
Fundación Televisa.*

Hay aquí un entrelazamiento entre el pictorialismo artístico y la vanguardia fotográfica. Un sistema de modernidades que se entrelazaron y que detectaría Figueroa. Porque fotógrafos como Juan Ocón, Gustavo F. Silva y Martín Ortiz son tres notables maestros del pictorialismo mexicano de la década de los veinte, cuando, precisamente, confluyeron Weston y Modotti en la escena artística mexicana con sus innovadoras propuestas. Y toda esa cultura visual que ellos crearon, como se verá, fue el antecedente inmediato a la gramática de Figueroa (el cual no se mencionó a sí mismo en el texto ni a Gilberto Martínez Solares, otro refinado pictorialista).

Pero aquí hay que tomar en cuenta que también el cinefotógrafo convocaría otras manifestaciones artísticas en su formación, a otros maestros, para crear nuevas referencias. Entre estos —para comprender "la luz, la composición, las texturas, las perspectivas"— están: Vermeer, "gran maestro a seguir en lo que se refiere a la luz, los medios tonos y la sombras"; Rembrandt, quien "fue la meta para lograr el ambiente de claroscuros"; también Velázquez y su perspectiva; "las *sombras impactantes* de De Chirico"; Turner, Van Gogh, Gauguin y Manet.[11] Desde luego que también se nutriría de varios maestros mexicanos. Pero mientras no lleguemos a éstos, aquí hay que resaltar su particular referencia a las sombras. Oscuridades que, de manera dialéctica, absorben en su fotografía a las figuras luminosas, que las hacen vivir pero también las degluten para permanecer sólo ellas. Siluetas oscuras que adquieren personalidad propia, en tanto tienen un sitio en el encuadre para sostener y nutrir al relato fílmico que se expande en la pantalla como las sombras mismas.

II

Es ineludible, y en ello hay que incidir: cuando se abordan las resoluciones visuales de Figueroa inevitablemente se hace referencia a su particular sello en los cielos nacionales. En cómo ese universo aéreo se volvió un inusitado protagonista de las vivencias que envolvía; marco todoabarcador de los hechos que se suscitaban en sus márgenes inferiores. Más de las veces esos espacios celestes se volvieron testigos/narradores omniscientes que se inmiscuían en los intersticios del alma del espectador para conmoverlo por el advenimiento de un presagio, al mismo tiempo que los propios personajes que llegaron a cobijar y que vivirán el suceso de manera irremediable. Cielos siempre significantes en cada secuencia, en cada intención de puesta en cuadro, en cada acechanza sobre el espacio terrenal.

Acabados innovadores —los de los cielos— para el espectador del primer gran cine mexicano pero no para una historia más vasta de las imágenes que ya los había exaltado como recurso para una nueva visión. Precisamente una historia de la moderna visualidad que se incrustó en el cine vía el virtuosismo y los aprendizajes de Figueroa. Aunque también una resolución fastidiosa hasta el hartazgo para una cierta crítica cinematográfica que se debatió entre la admiración y el rechazo frente a ellos.[12] Lo que poco se ha percibido es que el protagonismo de los cielos pertenecía ya a una fotografía vanguardista, y que esto también venía de los hallazgos visuales del pictorialismo.

José María Lupercio.
Retrato de la bailarina
Armen Ohamian, ca. 1930.
Colección Fundación
Televisa.

En efecto, ya en un libro seminal para esta corriente como fue *Pictorial Effect in Photography*, de Henry Peach Robinson, se llamó la atención del uso adecuado de los cielos como natural recurso para la conformación de la imagen paisajista. Para darles realce y volverlos sujetos principales dentro del cuadro, había que poner atención en "la dirección de las líneas de nubes opuestas a las líneas del paisaje, a la oposición de la luz y el sombreado, dado que una u otra cosa produce relieve o profundidad".[13] Y esto no fue discusión vana porque los grandes teóricos de esta corriente —que de manera plenamente moderna buscó entablar un diálogo con la pintura por medio de los recursos técnicos— incidieron sobre el tema.

Para el inglés Alfred Horsley Hinton, un prodigioso maestro del paisaje borrascoso, eliminar los cielos planos y darle un realce a éstos era necesidad "*sine qua non* de la fotografía". Mirando cualquier paisaje, dice, "observaremos cuál es el tono relativo, el valor comparativo que concierne a la sombra y la luz, entre las dos partes de la escena que representa generalmente el cielo y la tierra". No podía dejarse nada a la casualidad. Debía haber intencionalidad, resoluciones conscientes, diseño preciso. Porque podía ser muy fácil para cualquier buen técnico "trampear los sentidos y exagerar la intensidad de los cielos y de las nubes, de manera que parecieran estorbar y saturarse de una manera contraria a la naturaleza". Por el contrario este teórico del pictorialismo, al buscar la armonía eficaz que se necesitaba, lo advirtió: "ciertas formas de nubes sugieren ciertas ideas, y es importante que estas ideas no choquen con los sentimientos relevantes del cuadro". Ya desde aquí se estaban perfilando las intencionalidades subjetivas, que a su vez podían ser significativas y simbólicas. Y a todo ello agregó:

> Es así que las masas desgarradas de nubes cambiadas por el viento nos darán mejor [...] la idea de un paisaje de marisma siempre agitado por el viento, [...] por las formas majestuosas y solemnes de nubes imponentes que se levantan como montañas por encima de cumbres y de árboles y que, indiferentes a las corrientes de aire de abajo, atraviesan el paisaje con una lentitud magistral.[14]

Esto lo llegó a escribir el profesor Hinton en un libro que fue publicado en 1894, en ediciones en inglés y francés, en una Europa que se encontraba reconfigurando la idea de lo artístico. Entonces, he aquí una conciencia pionera de las diversas estructuras de la imagen paisajista.

Ciertas historias de la fotografía suelen minimizar los aportes visuales que generó el pictorialismo. Acaso porque sus recursos —ese suave *flou*, esa brumosa falta de nitidez, esa rugosidad de grano grueso— se llevaron hasta el agotamiento y tuvo una vida muy larga en el siglo XX. Pero de hecho, es esta corriente la primera gran modernidad en la fotografía. ¿Qué más revolucionario en una foto que busca subvertir al impresionismo al apropiárselo y reconfigurar sus formas? Y en esto muchos contribuyeron. De hecho podríamos decir que no hubo fotógrafo vanguardista que no hubiera pasado inicialmente por esta primera modernidad. Toda una corriente que impactó como un nuevo sentido de lo artístico. Y en el paisaje, tema enorme de esta corriente, se siguió una precisa búsqueda.

El teórico norteamericano F. C. Tilney, todo un filósofo del pictorialismo, en su libro *The Principles of Photographic Pictorialism* dedicó un capítulo entero a abordar el sentido de los cielos. Tilney escribió en 1930: "la mayoría de los fotógrafos pictorialistas fallan al mostrar la marcada diferencia que existe entre la luminosidad natural del cielo y el valor tonal de la tierra. El paisajista promedio ha estado obsesionado, casi un siglo de tradición en materia de cielos, [esto es] la suma y la sustancia en cómo *debe tener nubes en sus fotografías*".

Más adelante, Tilney dejaría claro cómo se fue dando esta larga búsqueda y necesidad: "Esto podría ser poco excepcional si se diera el hecho de que el cielo no existe sin nubes. Pero el cielo sin nubes es

frecuente y es, por sí mismo, una refutación del dogma. En los inicios del trabajo con cámara el fotógrafo omitía las nubes y hemos visto que hasta 1853 se empezó a recomendar la inserción de nubes para que no apareciera un espacio blanco".[15]

Así, los cielos nubosos se volvieron preocupación artística sustancial para esta corriente. Pero con ello también había surgido otro factor visual: la perspectiva aérea, que no casualmente provenía de las investigaciones de la atmósfera de Leonardo da Vinci.

Arthur Hammond, editor de *American Photography*, en su exitoso libro *Pictorial Composition in Photography*, publicado por primera vez en 1920, llama la atención sobre la obligada *perspectiva lineal* que toda imagen fotográfica debía poseer. Es, decía, "el punto de vista más que el ancho focal de las lentes lo que determina esta perspectiva". Y agregaba que:

> [...] también hay otra clase de perspectiva que es de gran importancia en la elaboración fotográfica. Esta es conocida como *perspectiva aérea*. Esta clase de perspectiva es la que otorga "atmósfera" y profundidad a la fotografía y da una sugerencia de espacio y distancia en una toma de exterior. Sugiere atmósfera en una foto ya que es provocada por la presencia de partículas invisibles de polvo y humedad en el aire. Por el sentido de la *perspectiva aérea* podemos hacer que partes distantes de la escena parezcan remotas y obtener una separación de planos satisfactorios.
>
> Como los diferentes objetos en un paisaje se ven cada vez más lejos del ojo, pierden su intensidad de color y su contraste se suaviza.

Esto es a causa de la atmósfera. [...] Supongamos que hay una casa blanca y un árbol de roble oscuro lejos, a la distancia. La vasta expansión de atmósfera luminosa que se extiende entre el ojo y los objetos puede reducir la casa blanca y el árbol oscuro al mismo matiz de grises. [...][16]

Para sustentar esto, Hammond se basa en las notas de Da Vinci, al que de hecho cita: "hay una considerable cantidad de atmósfera —escribe el pintor— entre el ojo y el objeto, y esta atmósfera interfiere con la falta de claridad para distinguir la forma de los objetos y, consecuentemente, los pequeños detalles de esos cuerpos se vuelven indistinguibles e irreconocibles". Entonces, se hace evidente que hay una meticulosa manera de construir los cielos al trabajar con el tono atmosférico. Y con ello, algunos análisis cinematográficos —Jacques Aumont al analizar las marinas nubosas de las fotografías de Gustave Le Gray de 1857— han visto que "la enfatización de la perspectiva atmosférica [no] responde a un realismo ocular cualquiera, sino que representa una codificación, una más, arbitraria como toda codificación, y más arbitraria que muchas otras". ¿Por qué?, bueno, porque con esto la imagen —la pintura, la fotografía y por extensión el cine— se encontraba "sobrecargada de sentidos, sobrecargada de intenciones, preocupada por su maestría absoluta".[17]

Muy pronto, Gabriel Figueroa se dio cuenta de esto, pero él lo haría vía Leonardo más que por las enseñanzas del pictorialismo, al parecer. Sus aprendizajes al respecto se han vuelto conocidos:

Usé filtros por algo muy significativo. Leí un catálogo de Leonardo donde decía que era indispensable tomar muy en cuenta el color de

Hugo Brehme.
Anochecer. Laguna del Carmen. Campeche.
Imagen tomada del libro
Picturesque Mexico.
The Country, the People and the Architecture *[México pintoresco. El país, la gente y la arquitectura]*,
Nueva York, Brentano's Publishers/Berlín, Ernst Wasmuth, 1925. *Colección Fundación Televisa.*

la atmósfera. Pero cuál color, si no lo vemos. Aun así me puse a estudiar ese sutil ambiente que registraba la cámara. Una cosa como *smog* muy ligero. Entonces, por medio de filtros infrarrojos logré quitarlo. De esta forma las nubes salían mejor porque el filtro oscurecía el azul del cielo y realzaba el blanco.[18]

El estudio de los cielos tampoco fue ajeno para el propio pictorialismo mexicano. Desde los primeros años del siglo XX hubo una preocupación por resolver la lisura de los mismos (digamos, José María Lupercio ya lo dejaba ver al publicar sus marinas, de una luminosidad solar en oscuras nubes, en *Savia Moderna* en 1906).[19] Y al respecto hubo muy diversos planteamientos.

En 1909, *El fotógrafo mexicano* recomendaba incluso la utilización de dos negativos, por un lado la tierra y por otro el cielo y sus nubes, para combinarlos en una sola imagen (algo que desde décadas antes ya hacía Le Gray para impresionar a sus espectadores que nunca habían visto, de la naturaleza, tal conjunción de fuerza).[20] En los albores de la década de los treinta, la mayor sensibilidad de las películas orto y pancromáticas van a permitir "captar un cielo lleno de nubes sin sacrificio de las demás cualidades de la fotografía", decía Enrique Galindo con respecto al paisaje. Aunque siempre para lograr los tonos adecuados era necesario el uso de filtros.[21]

En los años veinte, y durante la siguiente década, hubo en México practicantes del pictorialismo que pusieron especial énfasis en ese fundamental espacio celeste de la imagen. Digamos, por sólo señalar unos cuantos casos: he ahí a Hugo Brehme en un memorable crepúsculo de la laguna del Carmen aparecido en su libro *México pintoresco* (1923); o Mauricio Yáñez en unos poderosos atardeceres del valle de México.[22] Pero los fotógrafos de otras zonas que no fuera la cosmopolita ciudad de México tampoco se quedaron atrás. Todavía se preservan unos notables testimonios, de principios de los años treinta, de algunos fotógrafos trabajando en el lago de Pátzcuaro, que perfilaron siluetas de pescadores frente a cielos brillantemente blancos, en tensión con la oscuridad de las nubes de negrura y crepuscular brillantez, que ya prefiguraban las nubes en trazo interlineado, sobre el mismo lago en *Maclovia* (Emilio Fernández, 1948).

Anteponiendo en un primer plano, casi de manera permanente, un árbol o algún cactus, que envuelve y/o equilibra el suceso relevante de la imagen, de la misma manera en que en *La noche de los mayas* (Chano Urueta, 1939) el espectador ve, a través de un gran tronco de árbol y desde una toma aérea, una festiva danza indígena a la cual enmarca y comprime (una forma de mostrar aquí lo aislado de un universo).

Alfred Stieglitz.
Fotografías de la serie
Songs of Sky *(1923-1924).*
Archivo Luna Córnea.

Pero aquí nuevas modernidades habrán de incidir. Porque, como se verá, el pictorialismo no sería el dueño absoluto de ese territorio visual que era la bóveda celeste. Ya esa primera modernidad hacía uso corriente de la monumentalidad diseñística de los cielos (Alvin Langdon Coburn, André Kertész, en sus primeras épocas) cuando otra llegó a pisarle los talones y a revitalizarla de muchas maneras. Para ser

más precisos, deberíamos decir que algunos autores que se explayaron hasta la maestría con el acabado del pictorialismo terminarían por renovarse una vez más. Y en esto hay, por lo menos, tres figuras clave: Alfred Stieglitz, Edward Weston y Paul Strand, casi nada.

Suceso notable es la aparición en este escenario cultural de *Equivalentes*, una singular obra de Stieglitz. La legendaria presencia de este fotógrafo en la cultura fotográfica norteamericana es bastante conocida. Fue un gran impulsor del pictorialismo (desde las páginas de *Camera Work,* y desde la galería 291) y de la modernidad que le siguió, formando parte en ambas. Fue el autor de una obra fundacional de lo que después sería conocida como la fotografía purista, precisamente la gran vanguardia norteamericana: *The Steerage* [El entrepuente], de 1907, es la cubierta de un barco en el que Stieglitz viajó a Europa, en donde confluyen diversos sucesos visuales que después explotará el purismo. Una pasarela, o puente que segmenta la imagen en dos, y unos barandales que se entremezclan con un balcón; un soporte oblicuo que sostiene a ésta; una chimenea que en el margen izquierdo cruza al puente; una escalera que asciende en línea transversal a la derecha; un círculo en la esquina inferior izquierda y otro en el sombrero de un pasajero; un mástil horizontal en el margen superior de la imagen que reconfigura un triángulo. Sustancialmente, un suceso geométrico que posteriormente como temática emergería con gran fuerza en la fotografía norteamericana, en los entrecruces de arquitectura industrial de Charles Sheeler, en la monumentalidad fabril de Margaret Bourke-White.

Equivalentes comenzó con una obra, *Music* de 1922: una oscura colina de donde emerge la fachada triangular de una casa con una gran nube negra que todo lo domina, en una imagen apenas cruzada horizontalmente por un fragmento de luz solar. Después vendría el cambio abrupto en donde las nubes son el único elemento de la imagen. En la serie *Songs of Sky* (1923) hay imágenes abstractas de negras densidades que llegan incluso a la pérdida del detalle, hasta que sólo se perciben ligeros trazos de luz brillante que llegan a lo grisáceo y que le dan forma a las nubes: una vorágine de aspecto siniestro. Esto sería el preludio de *Equivalentes* (1926-1929), todo un dramático lienzo celeste, de tonos apocalípticos (luz de brillante luna que se filtra a través de una proliferación de manchas negruzcas de la noche) que llegó a ser considerada la autobiografía de Stieglitz, porque éste las entendió como equivalentes a sus ideas, a sus desilusiones, a sus deseos, a sus temores.[23] ¿Y la superficie terrenal?: cuando llegaba a aparecer, ésta era apenas un montículo oscuro al ras de la imagen. Sobre su proyecto, Stieglitz llegó a decir: "Quise fotografiar nubes para descubrir qué es lo que había aprendido sobre fotografía en cuarenta años [...] para establecer mi filosofía de la

Estudios del
notable norteame-
ri...,
quien ...ta ha
concedido "torcha"
lo ...
de su...jos

vida".[24] Como vaso comunicante, ahí estaría ese portentoso arranque de *La noche de la iguana* (John Huston, 1963) cuando en los abruptos créditos iniciales aparece un negro cielo nocturno atravesado por la circularidad luminosa, blanca, de la luna. Un plano que se detiene en una sombría abstracción del paisaje de noche. Una breve luz ahogada de oscuridad; luz que lucha contra las tinieblas, en una batalla de antemano perdida, como la vida de los propios personajes que cobija. Y un plano poético que, exactamente el mismo, vuelve a repetirse cuando el abuelo descansa y está a punto de fenecer.

En esas propuestas para una nueva visualidad, estaría a la par Edward Weston, precisamente durante su estancia mexicana. La primera imagen con una plena intencionalidad artística (un "negativo con intención", según sus propias palabras) la hizo Weston en la bahía de Mazatlán, en agosto de 1923. En sus *Diarios*, emocionado, escribió: "Una maravillosa nube tomó forma frente a mí, una nube iluminada por el sol para convertirse en una erguida columna blanca", un glorioso clímax en el azul del cielo.[25] Su biógrafa, Amy Conger, subraya que este momento: "Parece haber sido la primera vez, a lo largo de sus veintiún años de trabajo, que se había sentido impulsado a fotografiar una nube, la cual se convirtió en el tema único de esa fotografía [...] Ésta parece haber sido la primera vez en que advirtió las nubes, un tema sobre el que habría de trabajar durante los siguientes veinticinco años".[26] En México no únicamente realiza estos hallazgos sino que también los exhibe. Esa nube de Mazatlán fue vista en su exposición *Aztec Land* de 1923, y otro paisaje, *Valle de San Juan Teotihuacán*, cruzado por fulgurantes nubes, se exhibió en la muestra de 1924 de esa misma galería. Además, estas imágenes fueron también publicadas. Fue en la revista *La Antorcha* donde, invitado por José Vasconcelos —un personaje que aquí se volverá clave al crear las condiciones de una nueva visualidad—, publicó en 1924 cinco imágenes sobre el tema en una colaboración conocida como "El cielo de México".[27] Una novedad relevante, por su contribución a una modernidad visual, para la escena artística mexicana. Una preocupación estética que, incluso, asumen otros de sus colegas porque, cuando funda el grupo F:64, en 1932, ahí estará Ansel Adams, mostrando los monumentales cielos de Sierra Nevada.[28]

Ansel Adams.
Mount Williamson,
The Sierra Nevada,
from Manzanar,
California, 1945. Colección
Paul Getty.

Nuestro otro personaje clave, por muy diversas razones, es Paul Strand. No únicamente por la innovadora fotografía de *Redes* (1934-35), sino por la obra que mostró en México. Decepcionado de muy diversas circunstancias, y a consecuencia de la Gran Depresión, Strand llegó a México a finales de 1932.[29] Y muy pronto, en febrero del siguiente año, él logró una exposición de su trabajo en la muy concurrida Sala de Arte de la Secretaría de Educación Pública. Ahí, de manera extraordinaria, se montaron cincuenta y cinco fotografías de su autoría, un trabajo que poco antes había realizado tanto en Colorado como en Nuevo México. Los paisajes que presentó ahí llegaron a publicarse en la prensa mexicana, mostrando la gran fuerza que los cielos adquirían en sus imágenes. Entre esas fotografías, estuvo *Rancho de Taos Church* (conocida en la exposición como "Contrafuerte de iglesia en un rancho de Taos",

Paul Strand.
Ranchos de Taos,
New Mexico, 1931.
Aperture Fundation/Paul
Strand Archive.

un primer plano arquitectónico que se perfila a partir de un luminoso cielo armónico que domina las dos terceras partes de la imagen); también *White Horse, Rancho de Taos* (para el espectador mexicano nombrada "Un caballo blanco", inmerso en la soledad de un cielo cruzado de blanquecinos trazos que son aplastados por la oscuridad), y varios desiertos de Nuevo México envueltos por una oscura nubosidad. Para la prensa mexicana, Strand llegó a resaltar "esos momentos en que el cielo y la tierra, las sombras y las luces,

Paul Strand.
White Horse [Caballo blanco], South Uist, Scotland, 1954. Aperture Fundation/Paul Strand Archive.

constituyen una unidad perfecta, momentos que ningún otro arte puede reproducir en vista de la lentitud de sus procedimientos".[30] También mencionó a la galería 291 y a su director, Stieglitz, y toda la labor por el arte moderno que ahí se había dado. Además, mencionó otra práctica que había realizado: "Empecé a retratar máquinas. Creo haber sido el primero en hacerlo. Las máquinas despertaron mi interés a causa de la maravillosa calidad de sus superficies y de la armonía de sus formas que siempre corresponden a un objeto, que siempre son necesarias". Este era un recurso con el que se estaba abriendo una ruta de la vanguardia sobre el espacio y los objetos industriales.

Por otro lado, Agustín Velázquez Chávez, quien estuvo muy cerca de Strand durante su permanencia en México, detalló un programa de trabajo que le fue presentado a Narciso Bassols —entonces secretario de la SEP— para la producción de *Redes*. Ahí se planteaba que: "la colocación de la cámara deberá ser consistente. [...] La cámara, desde lo alto, toma un cielo esplendoroso y nubes entre las que se mueve un papalote, un *pan-shot* de una tarraya que se lanza al cielo y cae sobre la playa a la que riega una ola que se aleja y deja huella como si fuese una flor de arena. La cámara se moverá en vista continua".[31] Y algo, o mucho de eso, se vio en *Redes*. Otra moderna gramática fotográfica que se valía también de los nuevos modos de ver (el contrapicado, el silueteado de figuras a contraluz, los primeros planos de las manos o rostros, la triangulación en la composición de las figuras humanas). No por nada en un diario de Los Ángeles se puso de relieve su fotografía y la estructura visual: "El final presenta una verdadera 'escuadra' de piraguas, siendo de una fascinante belleza... Las fotografías que de sus escenas hemos visto nos parecen muy afortunadas, por su luz y su composición plástica".[32] El impacto que las inusuales resoluciones compositivas causaron también fueron detectadas por *Life* muy pronto.[33] Mientras que un espectador privilegiado, como lo fue Gabriel Fernández Ledesma, director de la galería de la SEP donde exhibiría Strand, recordaría al ver la película: "Cuando contemplamos el drama de la escena final con que termina esta obra, establecemos la diferencia de los cielos: el cielo del principio está lleno de claridad, de vida, de esperanza; en cambio el cielo del final que muestra grandes nubes oscuras, densas, tenebrosas, parece referirse a la fatalidad que pesa sobre la procesión hacia la lancha, que lleva el cadáver del compañero sacrificado".[34]

Entre muchas otras condiciones culturales, que ya abordaremos, estas son, en una primera instancia, las referencias visuales de lo que

Ned Scott.
Still de la película *Redes*, dirigida por Fred Zinnemann y Emilio Gómez Muriel (1933-1936). Del portafolio *Redes*, compuesto por 32 fotocuprigrafías. México, ediciones ARF y Filmoteca UNAM, 1982. Colección Fundación Televisa.

prefiguró el estilo de Gabriel Figueroa. Ahora bien, ¿por qué toda esa simiente se ha dejado de lado para comprender los sucesos estéticos puestos en práctica por el cinefotógrafo? Y acaso aquí también habría que hacer una pregunta igual de sustancial: ¿no fue el cine, por ser arte de masas y además exportable masivamente a diversos públicos, a muchos espectadores, el factor esencial para que un acabado moderno —el trabajo sobre los cielos— fuera elevado de manera exquisita y popular a un rango estético? Muy probablemente sí, porque salvo

Fotograma de la película Flor silvestre *(Emilio* el Indio *Fernández, 1943). Imagen procesada digitalmente e impresa por Gabriel Figueroa Flores. Archivo Gabriel Figueroa.*

sectores enterados, las exposiciones y las publicaciones cultas (o no) seguían siendo sólo para unos cuantos. Si así fuera, entonces Figueroa, junto a otros, se convirtió en la punta de lanza de una vanguardia que ya existía y que la hizo llegar, vía el relato fílmico, a todo aquel que no se había enterado de tal existencia artística.

Y aquí habría que abordar un pasaje para conocer las repercusiones que tuvo la fotografía de Figueroa en otros creadores. Muy distintos

George Hoyningen-Huene.
Páginas del libro Mexican
Heritage [México eterno],
publicado en inglés en
1946 por J. L. Agustin Pub.
y en español por editorial
Atlante en 1946.
Colección Alfonso Morales.

fotógrafos viajeros, muchos de ellos también surgidos de las vanguardias, llegaron a México para, más que dar a conocer nuevas gramáticas visuales, más bien conocer las prácticas de otros artistas mexicanos. Eso sucedió con George Hoyningen-Huene, quien llegó a entablar amistad con Figueroa durante la filmación de *La perla* (Emilio Fernández, 1945), mientras se dedicaba a realizar un libro sobre México. En una carta enviada a Figueroa durante su estancia en México, Hoyningen-Huene le comenta sobre "el esplendor de sus imágenes" y agrega, "desde entonces he quedado cautivado por la belleza de tus secuencias [...] hay imágenes que nunca olvidaré. [...] Hay mucha mediocridad en el mundo y uno agradece los momentos de inspiración".[35] No será casual, por lo tanto, que en *Mexican Heritage* el libro que llegó a publicar en 1946, aparezcan unos paisajes mexicanos (de pirámides o arquitectura colonial, de desiertos volcánicos) poblados lo mismo de oscuras que de blancas nubes.[36] Los aprendizajes/enseñanzas habían dado la vuelta, como muchas otras veces lo harán.

III

Hasta aquí hemos mencionado la modernidad que se venía dando en la fotografía y que, sin duda, fue una condicionante para lo que después se daría en otros medios, como necesarios y obligados vasos comunicantes pero, ¿cómo esto permeó en el cine mexicano y, precisamente, en la fotografía de Gabriel Figueroa?

Podría parecer un tanto desorbitado trasladar las propuestas de esas modernas gramáticas, que se comenzaron a dar en Europa y los Estados Unidos, a las prácticas visuales que se dieron en México. Pero no hay que olvidar que los años veinte y treinta fueron fructíferos en la interrelación de nuevas búsquedas artísticas que se nutrieron entre sí (¿cuánto del grabado japonés no hay en el pictorialismo?). Por eso, he

IDOLS BEHIND ALTARS

ANITA BRENNER

1. HAND OF THE POTTER AMADO GALVAN
Photograph by Edward Weston

HARCOURT, BRACE AND COMPANY
NEW YORK

Portadilla del libro Idols
Behind Altars *[Ídolos
tras los altares] de Anita
Brenner. Ejemplar de la
primera edición publicada
en 1929, que formó parte
de la biblioteca de Gabriel
Figueroa. La imagen que
abre la publicación es
la fotografía de Edward
Weston titulada* Hand of the
Potter Amado Galván *[Mano
del alfarero Amado Galván].
Archivo Gabriel Figueroa.*

ahí a personajes mexicanos estudiando y aprendiendo lo que se daba en Norteamérica (Roberto Gavaldón, Chano Urueta, Emilio Fernández, el mismo Figueroa); o europeos y estadounidenses llegando a México para conocer la ya mítica cultura de la posrevolución (entre artistas e intelectuales, esa sería una nómina impresionante) que, a su vez, informaron a otros lo que aquí sucedía (como los libros realizados por Ernest Gruening y Anita Brenner que fueron fundamentales en el conocimiento de México). Entonces, el ejercicio que hay que poner en práctica es detectar esas interrelaciones estéticas, la manera en que se nutrían o se devoraban entre sí (o se llevaban a su exaltación, ya reconfiguradas, en nuevos medios) todas esas vanguardias de la primera mitad del siglo XX.

Abordemos un fragmento de *Víctimas del pecado* (Emilio Fernández, 1950) en una escena magistral. Las referencias de época de esta película ponen énfasis en la fotografía de Figueroa que ahí, según el periodista Ricardo Alba, "tuvo que olvidar el paisaje en descampado, para encerrarse en artístico combate con el paisaje pétreo de la ciudad".[37] Y se le elogiaba porque: "Nunca se ha visto en la historia del cine, fotografía del cielo de noche con la luna, que tenga más valor técnico y artístico". Así, a Fernández se le reconocía su virtuosismo "por pescar ángulos interesantes" y a Figueroa, en tanto "no dejó vagar su lente por la maravilla del paisaje mexicano, optando por ceñirse más al tema, por ir de la mano con la acción". Fue Álvaro Custodio quien detectó una escena que, al paso de los años, sigue siendo notable por sus vínculos vanguardistas. El 4 de febrero de 1951, Custodio escribió para *Excélsior* lo que sigue:

El puente y la barriada de Nonoalco han sido explotados muchas veces en el cine nacional, pero hasta ahora, gracias a *Víctimas del pecado*, no

adquirió carta de naturaleza. Es un hallazgo haber situado la entrada de ese cabaret, La Máquina Loca, en un recodo de la vía del tren, donde luego se desarrolla la tragedia culminante del *film*. Y allí consiguen Emilio Fernández y Gabriel Figueroa una de las más bellas estampas cinematográficas, de gran sabor poético, cuando la protagonista se asoma al puente al paso de los trenes en un amanecer brumoso y cargado de humo que envuelve su figura enlutada. Página de antología en el difícil arte de dirigir y fotografiar películas.[38]

Mientras, en *El Universal* se dijo que la novedad de Figueroa "está en que juega con el humo de las locomotoras, logrando imágenes efectistas".[39] Una escena de abandono y depresión que afecta a Violeta (Ninón Sevilla en una soledad inconmensurable) que se desarrolla, efectivamente, en medio de la humeante bruma. Por un momento ella se encuentra frente a la estación de trenes en donde las nubes, ahora, se han convertido en envolvente humo. Todo el espacio es dominado por una niebla gris que se inmiscuye en el espíritu de Violeta quien mira el tránsito de las locomotoras, las vías, los postes de transmisión en medio de ese paisaje que se niega a ser iluminado por el sol, que apenas levanta luchando contra la oscuridad. Y ahí ella se vuelve parte de un territorio inhóspito, puro abandono en medio de la frialdad de lo mecánico. Violeta, enrebozada como sombra solitaria, una mínima figura oscura que

se recorta en medio de un humeante infierno pletórico de grisuras, descenderá del puente a través del entramado de unas escaleras, inmersa en la acechanza de ese universo asfixiante. Una caída hacia las sinuosidades humeantes del inframundo. Hasta que el plano cambia.

Ninón Sevilla como Violeta en un videograma digital de la película Víctimas del pecado (Emilio Fernández, 1950).

¿A qué cultura visual pertenece esta imagen? Podríamos arriesgarnos y decir que, evidentemente, al más absoluto espíritu pictorialista. Una obra, o dos, de Stieglitz lo podrían confirmar: sobre todo *The Hand of Man* (1902), una de las obras cumbres de su primera etapa, o *In the New York Central Yard* (1903), publicadas en su momento por *Camera Work* en octubre de 1911, y después reproducidas copiosamente.[40] En ambas, los temas son las humeantes estaciones de trenes, sus vías, y una pálida luz en medio de la polución que se resiste a la llegada del día. Una atmósfera en donde el universo urbano, con el diseño industrial dominado por la vías y el cruce de trenes, todo lo domina con una pasmosa frialdad. Pero algo más sucede en el deambular desolado de Violeta en esa madrugada. Cuando baja del puente y su oscura silueta se perfila en medio de las escaleras, estamos ante una acabada resolución de la fotografía purista que se había gestado en Norteamérica. O más específicamente, en un transición entre el pictorialismo y la modernidad purista, un suceso en donde se da el entrecruce de ambas corrientes. Un momento en el cual las estructuras urbanas devoran y aplastan la transitoriedad vital que aquí ha sido disminuida. El triste paisaje citadino, en la maestría de esta secuencia, ha inundado de desesperanza al personaje y, por consecuencia, al espectador.

Lola Álvarez Bravo. Unos suben y otros bajan, ca. 1940. Colección Fundación Televisa.

La líneas convergentes de las escaleras que cruzan la imagen tienen eco con toda la modernidad de entonces, provenga ésta de Norteamérica (Charles Sheeler), de Francia (Germaine Krull) o de Alemania (Renger-Patzsch, Moholy-Nagy), que recurre al objeto metálico para crear sus formas estructurales, pero también se relaciona con otra vanguardia, la que se había gestado en la Rusia de la posrevolución: el constructivismo, que utilizó la diagramación de estructuras arquitectónicas, urbanas, industriales, para crear un nuevo punto de vista. A esto estaba respondiendo esa secuencia realizada por el dúo Fernández-Figueroa. Pero contra el irremediable advenimiento de la frialdad de un mundo industrial, que muchos de esos vanguardistas exhibieron, los cineastas mexicanos estaban creando, con los

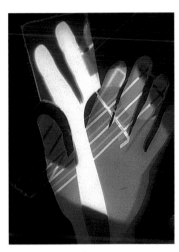

László Moholy-Nagy.
Fotograma de Hands
and Paintbrush *[Manos y
brocha], 1926. Ford Motor
Company Collection.*

recursos de la modernidad, un microuniverso de lo fatídico. Y, yendo más allá, aquí no podemos olvidar otra obra con la que se establecen vínculos como *Unos suben y otros bajan, ca.* 1940 —la subida y bajada de unos taciturnos viandantes en unas escaleras, las siluetas en sombra que forman parte de la estructura visual—, de Lola Álvarez Bravo.

En el uso de la iluminación nocturna exterior ocurre otro suceso que en todas estas interconexiones no puede dejarse de lado: en medio de las extensas sombras que suelen extenderse a toda la atmósfera —que quiere decir a todo el cuadro—, los personajes emergen iluminados, por una farola, por el quicio de una puerta iluminada, en una especie de concentrada isla lumínica a través de la cual se recortan sus siluetas, o que interactúan con otras sombras que se cruzan, y en donde los fragmentos de los pisos, de las aceras, adquieren fragmentariamente una brillantez metalizada (las callejuelas de *Prisión de sueños*, Víctor Urrutia, 1948), a la manera de como lo exaltó Brassaï en *París de noche* (1933).

Mientras, otra cosa ocurre con la disolvencia, ese encadenamiento entre una escena y otra. El fotomontaje fue extensamente utilizado por casi todos los artistas de la modernidad y de todas las corrientes (de Hannah Höch, Moholy-Nagy y Lissitzky, a nuestro más cercano Emilio Amero). Con mucho de efecto propagandístico, ésta era una imagen en la que se resumían una simultaneidad de intenciones. Raoul Hausmann llegó a detectar su forma desde el cine silente, como un recurso que

Brassaï *(Gyula Halász).
De la serie* París de
noche, *1933. Archivo
Luna Córnea.*

producía, dijo, "cambios en el medio ambiente, en la estructura social, resultando superestructuras psicológicas", a partir de una "explosión de puntos de vista y un giro de confusión en los planos de la imagen".[41]

El fotomontaje, trasladado al discurso cinematográfico como la disolvencia, ofreció la idea de interconexiones simbólicas entre dos circunstancias que eran cambiantes según el personaje que las viviera. Y ahí estaría el triunfo, como gran luminaria del cine, de Paquita (Manolita Saval) cuando su rostro es rodeado de aplausos de manera notable en *¡El viejo Verde!* o *Papacito lindo* (Fernando de Fuentes, 1939); o esas manos, también aplaudiendo, que se sobreimponen al pastel del hijo adoptivo Juanito (Ismael Pérez) en *Víctimas del pecado,* una imagen que todavía no presagia la pérdida de todo; o un profundo temor que llega hasta la pesadilla (el sueño del niño en

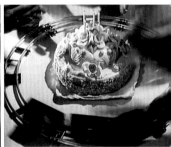

Los olvidados, Luis Buñuel, 1950). Era un tiempo, evidentemente, de búsquedas significantes, vinieran de donde vinieran.

En Figueroa, y en algunos de sus directores, la visión sobre la
estructura industrial, sobre las edificaciones urbanas, se volvieron
apuntes que apoyaron al relato cinematográfico, incluso en medio de
los universos rurales. Apuntes gráficos que parecían sacados de otras
circunstancias, pero que se insertaron en lo narrativo para reafirmar
otras desesperanzas, o más incertidumbres. Imágenes pasajeras sólo
al parecer, pero que nunca fueron fortuitas. Porque el azar aquí siempre estuvo completamente eliminado. He ahí el plano cerrado a las
chimeneas del barco que trae a un fugitivo y que, en su regreso, está

*Videogramas digitales
de las películas* Víctimas del
pecado *(Emilio Fernández,
1950) y* Los olvidados
(Luis Buñuel, 1950).

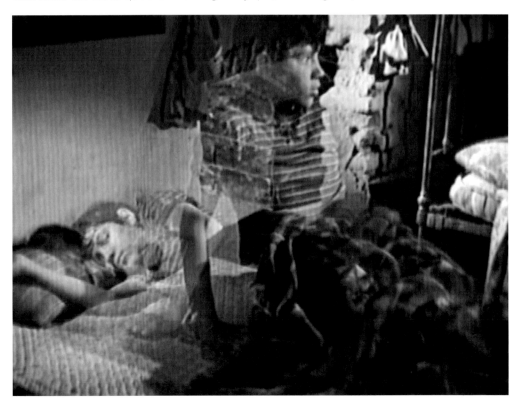

por llevarse al sacerdote (Henry Fonda) salvo porque éste, en el límite de su propio rescate, es solicitado por un niño cuya madre se muere en ese opus sombrío que es *El fugitivo* (John Ford, 1947). ¿Qué hace ahí esa imagen fija en donde sólo el humo tiene movimiento? Un cuadro

Charles Sheeler.
Ship Funnel *[Chimenea de barco], 1927. Colección George Eastman House.*

que se repite dos veces, exactamente el mismo, en dos circunstancias diferentes: una llegada inquietante y una huida hacia la salvación, en ambos casos un gélido presagio, como la estructura metálica que exhibe. Un encuadre en donde la masa de las torres, de circularidades metálicas, llena la imagen con sus formas. De la misma manera en que Charles Sheeler (*Ship Funnel*, 1927) o Willard Van Dyke (*Funnels*, 1932) registraron las chimeneas de los barcos en acercamiento extremo; o del mismo modo en que Bourke-White (en la primera portada de *Life*) y Weston, pusieron énfasis en las torres industriales.[42]

La práctica constructivista, con Rodchenko a la cabeza, estableció una perspectiva fuera de lo común, acentuada en el picado y contrapicado, lo que se conocería como el punto de vista del gusano y del ave, en esas formas ascendentes o en fuga (muy pronto, o casi de manera simultánea, esto también lo hizo la fotografía purista norteamericana). Y esto tenía un razonamiento no sólo ideológico sino también estético. Una solución visual que de muchas maneras fue aplicada a una nueva visión en Rusia y, para el caso de México, en un cine que se nutrió inusitadamente de ella.

Un plano apegado al constructivismo se vio aislado, pero efectivo, en *Los millones de Chaflán* (Roberto Aguilar, 1938). Carlos López *Chaflán*, como Prisciliano ya rico, llega al lugar que será su nueva casa, el edificio Ambassador. En un primer plano abierto se ve a la familia descender de un auto. Y en otro, Prisciliano voltea hacia arriba, consternado, a ver el nuevo lugar que habitará: un edificio que se levanta hacia los cielos (sin nubes) en perspectiva ascendente. En el enfrentamiento entre el universo rural y el citadino, ya desde aquí las estructuras arquitectónicas, sin más remedio, lo comenzarán a aplastar. La lucha entre el bucólico universo rural y la aplastante urbanidad ha comenzado con una imagen

Videograma digital de la película The Fugitive *[El fugitivo], dirigida por John Ford en 1947.*

que, por otro lado, exhibe la modernidad visual en su agobiante monumentalidad arquitectónica. Inicialmente, esa manera ya aposentada en México de resolver la visión sobre la modernidad arquitectónica, venía desde la irrupción de una generación de vanguardia en el concurso La Tolteca de 1931 (esos silos de la fábrica que se levantan erguidos, y en perspectiva, de Agustín Jiménez), como igualmente en el modo en que Esther Born vio la nueva arquitectura mexicana. Aunque el conocimiento del constructivismo venía también de la amplia difusión de la revista gráfica *La URSS en construcción*, de obligada lectura para el pensamiento socialista. Pero su origen poseía un marco más amplio y un planteamiento social más complejo.

Desde los planteamientos constructivistas —que tenían a su vez vínculos estéticos, aunque no sociales con otras vanguardias— había que crear una nueva conciencia, y eso lo ofrecía la nueva realidad industrial. En la conjunción de las circunstancias sociales que emergían, debía contribuirse a "revolucionar el pensamiento visual" para trastocar la mirada tradicional. Se comenzaron a dar los escorzos de rostros y cuerpos, primerísimos planos a los objetos, las formas oblicuas o en punto de fuga que ofrecen un plano dinámico, en evolución. Había aquí una reconsideración sobre los universos visuales.

Videograma digital de Los millones de Chaflán *(Rolando Aguilar, 1938). Toma del edificio Ambassador, lugar donde llega a residir la familia de Prisciliano (Carlos López Chaflán) cuando se muda de Vallecillo, Tamaulipas, a la ciudad de México.*

"Al mostrar las cosas corrientes bajo una luz que no lo era, las técnicas artísticas [...] debían de contribuir a esta toma de conciencia de la relación del hombre con el universo; [...] los primeros planos y los ángulos de visión dinámicos, tenían que romper los automatismos de la percepción y agrandar el campo de la conciencia", advierte la historiadora Rosalind Sartorti, apoyada en lo que, al respecto, Rodchenko señalaba: "Si presento un árbol visto de abajo a arriba, como un objeto industrial —una chimenea, por ejemplo—, supondrá una revolución para el ojo del pequeño burgués [...] gracias a ello, aumento nuestro conocimiento de los objetos cotidianos ordinarios".[43] Al tratarse de personajes, éstos adquirían una dimensión sobrehumana: en Rusia, al obrero se le deificó con el contrapicado, mientras que en los planos cinematográficos de los cineastas mexicanos estas soluciones adquirirán distintos matices.

Agustín Jiménez.
Vidente. *Imagen publicada en un suplemento del Partido Nacional Revolucionario. Archivo María Jiménez.*

En el constructivismo se retomó formalmente la estructura de los iconos rusos: esas figuras en triángulo o en pirámide, en ascenso, rematadas en una aureola circular. Esto, en la práctica de una nueva visión, se tradujo permanentemente en dos líneas rectas que convergen en un círculo; y esto podía verse de manera transversal, horizontal o vertical; en circularidades en punto de fuga (los círculos de las máquinas o de las cabezas), pero la forma sustancialmente ahí estaba dada. Eso lo hizo Rodchenko o Boris Ignatovich; o bien Lev Kulechov y Dziga Vertov. También otro personaje más salido del círculo de la revista *Lef* (frente artístico de izquierda) quien sería bien conocido en México: Sergei Eisenstein, quien ya desde *El acorazado Potemkin* (1925) lo dejó ver, y quien se encontraba consciente, en su teoría sobre el montaje, de la "serie de representaciones *geométricas*" que podía poseer un plano. No por nada en su libro-manifiesto, *El sentido del cine,* pone atención a las composiciones pictóricas: digamos, en Jan van Eyck y su obra, *Juan Arnolfini y su esposa* (1434), "empleó tres puntos de huida [...] qué maravillosa intensidad de profundidad gana la pintura con ello". Y agregaba, interrogándose sobre otras referencias posibles en las imágenes: "¿No han usado los grabadores japoneses *super-close-ups de primeros planos* y rasgos eficazmente desproporcionados en *super-close-ups de rostros*? [...] ¿Dónde, por ejemplo, podemos encontrar en el pasado tal grado de simultaneidad de puntos de vista desde arriba y abajo, de planos horizontales y verticales?".[44]

Las búsquedas de Eisenstein terminaron por aplicarse a su montaje de atracciones, en donde se podía establecer "una conexión entre la representación y la imagen que ella evoca en la conciencia y los sentimientos". Por algo, al enviarle a Upton Sinclair un bosquejo sobre *¡Que viva México!,* resume así un conflicto de clases, que es también una resolución visual: "las sombras triangulares de los indios que copian la forma del eterno triángulo de Teotihuacán".[45]

Videograma digital del pietaje de ¡Que viva México! (Sergei Eisenstein, 1931 - 1932). Edición de Grigory Alexandroff, asistente del director durante el rodaje.

La utilización del plano constructivista puede visualizarse en distintas puestas en escena. En la primera película del dúo Fernández-Figueroa, *Flor silvestre* (1943), se pueden distinguir este tipo de planos en una de las secuencias finales. Cuando los falsos revolucionarios, al mando de Rogelio (el propio Fernández), se preparan para disparar contra José Luis Castro (Pedro Armendáriz), hay una formación en perspectiva de la fusilería y de los ejecutores, dominada por un cielo apaciblemente grisáceo. La alineación del grupo va de un personaje en primer plano ubicado a la derecha del encuadre, hasta el lado izquierdo de la formación de los otros espectadores (Rogelio entre ellos), cuyo último elemento se distingue en un plano inferior. Esta toma se basa en principios constructivistas, aunque en ella también se rememora a Leopoldo Méndez, como se verá más adelante.

Por otro lado, en el acomodamiento de la soldadesca que hace oír sus tambores en *Un día de vida* (Emilio Fernández, 1950), una imagen oblicua en donde la circularidad de los tambores desciende al mismo tiempo que la línea transversal del pelotón, reflejando sus sombras en el suelo de tierra en un día luminoso.

En la solitaria calle semioscura, que se pierde en la profundidad de la noche, sólo habitada por prostitutas formadas en perspectiva en espera del cliente (*Víctimas del pecado*), que termina por rematar con un brillante farol al fondo; o en ese cruce ahí mismo por las vías de los trolebuses que en lo oscuro de la vaciedad de la noche —sólo cruzada por dos personajes— muestran las líneas del brillante metal en ascenso, que remata en el margen superior izquierdo con la semicircularidad de un trolebús (un plano que envidiaría Rodchenko en su gran preocupación por exaltar la línea explícita en la composición de la imagen).

En otros planos, como en *Río Escondido* (Emilio Fernández, 1947), hay en la manera en que las mujeres son formadas en el aljibe del reseco pueblo, una ancestral solemnidad religiosa. Si en el constructivismo se creaba, con la composición vital del obrero, a un héroe inmerso en la producción industrial, con los indígenas de *Río Escondido* se establece un ritual cargado de desesperanza (pero que a su vez va a ser generador

Fotogramas de las películas Flor silvestre *(1943),* Un día de vida *(1950)* y Río Escondido *(1947), dirigidas por Emilio el Indio Fernández. Imágenes procesadas digitalmente e impresas por Gabriel Figueroa Flores. Archivo Gabriel Figueroa.*

Ninón Sevilla en el papel
de la prostituta Violeta.
Fotograma de la película
Víctimas del pecado
(Emilio el Indio Fernández,
1950). Imagen procesada
digitalmente e impresa
por Gabriel Figueroa Flores.
Archivo Gabriel Figueroa.

de una ira que cambiará las condiciones del pueblo). Por eso, poco comprendió Álvaro Custodio —quien sólo unos años después rescataría la escena de Víctimas del pecado— sobre la dimensión compositiva, porque dijo: "Agréguese —ya con fastidio lo escribía— la preocupación obsesiva por componer el cuadro, buscando efectos de plasticidad donde las figuras o los objetos inanimados —como aquellos árboles retorcidos y espectaculares— ocupen siempre un plano pictórico". Poca intuición porque ¿cómo podía sustentarse un acabado compositivo si no fuera, en ese momento, por la tradición pictórica y fotográfica? Toda una historia de la visualidad que, a pesar de todo, ya había inundado al cine.

El efecto de una cultura moderna que provenía de la fotografía y la pintura, y que se había extendido al cine, lo llegó a analizar el teórico cinematográfico Jacques Aumont, no sin dejar de advertir que el cine es, sobre todo, "tiempo en estado puro", narrativa de tiempos conjuntados. Al respecto llegó a plantear estas interconexiones y puso de manifiesto las maneras en que el cine prolonga el discurso estático. Y con ello volvió a advertir: "El cine, por construcción, es todo salvo un arte de lo instantáneo. Por breve e inmóvil que sea un plano, nunca será condensación de un momento único, sino huella siempre de una cierta duración". Con todo, y siguiendo a André Bazin, agregó: "el cine, por su mismo dispositivo, no podría dejar de prolongar, perfeccionándolo, el poder de revelación de la foto y, accesoriamente, de la pintura". Aunque también, con ello, se dio otra circunstancia, en donde "el hecho inverso puede ser igualmente verdadero. Cómo el cine prolonga y recupera la pintura, e incluso la foto, en su búsqueda de una síntesis y de una *pregnancia*".[46] Por lo menos en la historia del cine mexicano esto adquirió proporciones gigantescas. Entonces, podemos aquí seguir afirmando que los grandes hallazgos de los cineastas mexicanos de los años treinta a los cincuenta, se basaron en un conocimiento extenso y erudito de una cultura más vasta de las imágenes, llevándola literalmente a otros planos. Revisándola y reconfigurándola. Veamos si no.

IV

Tres cineastas mexicanos pusieron de manifiesto una pista que hay que seguir. Pero ésta es una referencia que, aunque es más que evidente, poco se ha retomado: una cultura cinematográfica, de la década de los treinta y de las dos décadas que le seguirían, poseyó sus raíces en el empuje nacionalista del ideario de José Vasconcelos. Ahora bien, ¿de qué manera?

Diana (Silvia Pinal) y Luis (Sergio Bustamante) en una secuencia de persecución que tuvo entre sus locaciones un "encierro" de tranvías. Película Una golfa, *dirigida por Tulio Demicheli en 1957. Fotograma procesado digitalmente e impreso por Gabriel Figueroa Flores. Archivo Gabriel Figueroa.*

Un maestro de entonces, Juan Bustillo Oro, en *Viento de los veintes*, ofreció un personal testimonio de esa década, del efecto que las ideas de Vasconcelos tuvieron en muchos jóvenes que como él se desarrollaron en esos años (Chano Urueta, Mauricio Magdaleno, entre otros personajes que menciona). Bustillo Oro, quien fue un adepto como muchos de la doctrina de este filósofo y político, es explícito: "Nos mostró, en suma, la patria casi del todo por hacer; por hacer con sus propias virtudes. Vasconcelos nos dio el estatuto para hacerla, nos dio la azada y nos mostró la azanca en la que beber la fuerza espiritual que nos sostuviera".[47] Y eso no era más que el rescate de un nacionalismo propio, plenamente surgido de lo hecho por y desde la cultura en México.

Alejandro Galindo también lo evidencia. En sus reflexiones de *El cine mexicano, un personal punto de vista* reitera que en los años 1920-1925 Vasconcelos dio un impulso evidente a las artes. "Busca, anima y patrocina a los jóvenes a quienes ha de responder la revolución. Busca hacer de esos jóvenes los futuros rectores del pensamiento". Y así es como se comienzan a dar las repercusiones:

> La siembra habría de fructificar en los años treinta; cuando irrumpe el cine mexicano, esos jóvenes llegaron a hacer los primeros aportes a la pantalla. *El prisionero 13* de Miguel Ruiz, 1933; *El compadre Mendoza* de Mauricio Magdaleno y Juan Bustillo Oro, 1934. Con eso se iniciaba lo que hubiera podido llegar a ser el camino del despertar y la formación del alma colectiva de un pueblo que se debate aún en la discusión de ideas, sentimiento y personajes.[48]

Galindo cita al cronista José María Sánchez García sobre la repercusión que las iniciales películas nacionalistas tuvieron (*¡Ora Ponciano!, Cielito* *lindo* y *Allá en el Rancho Grande*), al mostrar "hasta qué punto el público latinoamericano esperaba de México películas *mexicanas*, es decir que fueran vehículos del muy peculiar color nacional mexicano". Junto a las películas que ya había puesto de relevancia, el cineasta escribe de manera notable:

> Este entusiasmo fue consecuencia de descubrir en ellas (*El compadre Mendoza* y *El prisionero 13*) pruebas fehacientes de que lo relativo a México era fotografiable, dramáticamente fotografiable. Todo lo producido anteriormente sobre México y los mexicanos, se pensaba, dejaba mucho que desear, tanto las cosas como los hombres, y las relaciones humanas. Estos hechos, lo fotografiable y el entusiasmo, animaron a quienes cultivaban inquietudes cinematográficas, contenidas hasta el momento, por inseguridad, ignorancia o miedo al empleo del nuevo medio de expresión desconocido. Se dijeron entonces los inquietos que nuestra tierra podía ser escenario para el cine. Esta última conclusión los condujo a llevar a la práctica sus sueños. El año siguiente, 1934, habría de comprobar que los sentimientos de aquellos inquietos no estaban mal fundados.[49]

Un testimonio de recuperación de memoria colectiva que es aquí clave. Porque de ahí surgirían las condicionantes que precisamente le faltaban al cine, al cine mexicano. Siguiendo por esos planteamientos, nuestro tercer personaje aquí es, desde luego, Gabriel Figueroa. Él mismo será quien partícipe de una compleja referencialidad de la cultura visual.

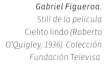

Gabriel Figueroa.
Still *de la película*
Cielito lindo *(Roberto
O'Quigley, 1936). Colección
Fundación Televisa.*

Figueroa señala en sus *Memorias* que desde la segunda mitad de los años treinta se había dado una cierta mística nacionalista con películas que abordaban una temática mexicana —como *El compadre Mendoza* (1934) o *Allá en el Rancho Grande* (1936)—, en momentos en que otras artes ya iban en avanzada:

> Sin haber hecho ninguna asamblea ni nada, sino por la propia ener-
> gía de cada uno, desarrollamos nuestras actividades con esta "mística
> mexicana". Los que menos problemas tenían eran los pintores, pues ya
> había desarrollado la pintura mural, que era un arte completamente
> mexicano. En el cine, nosotros pusimos nuestro grano de arena... En lo
> que toca a mi parte, a la fotografía, se logró una imagen mexicana.[50]

Y por ahí es que provienen sus acercamientos a la plástica de Posada, Orozco, Leopoldo Méndez o Siqueiros. Hay en este impulso que proviene de la doctrina vasconcelista una búsqueda para la creación de bienes culturales y la consolidación de lo nacional. "Por primera vez —escribe Claude Fell— se reconocen las implicaciones económicas de una polí-tica cultural aplicada al máximo nivel, en la medida en que se trata de satisfacer las 'necesidades estéticas' de la sociedad mexicana (no sola-mente las de la 'alta sociedad', sino las de la población en general)".[51] Toda una gran cruzada cultural para la recuperación de lo propio del país que proviene de lo prehispánico, lo colonial y/o lo popular, pero que también retoma a las vanguardias europeas para lograr una identidad

plenamente moderna. Y en ese proceso hay todo un redescubrimiento del país desde diversos ámbitos. Desde el rescate de lo popular, ahí está la fuerza con que toda una iconografía mexicanista repercutió en múltiples representaciones. Ése es el gran marco en que todas las artes mexicanas crecieron hasta llegar a una cierta identidad propia, que en realidad era una meticulosa construcción sobre la visión de una nación.

"Lo mexicano" alcanzó así proporciones descomunales, y complejas en sus interconexiones, sobre todo con el cine. Pero esto, antes que el cine mismo encontrara la veta, ciertamente había sido ya codificado por otros medios: por el Muralismo, ni se diga; por la fotografía —a partir de Weston y Modotti, por un lado, y Librado García *Smarth* por el otro, quien llevó la imagen de lo mexicano hasta la exquisitez pictorialista—, y por decenas de libros de viajeros que hasta entonces habían divulgado la imagen de un México bucólico, un tanto extraño y exótico, lo cual se quería poético. Por eso cuando *el Indio* Fernández *todoabarcador* advirtió que "sólo hay un México, el que yo inventé", más bien habría que matizar sobre que hubo muchos inventores de este país pero que esto se hubiera dado de manera diferente de no ser por el impulso de la ideología vasconcelista. Y por el mismo medio cinematográfico que a él, en sus hallazgos, le tocó enaltecer.

Ya hemos visto la declaración abierta que hace Figueroa sobre sus aprendizajes de lo pictórico. Eso pareciera arrancar desde antes que entrara de lleno al cine, en los primeros años de la década de los treinta:

> Recuerdo que en una ocasión un señor de aquella época, de apellido Alatriste, me contrató cuando yo todavía no entraba al cine, para que le hiciera unos paisajes que había pintado José María Velasco. Él tenía localizado los sitios donde el pintor había trabajado. De tres locaciones distintas hice una sola foto y apareció exactamente el cuadro de Velasco. Claro que estaba familiarizado con su pintura, pero lo mío resultó ser otra cosa.[52]

Evidentemente, la transposición de los lenguajes visuales implica el cómo se dan cada uno de ellos (digamos, el grabado, la pintura) y cómo se reorganizan en otros con características propias (en el cine). Por lo pronto lo que aquí nos interesa es encontrar una genealogía, un pedazo de esa historia de interconexiones, que prefiguró al cine mexicano, a la gramática de algunos directores y a la fotografía de Gabriel Figueroa.

De todo ese movimiento que surge en los años veinte hay dos libros que merecen atención, porque vienen a ser una especie de recuento testimonial de lo sucedido en esa década. Aunque más inserto dentro de lo social y lo político, *Mexico and Its Heritage*, de Ernest Gruening, publicado en 1928, se convirtió en una fuente imprescindible para comprender al México de la posrevolución. Lo relevante es la inserción de las imágenes ahí publicadas que poseen ecos con las resoluciones de la mancuerna Fernández-Figueroa. Por sólo mencionar dos, he ahí los vínculos de *Las soldaderas* de Orozco, en la Escuela Nacional Preparatoria, con el final de *Enamorada* (Emilio Fernández, 1946), cuando las soldaderas parten con sus hombres; o el fusilamiento en *Flor silvestre* (Dolores del Río implorando la salvación de su marido, mientras que, en otro plano, se verá en perspectiva a la soldadesca) nada menos que a la par misma de *El fusilamiento* (1928) de Leopoldo Méndez, una pintura reveladora de cómo un cuadro pudo conjuntar una escena que después se desplegaría en una secuencia cinematográfica.[53]

Tina Modotti / Edward Weston.
Reprografía del mural de José Clemente Orozco *Revolucionarios (1923)*, ca. 1926. Archivo Anita Brenner. Cortesía Susannah Glusker.

Pero hay aquí una genealogía más directa, con distintas ramificaciones, en un libro que se volvió fundamental para la construcción de una nueva visualidad sobre lo mexicano (en especial sobre la muerte). Ése fue *Idols Behind Altars*, publicado por Anita Brenner en 1929.[54] Y el cual, no por nada, formó parte de la biblioteca personal de Gabriel Figueroa. Este libro ya ha sido ampliamente analizado en sus contenidos,[55] pero escasamente en la repercusión que sus imágenes tuvieron para el cine. Imágenes que provienen de pintores y grabadores mexicanos y, sustancialmente, de fotógrafos (Weston y Modotti, contratados para hacer todas las fotografías del libro). Fue Eisenstein precisamente quien reparó en él para apoyarse en la creación de su película incompleta. "Sergei Mijailovich —escribe su biógrafa Marie Seton— sabía lo que estaba buscando. Encontró su idea clave en el libro *Idols Behind Altars* [Ídolos tras los altares] de Anita Brenner. Fue este libro el que cristalizó su sueño de un filme mexicano".[56] Y esto se hace evidente cuando de sus páginas retoma *Entierro de un obrero* de Siqueiros, un fresco incompleto y lapidado en la Escuela Nacional Preparatoria que Brenner rescató para su libro.

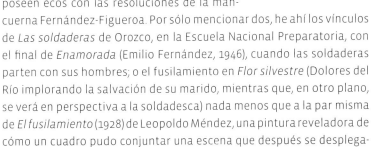

Videograma digital de la escena final de *Enamorada* (Emilio el Indio *Fernández, 1946*).

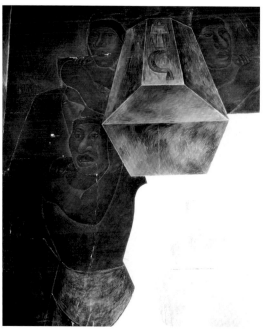

En esa imagen tres personajes conducen de frente un ataúd (la otra figura que debiera sostener el féretro por uno de sus lados no está terminada). Hay ahí un acabado formal de perspectiva en ascenso. Y eso también se verá en el "Prólogo" de *¡Que viva México!*: el plano en donde unos campesinos conducen un ataúd de madera donde sobresalen unos pies. Aunque Eisenstein cambia la perspectiva, ahora aquí se ve un contrapicado que pertenece a la visión constructivista (la triangulación de las figuras en ascenso), esencialmente retomado de Siqueiros. Mientras, en "Maguey", casi al inicio del capítulo, se apropia de la monumentalidad del maguey de Weston que había aparecido en el libro de Brenner (un plano cerrado a esta planta), haciéndolo figurar, desde diversas perspectivas, en otros planos subsecuentes donde se recorta la figura del cactus, con cielos marcados por unas nubes grisblanquecinas.

Eisenstein se apropia así de una iconografía ya preestablecida por otras prácticas que incluso provenían del siglo XIX: ese ranchero frente a las pirámides de Teotihuacán; ese indígena yucateco junto a las ruinas mayas, para hablar del pasado ancestral de donde surgía la raza mexicana; o el estereotipo sobre "el buen salvaje" (la desnudez de las mujeres de Tehuantepec en medio de la exhuberancia selvática). Entonces, ¿hasta dónde se podría decir que el cineasta ruso nutrió las construcciones visuales del cine del dúo Fernández-Figueroa? ¿No se debiera seguir hablando aquí de retroalimentación?[57]

Claro, pero es ante esas imágenes —en una primera instancia— que *el Indio* Fernández se maravillaría en Los Ángeles, durante la proyección, en 1933, de *Tormenta sobre Mexico* (el capítulo "Maguey" de *¡Que viva México!*). Acaso eso fue porque todavía no sabía, o bien a bien todavía no sospechaba, de dónde provenían. Por eso he ahí al *Indio* Fernández rememorando:

> Por aquellos días muchos pensábamos que sólo en Europa o en Hollywood se hacía cine. No sabíamos que también en México ya se estaba haciendo. No sabíamos, en Los Ángeles, que se hacían películas mexicanas. En la sesión estaba el señor Sergio Eisenstein. Yo me impresioné mucho, me emocioné mucho. Yo no sabía que el cine podía ser algo tan grandioso, tan bello. Además vi a mi México y eso fue también

emocionante. Me dije que yo tenía que hacer cine. Cine mexicano. Así que tomé esa decisión ese día, viendo el trabajo incompleto de Sergio Eisenstein.[58]

Después, no por nada, llegará a la Ciudad de México buscando a Diego Rivera, a principios de 1934.

Por otro lado, el efecto de este cuadro de Siqueiros —que curiosamente no existía sino sólo era visible por medio del libro de Brenner— no se quedó ahí. Un plano similar se dio, muy poco después, con *Redes*, en un cuadro seguramente planeado por Paul Strand, precisamente durante el funeral de uno de los pescadores. Ahí, éstos miran en lontananza y cargan el cuerpo de su compañero muerto —no en un ataúd sino envuelto en un petate—. Misma resolución en contrapicado, similar disposición en la que el cuerpo/féretro domina la contenida furia/resignación de los personajes.

Esto no fue tampoco ajeno para Gabriel Figueroa. En una conferencia ofrecida en 1981, detectó esa referencia retomada por Eisenstein que provenía del libro de Brenner, "libro magnífico" en sus palabras. Y ahí pone de manifiesto la construcción visual: "Composición para las gentes que conducen el ataúd sobre sus hombros, esta es una dinámica composición, interpretación de David Alfaro Siqueiros, en un lapidado mural, sin terminar, titulado *Burial of the Worker* conmemorando el asesinato de Felipe Carrillo Puerto, gobernador de Yucatán". En esa misma charla, Figueroa dio cuenta de su conocimiento sobre el cineasta ruso. Puso énfasis en su acabado compositivo, de los peones enterrados en el capítulo Maguey, señala que Eisenstein "los vio y notó que aún estaban enterrados hasta el cuello en forma de triángulo, como la composición de Cristo y los dos ladrones en la historia". Y a esto agregó:

En ese momento S.E. dijo que sintió "la verdad", tendida en la base de la composición. La "coincidencia" lo convenció de la "forma esencial", particularmente de pirámide o triángulo, de símbolo de la relación

Videogramas digitales del pietaje de ¡Que viva México! (Sergei Eisenstein, 1931-1932). Secuencia filmada en Yucatán. Material utilizado en el documental Eisenstein en México. El círculo eterno, *realizado por Alejandra Islas en 1996.*

entre Dios, hombre y universo, era el signo de esta alta verdad. [...] Tan profundo él sintió esta experiencia que subsecuentemente lo *cientificó* [el subrayado es de él], no intentó racionalizarlo. Él aceptó esta revelación como descubrimiento de profunda verdad, y durante los años 33 y 34 él construyó su teoría de la composición con esta base. [...] Su significado del elemento composición en México obtuvo su profunda influencia, bajo el impacto, él se convenció que para su futuro trabajo [la] composición, en cada uno de los cuadros de la película, debería ser igual en importancia que el montaje, en su formación de su base estructural de la dinámica del film montaje, permanecía como el método para dar ritmo y énfasis a la fuerte unidad de composición de un simple "cuadrito".[59]

Era evidente, entonces, que para Figueroa se vuelve también sustancial la composición, en esos aparentes cuadros pasajeros que sin embargo refuerzan el discurso narrativo del tiempo cinematográfico. Un apunte sobre este mismo asunto, que habían abordado Eisenstein y Strand, aparece ya en Figueroa, apenas sugerido, en *Allá en el Rancho Grande* (Fernando de Fuentes, 1936). En el momento en que bajo unas oscuras nubes se perfilan las siluetas de unos jinetes, y un maguey, junto a unos rancheros que llevan en camilla a José Francisco (Tito Guízar). No hay ahí todavía la predominancia de un primer plano, porque el cielo en su sombrío protagonismo lo domina todo, pero ahí ya se perfila una intencionalidad.

Videograma digital de ¡Que viva México!, secuencia filmada por S. M. Eisenstein en los alrededores de la hacienda de Santiago Tetlapayac, estado de Hidalgo, 1932.

Finalmente, el cinefotógrafo lo llegará a hacer plenamente en *La doncella de piedra* (Miguel M. Delgado, 1955), su entrada al cine en color. Apenas arrancando la película, ocurre una escena en donde Demetrio Montiel (Víctor Manuel Mendoza) lleva un contrabando de seda dentro de un ataúd, en donde supuestamente se encuentra su hijo muerto. En el trayecto, todo el grupo es detenido en una aduana en medio de un árido campo colombiano. La cámara con una lente angular es emplazada frente a un grupo de indígenas con el torso desnudo, cargando la supuesta caja mortuoria. La toma es en contrapicado, y de una acentuada perspectiva en triángulo donde los rostros, los cuerpos, el ataúd, ascienden hacia la parte central del plano. Todas las figuras, enmarcadas por un azul liso del firmamento, llenan el cuadro. Los sudorosos cuerpos, vibrantes, sostienen hacia los cielos ese objeto oscuro que trasladan. Una imagen que, no casualmente, de manera similar se repite tres veces dentro de la escena. Así, Figueroa había tenido aquí de nuevo una oportunidad de homenajear a Siqueiros (antes lo había hecho en

Cuando levanta la niebla, Emilio Fernández, 1952), en una imagen explícita, con profundo conocimiento de causa.[60]

La perspectiva sobre los personajes de muy diversas maneras, y con distintos directores, los abordará nuestro cinefotógrafo de manera permanente. Acaso ésta sea una parte sustancial de la gramática de Figueroa, tanto como sus cielos o ese múltiple manejo de las sombras que poseyó. Perspectiva triangular de los seres que, ya en la puesta en escena, puede volverse lo mismo en una presencia esperanzadora que

amenazante. He ahí a los campesinos creyentes que, impávidos frente al muro de un templo, escuchan un discurso del policía (Pedro Armendáriz) sobre la no creencia en *El fugitivo*, mientras que Miguel Inclán es lazado y sometido; he ahí los muy distintos planos reiterados de policías (atemorizantes) y de indígenas (una presencia de poder liberador) que en la misma *Doncella de piedra*. El triángulo de figuras ensombreradas en donde los hermanos Ramiro y Julio González, acechantes, le dicen al delegado Rómulo (Manuel Dondé) que Aurelio (Roberto Cañedo) ya se les salió del huacal en *Pueblerina* (Emilio Fernández, 1948). O la enlutada figura majestuosa y desolada de María Félix, en *Río Escondido*, flanqueada por dos rostros de mujeres indígenas en primer plano que emergen de la oscuridad.

En otros encuadres se invierte la triangulación. Y eso se da cuando dos figuras dominantes en primer plano acosan, resguardan o dominan al personaje del fondo, que se disminuye en el plano. Resolución que aparecerá en esa ficción de Mediz Bolio, muy cerca del documental etnográfico exotista (el hombre blanco vestido junto a los indígenas semidesnudos en esa espesura selvática), que es *La noche de los mayas*: la hechicera atemorizada frente a los viejos del pueblo que la acusan de la tragedia que viven; o cuando la portera de *La casa del ogro* (Fernando de Fuentes, 1938), Emma Roldán (Librada), acude a abrir el departamento en donde se han escuchado disparos, seguida de dos vecinos; o, en *Salón México* (Emilio Fernández, 1948), en el momento en que Lupe López (Miguel Inclán) ha seguido a Mercedes (Marga López) hasta el colegio y encuentra a ésta al lado de su hermana Beatriz (Silvia Derbez), plano que se repite ahí mismo cuando Roberto (Roberto Cañedo), en la mesa de un restaurante, le solicita a Mercedes formalizar

Imágenes de dos películas dirigidas por Emilio Fernández en 1948: una prueba de luz de la película María Candelaria (izquierda), y los hermanos Julio y Ramiro González, interpretados por los actores Guillermo Cramer y Luis Aceves Castañeda, en un fotograma procesado digitalmente de la película Pueblerina (derecha). Archivo Gabriel Figueroa.

su relación con Beatriz. Diálogos de cuerpos todos ellos en triángulo en donde los personajes se engrandecen o se disminuyen, en donde sólo queda un resquicio que permite al espectador avistar hacia el interior de un microuniverso cercado.

La exaltación de la iconografía mexicanista se dio mejor en los primeros planos porque éstos la acentúan, ponen énfasis en lo narrativo, ciertamente sobre el universo rural. O bien en el plano cerrado (o *close up*), sobre las cosas, sobre los seres, sobre los rostros, lo cual pertenece a una gramática plenamente moderna (he ahí las manos de *Campesino con pala*, 1926, de Tina Modotti), de la que, compositivamente, el cine mexicano también se aprovechó. Dígalo si no, esa formación de rancheros en primer plano —toda la parte baja del cuadro— en el palenque de gallos de *Allá en el Rancho Grande*: la simetría de los sombreros de ala ancha de todos ellos, lo armonioso de sus circunvoluciones que dominan toda la composición, crean un universo bravío, de ritual festivo, pero asimismo indentificable con lo mexicano (y por algo será que se repite de continuo este mismo emplazamiento). Los objetos nacionales adquieren una inusitada presencia cuando se les resalta de manera aislada, y hasta cuando se les aísla del conflicto que viven sus dueños: ese sombrero ranchero,

Videograma digital de la película Salón México, dirigida por Emilio el Indio Fernández en 1948.

ese rifle colgado, esa bolsa de yute, una silla de montar, como naturaleza muerta, en la casa de Esperanza (Dolores del Río), cuando la madre de José Luis (Pedro Armendáriz) le pide que lo deje, en *Flor silvestre*.

Interacción de objetos y personas que hablan igualmente de modos de actuar frente a las circunstancias a veces avasallantes: Pedro Infante (José Inocencio Meléndez) solo en la cantina, y herido de amor por Gela (Lilia Prado), frente a una botella de tequila en *El gavilán pollero* (Rogelio A. González, 1950). Imagen-síntesis de la traición y el abandono bien

machista, y en donde visto de espaldas, su sombrero ocupa la mitad de la imagen. Sólo eso: el sombrero y el tequila, mientras que en ese único plano José Inocencio casi desaparece. No por nada, de González se ha advertido ya su "gusto por personajes siempre al borde, manejo de circunstancias desde una óptica existencial durísima en sus melodramas, donde se representa lo mexicano, sí, pero lo ya contaminado de muchas fuentes, algo que implica una fragilidad y hasta una caída".[61] O ese gran plano de cerrada toma en picada, de tambores y sombreros surgidos desde las penumbras en una brillante luminosidad, cuando Uz (Arturo de Córdova) está a punto de ser azotado en *La noche de los mayas*. O la perspectiva de los objetos que adquieren predominancia: la armonía de composición de unas guitarras, y las manos que las tocan, en el palenque de *Allá en el Rancho Grande*; el plano épico de los flechadores,

Videogramas digitales de Allá en el Rancho Grande (Fernando de Fuentes, 1936), El Gavilán Pollero, (Rogelio A. González, 1950) y La doncella de piedra, dirigida por Miguel M. Delgado en 1955 (abajo).

de tensos y alargados brazos, en la liberación de la hacienda de *La doncella de piedra*; o los músicos y sus instrumentos en gran fiesta por el asombroso hallazgo en *La perla* (Emilio Fernández, 1945). O la escena de la misma película, cuando los ensombrerados valuadores de la perla, rodeando a Juana (María Elena Marqués), en un plano en picada en gran vínculo con *Campesinos leyendo El Machete* (1929) de Modotti.

En nada de ello, evidentemente, hay azar. Por el contrario: he ahí una meticulosa planeación de la construcción visual. En una de sus últimas entrevistas, Gabriel Figueroa le ejemplifica a la escritora y periodista Malú Huacuja la manera en que inició su colaboración con *el Indio* Fernández: éste solicitaba emplazamiento y él resolvía composición, desde los primeros trabajos en *Flor silvestre*.

Videograma digital
de La perla, película
dirigida por Emilio el
Indio Fernández en 1945
(izquierda).
Tina Modotti. Campesinos
leyendo El Machete, 1929.
Colección Fundación
Televisa (derecha).

Lo que sucedió fue que yo tuve un privilegio de poder hacer la composición del cuadro… [*el Indio*] quedó sorprendido por lo que había presentado los dos primeros días. Me dijo:

—De hoy en adelante sigues tú poniendo la cámara donde quieras.

Don Gabriel señala: Lo que haría aquí él [*el Indio*] sería decir, por ejemplo: "Quiero esta cafetera", entonces yo ponía la cámara abajo, jalaba la cafetera para acá (*señala*) y a usted (*me señala*) la corría un poco para adelante, para un lado, para donde fuera.

Fue con el único director que ocurrió así en ese momento. Ya después con Gavaldón también hice lo mismo y con Ismael Rodríguez. Nada más. […] Por eso le digo que ningún fotógrafo tiene esa libertad. Están primero los dibujos en donde hacen todos los emplazamientos, los discuten con el fotógrafo. Todos los directores hacen eso.[62]

Videograma digital de la
película Allá en el Rancho
Grande, dirigida por
Fernando de Fuentes en
1936.

Así se fue armando la imponencia de la imagen mexicana y/o sus detalles: imagen por imagen, hasta la fascinación de los públicos que las veían transcurrir.

V

Hemos hablado de siluetas y de sombras, por momentos, porque las oscuridades fueron sustancial territorio visual en Figueroa. Notable paradoja: cuando al cine se le considera luz a nuestro cine-

fotógrafo parece habérsele ocurrido invertir la fórmula: mejor trabajemos desde las tinieblas, deslizándolas mágicamente hasta su ensanchamiento. O bien, hay que conceder, desde la luz, sí, pero sin olvidar su forma dialéctica que la hace existir.

La historia de la sombra, el modo en que ésta se ha representado, es una historia que apenas comienza a recuperarse, acaso tardíamente, por ser aparentemente una entidad negativa. Pero ya en ese sentido uno de los mejores estudiosos de la misma, Víctor I. Stoichita, lo advirtió: "Estudiar la sombra implica [...] un doble desafío, tanto frente a la representación colectiva positiva de la luz como ser absoluto, como frente a la dialéctica del claroscuro. Sin embargo, la historia de la sombra no es la historia de la nada sino, al contrario, una de las posibilidades de acceder a la historia de la representación occidental".[63]

En la "declaración de oficio" de Figueroa, palabras con que recibió el Premio Nacional de Ciencias y Artes, hay un párrafo al final que aquí hay que resaltar: "Estoy seguro que, si algún mérito tengo, es saber servirme de mis ojos, que conducen a las cámaras en la tarea de aprisionar no sólo los colores, *las luces y las sombras*, sino el movimiento que es la vida".[64] Por ahí está también su predilección por la película monocromática:

> Creo que el blanco y negro tiene una fuerza expresiva, una calidad onírica que la contundencia, el realismo del color anula [...] En blanco y negro, los volúmenes, los distintos planos, se logran con iluminación

de filtros, y las graduaciones que van del blanco puro al negro puro son infinitas. Registrarlas, darles su valor, es nuestra tarea.[65]

Además, debe considerarse su gran admiración por las sombras de De Chirico o sus aprendizajes iniciales del expresionismo alemán: de Murnau (*Nosferatu*, 1921-1922) o de Robert Wiene (*El gabinete del doctor Caligari*, 1919-1920). Autores que pusieron especial énfasis en la creación de sombras significantes: la sombra de un vampiro que se desliza y que es, en sí mismo, el vampiro, con todo y que éstos, según la leyenda, no poseen sombra. En el primer filme, la proyección gigantesca de la sombra del doctor, enorme y amenazante cual maléfica; copia de su propio interior, en el segundo. En referencia a ello el propio Stoichita escribe:

Fotogramas de la película The Torch [Del odio nace el amor], dirigida por Emilio el Indio Fernández en 1950. Imágenes procesadas digitalmente e impresas por Gabriel Figueroa Flores. Archivo Gabriel Figueroa.

Al analizar algunos de los más célebres planos de estas películas expresionistas, descubriremos las características que definen la estética de la sombra. [...] Murnau y Wiene [...] son algunos de los directores que declararon abiertamente haberse inspirado en la pintura del pasado. Los especialistas e historiadores del cine han destacado que ambos directores desarrollaron una retórica de la imagen fílmica basada en la sinécdoque. Lo que significa que cada imagen, que cada encuadre, se concibe de tal modo que remite por analogía o por contraste a la

película en su totalidad, y que ésta, a su vez, reposa en la idea o la esperanza de una "contemplación transversal" largamente detenida sobre cada plano. Así pues, analizar un solo y único encuadre no es, en este caso, una herejía sino una operación hermenéutica obligada. Por esta razón, los fotogramas de las películas del expresionismo alemán se dejan reproducir tan fácilmente en un libro, sin que por ello pierdan un ápice de su fuerza, de su impacto.[66]

Este abordaje también puede hacerse con el legado de Figueroa. Y de hecho se ha hecho al ser recobrados los fragmentos de sus películas, lo cual es un caso singular. Porque esa manera de divulgación es un recurso para ver detenidamente sus aportes. Para redimensionar de manera atenta, en la fugaz transitoriedad de la puesta en escena, su complejidad. Caso raro, si se piensa que nuestro cine requeriría de otros rescates de esta naturaleza.[67]

Pero sigamos con las sombras. Las siluetas oscuras, a contraluz, pertenecen a la más pura cepa pictorialista. No por nada otro cinefotógrafo y creador de foto fija, Roberto A. Turnbull, lo llegó a hacer al crear las siluetas de unos trovadores publicadas en *Nuestro México*. Víctor Moreno lo hizo al publicar, en *Revista de Revistas*, también un *Paisaje mexicano* con las convenciones nacionalistas de la época: un maguey que se extiende sobre la mitad de la imagen, una mujer enlutada que se recorta en la colina coronada por una nube, ambas imágenes de 1932. O Librado García al registrar, en una profunda oscuridad, el luminoso perfil de un ranchero.[68] Una práctica con las que se creaba un tono tan solemne como misterioso. Y sin duda con un matiz mexicano que ya era innegable.

Traer a colación estas específicas imágenes publicadas en esos magazines no es aquí gratuito. Pensamos en un testimonio del *Indio* Fernández, cuando llega a la ciudad de México con su obsesión de empaparse de lo mexicano. En su deambular: "pensaba en todos los minutos que pasé aprendiendo cuanto podía sobre cine en revistas, en los momentos en que me colé en las salas de edición preguntando las bases del oficio, de algo que no sabía pero ansiaba conocer. Pensaba, pues, en esas revistas de los sindicatos, en las múltiples labores que había que hacer en el cine y que no comprendía bien. Pensaba en Cecil Beaton fotografiando a Dolores". Todo para lograr hacer, si Diego le ofrecía algunos consejos, *lo mexicano* en el cine.[69] En ese impulso nacionalista, en plena ebullición, es evidente que muchos bebieron de donde se pudo para lograr dibujar los rasgos de un país. ¿Y en todo esto qué dimensión significante adquirieron las sombras?, ¿cuánto o en qué sentido fueron parte de esos sucesos que en medio o al lado de ellas se daban? Veamos.

La presencia de *Gato Encerrado* (Arturo de Córdova), en el conflicto marital de *La casa del ogro*, va a suscitar que las sombras adquieran significativa presencia hasta lo fatídico: he ahí la negra sombra de una silueta humana, que proviene de una escultura, proyectada sobre la cabeza del marido engañado como presencia del otro, del amante; sombra de la esposa que se abalanza sobre el marido dormido en un sillón y la sombra de los objetos que le rodean a ella, como inminente presagio; agigantadas sombras transversales, entrecruzadas, romboidales, que provienen de unos barandales (que nunca se verán en otros emplazamientos de cámara, que no existen sino sólo para ese momento de enmarañado conflicto), cuando *Gato Encerrado* se dirige al departamento de su amante y del marido: él no lo sabe pero ha caído ya en la telaraña de la que no saldrá; y la sombra de la mano empistolada que inunda el rostro oscurecido del marido cuando éste dispara sobre Arturo de Córdova. Ya después todo cambiará: hacia una alegría llena de luces navideñas, para todos los vecinos de esa casa.

La sombras, integradas a la arquitectura, o bien sustancialmente conviviendo con ésta, también pueden tener un trazo diseñado. Como esas cortinas, cuyas sombras en caída cruzan toda la pared de la oficina del productor de cine en el momento en que Paquita (Manolita Saval)

Videogramas digitales de la película La casa del ogro, *dirigida por Fernando de Fuentes en 1938.*

dialoga con él, en *El viejo verde*. Líneas sombreadas y líneas luminosas que confluyen en Paquita, como confluirán en ella todas las circunstancias que la llevarán a ser incipiente estrella. O escenarios llenos de luz y blancura, de arquitectura geométrica, en la casa de Joaquín Pardavé y Emma Roldán, en *¡Que viene mi marido!* (Chano Urueta, 1939), en donde las limpias paredes adquieren formas cubistas de sombras cruzadas y triángulos lumínicos (a la espalda de Roldán y Pardavé cuando éstos ven a Bermejo (Arturo de Córdova) aventarse por la ventana). O bien, una encrucijada arquitectónica en el cuarto del hotel en donde el sacerdote tránsfuga (Richard Burton), en *La noche de la iguana,* se debate escribiendo en soledad, y en donde todo se le abalanza: plano en picada, sombreadas franjas verticales, grises muros en triángulo, oblicuas paredes

Richard Burton como el reverendo Lawrence Shannon en un videograma digital de la película The Night of the Iguana *[La noche de la iguana], dirigida por John Huston en 1963.*

blancas; arquitectura que agobia, que constriñe en esa taciturna luz de escueta lámpara, al güerito párroco en exótico país tropical. O, por el contrario, cómo el diseño arquitectónico cambia radicalmente para enaltecer, o abandonar, a los personajes: la transformación radical de Andrea Palma y del escenario que pasa, de una humilde vivienda a un contexto *art déco*, cuando ella se cambia de ropa para ir al cabaret, en *Distinto amanecer* (Julio Bracho, 1943). O cómo don Nicanor (Fernando Soler vestido de negro), el de *La casa del ogro*, se queda solo en esas gélidas paredes blanquecinas que lo aprisionan (visto desde la ventanas cuadrangulares que dominan la toma) en plena Noche Buena.

En todo ello, los espacios también tienen vida (visual), evidentemente. Caso singular es cuando las oscuras sombras pertenecientes a los personajes parecieran adquirir no precisamente vida sino dramaturgia propia. Una especie de vivencia en paralelo, dentro del mismísimo cuadro, en donde las siluetas adquieren suprema presencia, en donde se adelantan a la acción, o actúan primero, para que se dé un suceso finalmente concretado por sus poseedores para redondear el relato.

Sombras incontenibles, abalanzadas sobre el plano cinematográfico que el espectador ve primero, antes que a los personajes que las generan. Un existir que antecede a todo hecho que finalmente se dará. O sombras que conviven junto a sus dueños exhibiendo sus pesares o sus terrores. Sí, a la manera de Wiene en donde las sombras se vuelven meras proyecciones interiores de lo que cargan los personajes. En este sentido, podríamos decir que Figueroa extendió el expresionismo (o una parte de éste) como recurso artístico, años después de que hubiera fenecido. Veamos unos cuantos casos, que son apenas un atisbo a muchos otros cuadros de figuras en sombra que Figueroa y sus directores hicieron.

Primero, un caso sublime: el viejo Melchor (Eduardo Arozamena) le explica a José Luis Castro (Pedro Armendáriz) por qué el hijo de un hacendado no puede casarse con la hija de un campesino mediero. Melchor, abuelo de Esperanza (Dolores del Río), en *Flor silvestre*, bebe desaforadamente al lado de José Luis en la cantina. De pronto el plano cambia y los hombres ya borrachos se ubican en la esquina izquierda de la imagen, mientras que, redimensionada, ocupando la mitad del plano, la sombra encorvada del abuelo se levanta grandiosa pero agachada, en derrota, sobre la pared del fondo. No se necesita más, los presagios, otra vez, están aquí presentes. Sombras que también, y casi por sí mismas, llegan a narrar otra escena: un solitario José Luis en la hacienda destrozada, en sombras perfiladas a través de las ventanas, en sombras que se deslizan para ver el fin de la tragedia.

Fernando Soler como don Nicanor en La casa del ogro *(Fernando de Fuentes, 1938) y Pedro Armendáriz como José Luis en* Flor silvestre *(Emilio el Indio Fernández, 1943). Videogramas digitales.*

En *Nazarín* (Luis Buñuel, 1959) las sombras, para no variar, se adelantan a la acción. Francisco Rabal se dispone a explicar a la prostituta (Rita Macedo) las interrogantes que ella le hace, mientras la sombra de ésta, solo la sombra, se acerca al fogón en donde se calienta una olla, y momentos después ingresa una mano, la de ella, al cuadro. La sombra, primero advierte aquí lo que vendrá, lo que después será concretado por el cuerpo. Un suceso transitorio —como todo en el cine— pero relevante en una gramática en la que supuestamente Figueroa no intervenía mucho (el discurso de Buñuel).

Así, la sombra es quien fundamentalmente, como en muchos otros relatos fílmicos del cinefotógrafo, realiza la acción. En *Nazarín* hay mucho del estilo Figueroa —más allá de los tonos metalizados de la fotografía contrastada— por más que se diga lo contrario. Acaso Buñuel, ya lo sabemos, y como por ahí se ha dicho, no era muy afecto a la plasticidad en el paisaje. Prefería la escueta aridez a la profundidad de planos deslumbrantes. Pero a un sistema de sombras que metódicamente vino trabajando Figueroa no le hizo el feo. Porque ahí, en

Nazarín, la composición se complementa siempre y equilibradamente con las sombras. Digamos: Rabal en su desangelada casa se encuentra frente a un Cristo, camina y regresa sobre sus pasos. En ese momento se vuelve doble: él y su sombra. Sombra silueteada que ocupa la mitad del plano mientras que, él mismo, invade la otra parte del cuadro: dos figuras en soledad, dos y una misma en lo escueto de esa habitación. Y después: cuando entra a su casa la mujer del arrabal (la misma Macedo), surgen dos sombras, la de él y la de ella, que dialogan. En paralelo a los dos personajes que hacen lo mismo.

Es el momento de aclarar qué sucedió en las gramáticas de Buñuel y Figueroa. Algo ya necesario, más allá del mito que divulgó Carlos Fuentes sobre el hecho de que Buñuel le cambió los emplazamientos de cámara a Figueroa. Y esto el cinefotógrafo lo sabía: "Es una de esas cosas que se convierten en anécdotas porque a la gente le encanta repetirlas", llegó a decir en algún momento. Y agregó: "La atmósfera dramática, realista, no se prestaba para la búsqueda del preciosismo fotográfico",[70] en el caso de Buñuel. En otro momento aclaró su trabajo en las películas del realizador español:

> [Hay] que tomar en cuenta que allí, yo estaba haciendo una interpretación de la obra con un elemento en el que el director usualmente no tiene control —puede tenerlo si quiere— y no lo ejerce ya sea por respeto o por desconocimiento... La iluminación por ejemplo, los directores nunca se meten en eso y para un fotógrafo es lo que da el ambiente: tú entras en un set donde no hay nada, tienes que poner las luces y crear con ellas el ambiente propicio para la película. [...] Existe un poco de leyenda de que a él no le gustaban [los filtros], pero no. Es cosa de sentido común pues aunque no se metía para nada, no iba a pedir que trabajáramos sin filtros puesto que, conociendo él esos puntos básicos de la fotografía —estamos hablando de blanco y negro—, no quería tener cielos blancos como telones, sin perspectiva ni profundidad porque hubieran llamado demasiado la atención.[71]

Acaso por eso esas sombras adelantadas en *Nazarín*. Acaso por eso mismo las escenas campestres —Rabal camino al pueblo; cuando tienen colgado al enano— con nubes notables en su brillantez. Quizá también por ello ésta fue la película que a Figueroa más le entusiasmó hacer con Buñuel.

Y si seguimos hablando de sombras que se adelantan a sus dueños, o donde únicamente ellas existen, ahí está *El gavilán pollero*: sombras que pelean entre sí en la cantina, después de que se descubre la estafa de los dos tahúres; o esa aplastante sombra de Badú, como Luis Lepe, que se abalanza para golpear a José Inocencio (Pedro Infante) cuando entran en conflicto por Gela (Lilia Prado). En esta aparente

Francisco Rabal en el papel
del padre Nazario y Rita
Macedo como Andara en
dos videogramas digitales
de la película Nazarín
(Luis Buñuel, 1958).

comedia ranchera (más bien una visión sobre la amistad inquebran-table), Figueroa y Rogelio A. González crearon un refinado gusto por la metáfora visual que va apuntalando al relato: el paneo al exterior del departamento de Gela, cuando a Infante se le ha olvidado que Luis se encuentra en la cárcel (movimiento sobre los objetos y su sombra, bañados por una luz matinal); o la solidez de los dos árboles cuando ellos están a punto de batirse a balazos hacia el final de la película.

En *El fugitivo* es más que evidente cómo la oscuridad y las sombras no son parte sino sustancia del discurso. Ese universo sombrío es una continuidad de la tragedia que cada uno de los personajes vive por sus creencias. Pero aquí no necesariamente estamos hablando de indivi-dualidades sino también de la desesperanza colectiva. Porque ahí está ese notable cuadro de costumbres de las festividades que se llevan a cabo alrededor de la iglesia con nubes espléndidamente plateadas, que adquirirán una siniestra oscuridad cuando llegan los soldados a destruirlo todo. En *El fugitivo* se insiste en los planos profundamente desolados que no es más que la pérdida obligada de las creencias espiri-tuales. Un solo plano pareciera resumir la zozobra, cuando el sacerdote (Henry Fonda) huye, y le acompaña Dolores del Río, vueltos siluetas dis-minuidas, cruzan sobre un camposanto sembrado de cruces oscuras, aunque con brillantes nubes. Pero antes, el espectador ya ha visto esa sombra en cruz que se extiende a todo lo largo del plano, como única presencia posible, cuando el sacerdote llega a la iglesia semidestruida. Primero su sombra, y después su silueta, que se recortará en la oscu-ridad filtrada por una luz. Ahí no hay escape posible a ese mundo de sombras.

Y por ahí andaría también *Salón México*. Continuación y confirma-ción de cómo De Chirico estuvo permanentemente presente en Figueroa: Mercedes (Marga López) y Paco (Rodolfo Acosta) dispután-dose el dinero de un premio, con sus sombras enfrentadas en la pared, al bajar de las escaleras del cabaret. O el reflejo de su relación en un espejo deformado. Mercedes con esa sombra de ángel oscuro ("alas" para ella que producen una mesa del cabaret) cuando Miguel Inclán (Lupe López) le hace una promesa: "de hoy en adelante seré como su sombra". Sombra que huye cuando Mercedes le ha extraído el dinero a Paco y, a la vuelta del tiempo, sombras violentas que suben al cuarto de hotel cuando Paco le va a pro-

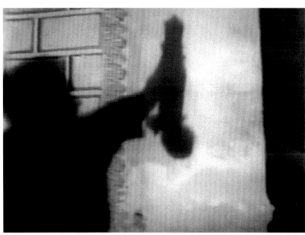

pinar una paliza a Mercedes, propiciando otro encuadre maestro: Lupe entra al hotel, mientras que arriba, en un cuarto, Paco golpea a Mercedes. Su figura en sombra entra primero al cuadro, antes que su cuerpo, en ese patio de hotel de barriada. Larga sombra que se extiende en medio de una geométrica arquitectura de líneas cubistas, cambiante en sus tonos Estructuras convergentes que atraviesan toda la imagen que, en este caso, y con

Sombras del doctor Alberto Robles (Arturo de Córdova) y de un recién nacido, en un videograma digital de la película El rebozo de Soledad *(Roberto Gavaldón, 1952).*

un trazado de luces fragmentadas —en distintas intensidades lumínicas— le darán la bienvenida a Lupe que bien se cobrará la afrenta a Mercedes. Entonces, una imagen plenamente moderna en un hotel de paso cualquiera.

Finalmente hay que tomar en cuenta lo que llegó a decir Figueroa ante otra pregunta de Malú Huacuja sobre si había directores que colaboraban con el fotógrafo, a lo que contestó: "Pues muy pocos, casi no existe eso, porque siempre el director tiene la idea de cómo va a contar la película. Pueden ser grandes artistas los dos, pero la facultad que tiene el director, eso es inamovible. Por eso le dije que yo era privilegiado, de haber podido sostener eso con varios directores. Desde luego que se puede hacer un trabajo de colaboración".[72]

He ahí a Gabriel Figueroa, compartiendo y extendiendo sus saberes, y apropiándose de otros. Por eso es evidente que lo suyo también fueron las sombras. Sombras, deslizantes, fugitivas, en permanente movimiento, apremiantes o alargadas fuera de toda proporción (pero, claro, cuidadosamente planeadas para que cupieran en el cuadro), y siempre vitales para que se diera una fotografía como pocas, en un cine que ya de hecho, casi por naturaleza propia, era singular.

DERECHA:
Videogramas digitales de Salón México, *película dirigida por Emilio el Indio Fernández en 1948. Escena en que el policía Lupe (Miguel Inclán) llega a rescatar a Mercedes (Marga López).*

PÁGINAS 286-287:
Fotogramas de las películas El fugitivo *(John Ford, 1947) y* Enamorada *(Emilio el Indio Fernández, 1946). Escenas filmadas respectivamente, en el Fuerte de Perote, Veracruz, y en Cholula, Puebla. Imágenes procesadas digitalmente e impresas por Gabriel Figueroa Flores. Archivo Gabriel Figueroa.*

Notas

1 "Fue fusilado ayer en la escuela de tiro el general Palomera López", *La Prensa*, 8 de marzo de 1929, primera plana y p.10.

2 Gabriel Figueroa, *Memorias*, UNAM/DGE-Equilibrista, 2005, p. 30.

3 Salvador Martínez Mancera, "La muerte de Palomera", *Detective*, ciudad de México, 4 de julio de 1932.

   Las fotografías anónimas aparecidas en este reportaje son un poco distintas a las publicadas en *La Prensa* por Figueroa, lo que evidencia por lo menos la presencia de otro fotógrafo en el fusilamiento.

4 *Op.cit.*, n. 2.

   Sobre José Guadalupe Velasco pueden verse los semidesnudos que de Gloria Rodríguez y Carmen Salazar publicó en "Sigue vigorosa la lucha para conquistar el triunfo en nuestro certamen", *Ovaciones*, 25 de junio de 1927.

   En ese momento se le ubica en un estudio de avenida 16 de Septiembre, núm. 73. El Directorio Comercial Murguía y Guía de la Ciudad de México y el Distrito Federal [1925-1926, México, Antigua Imprenta de Murguía, 1925, p. 940], en su entrada de "fotógrafos a domicilio", lo ubica establecido desde 1924 en la avenida Aquiles Serdán, núm. 29, antes puente de Villamil. En algunas impresiones originales la dirección viene marcada como 16 de Septiembre, núm. 47.

5 César Güemes, "No busqué mi estilo, tuve que vivirlo: Gabriel Figueroa", *El Financiero*, México, 15 de agosto de 1996.

6 Sara Parsons, "Modern Design in Photography", *Studio Light, A Magazine for the Profession*, EUA,

Rochester, julio-agosto de 1932. Este mismo artículo apareció traducido como "Dibujos modernistas en fotografía", en *El Fotógrafo Mexicano*, México, julio-agosto de 1933.

Un recurso que retoma Agustín Jiménez y que fue magistralmente utilizado por éste al retratar a Waldeen en medio de un sistema de sombras geométricas. [Cfr. "Waldeen, artista creadora", *Revista de Revistas*, México, 22 de julio de 1934.]

7 *Diversiones*, México, 2 de agosto de 1930. Publicación donde apareció un retrato de Josefina Díaz de Artigas, de la Compañía del Teatro Fábregas.

8 Margarita de Orellana, "Palabras sobre imágenes", *Artes de México*, invierno de 1988, pp. 37-53.

9 *Ibidem*, p. 137.

10 Gabriel Figueroa, "La fotografía como arte", *Manuel Álvarez Bravo. Fotografías*, México, Sociedad de Arte Moderno, julio de 1945.
Esta sociedad le solicitó a Figueroa su colaboración, en una carta encontrada en el archivo de la familia Figueroa Flores: "para ofrecer al público una visión completa de esta impor-

tante expresión estética [la fotografía], consideramos que la opinión técnica e histórica de usted, es imprescindible para completar el material literario de esta publicación".

11 *Ibidem*, p. 136. [Los subrayados son míos.]

12 José de la Colina llegó a escribir que la fotografía de Figueroa era: "un archivo de tarjetas postales en celuloide, [donde había una] 'cineplástica' de Fernández-Figueroa [...] experiencia irrepetible que se trató de repetir hasta más allá de la extenuación. No seamos injustos, con todos sus vicios y defectos, que en su época eran precisamente considerados virtudes, el cine de Fernández-Figueroa tenía un *estilo*, o lo tuvo mientras no degeneró en el *estilismo*". Un conflicto que a no pocos analistas les hizo mella en sus acercamientos a la gramática de Figueroa. Véase, también de este autor, "Los cinefotógrafos: Gabriel Figueroa", *Artes Visuales*, núm. 3, México, Museo de Arte Moderno/INBA, verano de 1974.

13 Henry Peach Robinson, *Pictorial Effect in Photography, Being Hints on Composition and Chiaroscuro for Photographers* [1869], Londres, Helios, 1971, pp. 54-62.

14 Alfred Horsley Hinton, *L'art photographique dans le paisage, etude et pratique*, París, Gauthier-Villars et Fils, 1894, pp. 78-83.

15 F. C. Tilney, *The Principles of Photographic Pictorialism*, EUA, American Photographic Publishing, 1930, pp. 158-163. [El subrayado es de Tilney.]

16 Arthur Hammond, *Pictorial Composition in Photography*, EUA, American Photographic Publishing, 1932, pp. 87-106.

17 Jacques Aumont, *El ojo interminable. Cine y pintura*, España, Paidós Comunicación, 1997, p. 66.

18 César Güemes, "No trabajar en Hollywood me permitió desarrollar un estilo mexicano: Gabriel Figueroa", *El Financiero*, México, 14 de agosto de 1996, p. 52; Malú Huacuja del Toro, "El telegrama más hermoso de mi vida decía: 'Gama 9.5, ¡exacta!': Gabriel Figueroa", *El Financiero*, México, 12 de mayo de 1997, p. 74.

19 Esa fue una muy divulgada marina de Lupercio sobre el lago de Chapala, de aguas turbulentas y una luminosidad filtrada a través de unas oscuras nubes, también fue publicada en Wallace Gillpatrick, *The Man Who Likes Mexico*, EUA, The Century, 1912, p. 192.

20 J. Peat Millar, "Para llenar espacios blancos", *El Fotógrafo Mexicano*, núm. 6, México, diciembre de 1909, pp. 146-151.

21 Enrique Galindo, *Curso elemental de fotografía: la fotografía de paisaje*, México, Rudolf Rüdiger, 1936, p. 72.
Cfr. Kipp Ross, *Los filtros y su uso*, México, Rudolf Rüdiger, 1937. En este libro se puede ver cómo ya se estudiaba la fotografía y los filtros infrarrojos. Otra revista de circulación en México llamaba la atención sobre la necesidad de eliminar los cielos planos, en el artículo "Las nubes como adorno", *Kodakerías*, EUA, enero de 1927, pp. 21-23.

22 Publicados en la revista *Valle de México*, México, Departamento Autónomo de Prensa y Publicidad/Departamento de Turismo, 1937.

23 Doris Bry, *Alfred Stieglitz: Photographer*, EUA, Boston, Museum of Fine Arts, 1965. En algunas impresiones en platino, *Music No.1*, llegó a ser impresa con tonos más claros.

24 Citado en Beaumont Newhall, *Historia de la fotografía*, España, Gustavo Gili, 2002, p. 171.

25 Nancy Newhall (ed.), *The Daybooks of Edward Weston. I. Mexico. II,* EUA, Aperture, 1992, p. 14. [Cfr. Amy Conger, *Edward Weston in Mexico, 1923-1926*, EUA, San Francisco Museum of

Modern Art-University of New Mexico Press, 1983, pp. 7 y 9.]

26 Amy Conger, "El impacto de México en la visión de Edward Weston", *Edward Weston, la mirada de la ruptura*, México, Centro de la Imagen/Museo Estudio Diego Rivera, 1994, pp. 38-39.

27 Edward Weston, "El cielo de México", *La Antorcha*, México, 15 de noviembre de 1924, pp. 20-21.

28 John Paul Edwards, "Group F:64", *Camera Craft*, San Francisco, marzo de 1935, pp.106-113.

29 Katherine C. Ware, "Photographs of Mexico, 1940", *Paul Strand, Essays on his Life and Work*, EUA, Aperture, 1990, pp. 109-121.

30 C.A.S., "Paul Strand, el artista y su obra", *Revista de Revistas*, México, 12 de marzo de 1933, pp. 38-39.

31 Agustín Velázquez Chavez (ed.), *Paul Strand-Ned Scott, Redes. 32 fotocuprigrafías*, México, Filmoteca UNAM/ARS, 1982, p. 7.

32 Nota publicada en *La Opinión*, Los Ángeles, 30 de septiembre de 1934, reproducida en Agustín Velázquez Chavez, *ibidem*.

33 "An American Photographer does Propaganda Movie for Mexico", *Life*, mayo de 1937. En este reportaje se ponía de relieve el trabajo del *stillman* Ned Scott, el otro gran personaje que reprodujo las escenas en *stills* muy cerca de la fotografía de movimiento.

34 *Op. cit.*, n. 31, p. 17.

35 Carta en el acervo de la familia Figueroa Flores.

36 George Hoyningen-Huene, *Mexican Heritage*, EUA, Augustin Publishers, 1946.

37 Octavio Alba, *Claridades*, 7 de mayo de 1950 [no 1959, como ahí se señala], citado en Emilio García Riera, *Emilio Fernández, 1904-1986*, México, Universidad de Guadalajara/Cineteca Nacional, 1987, p. 173.

38 García Riera, *ibidem.*, p. 177.

39 *Ibidem*, p. 178.
Aquí Riera reproduce lo que escribió *el Duende Filmo* para *El Universal,* el 17 de febrero de 1951.

40 La difusión de *The Hand of Man*, comenzó cuando Alfred Stieglitz la publicó en "Simplicity in Composition", *The Modern Way in Picture Making*, Nueva York, Eastman Kodak, Co., 1905, pp. 161-164, y después de *Camera Work* en muy diversas historias de la fotografía.

41 Raoul Hausmann, "Photomontaje", *Photography in the Modern Era*, EUA, The Metropolitan Museum of Art/Aperture, 1989, pp.178-181.

42 No por nada cuando se realiza el primer salón de la fotografía pura, fueron unas chimeneas en medio de un entramado industrial, las que se premiaron y se publicaron en portada; curiosamente, su autor era un joven mexicano con el simple nombre de Nacho. [Cfr. John Paul Edwards, "First Salon of Pure Photography", *Camera Craft*, San Francisco, septiembre de 1932.]

43 Rosalind Sartorti, "La fotografía y el Estado en el período de entre las dos guerras. La Unión Soviética", en Jean-Claude Lemagny y André Rouillé, *Historia de la fotografía*, España, Alcor/Ediciones Martínez Roca, 1988, p. 128.

44 Sergio M. Eisenstein, *El sentido del cine*, Argentina, Siglo XXI, 1974, pp. 77-79.

45 "Primer bosquejo de *¡Que viva México!*", *ibidem.*, pp. 183-185.

46 *Op. cit.*, n. 7, p. 73.

47 Juan Bustillo Oro, *Vientos de los veintes* [sic], *cronicón testimonial*, México, Secretaría de Educación Pública/SepSetentas, 1973.

48 Alejandro Galindo, *El cine mexicano, un personal punto de vista*, México, Edamex, 1986, pp. 96-97.

49 *Ibidem*, p. 37.

50 *Op. cit.,* n. 2, pp. 141-142.

51 Claude Fell, *José Vasconcelos. Los años del águila (1920-1925)*, México, UNAM, 1989, p. 412.

52 César Güemes, *op. cit.*, n. 5.

53 Ernest Gruening, *Mexico and Its Heritage*, EUA-Inglaterra, The Century Co., 1928. Las imágenes que mencionamos aparecen publicadas entre las páginas 280-281 y 328-329.

54 Anita Brenner, *Idols Behind Altars*, EUA, Payson & Clarke, 1929. En su edición en español, *Ídolos tras los altares*, México, Editorial Domés, 1983.

55 Renato González Mello, "Anita Brenner: *Idolos tras los altares*", en *XVII Coloquio Internacional de Historia del Arte. Arte, historia e identidad en América: visiones comparativas*, México, EUA-IIE, 1994, t. II.

56 Marie Seton, *Sergei M. Eisenstein. Una biografía*, México, FCE, 1986, p. 192.

57 Algo de esto abordé en José Antonio Rodríguez, "La génesis de una mirada", *Gabriel Figueroa: los arrebatos de la luz*, suplemento de *La Jornada*, México, 24 de abril de 1997.

58 Paco Ignacio Taibo I, *El Indio Fernández. El cine por mis pistolas*, México, Joaquín Mortiz/Planeta, 1986, p. 55.

59 Gabriel Figueroa, "Sergio Eisenstein", 1981. Documento mecanoescrito del acervo de la familia Figueroa Flores.

60 Aquí hay que tomar en cuenta que con Siqueiros había establecido ya otros vínculos visuales, véase el catálogo de la muestra *Gabriel Figueroa y la pintura mexicana*, México, INBA/Museo de Arte Carrillo Gil, agosto-septiembre de 1996.

61 He aquí una valiosa recuperación de Rogelio A. González en José Felipe Coria, *Iluminaciones del inestable cinema mexicano*, México, Paidós, 2005, p. 66.

62 Malú Huacuja del Toro, *op. cit.*, n. 8.

63 Víctor I. Stoichita, *Breve historia de la sombra*, Madrid, Siruela, 1997, p. 11.

64 *Op. cit.*, n. 2, pp. 9-10. [El subrayado es mío.]

65 Alberto Isaac, *Testimonios del cine mexicano. Conversaciones con Gabriel Figueroa*, México, Universidad de Guadalajara/Universidad de Colima, 1993, pp. 70-71.

66 *Op. cit.*, n. 63, p. 154.

67 Pensamos en otro rescate de esta naturaleza en el aparecido en el libro fotográfico de Rosa Harvan Kline y John Steinbeck [*The Forgotten Village*, EUA, The Viking Press, 1941], donde se recobra en *stills* la película del mismo nombre.

68 Véase, de Turnbull: "Trovadores", *Nuestro México*, México, marzo de 1932; de Moreno: *Revista de Revistas*, México, 25 de septiembre de 1932. La fotografía de Librado García pertenece a la colección del autor.

69 Esta es una especie de reconstrucción testimonial, recreada de manera muy amena, en José Felipe Coria [*op. cit.*, n. 61, p. 83].

70 *Op. cit.*, n. 65, pp. 103-104.

71 Emilio García Riera, "Entrevista con Gabriel Figueroa. El fotógrafo como interprete", *Dicine*, núm. 2, septiembre de 1984.

72 Malú Huacuja del Toro, "Ninguno de los grandes artistas aceptó el *Hollywood System*, y prácticamente por eso fracasaron: Gabriel Figueroa", *El Financiero*, México, 13 de mayo de 1997.

El actor Pedro Infante como Felipe en un fotograma de la película Islas Marías *(Emilio Fernández, 1950).*
Imagen procesada digitalmente e impresa por Gabriel Figueroa Flores. Archivo Gabriel Figueroa.

De acuerdo a sus propios testimonios autobiográficos, que no pueden considerarse ajenos a la construcción de su leyenda, Emilio Fernández Romo (Mineral de Hondo, 26 de marzo de 1904–Ciudad de México, 6 de agosto de 1986) se hizo director de cine en cumplimiento a un consejo y a una inspiración, ambos recibidos mientras se ganaba la vida como extra y actor secundario en Hollywood. El consejo provino de la voz de un ex presidente exiliado, Adolfo de la Huerta, quien le dijo: "Aprenda usted a hacer cine y regrese a nuestra patria con ese bagaje. Haga cine nuestro y así podrá usted expresar sus ideas de tal modo que lleguen a miles de personas. No tendrá ningún arma superior a ésta". La inspiración se la dio Sergei M. Eisenstein, a través de una de las ediciones que se hicieron con los materiales filmados para lo que iba a ser y nunca fue *¡Que viva México!*

Emilio el Indio Fernández como Rogelio Torres en un fotograma de la película Flor silvestre *(Emilio Fernández, 1943). Imagen procesada digitalmente e impresa por Gabriel Figueroa Flores. Archivo Gabriel Figueroa.*

Hijo de padre español e india kikapú, Fernández era joven veterano de la Revolución mexicana, a la que decía haberse integrado siendo niño. A la Meca del cine arribó tras un largo viaje por Estados Unidos, a donde se exilió luego de escapar de la prisión de Santiago Tlatelolco. En 1933 regresó a México con la experiencia de haber participado en *westerns*, conocido estrellas y aprendido rudimentos de la producción cinematográfica.

El cine de su país de origen, que había dejado de ser silente, le dio la oportunidad de trabajar en películas como *Corazón bandolero* (Raphael J. Sevilla, 1934), *Cruz Diablo* (Fernando de Fuentes, 1934) y *Tribu* (Miguel Contreras Torres, 1934). Su primera actuación protagónica fue en *Janitzio* (Carlos Navarro, 1934), interpretando los amores y desventuras de Zirahuén, indio nativo de la isla de Janitzio. Catorce años más tarde regresó a esa misma historia y a ese mismo escenario a filmar *Maclovia* (1948), ya entonces convertido en el director al que se le debían varias películas exitosas y una imagen exaltada de la patria.

En 1943 se inició la colaboración entre Gabriel Figueroa y *el Indio* Fernández con la filmación de *Flor silvestre* y *María Candelaria*, producidas por la compañía Films Mundiales. Figueroa estuvo detrás de las cámaras en 24 de las 41 películas que dirigió *el Indio* en su trayectoria como cineasta. En la retórica fílmica del *Indio*, macho adentro y afuera de la pantalla, nacionalista hasta el extremo de la demagogia, lírico inspirado a la par que sensiblero, la fotografía de Figueroa fue un componente fundamental. "Sólo existe un México: el que yo inventé", llegó a decir Emilio Fernández. Tal invención no hubiera sido posible sin los rostros de actores como Dolores del Río y Pedro Armendáriz, el oficio literario de Mauricio Magdaleno, la música de Francisco Domínguez o de Antonio Díaz Conde y las imágenes del fotógrafo que Diego Rivera consideraba su congénere.

Luis Márquez Romay. María Félix, en el papel de la maestra Rosaura Salazar, contempla los murales pintados por Diego Rivera en Palacio Nacional. Still de la película Río Escondido, dirigida por Emilio Fernández. Ciudad de México, 1947. Colección Luis Márquez Romay, Archivo Fotográfico Manuel Toussaint, IIE-UNAM.

CRÍTICA DE LOS MONOLITOS | En las películas en que Emilio *el Indio* Fernández daba rienda suelta a su gusto por los discursos y Gabriel Figueroa lucía su habilidad para el preciosismo visual, se hacía presente, burda o sutilmente, la ideología nacionalista del régimen monopartidista y presidencialista que gobernaba desde 1929. En voz de personajes que eran maestros rurales, abogados, generales revolucionarios e incluso a través de la silueta claramente distinguible del presidente Miguel Alemán, se hacía elogio de la patria como "el cielo en la tierra" y del Estado como fuerza civilizatoria. Por ese motivo, la crítica a los filmes de la dupla Fernández–Figueroa se dirigía también hacia los valores e instituciones que sustentaban el orden político dominante. A propósito de *Enamorada*, Carlos Monsiváis escribió en 1965: "Las películas del *Indio* siempre fueron concebidas desde el punto de vista oficial y un México que ya jamás debe rebelarse contra nada se retrata, con perfil antiguo, junto a un maguey en ruinas". En *La aventura del cine mexicano* (1968), Jorge Ayala Blanco descifró *Río Escondido* como una conjunción de petrificaciones: "En la imagen, en el ritmo, en el verbo, en el lirismo, en los sufrimientos que lamenta, en el salvajismo que ataca, en la ejemplaridad que demuestra, en el nacionalismo que alaba y en la retórica que maneja, por dondequiera se advierte una consistencia monolítica. [...] Las luces, las sombras y la disposición de los volúmenes se calculan de tal manera que se ahogue cualquier intento de respiración. Los rostros campesinos de la milenaria raza de bronce y sus movimientos contenidos se someten dócilmente a una geometría martirizada. O bien, sobreviene el desfile de primeros planos hieráticamente agresivos. El perfil tosco, la mirada fija, el ademán preciso, el tiempo detenido".

Las obras fílmicas que resultaron de la colaboración de Fernández y Figueroa corrieron, en cierto sentido, la suerte del nacionalismo que representaban. La crítica cultural que alentaba expresiones y temáticas que trascendieran las simplificaciones localistas, ubicó esas cintas en la galería de estereotipos y falacias que era necesario desmontar. A la larga, sin embargo, se reconoció la capacidad de aquellos cineastas para construir mundos imaginarios.

En 1985, José de la Colina propuso una revisión del cine del *Indio*, definido por el escritor como "canto bárbaro", que no sólo atendiera a su falible costumbrismo: "Como documento de la vida mexicana, los filmes de Emilio Fernández no resisten la menor exigencia de verosimilitud. Es que no son documentos: son óperas plásticas, epopeyas trágicas y líricas que obedecen a su propia vehemencia formal, a su propia verdad metafórica".

Tira de videogramas digitales de la película Río Escondido. Escena donde la maestra rural Rosaura Salazar se entrevista con el presidente de la República Mexicana. Quien pareciera ser el presidente Miguel Alemán, de espaldas o proyectando su sombra, instruye a la profesora sobre la patriótica misión que la llevará a trabajar en un pueblo olvidado.

Vinicius de Moraes
escribe sobre Gabriel Figueroa

Ángel Miquel[1]

Vinicius de Moraes (1913-1980) es célebre como poeta y como autor de las letras de algunas de las más populares canciones del *bossa nova* brasileño. Menos conocida es su gran afición al cine, que lo llevó a ser, desde 1941, cronista de películas en varias publicaciones de Río de Janeiro. Entre sus contribuciones como periodista, destacaron el impulso a un debate sobre el arte cinematográfico basado en la comparación de las características del cine mudo (que él prefería) y las del sonoro, y la entusiasta reseña a la obra de Orson Welles a propósito de la estancia de éste en Brasil.[2]

De Moraes también fue funcionario del servicio exterior. En 1946 obtuvo su primer puesto como vicecónsul en Los Ángeles. Su residencia en esa ciudad, que se prolongó hasta 1951, le permitió seguir cultivando su afición por las películas y establecer vínculos cercanos con su admirado Orson Welles, así como con el crítico de cine Alex Viany, la estrella Carmen Miranda y otros brasileños en Hollywood.[3]

A fines de 1949, sabiendo que su amigo el pintor Di Cavalcanti participaba en el Congreso Latinoamericano de Partidarios de la Paz celebrado en México, De Moraes alquiló un automóvil y enfiló hacia el Distrito Federal. Ahí pasó veinte días en "la mayor bohemia y despreocupación, paseando con Di, bebiendo tequila con Di, conversando con Di hasta altas horas de la noche".[4] En México, el joven poeta tuvo una experiencia traumática al asistir a una corrida de toros que lo hizo sufrir: "Me sudaban las manos, me levanté dos veces para ir adentro y acabé yéndome de la plaza, asqueado por la masacre".[5] Por lo demás, disfrutó intensamente su estancia al grado de apasionarse por el país y su gente, "por su aire embriagante, su pátina india, su colorido, su fatalidad, sus mujeres y su oscura poesía".[6]

A través de Di Cavalcanti conoció a la pintora María Asúnsolo, quien una noche lo presentó en su casa con Gabriel Figueroa. Éste sorprendió a Vinicius al hacer una apología de los ambientes auténticos en una filmación. Lo hizo con tanta vehemencia que se preguntó por qué el fotógrafo, al contrario de lo que opinaba, sobrecargaba sus encuadres "de sustrato plástico —lo que le quita mucha autenticidad a los ambientes filmados—".[7] Vinicius conocía el trabajo de Figueroa porque había visto *La perla* (1945) y *Enamorada* (1946), fotografiadas por él y dirigidas por Emilio *el Indio* Fernández.[8]

De Moraes regresó a Los Ángeles a pasar el fin del año, y ahí lo entrevistó un reportero del semanario brasileño *A Cena Muda*. El joven diplomático, quien desde la fundación del diario carioca *A Manhã* en 1941,

había escrito una crítica cinematográfica diaria, "en un momento en que prácticamente no existía el género en Brasil",[9] y quien además era culto y elocuente, era un sujeto ideal para ser interrogado acerca del séptimo arte. De Moraes respondió, entre otras cosas, que el cine era para él uno de los mayores artes, y que si podía divertir, su función esencial no era ésa, "sino revelar, educar y hacer crecer el conocimiento"; admiraba la obra de realizadores como Griffith, Chaplin, Von Stroheim, Dreyer, Flaherty, Eisenstein, Pudovkin, Dovzhenko, Renoir, Rosellini, De Sica y otros pocos, quienes habían hecho un cine "que nunca *divierte*. Emociona, hace pensar, amplía la perspectiva de quien lo ve".[10]

Este apasionamiento por el séptimo arte tenía ramificaciones en su obra creativa, como se revelaba en la antología de poemas que preparaba en el momento de la entrevista, donde se incluían versos de tema cinematográfico como éstos:

El cine es infinito: no puede
medirse. No tiene pasado ni futuro.
Cada imagen sólo existe interligada
a las que la anteceden y suceden.

El cine es la preconsciente antevisión
en las imágenes que pasan. El cine
es lo que no se ve, lo que no es
aunque resulte: una dimensión indecible.[11]

Una vez terminado, en 1951, su periodo como representante diplomático en Los Ángeles, Vinicius de Moraes regresó a Río, donde volvió a escribir crónicas cinematográficas, esta vez en el periódico *Última Hora*. Ese año hubo una presencia particularmente notable del cine mexicano en Brasil, al ser exhibidas varias cintas interpretadas por el grupo de célebres estrellas surgidas en la *época de oro*. Como parte del proceso de promoción y recepción de esas películas, *fan-magazines* de arraigo popular, como *A Cena Muda* (de Río) y *Cine Revista* (de São Paulo) dedicaron muchas páginas a María Félix, Dolores del Río, Mercedes Barba, Arturo de Córdova, Pedro Armendáriz y Roberto Cañedo, entre otros mexicanos.[12] De Moraes no fue ajeno a esa recepción y escribió notas sobre dos producciones, *Río Escondido* (1947) y *La Malquerida* (1949), dirigidas por Emilio Fernández y fotografiadas por el camarógrafo al que había conocido en casa de María Asúnsolo dos años antes.

El cronista explicaba que no era cien por ciento favorable al tipo de cine hecho por los dos mexicanos porque ambos padecían (sobre todo Figueroa), una excesiva influencia de Eisenstein, difícil de sobrellevar "dado que la técnica de ese gigante es producto de una investigación en el campo general de las artes, y su propuesta formal un descubrimiento absolutamente propio".[13] El realizador soviético era para él, de hecho, el verdadero descubridor de un estilo definido del cine mexicano "a través de su gran *film* criminalmente mutilado *¡Que viva México!*"

Es claro que Vinicius conocía las circunstancias del viaje de Eisenstein al país a principios de los años treinta para realizar una cinta que mostrara simbólicamente las distintas etapas de la historia mexicana, y que estaba al tanto de la posterior cruzada periodística,

Luis Márquez Romay.
Raimunda llora la
muerte de Esteban
(Pedro Armendáriz)
en un still de la película
La Malquerida (Emilio
el Indio Fernández, 1949).
Archivo Gabriel Figueroa.

que los admiradores de Eisenstein llevaron a cabo en varios países, para intentar que le fueran restituidos los rollos filmados. Por desgracia la cruzada fracasó, los rollos permanecieron en poder de los productores y la obra no fue editada por él. Con sus materiales se hicieron varias películas cortas, la más célebre de las cuales fue *Tormenta sobre México* (*Thunder Over Mexico*, Sol Lesser, 1933), que era con seguridad la que De Moraes había visto y que, aún mutilando el proyecto original de Eisenstein, mostraba las poderosas imágenes que fundaron una de las más influyentes representaciones del país a través del cine. Según el testimonio del *Indio* Fernández, esa fue también la obra que despertó su deseo de hacer en México películas artísticas de contenido social. Gabriel Figueroa, que se había nutrido de algunas de las mismas fuentes pictóricas que Eisenstein, resultó un colaborador ideal en ese proyecto.[14] Sólo que, según De Moraes, el sentido de la composición heredado de Eisenstein, unido a la perfección técnica aprendida del gran camarógrafo norteamericano Gregg Toland, creaban en él un "complejo plástico" que su amigo *el Indio* no sabía cómo controlar; el resultado era que la fotografía en sus películas mataba algo esencial, el ritmo cinematográfico, "sin el cual el arte no va a ningún lado".[15]

Por eso, a pesar de que la dirección del *Indio* le pareciera "inusualmente orgánica" y la fotografía de Figueroa "fabulosamente bella y bien compuesta", De Moraes encontraba *La Malquerida* aquejada por "ese estatismo, esa lentitud cinematográfica, ese mutismo pétreo de las imágenes, que no deja de ser un poco una imagen del mutismo pétreo del propio México".[16]

En *Río Escondido* sucede algo parecido, pues Figueroa "abusa de la perspectiva eisensteiniana, de las figuras de perfil colocadas en profundidad, del elemento triangular tan común en la composición de las imágenes del inolvidable cineasta soviético, de los juegos de luz y sombra, de los magueyes y las figuras humanas con que el maestro de *El acorazado Potemkin* reveló cinematográficamente a ese genial país"; aunque ese defecto no evitaba que la cinta, por haber sido hecha con espíritu de auténtica solidaridad, debiera ser vista "con el respeto que se debe a todo lo que tiende a disminuir la ignorancia y la miseria de los menos privilegiados".[17]

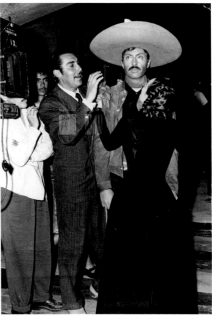

Emilio el Indio *Fernández dirigiendo a Dolores del Río y a Pedro Armendáriz en una escena de* La Malquerida. *Colección Fundación Televisa.*

Vinicius también se refirió en sus notas a las bellas actrices mexicanas. De Dolores del Río, protagonista principal de *La Malquerida*, dijo: "continúa tan impresionantemente bella que no existen palabras para describir su rostro maravilloso. Se trata, fuera de toda duda, de una de las cosas más lindas bajo el sol".[18] En cambio le pareció que María Félix, con una actuación en *Río Escondido* en la que parecía decir constantemente: "Yo soy María Félix, la mujer más hermosa del mundo", provocaba en el espectador un sentimiento de incomodidad; por lo demás, era una pena, decía el cronista, que a ese rostro le faltara un elemento fundamental "sin el que la belleza no puede ser nunca también, como dice Keats, una eterna alegría". Agregaba que con gusto cambiaría diez Marías Félix por una Columba Domínguez (quien había hecho papeles secundarios en las dos películas), aunque enseguida dejaba de lado este asunto, "ya que los gustos en materia de mujer no se discuten".[19]

Un año después de escribir estas notas, De Moraes fue enviado a cubrir la información de la XIII Muestra Cinematográfica de Venecia. Ahí se encontró con una delegación mexicana integrada por Emilio Fernández, Roberto Gavaldón, Arturo de Córdova y Gabriel Figueroa. Éste, después de anunciarle que filmaría pronto en Brasil, lo invitó a ver la película presentada por México, que también tenía fotografía suya. *El rebozo de Soledad* (Gavaldón, 1952) decepcionó a De Moraes, quien escribió: "Mis amigos mexicanos deben darse cuenta de que su producción ha bajado de nivel. De tan repetidos, sus tópicos más interesantes comienzan a parecer *clichés*. Su concepto de machismo, que tanto gustan resaltar, cae en la vulgaridad, y el tipo de mujer-que-es-la-tierra-y-la-tierra-que-es-la-mujer me parece francamente arqueológico"; terminaba sugiriendo que el cine mexicano se orientara hacia Luis Buñuel, quien a través de una dirección más orgánica había conseguido en *Los*

IZQUIERDA:
Luis Márquez Romay
Still *de la escena arriba mencionada. Archivo Gabriel Figueroa.*

299

olvidados "limpiar la fotografía de Figueroa del abuso de filtros, de la plasticidad estática y del sentimiento exagerado de la composición que amenazan con academizar el trabajo del notable *cameraman*".[20]

Vinicius de Moraes vio acertadamente algunos puntos esenciales de la obra de Gabriel Figueroa, tanto en su deuda con la propuesta formal de Eisenstein como en su participación decisiva como forjador del estilo de las primeras películas de Emilio Fernández. Sus objeciones a la compleja composición de los encuadres del camarógrafo derivaban, a fin de cuentas, de su gusto por un cine más dinámico que el del *Indio*. Sin embargo, no queda duda de su interés y su aprecio por el trabajo de Figueroa.

En cuanto al cine mexicano, el diagnóstico del cronista era certero. A principios de los años cincuenta la producción había empezado a declinar en términos artísticos. Su crisis definitiva tardaría en llegar aún una década, pero Vinicius de Moraes ya no sería testigo, como periodista, de ese acontecimiento. Al regresar, en 1953, al servicio exterior —que esta vez lo condujo a París— dejó de escribir crónicas sobre cine. Su pasión por las imágenes no lo abandonó por completo y aún escribió los guiones de algunas películas, pero a partir de entonces se volcó más y más hacia la poesía y la música, hasta llegar a convertirse en una de las más entrañables figuras de la cultura brasileña de la segunda mitad del siglo.

Fotograma de La Malquerida procesado digitalmente e impreso por Gabriel Figueroa Flores. Archivo Gabriel Figueroa.

Notas

1 Agradezco la ayuda de Miriam Gárate y Cristina Cavalcanti para la elaboración de este texto.

2 Carlos Augusto Calil hizo una selección de sus más de quinientos textos cinematográficos en *O cinema de meus olhos*, São Paulo, Companhia Das Letras, 1999. Otros se recogen en la página www.viniciusdemoraes.com.br. Afrânio Mendes Catani recuerda que De Moraes trabajó como censor de películas, entre 1936 y 1938, aunque después acostumbraba decir que nunca mutiló una sola escena ["Vinicius de Moraes, crítico de cinema", *Filme Cultura*, núm. 38/39, agosto-noviembre de 1981, p. 43.]

3 Cfr. José Castello, *Vinicius de Moraes, o poeta da paixão. Uma biografia*, Brasil, Companhia Das Letras, 1981, pp. 142-149.

4 Vinicius de Moraes, "A propósito de Do Ódio Nasce o Amor", *Última Hora*, 26 de septiembre de 1951, reproducida en *O cinema de meus olhos*, pp. 229-230.

5 Vinicius de Moraes, "Tarará-tchim-bum-bum-bum", *Última Hora*, 4 de agosto de 1951, recopilada en *O cinema de meus olhos*, pp. 121-122.

6 *Op. cit.*, n. 4.

7 *Idem.*

8 "Esta pareja tuvo una gran fase inicial produciendo algunos frutos como *La perla* y *Enamorada*, que si no daban para ganar primeros premios en concursos de robustez cinematográfica, sí podían ser considerados entre los más bellos de los que participaban." [Vinicius de Moraes, "A Malquerida", *Última Hora*, 17 de noviembre de 1951.]

9 Alberto Conrado, "Vinicius de Moraes. Perfil literario", *A Cena Muda*, 3 de enero de 1950, p. 10.

10 *Idem.*

11 Vinicius de Moraes, "Tríptico na morte de Sergei Mikhailovitch Eisenstein", en *Nova antología poética*, selección y organización de Antonio Cicero y E. Eucanaá Ferraz, Brasil, Companhia Das Letras, 2003, p. 169.

12 Según datos de distintos números de *Cine Revista*, entre noviembre y diciembre de 1950 se exhibieron cinco películas mexicanas en São Paulo, y ocho entre agosto y octubre de 1951. La más popular en esos meses fue *O Porteiro* (*El portero*, Miguel M. Delgado, 1950) con Cantinflas y Silvia Pinal, estrenada simultáneamente en 17 cines. Entre los textos dedicados a artistas de México en este periodo destacó "Confissões de Maria Felix", por Alberto Conrado, una serie que apareció durante nueve números de *A Cena Muda*, entre el 5 de julio y el 30 de agosto de 1951; el 4 de octubre del mismo año se publicó en el semanario una novelización con fotos de *Maclovia* (1948), del *Indio* Fernández.

13 *Op. cit.*, n. 8.

14 Cfr. Eduardo de la Vega, *Del muro a la pantalla. S.M. Eisenstein y el arte pictórico mexicano*, México, Universidad de Guadalajara/Instituto Mexiquense de Cultura/Imcine, 1997.

15 *Op. cit.*, n. 4.

16 *Op. cit.*, n. 8.

17 Vinicius de Moraes, "Río Escondido", *Última Hora*, 21 de diciembre de 1951.

18 *Op. cit.*, n. 8.

19 *Op. cit.*, n. 17.

20 Vinicius de Moraes, "A XIII Mostra Internacional de Arte Cinematográfica de Veneza", 26 de septiembre de 1952, reproducida en www.viniciusdemoraes.com.br.

Carlos Tinoco. *Dolores del Río interpretando a Margarita Pérez en dos stills de la película* Las abandonadas, *dirigida por Emilio el Indio Fernández en 1944. Colección Fundación Televisa (arriba) y Filmoteca UNAM (derecha).*

Todo filme tiene varios discursos. Son como pieles de cebolla que pueden desprenderse una a una, y todas forman parte del mismo cuerpo. Lo explícito son sus historias con canciones, machos enamorados y golpeadores, hembras sumisas y abnegadas hasta la abyección. El discurso sexista (machista) de Emilio Fernández es evidente. No tiene negación posible. *El Indio* construye sus historias a partir de la diferencia entre hombres y mujeres, que él considera esencial, y de la que deriva la jerarquía inferior de las segundas y el papel subordinado que deben tener en la sociedad. Expresa las ideas comunes a su tiempo, pero las lleva al límite al pasar por la criba de su propio temperamento. Así, su texto fílmico más que conservador es reaccionario: quiere volver atrás, a un tiempo mítico.

Quiere construir un marco de valores adecuado para una sociedad atemporal y eterna. Su discurso no es acorde con la práctica social de la mitad del siglo XX, pero en el universo de las ideas y los símbolos culturales estos desfases son comunes.

En un mundo de máscaras, como lo es el de Emilio Fernández, éstas configuran rostros verdaderos que no son únicos. Más allá de su machismo estereotipado, pero sin negarlo, *el Indio* Fernández es un director con instinto cinematográfico y conviene verlo más allá de lo burdo de sus tramas y lo envejecido de sus recursos.

Sus historias tienen gestos cinematográficos que conmueven, que hacen sentir que el director está construyendo con su cine un mito. Mito [...] como una versión de la historia, una descripción del mundo que accede a un nivel más profundo de la realidad y remite a una inquietud, un arquetipo, una pregunta, un problema humano. [...]

Lo femenino está inacabado y sólo el hombre lo completa. Esta labor requiere de una disciplina y un plan precisos que sólo otorga el varón. Éste es un lugar común del pensamiento contemporáneo pero, insisto, Emilio Fernández lo lleva a los extremos de sus propias concepciones. Si la mujer es barro, el hombre será su alfarero. Sus héroes actúan esta consigna en el terreno de la relación amorosa. Este amor se expresa en forma romántica porque se trata de un cine comercial de influencia hollywoodense, pero su intensidad lo emparenta con el concepto de pasión construida a lo largo de siglos en Occidente. La pasión se enfrenta a las normas sociales, es altamente subversiva y destructiva, y no tiene escapatoria. Es una emoción exacerbada que casi nunca llega a buen término.

Julia Tuñón en *Los rostros de un mito: personajes femeninos en las películas de Emilio Indio Fernández.*

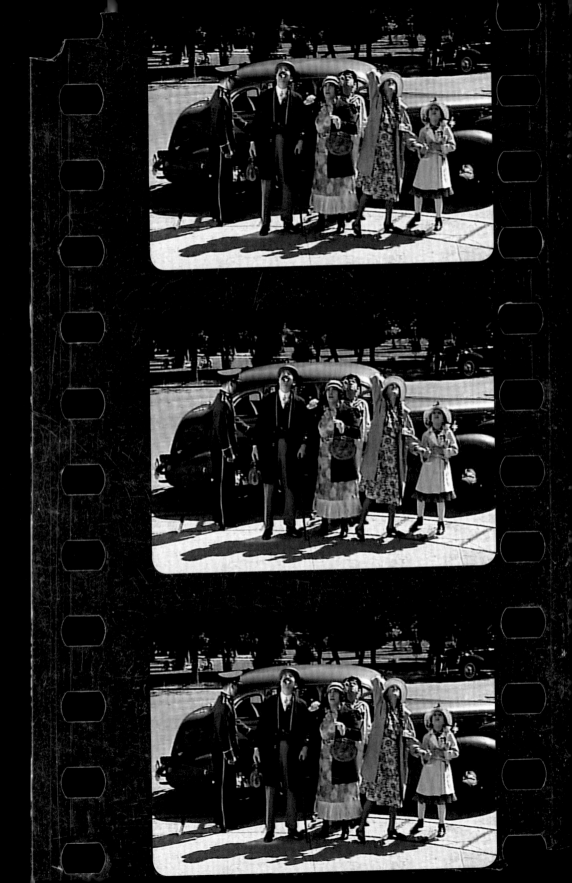

A finales de los años cuarenta del siglo pasado, la cinematografía mexicana no había dejado de ser una industria influyente y glamorosa, por más que se hubieran modificado las condiciones favorables que le permitieron expandirse en los tiempos de la Segunda Guerra Mundial. Al normalizarse la producción hollywoodense, que había concentrado sus recursos en apoyar a las fuerzas armadas estadounidenses y a sus aliados, los mercados de habla hispana dejaron de ser dominio de las casas productoras que despachaban en la ciudad de México. Los gustos del público y las temáticas a tratar tampoco podían ser las mismas en un país que estaba cambiando su perfil por causa del desarrollo industrial y el crecimiento urbano.

Aunque siguió atado a géneros canónicos, a la nómina de actores estereotipados y a un ideario promotor de los valores establecidos, el cine mexicano hizo eco del proceso de modernización que resume el título de una película: *Del rancho a la televisión* (Ismael Rodríguez, 1952). La ciudad y sus recovecos —vecindades, azoteas, multifamiliares, establecimientos comerciales, cabarets, zonas de tolerancia, hospitales— se impusieron como los principales escenarios de las vidas imaginadas para la pantalla grande. Los oficios fotográficos de Gabriel Figueroa, ampliamente probados bajo el cielo abierto de los ambientes rurales, sirvieron también para dar verosimilitud o dramatismo al encierro donde se desarrollaban tramas protagonizadas por hampones, campesinos emigrados, prostitutas, trabajadores de distintos oficios, niños desamparados y jóvenes soñadoras.

El estilo que le había dado reconocimiento internacional al cinefotógrafo no fue el requerido por Luis Buñuel para retratar, en su crudeza, la vida de *Los olvidados* (1950) que habitaban la periferia citadina.

De *Mientras México duerme* (Alejandro Galindo, 1938) a *México 2000* (Rogelio A. González, 1981), Figueroa filmó estampas que documentan, directa o indirectamente, la emergencia, florecimiento y desaparición de una metrópoli que tuvo entre sus entretenimientos favoritos contemplarse a sí misma en películas donde era maldecida, cortejada, conquistada, abandonada o exhibida con orgullo.

Videograma digital de la película Los millones de Chaflán *(Rolando Aguilar, 1938). Escena del arribo de la familia de Remedios y Prisciliano Ordóñez (interpretados por Emma Roldán y Carlos López Chaflán) a su nuevo hogar en la ciudad de México.*

PÁGINAS SIGUIENTES:
Raúl Argumedo Sandoval.
Filmación de Mientras México duerme, *película dirigida por Alejandro Galindo. Ciudad de México, 1938. Archivo Gabriel Figueroa.*

PARTIDO NACIONAL REVOLUCIONARIO
Castillo. Z.
AUTOS FLAMANTE
8
8
M.D. 108

Ramón (Jorge Negrete) a *Soledad* (Gloria Marín):

—Esto ya se lo llevó el diablo. Me voy, y antes de un mes te mandaré dinero. Tú te vas con tus tíos y me esperas.

—¡No! ¡Al otro lado no! No quisiera que te mataran a balazos. Tampoco quisiera que abandonaras la tierra, aquí están nuestros muertos, los muertos son como las raíces que sostienen el árbol a pesar de todo. El cristiano no es viento pa' andar de aquí pa' allá.

—Tenemos que vivir Soledad...

—No abandones esta tierra Ramón.

—Tú me esperas y se acabó.

—¡No! No trates de pasar al otro lado.

—¡Te ordeno que me esperes! Después de todo, si no se puede pasar al otro lado me iré con el grupo ese que sale mañana para la capital en busca de algo mejor. Porque ya no aguanto más este lugar, me oíste, porque ya no aguanto más este lugar.

Soledad (Gloria Marín) a *Ramón* (Jorge Negrete):
—Ojalá nunca hubiéramos salido de nuestra tierra aunque fuéramos los más pobres del mundo.
—Pero... ¿estás loca? ¿No te gusta esta vida? ¡Mira, mira cómo me veo yo!
—¡No! Yo sé que esta vida nos va a separar, que todo esto está envenenado, México te cambiará Ramón, tú ya no eres el mismo, te lo vi en los ojos la otra noche que me dejaste esperándote.

Diálogos de la película *Siempre tuya*
(Emilio *el Indio* Fernández, 1950).

Videogramas digitales de la película Siempre tuya
(Emilio el Indio *Fernández, 1950).*
Escena en la que los protagonistas recorren
por primera vez las calles de la ciudad de México.

Luis Márquez Romay. Still *de la película* La Bienamada, *dirigida por Emilio el Indio Fernández en 1951. Escena en la que Ismael Pérez Poncianito, Roberto Cañedo y Columba Domínguez se mudan al Multifamiliar Presidente Miguel Alemán, primer complejo habitacional de esa índole que se construyó en la ciudad de México. Colección Fundación Televisa.*

Diálogo entre Panchito (Ismael Pérez), Antonio (Roberto Cañedo) y Nieves (Columba Domínguez):

—Ni que hubiera un millón de gentes en todo México, ¿verdad, Antonio?

—No tanto, Panchito, no tanto. Pero de todos modos es una verdadera ciudad. Oye el ruido que hace, parece el zumbar de una colmena. Allá está nuestro departamento, Nieves. Hasta el último piso, muy cerca del cielo. Las recámaras dan al sur y tendremos sol todo el día.

—¡Qué bueno, Antonio! porque no habrá humedad y te curarás de tus reumas.

Diálogo de la película *La Bienamada*
(Emilio *el Indio* Fernández, 1951).

IZQUIERDA: **Juan Guzmán (Hans Gutmann Guster).** *Anuncios cinematográficos en el edificio de la Lotería Nacional en construcción. El quinto espectacular, de izquierda a derecha, promociona la película* La fuga *(1943), dirigida por Norman Foster y fotografiada por Gabriel Figueroa. Ciudad de México, ca. 1944. Colección Fundación Televisa.*

El género de los magazines ilustrados se popularizó en México entre los años treinta y sesenta del siglo XX. En las páginas de *Hoy, Mañana, Impacto, Siempre!* o *Sucesos para todos*, se desplegaron los trabajos que confirmaron las posibilidades del fotoperiodismo como crónica y denuncia. En los reportajes e imágenes realizados por los hermanos Mayo, Héctor García, Nacho López, Rodrigo Moya, Juan Guzmán y otros "ases de la cámara", solían tener cabida entornos y realidades que el régimen de la revolución institucionalizada consideraba sólo de manera demagógica y el cine presentaba como edulcorados melodramas.

Esos reporteros gráficos y sus editores no ocultaban sus deudas con la narrativa cinematográfica. Fue asimismo frecuente que hacedores de películas y fotoperiodistas compartieran asuntos, escenarios y personajes. Pero en la historia del cine mexicano de ficción no abundan casos como *Los olvidados* (1950) de Luis Buñuel, la película que llevó a la pantalla grande, dotada de un aliento poético perturbador, la vida callejera y suburbana retratada en la serie que Juan Guzmán realizó sobre los censos nacionales de 1950, en el reportaje *Una vez fuimos humanos* (1951) de Nacho López, o en la imagen *Niño en el vientre de concreto* (ca. 1953) de Héctor García.

Los cinturones de miseria y los niños vagabundos ya eran temas de la agenda fotoperiodística cuando el productor Óscar Dancigers decidió abordarlos en una película. Buñuel se convirtió a sí mismo en una suerte de reportero para adentrarse en el inframundo citadino. En recorridos por Nonoalco, Tacubaya y la plaza de Romita, en la consulta de expedientes del Tribunal de Menores y en la lectura de noticias de nota roja, Buñuel y sus colaboradores encontraron los materiales que dieron vida a las historias sin final feliz de Pedro y *el Jaibo*.

La cinta *Los olvidados* no fue bien recibida por el público que había convertido en éxito *Nosotros los pobres* (Ismael Rodríguez, 1947). Se acusó a Buñuel de ofrecer una imagen denigrante de México, señalamiento que se le hizo también a Nacho López en 1956, cuando expuso una selección de sus fotografías en una galería de Washington, y al antropólogo estadounidense Oscar Lewis en 1965, cuando publicó *Los hijos de Sánchez*. La censura gubernamental se encargó de que la obra de Lewis, relato sobre otros olvidados que fueron inquilinos de la vecindad conocida como la Casa Blanca, no se convirtiera en película del neorrealista italiano Vittorio de Sica. Tuvieron que pasar doce años para que se filmaran, con base en un guión de Cesare Zavattini y bajo la dirección de Hall Bartlett, los afanes y desgracias del patriarca Jesús Sánchez y de su desbalagada descendencia.

Alfonso Mejía como Pedro en Los olvidados, película dirigida por Luis Buñuel en 1950. Imagen procesada digitalmente e impresa por Gabriel Figueroa Flores. Archivo Gabriel Figueroa.

PÁGINAS 314 - 316:
Luis Buñuel.
Fotografías tomadas durante la etapa de búsqueda de locaciones para la película Los olvidados. *Ciudad de México, ca. 1950. Legado Buñuel-Filmoteca Española.*

Fotograma de Los olvidados. *Escena filmada en una calle cercana al puente de Nonoalco. Ciudad de México, 1950. Legado Buñuel - Filmoteca Española.*

Las grandes ciudades modernas: Nueva York, París, Londres... esconden tras sus magníficos edificios, hogares de miseria que albergan niños mal nutridos, sin higiene, sin escuela; semillero de futuros delincuentes. La sociedad trata de corregir este mal, pero el éxito de sus esfuerzos es muy limitado. Sólo en un futuro próximo podrán ser reivindicados los derechos del niño y del adolescente para que sean útiles a la sociedad. México, la gran ciudad moderna, no es la excepción a esta regla universal. Por eso esta película, basada en hechos de la vida real, no es optimista y deja la solución del problema a las fuerzas progresivas de la sociedad.

Introducción de la película
Los olvidados (Luis Buñuel, 1950).
Voz en *off* de Ernesto Alonso.

Héctor García. Entre el progreso y el desarrollo. *Ciudad de México, 1950.*
Colección Fundación Televisa.

*IZQUIERDA: **Rodrigo Moya**. El rey de la selva, Tlalpan, ciudad de México, ca. 1954. Cortesía del autor.*

Tira de videogramas digitales de la película El hombre de papel, *dirigida por Ismael Rodríguez en 1963. Aspectos del jacal donde habita el pepenador mudo Adán, personaje interpretado por Ignacio López Tarso.*

DERECHA: **Rodrigo Moya**. Lábaro protector. *Ciudad de México, 1960. Cortesía del autor.*

Juan Guzmán (Hans Gutmann Guster). Imágenes pertenecientes al sobre "Pobre gente paracaidista de la colonia General Anaya,
cerca de calzada de Tlalpan durmiendo en la banqueta". Ciudad de México, 18 de febrero de 1953. Colección Fundación Televisa.

El actor Miguel Inclán en el papel del músico ciego don Carmelo en un fotograma de Los olvidados (Luis Buñuel, 1950).
Imagen procesada digitalmente e impresa por Gabriel Figueroa Flores. Archivo Gabriel Figueroa.

IZQUIERDA: **Luis Buñuel**. Ciego indigente que fue inspiración del personaje don Carmelo,
retratado durante la etapa de preparación de la película, ciudad de México, ca. 1949.
Legado Buñuel - Filmoteca Española.

LOS HIJOS DE SÁNCHEZ | Una película es siempre un proyecto incumplido, una historia olvidada, apenas un instante dentro de un proceso en que los guiones originales se tropiezan con las adaptaciones, los convenios se deshacen abandonando ideas a su suerte y, no pocas veces, la mordaza, sutil o escandalosa, sentencia largas condenas. Este es el caso de *Los hijos de Sánchez.*

Publicado en 1961, el libro del antropólogo Oscar Lewis nació envuelto en un aura de escándalo y censura. Un grupo de miembros de la Sociedad Mexicana de Geografía y Estadística demandó tanto a su autor como a la editorial —el Fondo de Cultura Económica— por los delitos de "disolución social, ultraje a la moral pública y las buenas costumbres, y por difamación a la figura presidencial". Aunque la demanda no prosperó, provocó el despido del director del Fondo, Arnaldo Orfila Reynal, y dejó ver a una sociedad que consideraba la censura como parte necesaria de su buen funcionamiento, especialmente si se trataba de ponerle límites a una mirada extranjera que denunciaba la presencia de una cultura de la pobreza en México.

Con un polémico estilo de trabajo, Lewis había planteado una investigación antropológica sobre Jesús Sánchez y sus cuatro hijos, grabando un sinfín de conversaciones con los habitantes de la famosa Casa Blanca en Tepito. El resultado fue un novedoso tono —mezcla de documento antropológico novelado— que esbozaba una diversidad de historias autobiográficas que operan como reflejo de territorios macrocósmicos como la familia o el país. El proyecto derivó en la llamada *Autobiografía de una familia mexicana* que, como detallara Lewis en su prólogo, fue un intento por esquivar dos de los riesgos más frecuentes en el estudio de la pobreza: "el exceso de sentimentalismo y la brutalidad".

Según cuenta Gabriel Figueroa en sus memorias, Lewis consideraba que su libro era un candidato idóneo para la adaptación cinematográfica por lo que, antes de que fuera publicado, comenzó a concebir una primera propuesta para la que pensó en la dirección de Luis Buñuel y en la fotografía de Figueroa. Convidado a una reunión con aquellos dos personajes, Figueroa pudo escuchar, durante tres o cuatro horas, las grabaciones realizadas por Lewis. Aquel primer propósito quedó en el tintero no sin que pronto surgiera un nuevo grupo de productores que planeaba la contratación de un equipo que incluía a Vittorio de Sica en la dirección, y a Sofía Loren y Anthony Quinn como protagonistas. Intención pronto truncada por la reprobación de doña Carmen Báez, flamante directora de la Dirección de Cinematografía, quien evaluó que aquella historia tomada de los barrios bajos de la ciudad plasmaría una imagen vergonzosa de México y prohibió su filmación en territorio nacional.

Cumpliendo los deseos de la señorita Báez, para quien la realidad era una minucia y la simulación lo relevante, en 1965, Carlos Monsiváis escribió una adaptación donde los Sánchez se desenvuelven en un país que ha logrado erradicar la mordida, abolido la burocracia y, seguramente, aniquilado la censura. Brutal respuesta a una mordaza que sólo reparaba en la imagen que deseaba proyectar, el escenario planteado por el autor da pistas sobre una realidad que sale a flote mientras más se le niega. | **Claudia Monterde**

Vástagos del decoro
Pulcra y decente adaptación cinematográfica
de *Los hijos de Sánchez*

Carlos Monsiváis

Alguna vez Carlo Ponti quiso producir *Los hijos de Sánchez*; llevando como intérpretes a Sofía Loren y Anthony Quinn y como adaptadores a Abby Mann y Carlos Fuentes. Mas la imponderable Srita. Báez, entonces suprema ley de Cinematografía, decidió que la película "denigraría a México" y el proyecto se postergó. Y ahora que la Sociedad Mexicana de Geografía y Estadística ha embestido con declaraciones, demandas y consideraciones de índole turística ("¡Qué pensarán de nosotros en Vancouver, Islandia, Lyon, Picadilly Circus, la Piazza Navona y Amarillo! ¡Qué pensarán de nosotros si leen este cochino libro!") contra *Los hijos de Sánchez*, creemos oportuno y oportunista proponer una adaptación de la obra de Oscar Lewis que no ofenda a nadie, que reciba un beso en la frente de parte de la más cruel censura y que incluso obtenga el beneplácito y financiamiento de la SMGE.

Así pues depositamos en las manos denunciadoras del Lic. Cataño Morlet y del Ing. Lavín esperando suscitar su comprensión y estímulo económico, la presente adaptación de *Los hijos de Sánchez*.

PÁGINA ANTERIOR:
Rodrigo Moya. *La Casa Blanca. Ciudad de México, ca. 1965. Vecindad que habitó la familia cuya vida documentó el antropólogo Oscar Lewis en* Los hijos de Sánchez.

Opening shot: Con el notorio apego a la verdad que la caracteriza, la cámara se introduce con sigilo en la vivienda paupérrima de Don Jesús Sánchez (Ringo Starr) quien reflexiona sobre la vida. El destino lo ha hecho pobre como una rata. Son los típicos pobres mexicanos y por eso deben conformarse aquí, en la colonia Ojo de la Bondojo, con su choza de 32 habitaciones, una pequeña alberca, 12 televisores, una reproducción tamaño natural de los almacenes Aurrerá, una gruta donde ocurren milagros, una maqueta de la Primera Guerra Mundial y una estatua del Sr. Carreño (el del *Manual*). Es decir, habitan la típica casa del mexicano *declasé*. Don Jesús desde hace un año no tiene trabajo. Y no porque en la ciudad donde vive el desempleo sea problema (puesto que la Revolución Mexicana no se hizo para unos cuantos y ha extendido sus beneficios abarcando a todos en su brazos amorosos) sino porque el golf lo apasiona de tal modo que abandonó su empleo para entrenar.

Don Jesús, como todo pobre común y corriente, no sólo reflexiona sobre la vida; también prepara sus maletas pues es verano y la Costa Azul lo reclama.

De pronto, su televisor privado se enciende y brota la imagen de su hijo Manuel (Ricky Nelson), dispuesto a sostener la ágil, fidedigna, taquigráfica conversación de las familias mexicanas pobres.

Manuel: Padre mío, canas veneradas, encorvado manantial de donde brotó mi ser, archipiélago de mis primeros afectos, castillo medieval de mi cariño. Salud!

Don Jesús: Mínimo es hoy tu verbo, caro vástago, breve mas comedido cual corresponde a un lumpenproletario. Resplandecen tus ojos. ¿Acaso viste a tu madre, la bella engendradora de tus años?

Manuel: Su habitación queda distante, oh Zeus de este precario Olimpo; recordad que eligió la más remota de esta nuestra vivienda.

Don Jesús: ¿Y los otros retoños del árbol de mi sangre? ¿Dónde amparan su dicha tus hermanos?

Manuel: Disponen el jolgorio; pensad que hoy Marta recibe la visita de Cronos el puntual. Su onomástico prepara.

La cámara huye por un momento de este diálogo, y muestra —para beneficio de la opinión que de nosotros tienen en Italia, Francia y Estados Unidos— diversas conquistas revolucionarias: el Zócalo pavimentado, los nuevos latifundios, un pintoresco pelotón de fusilamiento en Oaxaca, la finca de recreo del Gral. Mariles, un acto de confraternidad obrero-patronal con discurso de Fidel Velázquez, los petroleros votando libremente por Pedro Vivanco, el Gral. Praxedis Giner Durán develando su estatua en la plaza mayor de Chihuahua, la excursión anual de diez mil familias de henequeneros a París, el Art. 145 del Código Penal Federal.

Satisfecha de su viaje, la cámara regresa al arrabal de los Sánchez, cuando se inicia la fiesta tradicional de los pobres mexicanos.

En el *pent house* de los Sánchez, algarabía y propiedad. Todos los comensales ingieren la bebida típica de las reuniones: agua mineral. Todo es armonía y dicha. Ellos sí saben divertirse pese a que constituyen la clase socialmente más débil (o mejor, menos vigorosa) del país. Marta (Kim Novak) interpreta al piano los Cuartetos de Bartók; Consuelo (Audrey Hepburn) llora muy constrita porque su Stradivarius se ha estropeado. Roberto (Alain Delon) y Manuel sirven Chivas Regal a los invitados, excusándose por su pobreza habitual. Don Jesús, quien

Roberto Muriel.
Gabriel Figueroa,
Hall Bartlett y equipo
técnico, durante el rodaje
de Los hijos de Sánchez
en la penitenciaría de
Lecumberri. Las escenas
filmadas en el Palacio Negro
fueron excluidas de la
versión final de la película.
Ciudad de México, 1977.
Archivo Hermanos Fuentes.

tal vez por tomar "Lulú" de mandarina, ya no está muy en sus cabales, se dirige a la reunión.

Don Jesús: Amigos, romanos, compatriotas, obsequiadme vuestra atención. Vais a escuchar la expresión habitual del mexicano muy, muy en la "chilla".

Todos: ¡Padre! ¡Don Jesús! ¿Qué palabras son esas? ¿Dónde las aprendiste?

Don Jesús: Perdón, es que en los laberintos de mi cerebro se agazapa el error. Porque "A drink is a drink is a drink", como afirma Gertrude Stein, mi autora predilecta. Aún me circunda la niebla de 20 dáikiris que ingerí en el típico bar de los sin fortuna, *The Expensive Toast*. Les hablo sin ambages con el lenguaje rudo del mexicano *who get nothing in the Revolufia...*

La cámara vuelve a hacer mutis, se aleja y regresa cuando considera que don Jesús está ya sobrio. Retorna y se deleita con la proverbial escena de amistad mexicana. Un jeep de la policía se ve rodeado por una muchedumbre; mas ni la cámara ni los policías se amedrentan. Saben que no es un linchamiento, sino la efusiva demostración de apoyo. Un coro de niños canta "Nobles guardianes de la ley y el orden". Guirnaldas, festones, laureles despliegan su encanto. Se baja un policía que besa en la frente a una niña. Aplausos de los concurrentes. Inmediatamente se improvisa un banquete. La cámara por casualidad captó el cotidiano recibimiento de la policía en la zona residencial de la Candelaria de los Patos.

Extracto de un artículo publicado en La cultura en México, *suplemento de* Siempre!, *número 160, México, 10 de marzo de 1965.*

Gabriel Figueroa decía haberse enterado del color de la atmósfera en un tratado de Leonardo da Vinci, pintor renacentista que asimismo le ayudó a comprender la naturaleza de la luz y las sombras. Intrigado por aquel concepto e insatisfecho con la poca nitidez de los paisajes filmados, el cinefotógrafo inició la experimentación con filtros infrarrojos que habrían de convertirse en recurso técnico definitorio de su estética. Los celebrados "cielos de Figueroa" resultaron de la conversión lumínica que oscurecía los azules, hacía relucir la blancura de las nubes, desaparecía neblinas y daba gran profundidad visual a las escenas retratadas en exteriores.

Samuel Tinoco.
Still de la película Distinto amanecer, *dirigida por Julio Bracho en 1943. Secuencia en la que Octavio (Pedro Armendáriz) y Julieta (Andrea Palma) asisten a una proyección de* ¡Ay qué tiempos señor don Simón!, *película en la que debutó Bracho como director y que también fue fotografiada por Figueroa. Colección Fundación Televisa.*

Al tanto de los avances técnicos de su oficio, que se ponía a prueba en los rodajes pero que no podía ser ajeno a los trabajos de revelado e impresión, Figueroa siempre supo que el realismo del cine no era sino el efecto producido por una suma de artificios. En su caja de herramientas se acumularon los saberes aprendidos de otros fotógrafos en los foros y en las pantallas, los obtenidos de su propia experiencia laboral e incluso los regalados por el azar ––como fue el caso de la textura del grano reventado que le descubrió un error en el procesamiento de los materiales fílmicos de *La fuga* (Norman Foster, 1943).

Las escenas nocturnas fueron propicias para que Figueroa mostrara tanto su dominio del claroscuro como sus afinidades con el cine expresionista alemán y el cine negro estadounidense. En la noche cinematográfica mexicana, cobijo de personajes ubicados al margen de la ley y de las normas, frontera moral, catálogo de excitaciones pecaminosas, cabaret y morgue, ocupan un lugar destacado películas como *Salón México* (1948) y *Víctimas del pecado* (1950), ambas dirigidas por Emilio Fernández y fotografiadas por Gabriel Figueroa. A través de las siluetas, contrastes y sombras alargadas de ésas y otras tramas prostibularias, se manifestó la pérdida de inocencia de la sociedad mexicana en las medianías del siglo XX, periodo en que el crisol de la vida urbana obligó a la convivencia de acendradas tradiciones y comportamientos disolventes.

Los nocturnos de Figueroa dieron asimismo cabida a traumas y pesadillas que ponían a prueba las capacidades de indagación de la siquiatría y el sicoanálisis. La película más cruda que hasta 1950 había realizado la cinematografía mexicana —*Los olvidados*, dirigida por Luis Buñuel—, dio pie a que Figueroa filmara dos secuencias maestras en que se asomó a los sustratos ingrávidos, anhelantes y transgresores del sueño. En una de ellas, el niño Pedro sueña con el amor maternal y el alimento que la realidad le escamotea. La otra es una ensoñación sin posibilidad de retorno: abatido por los tiros de la policía, *el Jaibo*, joven maleante e igualmente desgraciado, cae en el "hoyo negro" de su muerte sin otra compañía que la de un perro sarnoso.

Vista del poniente de la ciudad de México desde el puente de Nonoalco. La fotografía fue tomada mientras Gabriel Figueroa preparaba la filmación de una escena crepuscular para Víctimas del pecado, *película dirigida por Emilio el Indio Fernández en 1950. Archivo Gabriel Figueroa.*

DERECHA: Fotograma resultante de la secuencia filmada desde el puente de Nonoalco. Imagen procesada digitalmente e impresa por Gabriel Figueroa Flores. Archivo Gabriel Figueroa.

Las estaciones de ferrocarril pueden ser muy interesantes usando el vapor de la locomotora (antigua) a contraluz, esto desde luego es fuera de la técnica ferroviaria pues no se permite que en el andén las máquinas descarguen vapor. El efecto es magnífico luego de ligar con escenas dentro de los carros, pasando por fuera por las ventanillas en primer término y alternando con ventanas abiertas y otras con cristal para reflejar el fondo de la estación (*La Escondida*). Esto se usará con filtros de niebla. En color se puede jugar (noche) con el filtro azul en el exterior y el ámbar en el interior de los carros "tungsteno." Exterior noche : campo, montaña,

etc. La fuente de luz la luna, relámpagos o lluvia (no hay luna). Para lograr el efecto de luna se utiliza una grúa muy alta (Ford, para construcciones) donde se montan 2 *brutos* para dar la luz perpendicular y pintar las sombras de las hojas de los árboles en el piso y personajes, abajo un *filler* con papel complementa, dando el 1/4 de tono a todo lo ancho del *shot*. A los 2 *brutos* de carbón azul se les pondrá un filtro 1/285 para tener un foco de azul de luna (esto desde luego al gusto), a los *fillers* se les puede poner (luz incandescente) un filtro 1/325.

Notas encontradas en el archivo
personal de Gabriel Figueroa.

Raúl Argumedo Sandoval. La actriz Gaby Macías en dos stills de la película Mientras México duerme, dirigida por Alejandro Galindo en 1938. Colección Fundación Televisa.

IZQUIERDA: *Raúl Argumedo Sandoval*. Set de cabaret ambientado como barco en los estudios Clasa. Al centro, Gaby Macías es maquillada para la filmación de un número musical. Archivo Gabriel Figueroa.

C.-295

338

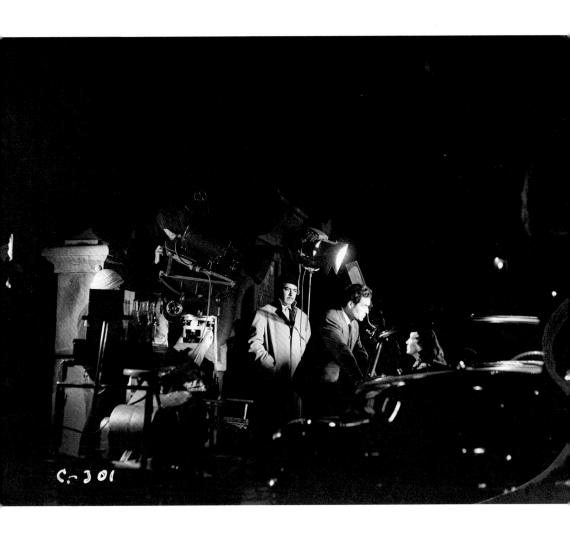

Filmación de escenas nocturnas para la película Camelia (1953), adaptación fílmica de La dama de las camelias
de Alejandro Dumas. La cinta fue dirigida por Roberto Gavaldón y llevó en los roles estelares a María Félix y a Jorge Mistral.
Colección Fundación Televisa.

Fotograma de la película Los olvidados *(Luis Buñuel, 1950). Sobreimpresión de dos imágenes que corresponden a la escena en la que agoniza el Jaibo, interpretado por el actor Roberto Cobo Calambres. Cortesía Fernando Osorio.*

IZQUIERDA: Pablo Aldama (Arturo de Córdova) en una escena onírica. Stills de la película Cuando levanta la niebla, *dirigida por Emilio Fernández en 1952. Colección Fundación Televisa.*

El prestigio cultural de Gabriel Figueroa se deposita en unas cuantas películas de lo que fue una extensa y variada filmografía. Aunque su trayectoria laboral, sus méritos artísticos y sus vínculos personales le permitieron tener influencia en los medios intelectual, político y sindical, el cinefotógrafo nunca dejó de verse a sí mismo como técnico especializado en un eslabón de producciones que implicaban muchos otros oficios. Al igual que sus compañeros de la Sección de Técnicos y Manuales del Sindicato de Trabajadores de la Producción Cinematográfica —la organización gremial que se fundó en 1945, a partir de un movimiento encabezado por Jorge Negrete, Mario Moreno *Cantinflas* y el propio cinefotógrafo—, Figueroa acompañó en sus altibajos a la industria que en un tiempo se contó entre los mayores proveedores de solaz y esparcimiento para las multitudes.

En el más de medio siglo que Figueroa prestó sus servicios al cine nacional, membrete que ocultaba tras de sí un sinfín de intereses y negocios, vio surgir y decaer géneros fílmicos, brillar estrellas de corta vida o de permanencia mitológica, entrar y salir de los foros a directores propositivos o rutinarios. El cinefotógrafo estuvo al lado de Fernando de Fuentes cuando intentó replicar el éxito de *Allá en el Rancho Grande* en otras películas y también cuando exploró la vertiente del melodrama. Con Miguel M. Delgado, viejo conocido, se hizo presente en las películas en que el peladito *Cantinflas* se volvió gendarme, bombero, mosquetero, artista de circo, visitante del infierno, fotógrafo y profesor.

La Revolución mexicana pasó de *Carabina 30-30* (Miguel M. Delgado, 1958) a *Cananea* (Marcela Fernández Violante, 1976). El romance transitó de *Historia de un gran amor* (Julio Bracho, 1942) a *Corazón salvaje* (Tito Davison, 1967). La risa se desplazó de *Los millones de Chaflán* (Roberto Aguilar, 1938) a *Hijazo de mi vidaza* (Rafael Baledón, 1971). La sensualidad de Ninón Sevilla (*Llévame en tus brazos*, Julio Bracho, 1953) le cedió su lugar a la de Isela Vega (*El festín de la loba*, Francisco del Villar, 1972). Y mientras tanto, Gabriel Figueroa fue cambiando de luces y locaciones, reajustando el foco de su cámara, ayudado por Domingo Carrillo, Álvaro González *el Frijol*, Daniel López, Pablo Ríos y otros colaboradores.

Las actrices Sara García y Emma Roldán en un still *de la película* Padre de más de cuatro, *dirigida por Roberto O'Quigley en 1938. Colección Fundación Televisa.*

PÁGINAS SIGUIENTES: Fotomontajes promocionales de películas fotografiadas por Gabriel Figueroa entre 1933 y 1981.

PÁGINAS 346 - 347: Videogramas digitales de las películas: Mi candidato *(Chano Urueta, 1937),* Los millones de Chaflán *(Rolando Aguilar, 1938),* Un día con el Diablo *(Miguel M. Delgado, 1945),* Ahí viene Martín Corona *(Miguel Zacarías, 1951),* El señor fotógrafo *(Miguel M. Delgado, 1952),* Hijazo de mi vidaza *(Rafael Baledón, 1971),* D. F. *(Rogelio A. González, 1979) y* México 2000 *(Rogelio A. González, 1982).*

FILMEX, S. A. presenta a

ARTURO de CORDOVA ★ MARGA LOPEZ
y ELSA AGUIRRE
Dirección magistral de TITO DAVIDSON
en "Medianoche"
CANCIONES: "MEDIANOCHE"
"HUELLAS" "ESPERANDOTE"
"TRANQUILIDAD" "SIN PELIGRO"
Fotografia de GABRIEL FIGUEROA

con
CARLOS LOPEZ
MOCTEZUMA,
FERRUSQUILLA,
PONCIANITO,
FRAUSTITA y
JOSE
ELIAS
MORENO

OTRA GRAN
PELICULA
MEXICANA

Distribuida por CLASA-MOHME, Inc.

FILMS MUNDIALES
presenta a

FU-MANCHU en "LA MUJER SIN CABEZA"
Otra Gran Pelicula Mex

con
PACO
FUENTES
★
FERNANDO
NORIEGA
★
MEDEL
y Cuca "La Floja"

Dirección de
RENE
CARDONA

CRIMENES! ROBOS! MAGIA NEGRA!

Distribuida por CLASA-MOHME, Inc.

POSA FILMS, S. A. presenta a

CANTINFLAS en "UN DIA CON EL DIABLO"

UNA SUPERPRODUCCION MEXICANA con
SUSANA CORA · ANDRES SOLER · MIGUEL
ARENAS · E. SCHELLINSKY y RAFAEL ICARDO
DIRECCION DE
MIGUEL M. DELGADO GABRIEL FIGUEROA

Distribuida por CLASA-MOHME, Inc.

FILMEX
presenta a

Zully MORENO y Roberto CAÑEDO
en "Pecado"
TE JURO sobre la cabeza de mi hijo, QUE TE DENUNCIARE!!!

con
EVA MARTINO, JOSE ELIAS MORENO, MIGUEL ARENAS, RODOLFO ACOSTA, CARLOS
MUZQUIZ, RODOLFO LANDA, TOÑA LA NEGRA, CHUCHO MARTINEZ GIL y ANGELICA ORTIZ
Dirección de LUIS CESAR AMADORI ☆ Fotografia de GABRIEL FIGUEROA

Distribuida por CLASA-MOHME, Inc.

FILMS MUNDIALES, S. A.
presenta a

FU-MANCHU en "EL AS NEGRO"
Dirección de
RENE CARDONA

con
MEDEL
JANICE LOGAN
MILISA SIERRA

OTRA GRAN PELICULA MEXICANA

Distribuida por CLASA-MOHME, Inc.

AMADOR FILMS
presenta a

EMILIO TUERO E ISSA MORANT
Fotografia de GABRIEL FIGUEROA
Música de ERNESTO LECUONA
María La O
con
RITA MONTANER, LINDA GORRAEZ, MANOLO
NORIEGA y OSCAR LOPEZ

Dirección de
A. FERNANDEZ
BUSTAMANTE

Distribuida por CLASA-MOHME, Inc.

LA RECETA SECRETA | Persona acostumbrada a guardar indicios de los asuntos en que estaba comprometido, Gabriel Figueroa Mateos mantuvo entre sus papeles un bizarro proyecto fílmico: *El dolor de vivir*. Las seis cuartillas de esa "línea cinematográfica [...] escrita especialmente para el director Luis Buñuel", se encontraron entre otros papeles sueltos, durante la investigación que dio contenido a la muestra *Gabriel Figueroa. Cinefotógrafo*. El escritor Carlos Monsiváis, el pintor José Luis Cuevas y el novelista Carlos Fuentes aparecían como autores de esa historia que se desplegaba en 24 escenas y reclamaba la participación de un elenco multigeneracional de conocidos histriones mexicanos, cada uno de ellos en su rol arquetípico: Sara García, cúspide de la maternidad compungida; Fernando Soler, calavera diestro en la concupiscencia y el arrepentimiento; Libertad Lamarque, la resignación a ritmo de tango; Marga López, la mala mujer, en el fondo inocente, que concita las peores perversiones y los mejores sentimientos; Mauricio Garcés, el seductor infatigable...

El suplemento *Confabulario* del diario *El Universal*, en su edición del 12 de enero de 2008, sacó a la luz pública esa escaleta que prometía una película delirante, parodia de las recetas y desafueros melodramáticos del cine mexicano. Aunque de la autoría de *El dolor de vivir* sólo Monsiváis dio una vaga confirmación, su publicación provocó reacciones desmesuradas. Antonio O. Ávila escribió para *El País*, días después: "Una historia con ribetes de surrealismo se teje desde ayer en México en torno al cineasta Luis Buñuel. La aparición del guión *El dolor de vivir,* escondido entre los papeles empolvados del director de fotografía mexicano Gabriel Figueroa, ha desatado la fiebre por conocer una obra inédita, supuestamente escrita por Carlos Fuentes y Carlos Monsiváis para ser rodada por el cineasta Luis Buñuel, que pasó parte de su vida exiliado en México."

Cuevas y Fuentes estaban calificados para ser partícipes en un atentado contra nuestras tradiciones fílmicas. Pero no había duda de que la mano de Monsiváis estaba metida en la redacción de esa comedia de enredos con final en orgía. El *Dolor de vivir* no era muy diferente a los textos satíricos que el autor de *Días de guardar*, en los años sesenta, publicaba en el suplemento *La Cultura en México* o dramatizaba en el programa *El cine y la crítica*, transmitido a través de Radio UNAM.

"Es la letra de mi máquina de escribir", me dijo Carlos Monsiváis luego de que pusiera en sus manos, en mayo de 2008, una fotocopia del documento encontrado en el archivo de Gabriel Figueroa. Me contó de las dos o tres reuniones informales que Fuentes, Cuevas, Figueroa, Buñuel y él mismo tuvieron en casa del cineasta aragonés. El escritor recordaba que la historia de las gelatinas se había inspirado en un caso de nota roja. Por lo que entendí, aquello que se había iniciado como divertimento de sobremesa evolucionó hasta la escritura, a cargo de Monsiváis, de un guión aún más desarrollado que la escaleta de las seis cuartillas. En algún lugar físico o imaginario del mundo debe estar esa propuesta de película que hubiera permitido a Buñuel dirigir a Manuel *el Loco* Valdés, actor cómico por el que al parecer profesaba cierta simpatía. La escaleta que aquí se publica, escrita probablemente a principios de los años setenta, nos permite imaginar una película que en la filmografía de Gabriel Figueroa hubiera abierto la vertiente *camp* del cine en el cine.

Pascual Espinoza. Reprografía de un collage que decoraba la casa del actor Mauricio Garcés, realizado por Lamadrid en 1968

EL DOLOR DE VIVIR

línea cinematográfica de Carlos Fuentes, José Luis Cuevas
y Carlos Monsiváis,

escrita especialmente para el director LUIS BUÑUEL y los
actores SARA GARCIA, LIBERTAD LAMARQUE, FERNANDO SOLER,
FANNY CANO, MARGA LOPEZ, MAURICIO GARCES, OFELIA MEDINA,
FERRUSQUILLA, JORGE RUSSECK y AUGUSTO BENEDICO y EL LOCO
VALDES y FERNANDO SOTO MANTEQUILLA.

+ + +

1. Un asilo de niños huérfanos.
La abuelita SARA GARCIA lo ha fundado y lo sostiene con gran
esfuerzo.
Al amparo del asilo y su abuelita vive LIBERTAD LAMARQUE,
abandonada desde hace ~~veintitantos~~ años por su rico marido,
FERNANDO SOLER.
El asilo se sostiene precariamente con la venta de gelatinas
y la caridad pública. DOÑA SARA es dueña de una receta para
hacer gelatinas, transmitida de generación en generación,
y guarda celosamente el secreto de su fabricación.
Al iniciarse la película, DOÑA SARA y DOÑA LIBERTAD preparan
un gran festival para remediar la situación del asilo.
DOÑA LIBERTAD ensaya canciones con un coro de niños.
Otro grupo de niños vende gelatinas por las calles y nos
conduce a :
2. La fastuosa mansión donde FERNANDO SOLER vive con una
mala mujer (MARGA LOPEZ) por la cual ha abandonado a su
legítima esposa, DOÑA LIBERTAD. La pareja es atendida por
un mozo de librea: el LOCO VALDES. DON FERNANDO se ha dado
cuenta, desde hace algún tiempo, de que MARGA no lo ama a
él, sino a su dinero.

3. DON FERNANDO y DOÑA LIBERTAD tienen un hijo: MAURICIO GARCES, cínico, inescrupuloso, aventurero. MAURICIO ha sido expulsado por DON FERNANDO del hogar después de un sonado escándalo en un cabaret, que apareció en todos los periódicos. Secretamente, MAURICIO es el amante de MARGA, la mujer de su padre. Los dos esperan la muerte del viejo DON FERNANDO a fin de disfrutar de su herencia.

4. MAURICIO acude al Palacio de Hierro para comprarle ropa íntima a MARGA. Allí, cae prendado de FANNY CANO, una hermosa empleada de clase media. Esa misma noche, MAURICIO lleva a FANNY a un cabaret donde escuchan a TOÑA LA NEGRA y PEDRO VARGAS. Posteriormente, la seduce.

5. En el asilo, nació y ha crecido una bella jovencita (OFELIA MEDINA), producto de un temprano desliz de MAURICIO. La muchacha es protegida por DOÑA SARA y DOÑA LIBERTAD. El asilo es amenazado por una hipoteca que detenta el influyente hombre de negocios FERRUSQUILLA; DOÑA SARA y DOÑA LIBERTAD temen por el futuro de sus queridos niños, pero sobre todo por la suerte de OFELIA: ¿qué será de ella si pierde el amparo del asilo y, a los 17 años, es lanzada a la vida?

6. MAURICIO obliga a FANNY a ser amante de FERRUSQUILLA a fin de obtener dinero mientras muere DON FERNANDO.

7. DOÑA SARA y OFELIA van a la Basílica de Guadalupe a orar por la salvación del asilo. HUGO AVENDAÑO canta el Ave María. Oficia el cura AUGUSTO BENEDICO. DON FERNANDO ora, turbado porque MARGA sólo sigue con él por el interés pecuniario y porque su hijo ha salido un tarambana. DOÑA SARA levanta preces para salvar a sus adorados muchachitos. BENEDICO se acerca, conmovido; reúne a DOÑA SARA y a DON FERNANDO. DON FERNANDO abraza a DOÑA SARA y ésta lo invita al festival del asilo.

8. FERRUSQUILLA encarga a su pistolero, JORGE RUSSECK, comprarle flores a FANNY y le explica que la testarudez de DOÑA SARA en no vender el asilo le impide erigir allí un multifamiliar y un supermercado.

9. El festival en el asilo.

No asiste nadie, salvo DON FERNANDO.

DOÑA SARA llora; las mesas están llenas de gelatinas sin consumir; pero DOÑA LIBERTAD le explica que el aparente fracaso es un triunfo: aunque no vendieron boletos para salvar la situación económica, los niños han sido felices. Sobre todo, los niños pobres del barrio, que fueron invitados gratis. DOÑA LIBERTAD canta una canción de su juventud, que toca las fibras sensibles de DON FERNANDO; el viejo se da cuenta de su equivocación y pide perdón a DOÑA LIBERTAD. Esta se muestra satisfecha con la vida de bondad y generosidad que ha llevado. DON FERNANDO se enternece al conocer a la bella OFELIA, por la cual experimenta una extraña atracción paternal.

10. DON FERNANDO regresa a su fría y lujosa casa. Compara la interesada hipocresía de MARGA con el desinterés y la abnegación de DOÑA LIBERTAD, DOÑA SARA y la gente del asilo. Le cuenta a MARGA que conoció a una chiquilla que le recordó a la propia MARGA antes, cuando era una jovencita recién llegada de la provincia.

Luego, en su recámara, DON FERNANDO le ~~cuenta~~ confía al LOCO VALDES, mientras éste le prepara la cama, que piensa dejar su fortuna al asilo. MARGA escucha detrás de la puerta.

11. MARGA informa a MAURICIO de los planes de DON FERNANDO: la herencia peligra. Además, MARGA tiene la impresión de que el viejo verde piensa seducir a OFELIA: insta a MAURICIO para que lo impida, seduciendo a la muchacha él mismo.

12. Diariamente, el LOCO va con una canasta a Aurrerá y allí encuentra a OFELIA. Llena la canasta y se la ofrece a la muchacha, explicando que se trata del regalo de un filántropo que desea permanecer oculto. ~~MARGA sigue~~ MAURICIO sigue al LOCO, se da cuenta de la situación, le arrebata la canasta al LOCO y entabla, así, relación con OFELIA.

13. FERRUSQUILLA le lleva gallo a FANNY. Esta abre su ventana. El influyente le explica que quiere casarse con ella. FANNY, con coquetería, le pide que espere. Su único interés real es llevarle dinero a MAURICIO.

14. La Navidad se acerca y el asilo está a punto de ser embargado. DOÑA SARA y DOÑA LIBERTAD tratan de superar su propia tristeza alegrando a los niños.

Diálogo típico de DOÑA SARA, dirigiéndose a uno de
los niños que ha hurtado una de las gelatinas:

DOÑA SARA: ¡Eres el mismísimo demonio, muchacho
de perra! Cuando te agarre, te voy a matar...
a besos....(El muchacho sale corriendo; DOÑA
SARA lo mira maternalmente y musita): --Ino-
cente de Dios; cómete todas las gelatinas si
eso te da alegría. Pobre angelito, si supieras
...¡ay!

15. OFELIA supera su melancolía, en cambio, escapando del
asilo y saliendo con MAURICIO a pasear por la zona rosa.
En una discoteca, FANNY, acompañada de FERRUSQUILLA, ve de
lejos a MAURICIO yy OFELIA bailando.
En la puerta del tocador de damas, FANNY le pide al pistolero
RUSSECK que vigile a MAURICIO.
16. RUSSECK, vigilando a MAURICIO, se da cuenta de que
corteja a OFELIA, pero también que es amante de FANNY y de
MARGA.
Informa a FANNY que MAURICIO la engaña por partida doble y
trata de seducirla. FANNY amenaza con delatarlo ante su
jefe, FERRUSQUILLA.
Herido en el alma, RUSSECK informa a FERRUSQUILLA que FANNY
lo engaña con MAURICIO.
FERRUSQUILLA golpea brutalmente a FANNY. Ebrio de cólera,
el influyente decide apoderararse cuanto antes del asilo.
RUSSECK sigue al enloquecido FERRUSQUILLA, que se dirige al
apartamento de MAURICIO.
17. FANNY, golpeada, se arrastra a casa de MARGA y le revela
que MAURICIO las engaña a ambas con OFELIA. Irrumpe DON
FERNANDO. Violenta ruptura con MARGA.

MARGA: Te he entregado los mejores años de mi
vida.
FERNANDO: No; te los ha dado mi chequera.
DON FERNANDO sale al apartamento de MAURICIO, con el LOCO,
a salvar a OFELIA de un destino peor que la muerte.

Llega el CURA BENEDICO y habla con MARGA; la convence de
que debe enmendar su camino; ya no es una mujer joven y
Dios le pedirá cuentas. FANNY se vefen el espejo de MARGA.
18. MARGA y FANNY, llenas de remordimiento, visitan a DOÑA
SARA y le advierten que OFELIA, la flor del asilo, corre
peligro. DOÑA SARA informa a DOÑA LIBERTAD.
19. DOÑA SARA, DOÑA LIBERTAD, MARGA y FANNY toman un taxi conducido por MANTEQUILLA y se dirigen, con el corazón en la boca,
al apartamento de MAURICIO.

DOÑASARA: De prisa, de prisa, hombre de Dios; mi
muchachita está en peligro, ¿no se da usted cuenta?
DOÑA LIBERTAD: Yo sé que si hablo con Mauricio, se
arrepentirá; es un muchacho alocado, pero en el
fondo es mi hijito de siempre.

20. En el apartamento, MAURICIO intenta seducir a OFELIA.
Suena el timbre. MAURICIO deja a OFELIA en la recámara. Abre
la puerta; FERRUSQUILLA dispara una pistola con silenciador contra el
estómago de MAURICIO y se va.
21. FERRUSQUILLA toma el elevador. Adentro, le espera RUSSECK,
ansioso de vengar la golpiza a FANNY. Se cierra la puerta del
elevador y éste desciende varios pisos. Se escuchan balazos.
La puerta se abre. Sale RUSSECK solo y se pierde en la noche,
cruzándose en la calle con FERNANDO y el LOCO, que corren
hacia el edificio, y con las MUJERES que descienden del
taxi.
22. Todos suben al apartamento. MAURICIO los recibe vestido
de smoking. Disimula su agonía. Ofrece whiskies. Hace un
intento sublime y final de cinismo. OFELIA, vestida con vapo-
rosa bata, aparece en el umbral de la recámara.
DOÑA SARA no aguanta más: revela que OFELIA es hija de MAURICIO
OFELIA cae en brazos de su padre. MAURICIO no pierde la sangre
fría: le da buenos consejos a OFELIA, promete protegerla
siempre y los despide.
Al cerrar la puerta, MAURICIO muere.
23. En el asilo próspero y alegre, DOÑA LIBERTAD canta con

el coro infantil. FANNY da clase de gimnasia, acompañada al
piano por el LOCO. MARGA aprende a hacer gelatinas con DOÑA
SARA. DON FERNANDO lleva las cuentas del orfanatorio. OFELIA
toma de la mano a su novio, un CADETE de la Naval de Veracruz.
Todos están juntos y alegres. Sin embargo, en un aparte DON
FERNANDO le advierte a DOÑA SARA que nadie es eterno y que la
receta delas gelatinas debe pasar a una nueva generación.
DOÑA SARA asiente tristemente. Llega de visita el CURA BENE-
DICO. DOÑA SARA lo mira. Sabe que su hora ha llegado. El
CURA la toma de la mano. DOÑA SARA le pide que no turbe la
felicidad tan duramente alcanzada de los demás. El CURA lleva
a DOÑA SARA a su cuarto; la abuelita se recuesta y se dispone
a morir. El CURA le pide que descargue su alma. DOÑA SARA le
revela el secreto de las gelatinas. Expira.
24. En el mismo instante, toda la gente del asilo se detiene
y trata de escuchar. Permanecen inmóviles. Luego, DON FERNANDO
comienza a seducir a su nietecita OFELIA, FANNY al cadete de
la naval, MARGA al LOCO y LIBERTAD a un niño del asilo.
   BENEDICO murmura el "Requiem aeternam" hincado junto a la
   cama de DOÑA SARA.

Luis Buñuel (Calanda, España, 1900–Ciudad de México, 1983), dirigió a lo largo de su vida 32 películas, la primera de ellas *Un perro andaluz* (1929) y la última *Ese oscuro objeto del deseo* (1977). Veinte de esas cintas, realizadas entre 1946 y 1965, luego de que el cineasta se estableciera en México, se rodaron en nuestro país y contaron con la colaboración de técnicos y artistas nacionales. Gabriel Figueroa fue el fotógrafo de *Los olvidados* (1950), *Él* (1952), *Nazarín* (1958), *Los ambiciosos* (1959), *La joven* (1960), *El ángel exterminador* (1962) y *Simón del desierto* (1964).

En los años cuarenta del siglo pasado, Luis Buñuel se integró sin mayores pretensiones a una industria fílmica que no daba margen a la renovación, atenida como estaba a las recetas que habían cimentado su éxito comercial. Más allá de la fobia que compartían por el régimen golpista y conservador que en España encabezaba Francisco Franco, pocas cosas tenían en común el director de estirpe surrealista que filmó un ojo rebanado por una navaja y el fotógrafo que regalaba a la vista esculturas de rostros y celajes.

En la filmación de *Nazarín* tuvo lugar el más claro deslinde entre el mago de los filtros y el realizador que desconfiaba de los paisajes hasta en la vida diaria: "Fue [...] durante este rodaje cuando escandalicé a Gabriel Figueroa, que me había preparado un encuadre estéticamente irreprochable, con el Popocatépetl al fondo y las inevitables nubes blancas —escribió Buñuel en *El último suspiro*—, lo que hice fue, simplemente, dar media vuelta a la cámara para encuadrar un paisaje trivial, pero que me parecía más verdadero, más próximo. Nunca me ha gustado la belleza cinematográfica prefabricada, que, con frecuencia, hace olvidar lo que la película quiere contar y que, personalmente, no me conmueve".

Las diferencias no impidieron que Figueroa fuera cómplice de Buñuel en la realización de varias de las películas que son, a la fecha, brotes extraños y provocadores dentro de la cinematografía mexicana. En películas como *Él* —historia de un enfermo de celos—, *El ángel exterminador* —crónica de un enclaustramiento burgués— y la inacabada *Simón del desierto* —relato sobre un anacoreta que es tentado por un demonio con formas de mujer—, el cineasta que se declaraba "ateo, gracias a Dios" opuso a la mala conciencia cristiana la inocencia de la imaginación. "En alguna parte entre el azar y el misterio, se desliza la imaginación, libertad total del hombre", escribió en sus memorias.

Buñuel

La actriz Silvia Pinal como el Diablo en la película Simón del desierto *(Luis Buñuel, 1964). Fotograma procesado digitalmente e impreso por Gabriel Figueroa Flores. Archivo Gabriel Figueroa.*

Gabriel Figueroa y Luis Buñuel (enmascarados), en compañía de Gérard Philipe, María Félix,
el embajador de Rusia en México y un personaje no identificado, durante la filmación,
en 1959, de La fièvre monte à Pao [Los ambiciosos]. Archivo Gabriel Figueroa.

Ángel Corona Villa (atribuida). Luis Buñuel y Gabriel Figueroa durante la filmación de The Young One *[La joven], 1960.*
Archivo Gabriel Figueroa.

Francisco Galván de Montemayor, interpretado por Arturo de Córdova, intenta extrangular a su esposa Gloria (Delia Garcés).
Stills de la película Él, dirigida por Luis Buñuel. Ciudad de México, 1952. Colección Fundación Televisa.

PÁGINAS SIGUIENTES: Fotograma de la película El ángel exterminador (Luis Buñuel, 1962).
Imagen procesada digitalmente e impresa por Gabriel Figueroa Flores. Archivo Gabriel Figueroa.

Todo lo que alteraba la monotonía de los días, excitábalo hasta extremos inverosímiles, y una enfermedad, un parto, una pena, lo mismo que el día del santo de uno de la familia, o que las fiestas de Pascua o Carnaval, —lo más interesante como lo más fútil—, enardecíanlo en una forma absurda, que no se sabía cómo iba a terminar cuando se le veía comenzar a ponerse nervioso.

Entre todos los detalles que del carácter de "Él", anotaba yo diariamente, éste es uno que consideré muy interesante, pues hube de fijarme en que la menor variación en mi vida, hasta un simple paseo desacostumbrado, todo lo que alterase sus metódicas costumbres, lo exicitaban fatalmente, con resultados a veces temibles. Sin embargo, nadie daba a estos detalles más que un solo nombre, "mal carácter".

Mercedes Pinto, *Él*,
México, B. Costa-Amic, 1948.

Caracterización de Claudio Brook como Simón del desierto,
personaje principal de la película homónima que Luis Buñuel dirigió en 1964.
DERECHA: Los actores Claudio Brook y Jesús Fernández en un still de Simón del desierto.
Colección Fundación Televisa.

Al igual que otros destacados fotógrafos mexicanos del siglo pasado —entre ellos Agustín Jiménez, Antonio Reynoso y Nacho López—, Manuel Álvarez Bravo (Ciudad de México, 1902–2002) fue seducido por el misterio de las imágenes en movimiento. En sus primeros ensayos cinematográficos utilizó una cámara comprada a Eduard Tissé, el fotógrafo lituano que colaboró con Sergei M. Eisenstein en la filmación de la nunca acabada cinta *¡Que viva México!* Los recursos para la adquisición de ese aparato provinieron del premio que Álvarez Bravo había obtenido, a fines de 1931, en el concurso organizado por la cementera La Tolteca. Mil pies en formato 35 mm, obsequio del compositor Carlos Chávez, entonces jefe del Departamento de Bellas Artes, sirvieron para que el cineasta debutante experimentara con el movimiento de la cámara al tiempo que registraba la vida cotidiana de Tehuantepec.

Francisco Rabal en Nazarín, dirigida por Luis Buñuel en 1958. Fotograma procesado digitalmente e impreso por Gabriel Figueroa Flores. Archivo Gabriel Figueroa.

En 1935 presentó, en el Cine Club Mexicano, *Disparos en el Istmo*, probablemente armada con el material obtenido en aquella localidad oaxaqueña, en opinión de Eduardo de la Vega Alfaro. A este filme primerizo no le dieron continuidad otras obras terminadas. La filmografía posible de Álvarez Bravo se dispersa en la combinación de datos comprobables (su participación como fotógrafo en *El petróleo nacional*, documental dirigido por Felipe Gregorio Castillo en 1940), indicios de los trabajos realizados en colaboración con escritores (el cortometraje *Cuánta será la oscuridad*, basado en un cuento de José Revueltas), recuperaciones recientes (los apuntes fílmicos sobre el pintor Diego Rivera que hizo con la ayuda de Gabriel Figueroa) y pietaje que aún se conserva en algún archivo o se sabe irremediablemente perdido en el incendio que destruyó a la primera Cineteca Nacional en 1982.

Aunque también fue maestro en escuelas dedicadas a la formación de cineastas, la relación más larga que Álvarez Bravo mantuvo con el cine mexicano fue a través de su trabajo como *stillman* o fotógrafo de fijas, luego de que se integró al sindicato encargado de la producción de largometrajes. Varios rodajes de películas filmadas por Figueroa —*La perla* (Emilio Fernández, 1945), *Cantaclaro* (Julio Bracho, 1945), *Sonatas* (Juan Antonio Bardem y Cecilio Paniagua, 1959) o *Nazarín* (Luis Buñuel, 1958)—, tuvieron un testigo de lujo en el fotógrafo mexicano que en su obra personal había conseguido producir "verdaderas evidencias de lo invisible", a decir del poeta Xavier Villaurrutia.

Como lo prueba esta selección de las imágenes que realizó para *Nazarín*, producidas para servir como bitácora y promoción de la cinta en que Buñuel y Figueroa confrontaron sus ideas estéticas, Álvarez Bravo sabía que cualquier producción cinematográfica es un lugar desmontable en que están sucediendo al mismo tiempo varias películas.

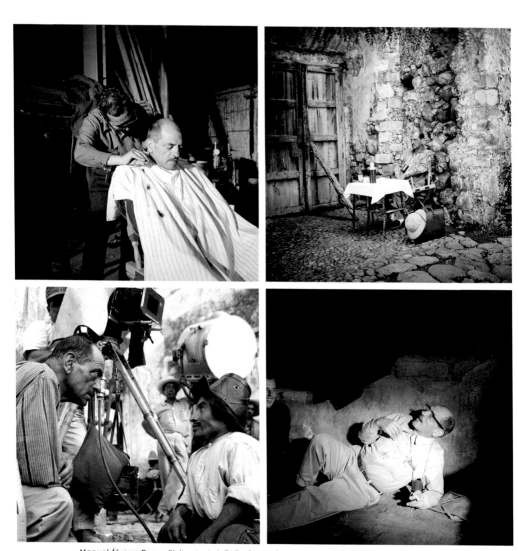

Manuel Álvarez Bravo. El director Luis Buñuel en varios momentos de la filmación de Nazarín, 1958. Colección Fundación Televisa.

Manuel Álvarez Bravo. *Francisco Rabal interpretando al padre Nazario y Marga López como Beatriz, durante la filmación de una escena de Nazarín. Colección Fundación Televisa.*

Manuel Álvarez Bravo.
Stills de la película Nazarín.
Beatriz (Marga López)
implora al Señor de Chalma
por la salud de su sobrina
moribunda (arriba).

Beatriz sufre un arrebato
de éxtasis en el Mesón de
los Héroes (abajo). Colección
Fundación Televisa.

Manuel Álvarez Bravo.
Stills de la película Nazarín.
Andara pelea en el Mesón de los Héroes con la Camella*, interpretada por Aurora Molina, por los botones que le ha robado (arriba).*

Las prostitutas Andara y la Prieta, interpretadas por Rita Macedo y Rosenda Monteros, escuchan al padre Nazario referir el robo del que fue víctima por parte de la Chona (abajo). Colección Fundación Televisa.

Manuel Álvarez Bravo. Stills de la película Nazarín. Escena del incendio provocado por la prostituta Andara (Rita Macedo) *en la casa del padre Nazario. Colección Fundación Televisa.*

Estoy filmando en una calleja solitaria, casi en ruinas. De pronto surge en mi mente una imagen: una niña que avanza arrastrando una sábana. Tengo así una imagen irracional, pero que resume la tragedia.

Buñuel por Buñuel. Entrevistas y conversaciones con José de la Colina y Tomás Pérez Turrent. Editorial Plot, Madrid, 1993.

Manuel Álvarez Bravo. *Una niña, al parecer hija de una extra, recorre el pueblo infectado por la peste. Serie fotográfica de la película* Nazarín. *Tlayacapan, Morelos, 1958. Colección Fundación Televisa.*

*Manuel Álvarez Bravo. Josefa (Ada Carrasco), acompañada de su hermana Beatriz,
pide al padre Nazario el milagro de salvar a su hija enferma. Secuencia de la película Nazarín
filmada en el pueblo de Atlauta, Estado de México, junio de 1958.
Colección Fundación Televisa.*

Hermanos Mayo. *Manuel Álvarez Bravo, fotofijas de la película Nazarín, captado mientras disparaba su cámara*
para producir la serie de stills a la que pertenece la imagen que se muestra en la página anterior.
Archivo General de la Nación, Fondo Hermanos Mayo.

La industria fílmica que Gabriel Figueroa, como creador de imágenes, líder sindical o figura pública, había ayudado a construir desde la época de *Allá en el Rancho Grande*, manifestaba señales de debilitamiento en los años sesenta del siglo pasado. Lastrada por estructuras sindicales rígidas y por productores que no tenían más ambiciones que las ganancias en taquilla, la cinematografía nacional vivía repartida entre la añoranza de sus días de gloria y los fallidos intentos por ponerse al día. Las convocatorias del Primer Concurso de Cine Experimental y el Primer Concurso Nacional de Argumentos y Guiones Cinematográficos, dadas a conocer en 1964 y 1965, evidenciaron la necesidad de renovación de la venerable fábrica de sueños que asimismo enfrentaba la competencia del entretenimiento televisivo.

Como en otras épocas, la filmografía de Figueroa fue reflejo de las corrientes revueltas que atravesaron al cine mexicano en la era en que el Apolo XI llegó a la Luna. En esos años el cinefotógrafo trabajó a las órdenes de John Huston, Luis Buñuel y Don Siegel, pero igualmente en adaptaciones fílmicas de telenovelas exitosas o de textos de Juan Rulfo; en cintas en que directores de teatro universitario debutaron como cineastas o en filmes protagonizados por el cómico *Cantinflas*. Fue también socio de la compañía que resultó de la fusión de Clasa y Films Mundiales, productora de un ciclo de películas dirigidas por Roberto Gavaldón con base en historias del enigmático escritor B. Traven: *Macario* (1959), *Rosa Blanca* (1961) y *Días de otoño* (1962). La segunda de estas cintas, que mostraba las maniobras criminales de una trasnacional petrolera, estuvo enlatada por más de una década.

Dado que no sólo el cine sino la vida entera estaban regidos por la variedad cromática que por doquier prodigaban los materiales sintéticos, en los años sesenta Figueroa continuó el aprendizaje de la fotografía a color que intentó por primera vez en *La doncella de piedra* (Miguel M. Delgado, 1955). Al principio no le resultó cómodo trabajar con material que no podía revisar de inmediato porque se procesaba fuera de México. Sus exploraciones hubieran querido replicar en el cine los colores de la arquitectura de Luis Barragán o de la pintura de Rufino Tamayo. Alguna vez su amigo, el fotógrafo George Hoyningen-Huene, comentó con él la posibilidad de hacer un filme que fuese la trasposición fotográfica de la paleta de Paul Gauguin.

Mediante la filmación a color de alucinaciones lisérgicas y romances en torno a un "instituto de belleza", el maestro del blanco y negro bordeó los territorios del arte pop y la sicodelia.

Ángel Corona.
Gabriel Figueroa y la actriz Carmen Montejo, en el papel de la abuela Elisa, preparando una toma de la película Coronación, *dirigida por Sergio Olhovich en 1975. Colección Fundación Televisa.*

Videogramas digitales de la película The Big Cube *[El terrón de azúcar], dirigida en 1968 por Tito Davison y estelarizada por Lana Turner.*

COLOR | [...] pensando en nuestra conversación de ayer con respecto a nuestro amigo mutuo, Gabriel Figueroa y sus conocimientos, anoto algunas observaciones de mi parte, que en mi humilde opinión, podrían ser utilizadas desde un punto de vista práctico.

Permítame empezar con la idea, como usted lo dijo, de llevar a la pantalla la representación de la vida del pintor Gauguin por medio de imágenes fotográficas que se parecieran a sus pinturas.

Existen muchos ejemplos de este tipo. Nazimova en la época silente interpretó *Salomé* de Oscar Wilde, una película en blanco y negro, cuya escenografía fue diseñada por Natacha Rambova, inspirada en los dibujos de Aubrey Beardsley. Los alemanes hicieron *El gabinete del Dr. Caligari*, en blanco y negro, al estilo de los decoradores y pintores cubistas alemanes de la posguerra. En ambos casos, ni la fotografía ni la iluminación fueron de vital importancia, los medios que se emplearon fueron escenografía "artificial", escenarios y telones pintados a mano.

En *Iván el terrible*, los arreglos de Sergei Eisenstein encontraron su origen en las primeras imágenes moscovitas, que fueron hábilmente combinadas en la estructura del realismo estilizado y apoyados por tres elementos: a) composición estática, b) escenarios, c) iluminación. La película tenía "estilo" pero la consistencia en los lugares era nula y débil.

Más evidente fue todavía la falta de consistencia en la película estadounidense *King Kong*, que intentó infundir el romanticismo de las ilustraciones de Gustave Doré. Aquí las técnicas variaron, de Doré al realismo, pasando por la impresión óptica, los *mat shots* y el proceso.

Tomando como referencia a los pintores realistas de los Países Bajos del siglo XVII, como Vermeer de Delft y Pieter de Hooch, los británicos y los franceses realizaron *Rembrandt* y *La Kermesse héroique*, respectivamente. Aquí el diseño de los escenarios se igualaba al de los pintores holandeses, los actores aparecieron vestidos y maquillados cuidadosamente y la iluminación trató de aproximarse a los originales. Este intento resultó muy consistente. Una de las razones, como lo mencioné anteriormente, es que el origen de las imágenes era realista. La técnica utilizada en blanco y negro se basó en los *tableaux* en movimiento.

La idea de trasladar Toulouse Lautrec en términos de cinematografía a color estuvo a cargo de Marcel Vertes y el fotógrafo Elisofon. Esta fue una de las últimas películas realizadas en technicolor de tres tiras. El "estilo" fue irregular, principalmente porque era más difícil llevar el impresionismo de la pintura a la fotografía.

En *Nace una estrella*, utilicé lienzos coloreados de malla de algodón crudo, que ajusté a lo largo del escenario para que se proyectara un tono traslúcido en una parte de éste; como efecto fue un éxito, sin embargo, actualmente resulta poco práctico por razones técnicas (limitación de acción, sombras, etc.). En *Les Girls* teníamos una escena de un bote en un tanque para la que proyectamos un enorme soporte que colgaba del techo. El reflejo de los colores vívidos en el agua más las ramas de los sauces en primer plano fueron una evocación de los lirios acuáticos de Claude Monet. Pero esto fue solamente para crear la atmósfera en un breve número musical.

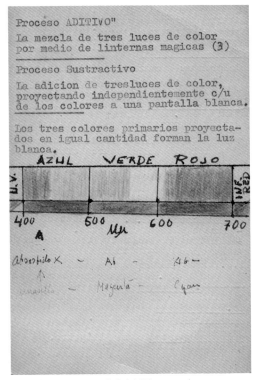

Proceso ADITIVO"
La mezcla de tres luces de color
por medio de linternas magicas (3)

Proceso Sustractivo

La adicion de tresluces de color,
proyectando independientemente c/u
de los colores a una pantalla blanca.

Los tres colores primarios proyecta-
dos en igual cantidad forman la luz
blanca.

AZUL   VERDE   ROJO

400   500   Mμ   600   700
A

Absortilo X - Al - A6 -
         - Magenta - Cyan

Tarjeta con apuntes de Gabriel Figueroa sobre procesos cromáticos. Archivo Gabriel Figueroa.

En el caso de los musicales, la ciencia ficción y las leyendas, cualquier cosa parece desvanecerse. Los rusos utilizaron efectos meramente teatrales (detalladamente) en *Stone Flower*.

Los musicales de MGM presentaron visiones extravagantes para sus "números" con la ayuda de luces de colores y escenarios estilizados. Eran más fotográficos los efectos de *Funny Face* diseñados por Richard Avedon para la Paramount, sin embargo, ninguno de estos ejemplos tenía la intención de "copiar" o imitar a la pintura. Como tampoco lo eran las escenas realistas de la versión cinematográfica, un tanto ordinaria, de *Lust for Life* de la MGM.

Para concluir con el conflicto de Gauguin, no veo cómo sus pinturas pueden ser trasladadas a la fotografía en movimiento sin hacer uso de enormes escenarios (que todavía se verían como están), o la técnica empleada en los programas de ciencia ficción de impresión óptica y *mat shots*. El resultado, en mi opinión, sería poco cinemático y pretencioso. Una manera muy peligrosa. Un ejemplo de ello aparece en una de las recientes ediciones de la revista *National Geographic*: los *tableaux* de mujeres en Taití que tienen como fondo escenarios similares a los de los impresionistas. El resultado fue pobre y muy desafortunado.

La otra idea, aquella de las alucinaciones producidas por los hongos, es algo más factible para mí. Hace algunos años me sometí a un experimento, dirigido por el Dr. Osmond de San Francisco en presencia de Gerald Heard, el filósofo y el conferencista, Aldoux Huxley y una grabadora. El efecto durante cuatro horas del elixir llamado mezcalina. Tengo un recuerdo muy claro de cada una de las fases del experimento y escribí un reporte. Aquí veo la manera de llevar la "visión" a la fotografía, sobre todo si se aumenta la potencia del color, cambiando la óptica y mejorando los elementos de pre-visión existentes con la textura, el color y la luminosidad intensa. Es muy extenso para entrar ahora en detalles pero la idea resulta totalmente posible y creo que los resultados serán acertados, honestos y atractivos desde un punto de vista psicovisual.

Documento encontrado en el archivo personal de Gabriel Figueroa. Firmado por George Hoyningen-Huene, el 20 de julio de 1962. Esta carta no fue dirigida a Figueroa; desgraciadamente, la primera página está perdida y, con ella, el nombre del destinatario.

Antes de los títulos de crédito --

EXT. GLORIETA DIANA LA CAZADORA - PASEO DE LA REFORMA - (DIA)

Nota: P.U.

1   FULL ESTABLISHING SHOT ESTATUA
    Emplazamiento de efecto de la estatua -- CAMARA SE ABRE EN --
    ZOOM-BACK descubriendo la glorieta, el Paseo de la Reforma --
    y, finalmente, los modernos edificios en ST -- (SONIDO: AM --
    BIENTE)

2   FULL SHOT ENTRADA EDIFICIO MODERNO
    Movimiento de transeúntes, tráfico, etc -- (SONIDO: AMBIENTE)
    Tras de establecer la fachada -- CAMARA AVANZA EN ZOOM-IN a -
    una placa de bronce: INSTITUTO DE BELLEZA - LUCY SCALA -- Es-
    cuchamos una voz "aterciopelada" de mujer --

                              VOZ MUJER
                    "...tras esta sencilla placa se esconde
                    un mundo apasionante de vanidades, de -
                    sueños, de intrigas y de lujo... El mun
                    do secreto y maravilloso de la mujer mo
                    derna..."

                                            CORTE A:

INT. INSTITUTO DE BELLEZA - (DIA)

    Nota: Se trata de un moderno instituto, elegante y funcio-
    nal. Tiene varios ambientes: LOBBY y PEQUEÑA SALITA DE ES-
    PERA -- SALA DE MASAJES y SALITA DE DESCANSO. Del otro la
    do del lobby un ambiente de BOUTIQUE, con mostradores cir-
    culares, donde se venden artículos de belleza, perfumes y
    pelucas. Alfombrado y decorado en estilo francés moderno.
    En el centro del lobby, en una especie de pequeña pérgola,
    la recepción. Todo de muy buen gusto. No faltan los ador
    nos florales.

3   CLOSE ANGLE SHOT MANOS VICKY

PANNING Y ZOOM-BACK:- Una mano de mujer alza el auricular --
luego presentamos a VICKY, hermosa rubia de unos 24 años que-
atiende:

                              VICKY
                    Instituto de Belleza Lucy Scala... (PAU
                    SA) - Un momento, por favor señora de -
                    Romero... Voy a apartar su cita...

Consulta la agenda que está sobre su escritorio --

Estudio Fotográfico Corona. Still de la película El amor tiene cara de mujer, *dirigida por Tito Davison en 1973.*
Adaptación fílmica a color de la exitosa telenovela homónima que comenzó a transmitirse en 1971 por el canal 2.
En primer plano las actrices Irán Eory, Anel y Lucy Gallardo. Colección Fundación Televisa.

Estudio Fotográfico Corona. Vicky Gallardo y Pimentel (Irán Eory), y una modelo del Instituto de Belleza Lucy Scala (arriba)
en stills de la película El amor tiene cara de mujer. *Ciudad de México, 1973. Colección Fundación Televisa.*

Estudio Fotográfico Corona. Danny *(Raymundo Capetillo) y Chris (Silvia Pasquel) se comprometen en matrimonio en una escena de la película* El amor tiene cara de mujer. *Estudios Churubusco, 1973. Colección Fundación Televisa.*

Estudio Fotográfico Corona. Irma Lozano en el papel de Matilde Suárez y Fernando Allende como Pablo Escandón, en un still de la película El amor tiene cara de mujer. *Colección Fundación Televisa.*

PÁGINAS SIGUIENTES: *Escenificación de una obra pictórica para un comercial de la Casa Pedro Domecq.*
Este anuncio formó parte de la campaña televisiva que la compañía vitivinícola lanzó en 1978 para promover sus productos.
Los spots fueron dirigidos por Juan Ibáñez y fotografiados por Gabriel Figueroa. Archivo Gabriel Figueroa.

Fotogramas de la película Divinas palabras, *protagonizada por Silvia Pinal y dirigida por Juan Ibáñez en 1977.*
Imágenes procesadas digitalmente e impresas por Gabriel Figueroa Flores. Archivo Gabriel Figueroa.

Directores de teatro, pintores y escritores que en México representaron el espíritu de renovación cultural de los años sesenta del siglo pasado, se hicieron presentes, detrás y frente a las cámaras, en el Primer Concurso de Cine Experimental convocado en 1964 por el Sindicato de Trabajadores de la Producción Cinematográfica: Carlos Fuentes, Juan José Gurrola, Juan García Ponce, José Luis Cuevas, Carlos Monsiváis y otros creadores, convencidos de que las formas realistas y la temática vernácula no eran las únicas posibilidades de la expresión artística.

Rodrigo Moya. Escena de una fiesta de disfraces en la película Las dos Elenas *(José Luis Ibáñez, 1965). Los invitados parodiaban a los personajes del mural pintado por Diego Rivera en la fachada del Teatro de los Insurgentes. Colección Fundación Televisa.*

El dibujante Cuevas, inventor de los murales efímeros, había acuñado años atrás el término "cortina de nopal" para referirse a la ortodoxia nacionalista que veía con malos ojos la vinculación a movimientos y modas foráneas. El grupo Nuevo Cine y su revista, encabezaron el deslinde de los jóvenes cinéfilos respecto a una cinematografía poblada de golfas, mariachis, luchadores, padres solemnes y amores candorosos, de la que sólo rescataban la obra de Luis Buñuel. Los cineclubes —"antros llenos de melenudos", como los describía una señora recatada en un cuento de Fuentes— devinieron centros irradiadores de una nueva cultura cinematográfica y una crítica más exigente.

Gabriel Figueroa colaboró en algunos de los filmes experimentales que implicaban, paradójicamente, un rechazo a la retórica visual y a los modos de producción que el cinefotógrafo representaba. Varios de los episodios que integraron *Amor, amor, amor* (1965), película producida por Manuel Barbachano Ponce y ganadora del tercer lugar en el mencionado certamen, fueron filmados por Figueroa: *Lola de mi vida, Las dos Elenas* y *Un alma pura*, dirigidas por Miguel Barbachano, José Luis y Juan Ibáñez, respectivamente. Las dos últimas fueron adaptaciones de cuentos publicados por Carlos Fuentes en *Cantar de ciegos* (1964).

Durante la filmación de *Las dos Elenas*, Rodrigo Moya retrató a Figueroa y a su operador de cámara siguiendo los pasos de la actriz Julissa en una calle de la Zona Rosa; la imagen sirvió como ilustración para la portada del folleto Nuevo Cine Mexicano, publicado por el comité organizador de las Olimpiadas de 1968.

En aquellas expresiones de la nueva ola nacional, seguidoras de propuestas fílmicas a la moda, el cinefotógrafo de *Pueblerina* adaptó sus oficios a tramas en que se narraban relaciones incestuosas, había personajes que aspiraban a la liberalidad de una película de François Truffaut y se organizaban fiestas en que los asistentes se disfrazaban de murales. El crítico Jorge Ayala Blanco describió *Un alma pura*, en parte rodada en Nueva York, como representante de un "cine mimético, vulgarmente pretencioso y cosmopolita, que confunde su pequeña neurosis con el dolor del mundo".

El delicado cimbreo de una bonita actriz

Durante los acuciosos preparativos para la exposición que en marzo de 2008 se presentó en el Palacio de Bellas Artes, con la hermosa y exhaustiva curaduría de Alfonso Morales, éste me envió una notita preguntando por un manojo de fotografías que, según su deducción iconográfica, podrían ser mías por las circunstancias de tiempo, tema y estilo. Eran varias imagenes, pero en particular le interesaba aquella donde aparecía la actriz Julissa, caminando erguida y apresurada por una calle de la Zona Rosa, con la particularidad de que pocos pasos atrás la seguía el cinefotógrafo Gabriel Figueroa, con un *photo flood* en la mano iluminándole el rostro.

Rodrigo Moya. *Gabriel Figueroa dirigiendo la fotografía en una escena de Lola de mi vida. Chapultepec, ciudad de México, 1965. Cortesía del autor.*

Sí —contesté de inmediato—, la foto es mía, pero no conservo negativo o copia alguna, la perdí de vista hace cuarenta y cuatro años, y volver a verla gracias a las pesquisas para la exposición, me ha conmovido. Mirando la foto en la computadora recordé cada segundo de aquella mañana en la Zona Rosa: las órdenes del maestro Figueroa a su operario para la toma con la Arriflex a la mano; el simulacro dirigido varias veces por él, más que por el director, lo que me permitió calcular mi "posición de tiro" sin estorbar el desplazamiento de la actriz. Recordé, como si lo viera ahora, a Figueroa manejando personalmente el *fill in* para equilibrar el contraluz mañanero; los "peladitos" (arcaísmo en desuso) del fondo que no se quitaban por más señas que yo les hacía. Para la película no importaban porque esa toma era en *close up* de perfil, con cámara a la mano a medio metro de su rostro, pero para mi perfeccionismo inútil de aquel entonces, me echaban a perder la triple irrealidad que tal vez intentaba captar: la escena del guión, la de la propia filmación, y la de la foto fija conteniendo a ambas. Algo más que un *still*... Como diríase en el culto lenguaje fotográfico de moda: la representación de una representación dentro de otra representación, de la que, a final de cuentas, no queda como objeto tangible más que la propia fotografía, ubicua y perenne en su pequeño espacio bidimensional, conteniendo su propia realidad más allá de la realidad volátil que le dio vida y forma.

Desde mi rígido punto de vista, los peladitos no contaban. Ellos no estaban en el guión y por lo tanto tampoco debían de estar en mi fotografía. Eran parte de la realidad circundante, pero no de la ficción que estaba fotografiando. Pero allí permanecían, impasibles y curiosos, *nomás* mirando, acechando. Se metían a cuadro por todas partes e ignoraron mis ademanes expurgatorios. Un audaz bolerito hasta se habilitó de extra y se metió a la escena caminando atrás de la actriz y mirando fijamente a mi cámara, irritándome sobre manera y sin hacerme el menor caso.

El corte de la toma era cuando Julissa rebasaba la Arri junto a su rostro. Figueroa ignoraba a los curiosos porque sabía que no saldrían. Por eso, la toma luego se complementó con un *dolly back* en *tilt up* (arcaísmo en desuso, equivale a contrapicada) con Julissa caminando hacia la cámara con el operador tendido o retorcido sobre una carretilla o aparato bajo y rodante que el *staff* armaba con habilidad prodigiosa. Podía imaginar los cortes (otro arcaísmo en desuso) y la edición de las tomas en la moviola. Pero los cuida coches, el bolerito y el organillero afuera de *El Perro Andaluz* se salieron con la suya y aparecieron en la impresión que Alfonso Morales encuentra y me enseña cuatro décadas después.

Muy posiblemente esa copia la hice yo mismo. Creo sentirlo en la ajustada sincronía del movimiento de la escena, en la composición donde también el árbol esmirriado de la derecha tiene su papel, y en la buena definición de los tonos a pesar del tremendo contraluz. Pero al invadir la llamada irrealidad de la foto fija, los peladitos ganaron y se colaron sin remedio en una de esas complicadas irrealidades o "representaciones". Y allí quedaron, viendo desde lejos el andar de Julissa, ya no echándome a perder la pureza de la fotografía pretendida en aquel entonces sino, con los ojos de ahora, enriqueciendo su simpleza de foto en cierta forma "posada" (arcaísmo en desuso) con el peso de lo documental (palabra en desuso por oposición irritada). Propongo que esa foto se llame *Peladitos gozando de lejos el delicado cimbreo de una bonita actriz*.

Portada del folleto Nuevo Cine Mexicano, *editado por el Comité Organizador de los Juegos de la XIX Olimpiada. Ciudad de México, 1968. La imagen utilizada es un reencuadre de la fotografía tomada por Rodrigo Moya (izquierda), donde aparecen Julissa, el operador de cámara, Manuel Santaella y Gabriel Figueroa durante la filmación de* Las dos Elenas. *Ciudad de México, 1965. Archivo Gabriel Figueroa.*

Para un fotógrafo, o cualquiera que toma fotos, es emocionante encontrar imágenes perdidas que uno captó en esa otra existencia que fue aquella de la juventud. Al ver las imágenes que dentro de su investigación sobre Gabriel Figueroa me envió Alfonso Morales, junto con aquella de la cimbreante actriz, se me ocurrió imaginarlo a él como una mezcla del detective Poirot o míster Holmes, con algo del seco Filiberto García de *El complot mongol*, recorriendo el barrio chino de la fotografía en busca del asesino, o el culpable, lo mismo que de los actores y las causas del crimen; en este caso la fotografía, sus circunstancias, sus personajes y motivaciones. Su récord de autores fugitivos, atrapados y condenados a cumplir la condena póstuma del reconocimiento es impresionante, lo mismo que los recónditos hallazgos del cuerpo del delito, cada uno de ellos una foto recuperada para nuestro entendimiento de los autores, la época y la fotografía misma. Por ello me complació ser eventual testigo de cargo en su fiscalía icónica, en los diversos casos que me presentó en la preparación de la exposición sobre Gabriel Figueroa.

Julissa en *Las dos Elenas* y Arabella Árbenz en *Un alma pura*

Otra fotografía de Julissa, donde ella está sentada con las piernas recogidas, también la reconocí de inmediato. A su izquierda, en la realidad que dejó de serlo en cuanto disparé, pero que aún resuena, estaba Enrique Álvarez Félix al volante de un auto convertible europeo, de esos que atrapan los ojos de los transeúntes cual si se tratara de una rara belleza femenina causa de incontrolables giros cervicales. Se trataba de la escena final de la película *Las dos Elenas*, filmada en los estudios Churubusco en el costado de uno de los foros. Era algo así como

Las actrices Julissa y Beatriz Baz en un still de la película Las dos Elenas *(José Luis Ibáñez, 1965). Colección Fundación Televisa.*

la despedida o la continuación del amor entre ellos (en ese entonces, como ahora, la moda era ser elegantemente ambiguo en todo), y en las tomas precedentes o siguientes ella aparece pintándose los labios en el incómodo asiento del auto *sport*, hablando con Enrique, que parece no hacerle caso, y luego ella con la vista perdida hacia adelante, como triste o liberada.

Por no sé qué razón, las tomas se prolongaron hasta después de la una o dos de la madrugada, tal vez precisamente por la ausencia de Figueroa y la inexperiencia de José Luis Ibáñez, quien dio el pizarrazo final para marcar la secuencia 51, toma número 1, con la que finalizaba la filmación.

Como era su primera película, los técnicos aplaudieron el acto y una vez filmada la escena procedieron a bautizarlo ruidosamente y a chorrearlo con algo espumante que pudo ser champagne o vil Sidra la Gaitera. Hubo bocadillos y risas, y llegó el galán de Julissa que era un roquero insoportable con pinta de golpeador de callejón, y en ese momento dejé de tomar fotos de aquella algarabía. Conservo la foto de Ibáñez dando aquel claquetazo final, y a Julissa casi en la misma imagen que me envió Alfonso Morales, pero con un gesto indefinido que en mi archivo la condenó al descarte.

Respecto a las fotos de Julissa con camisa blanca, y de ella con Beatriz Baz, reclinadas en posiciones contrarias, son buenos encuadres de un fotógrafo que no pude identificar. En la casa de Fuentes y Rita Macedo no estuve en un par de secuencias largas que llevaron todo el día y parte de la noche, y terminaron en fiesta casi familiar. En esa y otras ocasiones observé a Gabriel Figueroa sacar su Leica y tomar algunas fotos, pero esas de Rita y Julissa son de formato cuadrado y no procedieron de la Leica del maestro.

De las fotos de Arabella Árbenz no pude aproximar nada. Esas fotos de cuerpos entrelazados o simplemente arrojados sobre algún mueble, contienen en alta dosis lo que pienso que es un lastre cuando defiendo a contracorriente la contundencia de la foto realista y documental. O sea, la rebuscada ambigüedad, la indefinición, el erotismo esteticista, puro formalismo, modernidad, abstracción, misterio rebuscado, imágenes movidas y fuera de foco o borrosas, todo al mismo tiempo en pos de la anhelada originalidad; en suma, que

Rodrigo Moya.
Julissa en un still de la película Las dos Elenas. *Colección Fundación Televisa.*

cada quien interpreta lo que quiera. Y si cada quien interpretara lo que quisiera, de lo que sea, ¿para qué entonces el anhelo de uno mismo de interpretar desde la cámara cualquier cosa? Interpretar es tratar de entender y compartir, pensé alguna vez, y no se puede disparar una cámara sin al menos un aleteo de interpretación personal del mundo, inconsciente o subconscientemente, con la presencia inevitable de ese otro destinatario fantasmal que un día verá lo que uno ve en el acto de fotografiar. Así pues, nada que ver con esas fotos que, ahora sé, pertenecen a *Un alma pura*, la película de Juan Ibáñez dentro de aquel breve ciclo de cine experimental producido por Carlos Velo, en 1965.

Pero la cuarta foto de esa serie de Arabella es lo absolutamente contrario de los precedentes amasijos de extremidades humanas, y me impactó desde la pantalla de la computadora. La imagen de Arabella Árbenz sugiere, sin rodeos, la muerte. No el sueño ni el reposo o la muerte actuada. Es la muerte definitiva y trágica por apacible. Tal vez la escena de *Un alma pura* no tuviera nada que ver con esto, pero el resultado de la foto es el de una dulce joven serenamente muerta. ¿No quedamos que cada quién puede interpretar una imagen como le venga en gana, como lo dicten sus asociaciones cerebrales, sus condiciones culturales, su estado de ánimo, su época?

Pues en esa foto me apunto a este todo se vale ante la carencia de referentes. Qué importa lo que el fotógrafo de fijas quería transmitir de acuerdo con el productor o el director. A mí me transmite a una joven misteriosa y radiante tronchada de pronto: aún nadie lo sabe, su cuerpo espera ser encontrado, y ella o alguien colocó un tenue velo sobre su rostro. El impacto será más fuerte para quien la descubra, pues la supondrá reposando, pero ella está muerta. Me hubiera gustado tomar esa imagen que durante unos segundos reconcilia la belleza con la muerte, ardua tarea lo mismo para un fotógrafo cualquiera que para una muerte cualquiera.

La brumosa historia real, recordada de pronto, fortalecía ese sentimiento de la muerte absurda. El caso es que ella cayó en ese círculo de la bohemia intelectual y ecléctica de Juan y otros artistas por el estilo —tal vez también Jodorowsky y Gurrola— y acabó en la droga y en aquella liberación sexual tardía de los sesenta y tantos. Arabella, hija del ex presidente guatemalteco Jacobo Árbenz, el perdedor de la "Gloriosa Victoria" del Departamento de Estado que cambiaría, hasta

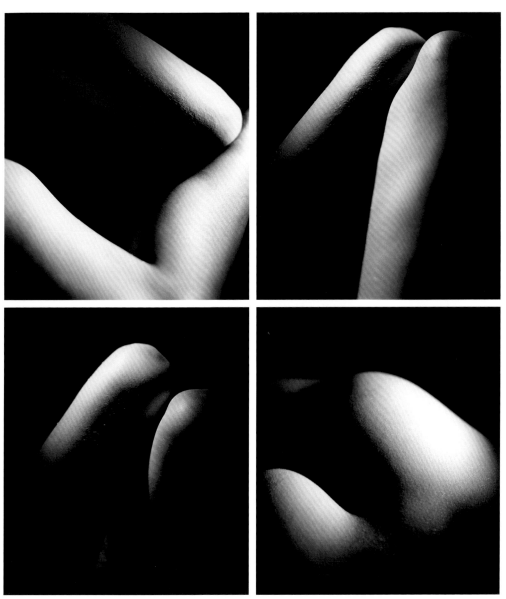

Arabella Árbenz en una secuencia erótica de la película Un alma pura.
Stills cuya autoría Gabriel Figueroa Flores atribuye a su padre. Colección Fundación Televisa.

la fecha, el camino hacia la democracia en Guatemala, le proporcionaría a su padre otra amarga derrota: la de su suicidio. Todas estas ideas y recuerdos atropellados me llegaron a la memoria desde esa foto de una joven con velo, que para mí prefigura el final de ella en la vida real, en la muerte real.

Las dos Elenas, Lola de mi vida, Tajimara

Carlos Velo me contrató en 1964, a cuenta de Producciones Barbachano, para cubrir como *stillman* tres películas de corte experimental. Aunque mi terreno era la fotografía periodística y tenía cero experiencia en fotografiar filmaciones, Velo o alguien cerca de él conocía algo de mis fotos sobre teatro, y de ellas surgió la idea de cubrir los *stills* de manera viva, documental, siguiendo las avatares del mismo rodaje y su entorno, y no llamando a los actores a la voz de ¡fija señores, ...fija por favor!, para preparar todo el tinglado y ponerlos a repetir de manera acartonada e inexpresiva lo que fluidamente hacían durante sus actuaciones.

Estas películas fueron: *Las dos Elenas*, sobre un cuento de Carlos Fuentes, dirigida por José Luis Ibáñez, fotografiada por Gabriel Figueroa, y Julissa y Enrique Álvarez Félix en los papeles estelares; *Lola de mi vida*, historia de Juan de la Cabada, dirigida por Miguel Barbachano Ponce, fotografiada igualmente por Figueroa, con Jacqueline Andere y Sergio Corona como protagonistas; y por último, la desmadrosa

Tajimara, sobre un cuento de Juan García Ponce, dirigida por el también desmadroso Juan José Gurrola, fotografiada por Antonio Reinoso
y Corkidi, y actuada por Pilar Pellicer, Claudio Obregón y Luis Lomelí,
con un respaldo de notables extras voluntarios entre los que recuerdo
a Carlos Monsiváis, Sergio Pitol, Alberto Dallal, Manuel Felguérez, Juan
Vicente Melo, Juan García Ponce, Lilia Carrillo, Tamara Garina, Ofelia
Guilmáin, la hija, y otros más que venían siendo los extras de lujo, y que
en el futuro —que ahora vivimos— serían altas estrellas en la intelec-
tualidad de México.

De los pocos negativos 6 x 6 que conservé de aquel breve paso por
la foto fija de cine, están también en mi archivo, intactas no sé cómo, las
diaspositivas en Ektachrome profesional tomadas en el ya desaparecido
esterito de Chapultepec. Los negativos seleccionados por mí fueron
entregados a la productora según el convenio, y otra parte sucumbió
muchos años después en uno de esos arranques de descartar lo inútil
o reiterativo, a lo que somos afectos quienes luchamos contra el desorden y lo perfunctorio de nuestras obras y acciones. Tengo claridad
de cómo se fueron al bote decenas de negativos de aquellas filmaciones que consideraba en todo cosa ajena, además de que muchos eran
deficientes técnica y plásticamente. Pero aún me lamento por la pérdida de una serie conservada apenas en dos hojas de contacto, donde
aparecen, en la casa que Carlos y Rita Macedo poseían en San Ángel,

precisamente Gabriel Figueroa, Carlos Fuentes, José Luis Cuevas y, en dos o tres tomas, Julissa, Enrique Álvarez Félix y el director Ibáñez.

Recuerdo otros negativos desaparecidos de una serie tomada en la Galería Arvil, en la en ese entonces floreciente Zona Rosa, dedicada sobre todo a Figueroa viendo discos junto con Julissa y Enrique. No sé por qué razón, de esta hecatombe fotográfica sobrevive un negativo de José Luis Cuevas mirando hacia mi cámara y mostrando unas patas hervidas de pollo y, atrás, sobre sus hombros, un cartel donde con intención traviesa saqué de cuadro la C de su publicitado apellido, de manera que se lee "uevas", en lugar de Cuevas. La existencia de estas dos hojas de contactos demuestra que los negativos estuvieron en mi archivo, pues a Velo le entregué copias y no contactos. No me gustaba que vieran mis defectos o errores fotográficos, ni las imágenes que reservaba para mí o para la basura.

Toda esta minúscula historia, iniciada hace más de cuarenta años, concluye en una afortunada secuencia que me compensa por la pérdida de aquellos negativos, y en sí misma vale para mí mucho más que todas las fotos que pude haber tomado para Carlos Velo en las producciones narradas. Se trata de una breve secuencia a la que llamo *El Rey de los Pepenadores*. Fue tomada en la calzada Virreyes, casi enfrente de la casa escogida como locación para varias tomas de *Lola de mi vida*.

La cita de actores y *staff* era a las cuatro de la tarde pero, como peatón precavido y desconocedor de esa zona, llegué con casi una hora de antelación. Apenas identificado el lugar, llamó mi atención un personaje que fumaba apaciblemente recargado en el pretil de piedra que dividía la calle y la acera de la arbolada barranca que hacia atrás caía a tajo. Como tenía tiempo de sobra y aún no llegaba nadie, me acerqué al inmutable personaje que tenía más aspecto de príncipe gitano que del pepenador que en realidad era, como lo atestiguaba el enorme costal de yute repleto de cartones y papeles viejos sobre el cual se recargaba en posición mayestática. No sabía de una película llamada *El hombre de papel*, realizada años después de *Los olvidados,* de Luis Buñuel, fotografiada también por Gabriel Figueroa. Pero para mí, este personaje y la inolvidable conversación que tuve con él me lo representarán siempre como el culmen del oficio de la pepena, y por eso su imagen quedó nombrada como dije, aunque su verdadero nombre era Jerónimo, oriundo de Tetelcingo, estado de Morelos.

El Rey de los Pepenadores o De Tetelcingo a Ixtapalapa

Nos miramos fijamente desde que nos vimos de lejos. Yo aminoré el paso y él no se movió del pretil de piedra donde estaba recargado. Éramos como dos matones del Viejo Oeste, calculando la distancia y el momento exacto para sacar las Colt. No me quitó la mirada, ni descruzó las piernas o movió el cigarro que sostenía en la mano. Su serenidad me intimidó.

Desde el primer momento pensé que tenía que disparar rápido, y también él lo adivinó, y así me le fui acercando mientras desenfundaba, y él permanecía impertérrito, con una leve sonrisa que podría ser irónica, o amable, pero que ya más de cerca me pareció inmensamente triste, como de quien sabe que todo es irremediable y ya nada se puede esperar de la vida.

El primer disparo fue intuitivo, a quemarropa, sin enfocar el blanco. Había que cazar la imagen, asegurar "el documento" y, ya después, ocuparse de medir la luz, la composición, el fondo; en fin, todo aquello que, mediante la fotografía, en una fracción de segundo convierte algo de la vida que pasa en una imagen perdurable o, con suerte, en algo que transmite la emoción de un instante infinitesimal de la realidad, ya remota en el mismo instante en que sucede.

El hombre no se inmutó ante mi intrusión; mirándome a los ojos, esbozó un gesto entre tímido y afectuoso. Su cordialidad, su melancolía, la sosegada seguridad en sí mismo, el medio balón de fut que llevaba

sobre la cabeza como un casco medieval, desarmaron mi arrogancia. Entonces le pregunté si podría tomarle más fotos. "Bueno", dijo, y permaneció en la misma posición señorial, impasible como un viejo actor consagrado. Mientras agotaba la carga de mi Rolleiflex, me preguntó cuánto costaba mi cámara y si yo era mexicano. Terminé sentado a su lado, escuchando un jirón de su historia.

Se llamaba Jerónimo, no sabía cuántos años tenía, pero sí que había nacido en tiempos de la revolución, porque "...a mi papá lo colgaron los federales por allá por Tetelcingo, pero yo era chico y no recuerdo". "Ya luego mi mamacita, que en paz descanse, nos llevó a vivir con unos tíos en Jiutepec, allá me hice mayorcito y aprendí el trabajo del campo, pero lo fui dejando porque mi tío no pagaba, 'nomás' nos daba de mal comer, así que nos vinimos a la 'ciuda', aquí no había broncas".

Vivió con su madre y dos hermanas en los tiraderos de basura de Santa Anita, por el rumbo de Ixtapalapa, "cuando no llegaban los coches, sólo carretas y camiones que iban al tiradero... Luego que murió mi jefecita y mis hermanas terminaron mal, empecé a tomar mucha 'medecina' y no fui a la escuela, me quedé pepenando hasta que enfermé de tanto beber, 'pos' así me metieron al tambo y luego al hospital, ya luego me curé y hace como veinte años que no tomo trago, pura 'Pecsi'".

Jerónimo dejó la "medecina" de refresco con alcohol de farmacia, pero nunca dejó la basura. No cualquier basura. "Hay de basura a basura", dijo, "la de aquí en Virreyes es la buena, me la entregan las sirvientas de las casas, a veces vienen aparatos, hartos juguetes, hasta triciclos que ruedan me han dado, no agarro basura mojada, esa la recogen otros 'güeyes', yo puras cajas y papel limpio, o ropita y zapatos sin agujeros... eso no más recibo, no chingaderas, ya me conocen", afirmó con orgullo. "M'ijo trae un camión recolector del Departamento. Ya en la tarde me recoge aquí 'onde' me ve, y ya luego me pagan lo que llevo. Los de Ixtapalapa me respetan porque me juré con la Virgencita, y le cumplí y dejé de empedarme y bronquear, antes era muy bronquero, andaba con fierro. Al que quiera le doy consejo pa' dejar el trago, pero no hacen caso, toman desde escuincles y por eso muchos se mueren de bronca, o desde antes...", contó entre otras cosas don Jerónimo: no un pepenador cualquiera, sino El Rey de los Pepenadores, amo de la basura fina de la calzada de los Virreyes, allá por Las Lomas, en 1965.

Gabriel Figueroa tuvo frente a sus cámaras, iluminó, retrató y promovió a la condición de presencias míticas, a no pocos de los rostros femeninos que el cine mexicano del siglo XX proyectó sobre la pantalla —ésta sí verdaderamente grande— de los deseos de los cinéfilos. De Andrea Palma a Sasha Montenegro, el cinefotógrafo dispuso, como materia de su trabajo creativo, de las fisonomías de decenas de actrices a su vez responsables de representar amores etéreos, dolorosas renuncias, pasiones arrebatadoras, caricias compradas.

En esa galería de personajes femeninos, que mucho informa sobre los cambios en la imagen de la mujer y sobre las valoraciones morales asociadas a esa transformación, no abundan seres tan inclasificables como el que Pina Pellicer encarnó en *Días de otoño* (Roberto Gavaldón, 1962). La actriz de los ojos tristes, a quien su propia melancolía libraba de los excesos melodramáticos, dio vida a una joven solitaria que fue capaz de llevar sus ensoñaciones a la realidad, fingiendo para sí y para los demás, vínculos nupciales y maternos que no eran sino montajes fotográficos o teatrales. La escena en que se viste de novia, espera la llegada del marido inventado, va en su búsqueda y retorna a su casa a confrontarse con su imagen en el espejo, es considerada por Ariel Zúñiga "una de las más bellas y complejas del cine mexicano".

La iconografía femenina de Figueroa también sirve para documentar la dificultad que el cine mexicano ha tenido para plantear un disfrute no culpígeno ni moralizante del cuerpo. "Al cine mexicano le cabe la deshonra de no haber, hasta la fecha, producido jamás una película, digamos, 100 por ciento erótica —escribió Salvador Elizondo en 1961—, cuando ha estado a punto de lograrlo, cuando ya había tomado la resolución de hacerlo [...] se ha detenido en el umbral de ese mundo maravilloso, asustado por el coco de su propio atrevimiento".

Varias películas para las que Figueroa trabajó en los años setenta, en particular las dirigidas por Francisco del Villar, dan testimonio de la desesperación, el rebuscamiento y la impotencia con los que el cine mexicano ha querido exorcizar los demonios de la carne.

PÁGINAS 414 - 415: *Ángel Corona Villa*. Guillermo Orea y Pina Pellicer en la película Días de otoño.
Colección Fundación Televisa.

Ángel Corona Villa. La actriz Pina Pellicer en dos stills de la película Días de otoño *(Roberto Gavaldón, 1962).*
Archivo Gabriel Figueroa (izquierda) y Colección Fundación Televisa (arriba).

Ángel Corona Villa se inició como *fotofijas* en la industria
fílmica nacional en 1944, de la mano de su hermano,
el experimentado *stillman* Isaías Corona *el Pingüino*,
con quien más tarde abriría el Estudio Fotográfico
Corona, ubicado en la calzada Ermita Ixtapalapa. Una gran
cantidad de producciones mexicanas fueron difundidas
con su trabajo, entre ellas la película *Días de otoño*.

Ángel Corona Villa. Stills de la película Días de otoño, protagonizada por Pina Pellicer.
Colección Fundación Televisa.

EL VERANO O NARDA

Claudia Monterde

*Si es que somos tan sólo la imagen en un espejo,
¿cuál es la naturaleza exacta de los seres cuyo
reflejo somos?*
Salvador Elizondo, Farabeuf

*Mirar rezuma falsedad porque
es lo que nos arroja
más afuera de nosotros mismos.*
Julio Cortázar, Las babas del diablo

*Othón Argumedo Albuquerque. La actriz Amedée Chabot
haciendo un striptease en la película Narda o el verano, dirigida
por Juan Guerrero en 1968. Archivo Gabriel Figueroa.*

*Alguien escribe que escribe que alguien
escribe*. Dinámica recurrente en la obra de
Salvador Elizondo, la reflexión sobre el placer,
el sueño, la memoria, la fotografía o el dolor,
sólo se concibe a través de la escritura. Más
allá de provenir de una preocupación temática, es el efecto de una alianza indisoluble
entre la pregunta y el experimento: articulación de la diversidad donde las interrogantes
actúan como estructuras transitables que
dan la posibilidad de escribir fotos, leer placeres, soñar recuerdos, experimentar ideas,
fotografiar reflexiones o agonizar en otros
cuerpos.

En tanto no se interesa en la reproducción de lo real sino en la creación de un juego
de prismas, su concepto de escritura se funda
en la idea de atribuir nuevas dimensiones
a las imágenes que registra. Si la caverna
platónica asumía que las sombras eran un
conocimiento ilusorio, una suerte de reflejo
semejante a lo ocurrido en la *camera oscura*,
en *Aparato*, Elizondo plantea a la *camera
lucida* como un método de escritura que no
sólo duplica al referente como fantasma
sino que lo multiplica en distintos registros
convirtiéndolo en un "dispositivo regulador"
entre la cosa, la imagen de la cosa y la idea de
la cosa: las tres caras de un mismo prisma.

Elizondo piensa en imágenes; la *camera
lucida*, al igual que la escritura, no transcribe
lo real en imágenes: transmuta libros, palabras, sensaciones, cuerpos; es una caja que
crea espacios de varios lados donde fragmentos de órdenes distintos cohabitan en un
mismo lugar.

La escritura, más allá de ser un acto
sobre el papel, es un no-lugar donde dialogan
la conciencia, la memoria y la realidad bajo la

forma del ideograma. Pero más allá de hablar de la ficción como lenguaje, se trata de concebir lo ficticio a la manera de Michel Foucault, como un conglomerado donde ninguna entidad termina por ser independiente de la otra: "la ficción es la nervadura verbal de lo que no existe, tal como es". El lenguaje es una falla que accede a "lo que es".

La relación entre las formas del lenguaje y lo real es un diálogo perpetuado. Elizondo llegó a plantear que la literatura estaba entrando en una fase de agotamiento que debía superarse con nuevas maneras de dialogar con el mundo tomadas de la fotografía. Más allá de la descripción, la literatura debía aprender de la fotografía sus procesos de inscripción. Entendida, en geometría, como la acción de trazar una figura dentro de otra, compartiendo puntos pero sin fragmentarse, la inscripción del mundo en la literatura ocurre a través de otra falla: las imágenes.

La obra de Elizondo está atravesada por sus mismas obsesiones. Ya sea en *Farabeuf*, *El grafógrafo*, o *Narda o el verano*, la memoria es siempre escritura que tentalea a ciegas, girando alrededor de un punto fijo —de un recuerdo o de una fotografía—. Sin embargo, la fijeza es ilusoria pues no hay imagen si no hay observador.

En *Narda*, un personaje escribe sus recuerdos de la temporada de verano. La memoria es poco confiable y el recuerdo certero comienza a desplazarse por los devaneos mentales que transforman a los personajes en trasposiciones del deseo y al verano en la generosidad de una hoja en blanco que rebasa cualquier fantasía: las imágenes se descubren a sí mismas pensando a otras imágenes.

La trama es simple: en la ligereza de un verano dos amigos se proponen compartir a Narda, la mujer de un caníbal que desaparece ante el disparo de un *flash* y aparece de nuevo en la morgue con algunas huellas de rituales canibalescos, dando fin a la fantasía que había servido de unión en una muy forzada amistad entre Max y el personaje que escribe.

El recuerdo es siempre escritura pero, en *Narda*, lo recordado es un habitante de la fantasía en duermevela: el caníbal Tchomba intercambia autógrafos falsos de Pound, fotografías de la rueda de prensa de Marilyn Monroe cuando estuvo en México, opio o mariguana; es dueño de un restaurante llamado Baobab donde se come filete de boa y vino de kola; Narda —un nombre elegido por ella misma como reminiscencia a la novia de Mandrake— es una imagen que aparece y desaparece de la mirada de los otros personajes por la vía de las tomas fotográficas, y que termina muriendo con señales de tortura ritual en el cuerpo; el narrador de la aventura trabaja como *stillman* en una película —de un famoso director que, a decir de los críticos, ha logrado como nadie "penetrar tan profundamente en el alma de la mujer moderna"—, por lo que configura la realidad a manera de *close-ups* o planos americanos.

Narda, extraña mezcla de cuento policial con entonaciones cinematográficas —escrita por el narrador mientras trabaja como *stillman* posiblemente en *La noche*, de Antonioni— y narración intertextual del cómic *Mandrake*, es un despliegue de juego teatral cargado de ironía. Narda, princesa compañera del hipnotista Mandrake, persiste en su papel de mujer perfecta: amante y compañera de aventuras. Mientras Lotario (Tchomba), se ubica como la tercer arista del triángulo: africano que equilibra al mago gracias a su gran fuerza física.

El juego no radica en encontrar las correspondencias intertextuales, pero hay algunos misterios que se tejen alrededor de la idea de lo fotográfico. Durante su estancia en común, el narrador dispara varias fotografías de Narda y Max, Tchomba pide una fotografía de Narda "con partes religiosas bien visibles". Cuando, para satisfacer esta

ARRIBA Y PÁGINAS SIGUIENTES: Videogramas digitales de la película Narda o el verano, *adaptación fílmica del relato homónimo de Salvador Elizondo. Escena en la que el personaje interpretado por Héctor Bonilla se sorprende ante la misteriosa desaparición de Narda de las fotografías que le había tomado.*

petición, el disparo fotográfico, acompañado del *flash*, acomete durante el *striptease* de Narda, sucede lo inexplicable: ella sale de la casa desapareciendo de sus vidas, dejando atónitos a los mirones: "Estaba perplejo pues el fogonazo del *flash* no había tenido sino un resultado incomprensible. La vida se había quedado congelada en aquella fotografía tomada con todas las agravantes [...] era como si [Narda] se hubiera muerto en esa actitud".

Al igual que en *Las babas del diablo* de Cortázar, hay en el texto una continua especulación sobre la mirada. El marco de la fotografía —la mirada— puede convertirse en una ventana, en una inversión donde lo que ocurre en la imagen fluye y el papel de quien mira se convierte en fijeza. *Se confunde el que mira con lo mirado y el que es mirado se vuelve mirador*. La fotografía funge entonces como mediador entre los objetos y lo humano.

Walter Benjamin se percató de que aquello que llamamos naturaleza perceptiva en el hombre ha sido trastocada por la tecnología. La fotografía como parte de ella, se ha convertido en una segunda naturaleza humana. En tanto es una naturaleza diferente la que le habla a la cámara que la que le habla al ojo, la fotografía sirve como mediadora entre las experiencias conscientes y las de la memoria involuntaria: entre los objetos y lo humano.

Una de las muchas acepciones del concepto de aura, es entendida como las representaciones que la memoria involuntaria une alrededor de un objeto sensible. Representaciones involuntarias que pasan

al radio de la memoria voluntaria gracias al aparato tecnológico, es decir, a la cámara fotográfica.

Benjamin entiende al aura como la capacidad de la memoria para retener imágenes, pero también la refiere como una experiencia a partir de la mirada, donde cada que se mira hay una expectativa de devolución que sólo alcanza su plenitud cuando ésta es retribuida. Es por eso que la experiencia del aura es la traslación de un deseo.

Hay un deseo en el hombre —que elabora una analogía con las formas de relacionarse con otros seres humanos a través de la mirada—, de que lo inanimado, tanto natural como histórico, le devuelva la mirada.

En un artículo a propósito de Nicéphore Niépce, Elizondo revela un enfoque de la fotografía, semejante al planteado por Benjamin, como la propiciadora de la aparición de lo inconsciente: "En tanto vivimos sólo en la conciencia, la fotografía es una prueba casi incontestable de la existencia de una realidad real dentro de la que estamos inscritos"; una prueba de la realidad, un dato que habrá de convertirse en memoria.

En relación al personaje que escribe la historia, Narda es la creación de un aura, el deseo de retribución de la mirada en tanto presencia. Cual acto de magia, Narda no aparece en las fotografías pero deja en ellas huellas de su presencia, perdiendo su carácter de referencia.

Si como bien dijo Roland Barthes, "la fotografía pertenece a aquella clase de objetos laminares de los que no podemos separar dos láminas sin destruirlos: el cristal y el paisaje, y por qué no: el Bien y el Mal, el deseo y su objeto: dualidades que podemos concebir pero no percibir", Narda se constituye como una fatalidad peor que lo inseparable: la fatalidad del significado sin el significante, de una foto sin "alguien", un signo sin referente, el deseo sin objeto.

Siempre con un dejo de ironía y simulacro, Narda es la concepción de una dualidad rota. En la obra de Elizondo los personajes nunca están seguros de su propia existencia, deambulan, son simulacros, ideas donde los caracteres se intercambian por espacios mentales. En su obra, las tramas y problemáticas funcionan como meditación sobre lo escrito. No hay sueño, no hay memoria ni experiencia, no hay lenguajes, no hay identidad: sólo ruinas y fragmentos reconstruidos dentro de un texto.

Salvador Elizondo escribió un diario desde los diez años. Escribiéndose a sí mismo cada día se convirtió en otro personaje desdibujado que intenta formarse entre las palabras. Aunque todos seamos un texto o una imagen borrosa sobre un trozo de vidrio, la escritura está condenada a las pausas. Ahora, es necesario emular las acciones dictadas por la última línea de *Narda o el verano* que, a su vez, es la frase que Cesare Pavese anotó en su diario antes de suicidarse: *Pero basta de palabras. Un gesto. No escribo más.*

* * *

Salvador Elizondo contó en diversas conferencias y entrevistas el desastre que resultó

de la adaptación de *Narda o el verano*, que su amigo, Juan Guerrero, hizo en 1968. Elizondo trató de disuadirlo explicándole que los personajes no existen y que incluso se comen unos a otros y agregando la dificultad de trasladar las palabras escritas a la condición de un lenguaje donde "todo se tiene que ver". Pero, a pesar de las razones de Elizondo, la película se estrenó en 1970. En la feria del libro de Guadalajara de 1991, declaró:

> Todos los escenarios que había planeado estaban reducidos a cero. Tenía que haber una muchacha muy bonita, y pusieron a una gorda muy fea. Había dos hombres que se disputaban el amor de una mujer y pusieron a Félix —el hijo de María Félix— y a otro. Fui a ver la filmación a Acapulco, pero no... Tenía que salir un Rolls Royce y pusieron un Volkswagen. Luego vi el primer corte y sentí que el alma se me iba a los pies. Ya era muy tarde. Ni hablar del peluquín, le dije: "Está muy bien tu película", y pensé para mis adentros: "Ojalá y te mueras".

Elizondo no pensaba que la condición inasible de sus textos hiciera imposible llevarlos a la pantalla sino que el cine mexicano había sido incapaz de alcanzar las metas que se había propuesto. Para el escritor, la posibilidad de adaptación cinematográfica podría lograrse si se seguían los procedimientos de algunos autores del *nouveau roman*. En una entrevista con Mary Carmen Sánchez Ambriz, Elizondo dio cuenta de la reciprocidad que existía entre su obra y el cine: "el Alan Resnais de *El año pasado en Marienbad*, por ejemplo, me influyó mucho, sobre todo en cuanto a su descubrimiento del uso de imágenes contrapuestas". Pero, los intentos del cine mexicano por crear nuevas formas cinematográficas a través de lo que llamó Nueva Ola Mexicana, nunca pasó de ser una impostura: una mera falsificación de cortos alcances.

DS-124

Othón Argumedo Albuquerque. Kitty de Hoyos como Eva Moro en un still de la película Domingo salvaje,
dirigida por Francisco del Villar en 1966. Colección Fundación Televisa.

Fotograma de la película Los perros de Dios, *dirigida por Francisco del Villar en 1973.*
Imagen procesada digitalmente e impresa por Gabriel Figueroa Flores. Archivo Gabriel Figueroa.

Manuel Palomino. Stills de la película Los perros de Dios *(Francisco del Villar, 1973), protagonizada por Helena Rojo y Meche Carreño. Colección Fundación Televisa.*

Still *de la película* El llanto de la tortuga, *dirigida por Francisco del Villar en 1974.*
Colección Fundación Televisa.

Ángel Corona Villa. La actriz Leticia Perdigón con Francisco Beristáin (arriba) y Ernesto Alonso (abajo) en dos stills de la película Coronación, dirigida por Sergio Olhovich en 1975. DERECHA: Francisco Urbina. Still de la película El cielo y tú (Gilberto Gascón, 1970). Los actores Gilberto Román y Rocío Romero como los hippies Esteban y Olga en una escena filmada en Acapulco. Colección Fundación Televisa.

Ángel Corona Villa. La actriz Leticia Perdigón y Ernesto Alonso en un still de la película Coronación *(Sergio Olhovich, 1975).*
Othón Argumedo Albuquerque. Still de la película La casa del pelícano, *dirigida por Sergio Véjar en 1977 (abajo).*
Colección Fundación Televisa.

Joaquín Argumedo Albuquerque. La actriz Irma Serrano la Tigresa con los actores Gregorio Casal (arriba) y Enrique Álvarez Félix (abajo) en dos stills de la película El monasterio de los buitres, *dirigida por Francisco del Villar en 1972. Colección Fundación Televisa.*

La relación de Gabriel Figueroa con la industria hollywoodense fue duradera y contradictoria. En el emporio californiano del séptimo arte, el cinefotógrafo mexicano encontró modelos a seguir, contactos profesionales, oportunidades de trabajo y reconocimientos a su obra. Sus vínculos con personajes y organizaciones de filiación izquierdista, magnificados por la paranoia de las autoridades estadounidenses, le impidieron obtener permisos para trabajar en producciones organizadas por los grandes estudios. En los días que el senador republicano Joseph McCarthy emprendió una cruzada anticomunista en el medio fílmico de su país, Figueroa se contó entre quienes apoyaron a los cineastas obligados al exilio.

Fotograma de la película The Fugitive [El fugitivo], filmada en México bajo la dirección de John Ford en 1947. Imagen procesada digitalmente e impresa por Gabriel Figueroa Flores. Archivo Gabriel Figueroa.

Al fallecer Gregg Toland, en 1948, Figueroa fue llamado por el estudio de Sam Goldwyn a ocupar el lugar de su maestro. Nunca se arrepintió de haber rechazado el contrato que lo convertiría en empleado exclusivo de aquella compañía por cinco años. A cambio de las evidentes ventajas económicas pudo seguir disfrutando del ambiente cultural en que su fotografía se había desarrollado como expresión personal.

La decisión que Figueroa tomó de permanecer en México no fue obstáculo para que directores extranjeros apreciaran su trabajo y éste obtuviera premios internacionales. Películas dirigidas por Robert Florey, Don Siegel, Norman Foster, Brian G. Hutton, Hall Bartlett, George Schaefer, Daniel Mann, Christopher Leitch, John Ford y John Huston tuvieron a Figueroa detrás de la cámara. En los filmes de Ford (*El fugitivo*, 1947) y Huston (*La noche de la iguana*, 1963 y *Bajo el volcán*, 1983), hombres caídos en desgracia —un cura católico, un pastor protestante, un cónsul dipsómano— encontraban en México su lugar de redención o su abismo. Con *Dos mulas para la hermana Sara* (Siegel, 1970), Figueroa se incorporó a la filmografía del *western* de nuevo cuño.

La filmación en Yugoslavia de *El botín de los valientes*, dirigida por Hutton en 1970, fue la más ambiciosa producción extranjera en la que participó el cinefotógrafo mexicano.

Los documentales *En el sendero de la iguana* (Ross Lowell, 1964) y *Notas sobre Bajo el volcán* (Gary Conklin, 1984) muestran a Huston y a Figueroa en el trajín de dos filmaciones separadas por veinte años. La primera de ellas tuvo por locación Mismaloya, Jalisco, paraje que cobró notoriedad precisamente por la pléyade artística que arrastró consigo la adaptación al cine de una obra de Tennessee Williams. La segunda recorrió varios poblados del estado de Morelos siguiendo la deriva del personaje que el escritor Malcolm Lowry hizo morir a las afueras de la cantina El Farolito. En esta película, último largometraje fotografiado por Gabriel Figueroa, Emilio *el Indio* Fernández tuvo una breve aparición como torvo cantinero. "Es un chingón", dice en alabanza del gallo de pelea que tiene entre sus manos.

Fotogramas de la película The Fugitive *[El fugitivo] de John Ford, 1947.*
Imagen procesada digitalmente e impresa por Gabriel Figueroa Flores. Archivo Gabriel Figueroa.

El sacerdote (Henry Fonda) al doctor Johan Meyer (John Qualen):

—Comencé a perder la gracia divina y a ganar orgullo. Empecé a pensar que era un hombre valiente. No sé... un mártir. Y me di cuenta que era el único sacerdote que quedaba en el país. Sólo quedaban los que habían huido. No les culpo. Tenían razón, ¿sabe? Ese orgullo creciente me impedía comprenderlo. ¡Es peligroso!

—No sea tan duro consigo mismo padre. Todos tenemos derecho a poseer un poco de orgullo.

—En mi profesión, no. Construía una gran mentira y me la ponía como una capa. Lo raro es que todo el tiempo sentía que no estaba hecho para ser mártir. A la hora de la verdad no di la talla. No tuve el valor. Me dio miedo entregarme. Dejé que un hombre muriera por mí. Gente inocente...

Diálogo de la película
El fugitivo (John Ford, 1947).

Fe y familia*

Andrew Sinclair

> *Es evidente que muchas personas talentosas, como [...] John Ford tuvieron un crecimiento importante durante la guerra. A partir de hoy veremos de lo que son capaces con esta nueva madurez en el siguiente período de paz. Mis mejores deseos, Dios lo sabe, están con ellos, mis apuestas, contra ellos. De vez en cuando, es casi seguro, que se realice una buena película, pero apuesto a que en diez años será más difícil para estas personas seguir trabajando de lo que ha sido hasta ahora; muy pronto ya no quedará ningún lugar en donde el talento genuino pueda liberarse del asilo más de lo que una enfermera puede en su tarde libre.*

> —James Agee, "Películas de 1947".

Fonda camina hacia la iglesia saqueada del pueblo y empuja las puertas para abrirlas, persignándose con un gesto, el cuerpo y su sombra. Dolores del Río, en el papel de Magdalena, ataviada como una Madona con su hijo, espera en el deteriorado altar con su bebé que aún no ha sido bautizado. Ella pregunta: "¿Quién es usted? ¿Por qué está aquí?". Pero ella conoce las respuestas por las imágenes que Ford ha revelado. Fonda representa al Cristo perseguido en la figura de un sacerdote acechado.

Fonda le cuenta quién es y a qué le teme. Aun así, él convoca a los fieles del pueblo con el repicar de las campanas, les da los sacramentos y bautiza al hijo de Magdalena y la Madona. Las mujeres del pueblo llegan a la iglesia abovedada como si entraran a la tumba de Cristo a lavar su cuerpo para después llevárselo. Cada una de las tomas realizadas a Fonda en su papel de sacerdote se hicieron de acuerdo a las escenas de la Pasión, y culminaron en el momento en que Dolores del Río se despide de él besando su mano, junto a tres cruces de madera colocadas cuidadosamente, en forma de un arco que pasaba por encima de los dos cuerpos hasta completar una curva que va de la sumisión al martirio. [...]

El fugitivo es una película importante en la carrera de Ford porque retrata de una manera muy intensa las imágenes que dominan su mente. Desde que era niño, en el barrio cerca de la catedral de Portland, vivió bajo la influencia de las Estaciones de la Cruz y la iconografía católica. Aquí fue donde asimiló los símbolos de su fe y donde aprendió también sobre la glorificación del martirio religioso. En la época en que la iglesia católica era perseguida por los recientes gobiernos comunistas de Europa del este, Ford sintió la necesidad de hacer una declaración sobre la consolidación de su fe. Pero finalmente también su convicción sobre la necesidad de una ley, y un orden

Alex Kahle. Dolores del Río en el papel de María Dolores y el sacerdote interpretado por Henry Fonda en dos stills de El fugitivo. *Colección Fundación Televisa.*

* Versión editada del capítulo del mismo nombre, tomado del libro John Ford, Nueva York, The Dial Press/James Wade, 1979.

Preparación de la escena de El fugitivo *donde el sacerdote (Henry Fonda) es arrestado. Al centro, el director John Ford y Gabriel Figueroa. Patio del Fuerte de Perote, Veracruz, 6 de enero de 1947. Archivo Gabriel Figueroa.*

en un estado laico y revolucionario, le permitió que el teniente de la policía fuera un personaje fuerte e íntegro como cualquier alguacil en Tombstone.

El simbolismo de *El fugitivo* puede ser demasiado obvio pero logró impresionar al crítico James Agee de una manera tan profunda que éste la consideró como una de las diez mejores películas de Estados Unidos en 1947, junto con otros clásicos como *Iván el terrible, Cero en conducta, El limpiabotas* y *Odd Man Out*. Agee tuvo sus reservas acerca de la flagrante alegoría del guión y la fotografía, pero su crítica ha resistido la prueba del tiempo: "Pocas veces he visto en una película tal grandeza y sobriedad de ambiciones, tal

continuidad en la intensidad del tratamiento o el constante resultado para lo que evidentemente se trabajó, aunque la considere desagradable y mal lograda."[1]

Esta fue la opinión de alguien que no congeniaba con los ideales católicos, ni la fotografía romántica. Con todo, *El fugitivo* fue un regalo que Ford ofreció a su Dios y a su iglesia. Cuando terminó la guerra, trató de imponer sus conceptos de fe y familia en la industria cinematográfica, así como en el Field Photo Farm y en su hogar. Acostumbrado a tener el mando por su experiencia en la guerra, Ford pensó que su voluntad podría coincidir con sus deseos.

Alex Kahle. Still de la película El fugitivo. *Escena del arresto del sacerdote interpretado por Henry Fonda. Colección Fundación Televisa.*

Nota

1 Esta cita refiere al comentario de James Agee en *The Nation* (10 de enero de 1948). "*El fugitivo* de John Ford es sin duda una película a favor de la religión católica, acerca de un sacerdote, una especie de Jesús suplicante. Mi opinión con respecto a la iglesia católica es, por decirlo de una manera amable, más confusa que la del Sr. Ford. No creo que Jesucristo haya suplicado, y me enferma ver a otros hacerlo en su nombre. Me molesta que la alegoría y el simbolismo se impongan y desvirtúen la realidad, de la misma manera en que disfruto cuando ambos brotan de la realidad para exaltarla; la fotografía romántica es lo que menos me interesa. Sobre todo, creo que *El fugitivo* es una obra de arte fallida, ordinaria, irreal y pretenciosa. Sin embargo, tengo una opinión casi tan favorable como la de las cintas que mencioné anteriormente porque pocas veces he visto en una película tal grandeza y sobriedad de ambiciones, tal continuidad en la intensidad del tratamiento o el constante resultado por lo que evidentemente se trabajó, aunque la considere desagradable y mal lograda".

El último grito de Tarzán

César Blanco

Acapulco, 22 de enero de 1984. El féretro que contiene los restos mortales de Johnny Weissmuller es depositado lentamente en un agujero cuadrado del panteón Jardines del Tiempo. Su descenso es acompañado por la ligera voz de las hermanas Edelmira y Georgina Bernaldes, que entonan el *Cucurrucucú*, seguido de la bíblica *Cien ovejas*.

Horas antes, unos mil quinientos lugareños formaron un cordón humano en el centro de la ciudad para abrirle paso al cortejo de seis motocicletas, dos patrullas y una carroza fúnebre. Ahora, silenciosos y tristes, rodean a Maria Bauman, la quinta y última esposa de la estrella de cine. La mujer, con gesto solemne, coloca una grabadora en el piso, cerca de la tumba. La enciende y, tras unos segundos de estática, el apacible cementerio se llena con un sonido atronador: el grito de Tarzán, Rey de la Selva.

Nadie, salvo sus amigos guerrerenses, se acuerda de él. En Hollywood es un eco apagado. Linda Christian es la única nota de *glamour* en el sepelio. Ella y Samantha, una descendiente de Chita que al escuchar el berrido intenta imitarlo mientras salta descontrolada. Acaso para Christian el rugido animal evoca un año lejano, 1947, cuando ella y Johnny llegaron al puerto para filmar la aventura final del ex campeón olímpico como rey de los monos. *Tarzán y las sirenas* (1948). Película en donde, extrañamente, Weissmuller no revienta la pantalla con su alarido.

Las reseñas de la época hablan de un Tarzán "que se supera a sí mismo en su más reciente aventura cinematográfica". Sin embargo, la cinta ocupa un lugar especial en la filmografía del héroe selvático por razones muy distintas.

Gracias a un presupuesto descomunal para la época (más de un millón de dólares) y, en especial, para un filme de Tarzán —usualmente rubricados en el peculiar universo de la serie B—, el productor Sol Lesser decide que la doceava intervención de Weissmuller en la saga debe alcanzar el estatus de película mayor. Hasta ese momento, las otras cinco entregas de la RKO —productora que tomó la estafeta de la MGM después de *Tarzán en Nueva York* (1942)— habían sido rodadas en sets convencionales. África era el destino ideal, pero ni siquiera la generosa suma era suficiente para trasladar al equipo al corazón de las tinieblas. (Habría que esperar hasta 1955, cuando Gordon Scott protagonizó *La selva secreta de Tarzán*.) Afortunadamente, la ficción ofrece ciertas licencias. Acapulco estaba al alcance y, además, la RKO era copropietaria de los Estudios Churubusco, así que Lesser vislumbra el horizonte costero como el sucedáneo ideal de las oscuras y enigmáticas junglas africanas.

El guión de Carroll Young contaba la historia de los aquátidas, una tribu que vivía en una isla prohibida cerca del continente negro y adoraba al dios Balú. La deidad, representada por una estatua que adquiría vida gracias a las artes de Palanth —el sumo sacerdote (George Zucco)—, demandaba que los aborígenes la nutrieran con finas perlas. Por supuesto, la efigie de Balú no era una estatua, sino el traje en el que se enfundaba Varga (Fernando Wagner),

PÁGINAS 440, 442: Johnny Weissmuller como Tarzán. Retratos de estudio realizados para la promoción de la película Tarzan and the Mermaids *[Tarzán y las sirenas], dirigida por Robert Florey en 1947. Esta película fue fotografiada por Gabriel Figueroa y Raúl Martínez Solares. Colección Fundación Televisa.*

un ambicioso traficante blanco que sacaba tajada de la incredulidad isleña. La historia de Aquatania hubiera continuado intacta si el ambicioso Balú-Varga no hubiese exigido a la bella Mara (Linda Christian) como esposa, la única aquátida que, a pesar de los consejos y advertencias de su madre (Andrea Palma), desafía el designio divino, escapa a nado y se topa con Tarzán, quien descubre el engaño y, eventualmente, salva a toda la isla. Otro elemento ausente es la presencia de Boy, el

hijo adoptivo de Tarzán y Jane. El actor Johnny Sheffield ya no parecía un niño, ni siquiera un adolescente —es más, su complexión hubiera eclipsado al propio Weissmuller—, así que los productores decidieron sustituir al comparsa por Benjí, un cartero con aire de patiño que canturrea melodías anodinas.

Para dirigir la película se escogió al francés Robert Florey, artesano de la serie B que ya había firmado joyas como *Los crímenes de la calle Morgue* (1932) y *La bestia con cinco*

Rafael García Jiménez. Gabriel Figueroa y actriz no identificada durante un descanso de la filmación de Tarzan and the Mermaids [Tarzán y las sirenas]. Acapulco, 1947. Archivo Gabriel Figueroa.

dedos (1946). Aunque la fotografía estuvo a cargo de Jack Draper, Raúl Matínez Solares y Gabriel Figueroa tuvieron su participación. De hecho, la lente de Figueroa (que incursionaba por segunda vez en una producción estadounidense después de *El fugitivo*, el año anterior) se aprecia más como un acento —una nube— que una presencia constante.

El rodaje estuvo repleto de exabruptos. Al parecer Florey, acostumbrado a la expedita manufactura de la serie B, perdió los estribos en más de una ocasión cuando debía esperar horas a que Figueroa encontrara la luz perfecta, el encuadre adecuado, el paisaje inmortal. Algún trabajo debió costarle, porque varios temporales azotaron la costa durante la filmación, destruyendo de paso trailers, luces y palapas. En algún momento, el desastre fue mayúsculo, ya que Lesser sufrió un paro cardiaco que lo mandó directo a Los Ángeles. Aunque lo peor estaba por llegar.

En la escena clave de la película, Tarzán se encuentra en un risco (léase La Quebrada). Tiene que saltar. El clavado no debía suponer un reto mayor para alguien criado en la selva; tampoco para Ángel García, su doble. Pero un error de cálculo, el capricho del viento y el oleaje que se niega a abrazar al experto clavadista, ocasionan su muerte. La Quebrada no siempre aplaude a los valientes.

***

¿Cómo interpreta el cine la realidad? Difícil saberlo. Lo cierto es que los aborígenes africanos de *Tarzán y las sirenas* no pueden ser más acapulqueños. La verdad es que el templo de Balú, ambientado en las pirámides de Teotihuacán pero enclavado en el mar, resulta deslumbrante; casi tanto como los lúbricos cuerpos de las nativas, donde el despistado puede encontrar la clave del título. Y no cabe duda que las vestimentas de Balú y Palanth, diseñadas por Gunther Gerszo, encajan de maravilla con el planteamiento visual de la cinta.

Quien más desentona, paradójicamente, es el propio Weissmuller. Despojado de la atlética figura que le dio el papel en 1932 —contaba veintiocho años—, su actuación, salvo en las escenas de nado, donde todavía guarda el estilo, es más torpe de lo normal. En ningún otro momento la siguiente declaración cobra mayor sentido: "El público perdona mi actuación porque soy un atleta famoso. Pero en realidad es como robar. ¿Cómo es posible que un tipo que trepe árboles y diga 'yo Tarzán, tú Jane' gane millones?". El destino y sus hilos: después de *Tarzán y las sirenas*, esta aparente distancia con la que trata a su *alter ego* se revertiría de forma dramática en los años siguientes. Porque la decadencia que muestra en la película es tan sólo un preludio.

Jubilado del calzón corto, Weissmuller interpretaría trece veces a Jungle Jim, otro paladín de la jungla un poco más articulado y bastante más vestido. Luego, dos años de seriales televisivos. En resumen, la fama, el dinero y las fiestas. Muchas fiestas. Y cinco matrimonios, entre ellos, la mismísima Lupe Vélez. Esperemos.

En su paso por Acapulco, Weissmuller se enamora a tal grado del lugar, que junto a John Wayne, Cary Grant, Errol Flyn, Tyrone Power y un puñado de actores conocido como el *Hollywood Gang*, compra el hotel Los Flamingos, en Caleta. Aún hoy, el turista de lo *kitsch* puede admirar decenas de fotos de Johnny, *Duke* y compañía, derrochando carisma en el Acapulco de los cincuenta.

Socialité empedernido, Weissmuller decide invertir su fortuna, cómo no, en un negocio de albercas en Chicago. Mal administrador, queda en bancarrota y debe purgar sus pecados en el infierno de las estrellas: firmando autógrafos como anfitrión del Caesar's Palace de Las Vegas. Ahí se rompe la cadera. Cada vez que puede, por petición o por gusto, repite el rugido que lo volvió leyenda. En 1977 sufre dos embolias por lo

que, dos años más tarde, su esposa Maria lo lleva a vivir definitivamente a Acapulco.

En su *suite* privada de Los Flamingos, una gran habitación circular precedida por una amplia terraza con alberca, Weissmuller se levanta por las mañanas y da los buenos días soltando el bramido tarzanesco. En algún rincón de su mente, algo se quiebra. Como Bela Lugosi con Drácula y Gloria Swanson en *Sunset Boulevard*, Weissmuller es acechado por esa rara enfermedad que hace que los personajes, poco a poco, suplanten a las personas. Durante la que probablemente fue su última entrevista, Tarzán se arroja intempestivamente a la alberca, en tres ocasiones, ante los ojos incrédulos del reportero, y mientras el fotógrafo se despacha a placer en el *pool bar*.

Tres años antes de su muerte —acaecida a los 79 años por edema pulmonar, esto es, agua en los pulmones del cinco veces ganador de la medalla de oro en natación—, un Weissmuller demacrado y de mirada perdida acosa a los pacientes de una clínica lanzando gritos selváticos e intentando colgarse de las inexistentes lianas. Los tabloides se sirven con la cuchara grande.

* * *

No existe registro ni explicación de por qué en *Tarzán y las sirenas* Weissmuller no llama a los animales con su alarido. Todo parece indicar que éste se le quedó amarrado en el pecho y que después intentó liberarlo, una y otra vez, cuando ya no encarnaba a ese héroe, hoy anacrónico. Quizá eso explica por qué le pidió a su esposa aquella última voluntad: que cuando hubiera muerto, una vez liberado de los estorbosos ropajes de Johnny Weissmuller, dejara escapar el último grito de Tarzán, Rey de la Selva.

El Hombre Mono en una pirámide de Teotihuacán.
Fotografía promocional de la cinta
Tarzan and the Mermaids *[Tarzán y las sirenas].*
Colección Fundación Televisa.

1774-990

El Monstruo de la Laguna Negra y Gabriel Figueroa

Gina Rodríguez Hernández

Podría ser cierto o no, pero en palabras de Tom Weaver —uno de los principales estudiosos del horror fílmico en Estados Unidos con casi 20 libros sobre el tema y cerca de 600 entrevistas a actores, escritores, productores y directores—, el inspirador de la trama de *Creature from the Black Lagoon* (Jack Arnold, 1954) fue Gabriel Figueroa.

Según Weaver, la idea de este singular monstruo tuvo su génesis en una cena en casa de Orson Welles, en Los Ángeles, a finales de 1940 o principios de 1941, mientras se terminaba de filmar *Citizen Kane* (Welles, 1941). Participaban en la cena Dolores del Río, William Alland, Gabriel Figueroa y el propio Welles. A decir de Weaver, Figueroa trajo a la conversación la existencia de un extraño ser, mitad pez, mitad hombre, que habitaba en el río Amazonas, en Brasil, cerca de una villa. Año con año, los indígenas entregaban una doncella a esta criatura sin que nada se volviera a saber de ella. Ante la incredulidad de los comensales —quienes seguramente compararon la similitud de esa historia con la trama de *King Kong* (Merian C. Cooper y

Ernest B. Schoedsack, 1933)— Figueroa sostuvo que no estaba bromeando y que tampoco se trataba de un mito, pues él había visto una fotografía de la criatura y podía probarlo mostrándoles una copia de la foto.

Sabemos que los participantes en dicha cena efectivamente mantenían estrechos lazos entre sí. Dolores del Río y Orson Welles sostenían un apasionado romance por esos años; Gabriel Figueroa era amigo de Gregg Toland, el cinefotógrafo de *Citizen Kane,* que no se encontraba en la cena; Dolores del Río, quien tiempo después se revelaría como una de las musas de Figueroa, aunque es probable que en aquel momento Figueroa sólo mantuviera una relación de admiración ante la gran actriz; y William Alland, quien no era sólo un invitado casual del equipo de actores que en la película.

Alland, intérprete del periodista cuyo rostro nunca vemos y que investiga a Charles Foster Kane, era amigo de Welles desde hacía una década, ambos se conocieron en Nueva York siendo un par de adolescentes, cuando anhelando ser actores asistían al centro comunitario Henry Street Settlement House. Cinco años después, Alland sería miembro de los famosos Mercury Players Acting Co., con quienes Welles realizó su audaz adaptación radiofónica a la novela de H. G. Wells, *The War of the Worlds* (1898), en 1938, y que le valió la

Cartel de la película Revenge of the Creature *[La venganza del monstruo], dirigida por Jack Arnold en 1955.*

IZQUIERDA: Fotografía de estudio para la publicidad de la película Creature from the Black Lagoon *[El Monstruo de la Laguna Negra] dirigida por Jack Arnold en 1954. Colección Fundación Televisa.*

*Julie Adams y Ricou Browning, quien interpretó al monstruo en las escenas acuáticas,
en un still de* El Monstruo de la Laguna Negra. *Colección Fundación Televisa.*

ventajosa contratación con la RKO para acudir a Hollywood con un presupuesto de 100 mil dólares para producir, dirigir y actuar en una película al año, razón por la cual filmaba *Citizen Kane*.

Sabemos también del carácter jocoso y extrovertido de Figueroa, pero a la vez reservado, delicado y caballeroso para las cuestiones personales. Quienes acudimos a la pasada exposición-homenaje por el centenario de su nacimiento en el Palacio de Bellas Artes, lo vimos divertirse sin inhibiciones ante una anónima cámara, en compañía de una linda chica durante su estancia en Los Ángeles, en 1935. A su regreso a la ciudad de México, inquirido por un periodista respecto a si tuvo oportunidad de conocer a alguna estrella de cine, Figueroa contestó que en lo absoluto y que sólo tuvo tiempo de atender sus clases de cinefotografía con Gregg Toland. Seguramente su

maravillosa sonrisa le sumaba amigos, a la vez que la profundidad y franqueza de su mirada hacían creíble cualquier historia que dijera.

Puestos en contexto los participantes en la cena y los atributos de don Gabriel, bien podríamos imaginar el propósito de la reunión: ¿por qué no tener una cena entre amigos que relajara las tensiones de la filmación? Es cierto que según el contrato de Welles con la RKO, no podía haber presiones, ni interferencia de los ejecutivos hasta que la película estuviera terminada; pero eran públicos los intentos del magnate William Randolph Hearst —principal propietario de la industria periodística en Estados Unidos— por boicotear el filme. Hearst veía una caricatura de su persona en la trama: un hombre cuyos ideales son corroídos por su sed de poder, y por supuesto que en más de una escena *Citizen Kane* lo parodiaba. Mas

Ricou Browning, Julie Adams y Richard Carlson en un still de El Monstruo de la Laguna Negra.
Colección Fundación Televisa.

en su primer película, Welles quería consolidar su imagen de "*wonder boy*" ganada a pulso en Broadway y había decidido romper con las reglas establecidas en el sonido, la cámara y la técnica narrativa. Ante tanta exigencia, por qué no pasar el tiempo con unos amigos y charlar sobre una criatura anfibia devoradora de nativas —tan bellas como lo era entonces Dolores— en el exótico y lejano Brasil. Inclusive, especulando al respecto, uno podría imaginar qué tanto más pudo el genial director, de apenas 26 años, añadir a la historia contada por Figueroa.

Como bien lo enfatiza el historiador Tom Weaver, pese a la evidente similitud con *King Kong*, la anécdota era perfecta para llevarla al cine, aunque tuviera que esperar trece años para su realización. La facinación de Weaver por *Creature from the Black Lagoon* y su singular estrella es compartida por otros especia-listas; para Bill Warren, uno de los expertos en el cine de ciencia ficción, el Monstruo de la Laguna Negra es uno de los más famosos que se hayan creado; para Bob Burns, otra autoridad de la ciencia ficción, está entre los mejores monstruos que se han diseñado.

Al preguntarle a Gabriel Figueroa Flores qué sabía respecto a la participación de su padre en la génesis de este ser, reconoció que sabía de la anécdota porque alguien le había escrito preguntándole la factibilidad de lo dicho por Weaver, pero que don Gabriel jamás le comentó nada de ello y que por supuesto, no había una foto probatoria de la existencia del monstruo en los archivos que conserva. Añadió que su papá jamás visitó el Amazonas y que la primera vez que estuvo en Brasil fue con él, muchos años después, y suscribió que aunque la anécdota era muy buena, su padre no solía inventar historias ni mentir.

El monstruo y la actriz Julie Adams en una fotografía de estudio para la publicidad de El Monstruo de la Laguna Negra. *Colección Fundación Televisa.*

Si Figueroa olvidó la anécdota en aras de lidiar con la consolidación de "otros monstruos", William Alland no se olvidó de ella. Siguiendo los audiocomentarios en el DVD de la película *Creature from the Black Lagoon*, Weaver nos informa que diez años después de ese encuentro, Alland abandonó la actuación y consiguió trabajo como productor en la Universal Pictures; por aquellos años la casa productora de películas de bajo presupuesto. Tras producir varios *westerns* y otras películas de ciencia ficción, Alland escribió tres cuartillas que tituló *The Sea Monster* y se las presentó a sus jefes. En la primera cuartilla describía la cena en casa de Welles y cómo Gabriel Figueroa —quien para entonces ya contaba con reconocimiento internacional— había contado la historia; en las dos cuartillas restantes recomendaba que se hiciera una película con un personaje anfibio y que la

escena inicial fuera una cena en donde se discutiera de su existencia.

Consolidar el proyecto le llevó varios años y Alland, su productor, tuvo que sortear varias dificultades en la escritura del guión, en las decisiones sobre la apariencia de la criatura y en la filmación submarina, que por primera vez utilizaba una cámara portátil. Finalmente, la película se estrenó, en 1954, en blanco y negro pero en formato 3-D, el cual requería que los asistentes utilizaran lentes desechables de cartoncillo, con un celofán de color verde para un ojo y uno en color rojo para el otro, para así alcanzar a percibir el efecto tridimensional. Este formato, que se había intentado de manera experimental en los primeros años de las películas sonoras, había sido revivido el año anterior por la MGM con unos viejos cortos, pero fue una nueva versión de *House of Wax* (André De Toth, 1953) producida por Warner, la película que obtuvo mayor éxito en el formato 3-D.

Si bien la historia resultante tuvo poco que ver con la "anécdota original" atribuida a Figueroa, debido a los esfuerzos de Alland por consolidar un buen guión, *Creature from the Black Lagoon* pudo dividirse en tres partes, logrando una coherente trilogía. La historia que se filmó iniciaba con el descubrimiento de una mano-garra fosilizada en la ribera del río Amazonas, motivo que llevaba a un grupo de científicos estadounidenses a embarcarse en una expedición al Brasil. En la trama no faltaban el personaje ambicioso, el bien intencionado y la atractiva chica, pero todos ellos se caracterizaban por su interés científico en estudiar a tan fascinante criatura, producto de una singular evolución. En la segunda parte de la saga, *Revenge of the Creature* (Arnold, 1955), el "hombre de las branquias" era llevado a Estados Unidos para su estudio; lo que por supuesto terminaba provocando una situación de caos al confrontarlo con un entorno ajeno. Y en la tercera y última parte,

El monstruo diseñado por Milicent Patrick en una fotografía de estudio para la publicidad de El Monstruo de la Laguna Negra. *Colección Fundación Televisa.*

The Creature Walks Among Us (J. Sherwood, 1956), el ser acuático languidecía lejos de su hábitat. Esta trilogía marcó una diferencia con los otros monstruos de la Universal, quienes nunca fueron lo suficientemente afortunados para contar con secuencias coherentes y estructuradas. Drácula, Frankenstein, la Momia y el Hombre Lobo terminaron siendo parodias de sí mismos, cosa que no ocurrió con el anfibio ser cuya génesis se atribuye a Gabriel Figueroa.

A poco más de medio siglo de su lanzamiento, en una época en donde el desastre ecológico nos ha alcanzado, no nos queda la menor duda de que el Monstruo de la Laguna Negra es uno de las criaturas fantásticas más entrañables y emblemáticas de la segunda mitad del siglo XX. A diferencia de los monstruos clásicos que pertenecen y se justifican en épocas pasadas, este habitante acuático nos recuerda que los monstruos somos otros.

Pese a los inevitables errores y descuidos de su producción, la película logra mostrar un entorno natural armonioso donde el intruso es el ser humano. Aunque en este caso, es el monstruo quien es atraído por lo extraño (la escena en donde la heroína nada acompañada por la criatura es excepcional), fincando así su perdición. Con este mensaje la película cumplía discretamente con una eficiente posición de respeto a la naturaleza, en donde ésta sólo se violenta en la medida en que nosotros la violentamos. Por su significado y porque sería genial ver a colores a esta singular criatura, deberíamos de exigir un nuevo acercamiento al canon de *Creature from the Black Lagoon* en estos tiempos de *remakes*. Y en lo que respecta a don Gabriel Figueroa, el hombre que supo construir fotográficamente la belleza de un paisaje nacional, que estaba ahí, pero que ya no está, oficialmente deberíamos de reconocer su paternidad en la concepción del Monstruo de la Laguna Negra.

EL BOTÍN DE LOS VALIENTES | La fotografía fue fiel compañera de Gabriel Figueroa durante toda su vida. Desde sus inicios —como retratista de estudio, *stillman* o fotoperiodista— hasta su consolidación como cinefotógrafo, Figueroa hizo de lo fotográfico una forma habitual de pensar el mundo.

Miles de anécdotas sobre su profundo conocimiento técnico fueron acumulándose en sus narraciones biográficas. Una de estas historias comienza en 1970, mientras trabaja para Clasa Films Mundiales y recibe una propuesta para filmar, en locaciones del estado de Morelos, la película *Two Mules for Sister Sara*, dirigida por Don Siegel y protagonizada por Shirley MacLaine y Clint Eastwood.

De aquellas andanzas morelenses habría de resultar la recomendación del protagonista para que Figueroa fotografiara su siguiente película, esta vez bajo la dirección de Brian G. Hutton y compartiendo créditos con Donald Sutherland, Telly Savalas y Don Rickles. Dos meses después de concluir su participación en aquel *western* de acentos cómicos, el cinefotógrafo mexicano estaba contratado por la Metro Goldwyn Mayer para filmar la cinta conocida en México como *El botín de los valientes* y por el público estadounidense como *Kelly's Heroes*. Rodada en Yugoslavia durante ocho meses, el filme se ubicaba en el contexto de la Segunda Guerra Mundial, donde bombardeos y escaramuzas nocturnas harían de la iluminación una tarea compleja.

IZQUIERDA Y PÁGINAS SIGUIENTES:
Stevo Petrovic. *Escenas de batalla de la película* Kelly's Heroes [El botín de los valientes]*, dirigida por Brian G. Hutton. Yugoslavia, 1970. Archivo Gabriel Figueroa.*

ARRIBA: Gabriel Figueroa probando los efectos especiales con los que simularía los relámpagos en la batalla inicial de Kelly's Heroes [El botín de los valientes]*. Archivo Gabriel Figueroa.*

Una de las secuencias que pronto preocupó a Figueroa, detallaba la espera de un grupo de soldados a un convoy. Es de noche y llueve. La neblina impide simular la luz de luna y, a pesar de que el convoy avanza sin luces para no ser bombardeado, es necesario hacerlo visible a la tropa que aguarda su llegada.

El problema debía resolverse de tal forma que fueran cumplidos los lineamientos que su maestro Gregg Toland le había enseñado: ir más allá de la iluminación y composición perfectas, lograr acoplar la acción y el asunto del que trata la secuencia. Figueroa ideó una forma que cumplía con los requisitos narrativos, además de que aportaba una gran fuerza cinematográfica a la escena: mientras el convoy avanza entre la lluvia, relámpagos aislados lo iluminan, haciéndolo visible intermitente-

la década de los veinte, aquella remota época de los disturbios escobaristas y delahuertistas en que fue llamado, junto con el fotoperiodista Rafael Carrillo, a documentar todos los juicios sumarios de la revuelta dirigida por el general Escobar, utilizando el magnesio como iluminación.

Fue el destello de aquellas remembranzas lo que permitió al encargado de efectos especiales, Karl Baumgartner, crear una máquina que disparara magnesio a la distancia requerida: un aparato de grandes dimensiones —tres metros de altura—, con una flama de gas constante que cuando el sólido se lanzaba hacia arriba lograba encender la llama. El aparato pasó la prueba, pero Figueroa necesitaba de varios resplandores simultáneos. Cuando pidió crear otras dos máquinas que produjeran disparos a 25 metros de distancia, Baumgartner pensó que era una medida exagerada, y los reclamos no se hicieron esperar, haciendo ver a Figueroa los altos costos de su idea. Apoyado por el jefe de producción, Figueroa consiguió los efectos necesarios para realizar la secuencia del convoy, con la conciencia de que por primera vez en el cine se lograban aquellos relámpagos a larga distancia.

En ocasiones mencionada por Figueroa como la película que planteó los retos más difíciles de su carrera, *El botín de los valientes* da muestra de la incomparable capacidad técnica para retratar imágenes en movimiento de un fotógrafo que nunca olvidó su acelerado paso por la fotografía fija. | **CM**

mente al grupo que espera, logrando además una tensión ideal para la trama.

Pero aquella solución resultó tener grandes complicaciones para los avances técnicos de la época: las explosiones —es decir, los relámpagos— eran producidos por unas tijeras, con un carbón negativo y un carbón positivo que al encontrarse producían un chispazo que recorría de seis a ocho metros, mientras la acción requería de una distancia de cincuenta metros.

Siguiendo la pista de un aparato que prometía lograr disparos a la distancia necesaria, el cinefotógrafo viajó hasta Londres en su búsqueda. Decepcionado al encontrar que aquella máquina sólo lograba alejarse tramos de diez metros, regresó a las locaciones con el fracaso a cuestas.

Pero, a su regreso, Figueroa recordó —cual fugaz disparo de magnesio— el último año de

PÁGINAS 456 · 457: **François Duhamel (atribuida).** *Equipo técnico de* The Night of the Iguana *[La noche de la iguana] filmando, desde una balsa, a los actores Sue Lyon y Richard Burton. Puerto Vallarta, Jalisco, 1963. Archivo Gabriel Figueroa.*

Mismaloya, ciudad abierta

Héctor Orozco

La actriz Sue Lyon a su arribo al aeropuerto de la ciudad de México donde es recibida por Emilio el Indio Fernández y su esposa, la actriz Columba Domínguez. 23 de septiembre de 1963. Colección Fundación Televisa.

En febrero de 1965 la Academia de Ciencias y Artes Cinematográficas de Hollywood notificó a Gabriel Figueroa, mediante un telegrama, que había sido nominado al Oscar a la mejor fotografía en blanco y negro por *The Night of the Iguana*, película filmada en México por el afamado director John Huston, a fines de 1963. Este reconocimiento, además de meritorio, integraba formalmente al cinefotógrafo mexicano al extraño universo de las estrellas de Hollywood con quienes convivió durante la filmación.[1]

The Night of the Iguana, adaptación de la novela homónima de Tennessee Williams, narra la situación que vive el reverendo T. Lawrence Shannon (Richard Burton), de la iglesia episcopal St. James, en Corpus Christi, cuando es expulsado de su parroquia acusado de estupro por una joven catequista quien intentó suicidarse. Alcohólico y atormentado, Shannon es perseguido nuevamente por sus demonios cuando, como guía de una agencia de viajes, se ve enredado entre el amor de tres mujeres: una hermosa viuda amante del alcohol y del sexo, Maxine Faulk (Ava Gardner); una solterona, casta y asexuada pintora vagabunda, Hannah Jelkes (Deborah Kerr); y una excitante adolescente rubia deseosa de nuevas experiencias, Charlotte Goodall (Sue Lyon), quien a su vez, es vigilada por una institutriz de tendencias lésbicas, Miss Fellowes (Grayson Hall). Pero el drama propuesto por Willimas parecía insípido comparado con lo que se avecinaba durante la realización de la película, fuera del encuadre de Figueroa.

Un enjambre de *paparazzi* y periodistas de todo el mundo acechaban el rodaje, siguiendo los pasos de Richard Burton y su bella acompañante, Elizabeth Taylor, debido a que sostenían un intenso romance desde hacía algunos meses, cuando filmaron *Cleopatra*. Elizabeth aún estaba casada con su cuarto marido, Eddie Fisher, y Richard con Sybil Williams. Llegaron a la ciudad de México de incógnitos, pero fueron recibidos por Emilio Fernández, quien vestido de charro y portando dos enormes pistolas en el cinturón, subió al avión, tomó del brazo a Elizabeth y dijo: *"Follow me"*: la diva comenzó a gritar desesperada mientras Burton ordenaba *"Get this maniac off the plane before I kill him!"*

Entre la turba de fans y periodistas, Elizabeth perdió un zapato cuando un agente de prensa, tras recibir una patada, comenzó a golpear a un par de fotógrafos. Mientras, Burton contestaba una entrevista: "*This is my first visit to Mexico. I trust it shall be my last*".

Desde ese momento la esperanza del anonimato se desvaneció, los micrófonos no pararon de grabar y los flashes de iluminar a las estrellas. La prensa era prolija e inquisidora, como los fieles a quienes el reverendo Shannon expulsa de su parroquia en la escena inicial de la película. "El hombre que no tiene control de sí mismo es como una ciudad abierta, sin muros" —dice el libro de los Proverbios (capítulo 25, versículo 28)— y Shannon apura en su sermón "¡Muy bien! ¡Ya lo saben! ¡Por eso están aquí! ¡Para ver esta ciudad abierta con sus muros destruidos!"

Acosados por muchas más cámaras que las cinco utilizadas por Figueroa, Huston y sus actores iniciaron el rodaje el 26 de septiembre en la iglesia de Tepotzotlán, en el Estado de México, donde por lo menos un fotógrafo de la revista *Cine Mundial* captó cada movimiento de la pareja.[2] El 2 de octubre, la producción se trasladó a Mismaloya, una pequeña península del estado de Jalisco totalmente inaccesible y casi desierta. Huston explicó a Richard Oulahan, corresponsal de *Life*: "Los puse a todos en una misma jaula y tienen que vivir sus respectivos papeles las 24 horas del día". Las glamurosas estrellas, en lugar de limusina, eran transportadas a diario en una embarcación pesquera desde Puerto Vallarta, donde se hospedaban, hasta la agreste locación en Mismaloya.

Al iniciar la filmación en Jalisco, Huston reunió a su elenco principal en un extraño ritual: Ava Gardner, Sue Lyon, Debora Kerr, Richard Burton y su pareja Elizabeth Taylor, así como el productor Ray Stark, recibieron individualmente una caja de madera que contenía una pistola de bolsillo y cinco balas

doradas, las cuales tenían grabado el nombre de cada uno de los presentes. Huston sabía bien que contaba con uno de los castings más combustibles y las condiciones en que trabajarían, así que decidió jugarles una broma que inhibiera sus impulsos. Situación que seguramente no causó ninguna gracia a los directivos de la MGM, ya que Burton había cobrado 500 mil dólares por esta producción, Gardner 400 mil, Kerr 250 mil, Lyon 75 mil y Liz Taylor, que cobraba en ese entonces un millón de dólares, afortunadamente sólo era una espectadora.

De pronto, Mismaloya se convirtió en una pequeña ciudad, triplicando de golpe su discreta población de cerca de cien habitantes. Las cámaras disparaban y la tinta corría en espera de las "ocho columnas". Elizabeth

Llegada de los actores Richard Burton y Elizabeth Taylor al aeropuerto de la ciudad de México, acompañados por Emilio el Indio Fernández. 22 de septiembre de 1963. Colección Fundación Televisa.

Taylor, cual Cleopatra, caprichosa hasta lo insoportable, se paseaba por la locación en fantásticos bikinis. Corregía el peinado, vestuario y maquillaje de Burton y presenciaba enfadada cada escena de amor entre su amado Marco Antonio y la *ninphet* Sue Lyon, cual si se tratara de Lolita seduciendo a Humpbert Humpbert en el clásico de Stanley Kubrick de 1962. Sue Lyon, por su parte, viajó acompañada de su madre, de una amiga húngara, llamada Eva Martin, y de una institutriz. Días después arribó su novio Hampton Fancher III, a quien lo acompañaba su esposa para iniciar los trámites del divorcio. La señora Fancher y la madre de Sue terminaron siendo grandes amigas.

El 4 de octubre llegó a la locación Tennessee Williams con su amigo alemán Freddy y un pequeño perro. Estaba molesto por algunos cambios que Huston le había hecho a su novela para alargar el papel de Lyon y comenzó a reescribir algunas escenas. A los pocos días llegaron Deborah Kerr y su esposo, el escritor Peter Viertel, autor de la novela *White Hunter, Black Heart*, cuyo antipático protagonista se inspiraba en la persona de Huston, a quien seguramente no le divertía su presencia. Viertel tenía una relación muy cercana con Ava Gardner, quien era asediada por Emilio Fernández. Ava viajó con su cuñado y su criada.

Taylor y Burton viajaron con un séquito de empleados y acompañantes. Para ello rentaron la Casa Kimberly, la más grande de Vallarta, por 1 500 dólares al mes, la cual compraron al terminar el rodaje. Allí llegaron los hijos de ambos y, más tarde, el agente de prensa de Burton, Michael Wilding, ex marido de Elizabeth. Además, se rumoraba que su actual esposo, Eddie Fisher, estaba a punto de arribar para la inauguración del lujoso hotel Posada Vallarta, lo cual nunca se confirmó.

Todos los miembros del *staff* contribuían con invitados, amigos, novias, novios y "detallitos" en el set o en tránsito. El incesante trá-

fico de personas, el calor, la playa, el tequila y otros excesos, ocasionaron bajas que mermaron todos los frentes. Grayson Hall, una de las extras que viajaban guiadas por el reverendo Shannon, sufrió una congestión nadando en el mar. Los asistentes de Huston, Tom Shaw y Terry Morse, cayeron desde la terraza de su cabaña al desprenderse el barandal. Del lado de la prensa y los fotógrafos, Burton emborrachaba continuamente a los periodistas para quitárselos de encima. Elizabeth Taylor ponía al *stillman* Josh Weiner a que le diera masajes en los pies. Y Ava Gardner jaló y pateó en el estómago al reconocido fotógrafo Gjon Mili, quien cubría el evento para *Life*, advirtiendo que no trabajaría mientras hubiera un fotógrafo más en los alrededores.

Los reporteros iban y venían desesperados en busca de una exclusiva, un escándalo, o lo que fuera. Mientras, las cámaras se esforzaban por conseguir las mejores imágenes.[3] Una de ellas, de la propia MGM, captó a Figueroa bailando con Ava Gardner en la playa, montando una escena. "Meses después de haber terminado la película, y como preparación de su estreno, pasaron el *trailer* en la televisión mexicana. Como lo anunciaron, toda la familia estaba frente a la televisión y cuando allí aparece el señor Figueroa bailando con Ava, mis hijos preguntaron: ¿Este es el trabajo duro de mi papá?'".[4]

Al final, la prensa tuvo que conformarse con anécdotas. *The Night of the Iguana* se terminó el 30 de noviembre sin ningún contratiempo y Huston agradeció a todos que no utilizaran las pistolas. Gracias a ello, Figueroa estuvo cerca de obtener un Oscar en 1965, cuando asistió a la ceremonia acompañado de su esposa María Antonieta, después de 14 años de no ir a Estados Unidos. Lamentablemente la dorada estatuilla inspirada en la figura de Emilio *el Indio* Fernández, según su propia mitología, nunca llegó a manos de su camarógrafo y amigo.

El director John Huston y su equipo durante el rodaje de La noche de la iguana. Detrás de la cámara se ve a Gabriel Figueroa revisando unas pruebas de luz. Puerto Vallarta, Jalisco, 1963. Archivo Gabriel Figueroa.

Notas

1 Entre la plantilla principal de *The Night of the Iguana* se pueden sumar más de veinte nominaciones al Oscar, aunque pocas estatuillas. El mismo Figueroa había fotografiado ya tres nominadas a mejor película extranjera: *Nazarín* (Luis Buñuel, 1958), *Macario* (Roberto Gavaldón, 1959) y *Ánimas Trujano* (Ismael Rodríguez, 1961).

2 "Espían reporteros el enigma Liz-Burton", *Cine Mundial*, 29 de diciembre de 1963. La información fue retomada y detallada por Elisa Lozano en su artículo "Suspiros por Cleopatra", *Luna Córnea*, núm. 25, 2002.

3 Entre los fotógrafos identificados que registraron *The Night of the Iguana* estaban: los *still-*man de la MGM Josh Weiner y François Duhamel; el *stillman* nacional Gabriel Torres; Ross Lowell, quien además dirigía el *making of* en video; el antes mencionado Gjon Mili; el famoso escritor y torero Barnaby Conrad y Pete Turner, de la revista *Look*. También estuvo presente Óscar Rosales, quien captó a la pareja Taylor-Burton a bordo del avión privado de Mexicana de Aviación que los trasladaría a Puerto Vallarta. Esta foto y un reencuadre de otra con Gabriel Figueroa en Mismaloya fueron publicadas en *Luna Córnea*, núm. 15, 1998.

4 Gabriel Figueroa, *Memorias*, México, UNAM/DGE-Equilibrista, 2005, p. 238.

PÁGINAS SIGUIENTES: **Emilio Maillé.** *El director John Huston durante el rodaje de la película* Under the Volcano *[Bajo el Volcán], Morelos, México, 1983. Cortesía del autor (izquierda). Carta de John Huston dirigida a Gabriel Figueroa donde lo felicita por su excelente trabajo realizado para la película* Bajo el Volcán. *Archivo Gabriel Figueroa (derecha).*

JOHN HUSTON
Apartado Postal 515
Puerto Vallarta, Jalisco
Mexico 48300

October 20, 1983

Dear Gaby,

 *There was no chance, thank heaven, for goodbyes.
I can't bear them, particularly after so fulfilling an
occasion. It's been years since I enjoyed making a film
as much as VOLCANO.*

 *I saw the rough cut directly before leaving and
it surely is one of the handsomest pictures ever made. The
connoisseurs of fine photography will surely observe this.
The play of light and shade, its color that is never simply
self-serving, but that ⬛ enhances the spirit of every scene.
Just listen to me telling you, who knows better than anyone.
Pictures like DAYS OF HEAVEN, GANDHI, BARRY LYNDON are beautiful tableaus to be sure and one stands back and admires
them as from a distance. But VOLCANO gathers one in. Your
photography makes it a living experience.*

 *I will be here in Puerto Vallarta for about a
month before going up to Los Angeles to see what Jim has
done with the opticals and do the final editing. You'll
be there too, of course. Perhaps you and yours will come
back with me for a holiday at my beach place down the coast
from P.V. There is a guest house waiting for you.*

 Meanwhile, my heartfelt thanks, dear Gaby.

 As ever,

John H

JH:j

Imágenes tomadas durante el rodaje de la escena final de Bajo el volcán, dirigida por John Huston.
Cortesía del autor Emilio Maillé (arriba) y Archivo Gabriel Figueroa (abajo).

IZQUIERDA: **Emilio Maillé.** *Gabriel Figueroa dirigiendo la fotografía*
de su última película, Bajo el volcán, *1983. Cortesía del autor.*

[Emilio Fernández] interpretó uno de sus últimos papeles en *Bajo el volcán* (1983). José Luis Cuevas dedicó unas líneas para su columna en *Excélsior* a un penoso incidente protagonizado por Emilio Fernández y su hija, Ximena Cuevas, quien había estudiado dirección cinematográfica:

"Ximena [...] trabajaba con John Huston en la filmación de *Bajo el volcán*. [...] Había hecho buena amistad con Jacqueline Bisset y con Anthony Andrews, así como con Gabriel Figueroa y con Gunther Gerzso, a quienes ya había conocido fugazmente en mi casa. Todo era perfecto, todo iba bien hasta que surgió *el Indio* Fernández, quien desempeñaba el papel de un cantinero. Ximena admiraba al director mexicano y buscó su amistad para hablar con él de cine. Éste estaba casi todo el tiempo ebrio y un día la invitó a charlar en un café del Hotel Mirador. Ximena aceptó encantada, pero algunos de sus amigos la previnieron: *el Indio* es peligroso. Le aconsejaron que no fuera sola. Lo más probable es que Fernández llevara intenciones aviesas. Ximena le pidió al joven fotógrafo Antonio Vizcaíno que la acompañara a su cita con *el Indio*. Éste la esperaba en una mesa adornada con flores, tal como el director había pedido con anterioridad. Un guitarrista le acompañaba y tocaba *Flor silvestre*, mientras *el Indio* se tomaba lentamente un cuba libre. Vestía un elegante traje negro de charro y miraba melancólicamente al cielo. Ximena apareció y al ver *el Indio* que había llegado con alguien enloqueció de rabia e intentó sacar la pistola, que posiblemente era de utilería. Lanzó al aire altas maldiciones y Ximena y su amigo escaparon a todo correr. Yo, enterado de lo que estaba sucediendo, me comuniqué con la jefa de producción, Luciana Cabarga, para que protegiera a mi hija. Ximena recordaría después un momento patético. Se le apareció *el Indio* mientras ella conversaba con Danny Huston. Lo vio venir como al Golem, con los brazos extendidos con intención de abrazarla. Ximena retrocedió y *el Indio*, sin controlar sus esfínteres, allí mismo se lo hizo en los pantalones. Se quedó tieso, con las piernas abiertas y poco a poco bajó los brazos y apretó los puños. Avergonzado, se escondió en una Combi. Nunca más volvió a molestarla. Evitaba incluso encontrarse con ella".

Fragmento del libro *Emilio "Indio" Fernández*, escrito por Javier Cuesta y Helena R. Olmo, España, Dastin, 2003.

Emilio Maillé. *Emilio el Indio Fernández como el gallero Diosdado en una escena de* Bajo el volcán, *1983. Cortesía del autor.*

Apariciones

Las narraciones fantasmagóricas que proyecta el cine se nutren —entre otras materias tangibles e incorpóreas— de palabras: que componen cuentos, novelas y argumentos en que se basan los relatos fílmicos; las que en un guión hacen la descripción de escenas y tomas; las que deberán pronunciar los actores ante las cámaras como diálogos y monólogos. Sea texto derivado de otra obra literaria o pieza original predestinada a la pantalla grande, las palabras que el cine requiere para su construcción habrán de desaparecer o disolverse en el entramado visual y sonoro que resulta del montaje final de una película. En el traslado de la literatura —que da margen a la imaginación ilimitada— a la cinematografía —que apela a la imaginación a partir de formas y expresiones definidas—, hay pérdidas, distorsiones, reelaboraciones, creación de nuevas obras.

Gabriel Figueroa participó en proyectos que intentaron, con mayor o menor fortuna, adaptar, entre otras obras, las de Benito Pérez Galdós, Graham Greene, Tennessee Williams, Malcolm Lowry, Carlos Fuentes, Juan Rulfo o B. Traven. Con este último autor, cuentista y novelista que hizo del ocultamiento de su identidad su mejor obra, Figueroa estableció vínculos que fueron más allá de lo cinematográfico. La escritura de Traven inspiró varias películas fotografiadas por Figueroa: *La rebelión de los colgados* (Emilio Fernández y Alfredo B. Crevenna, 1954), *Macario* (Roberto Gavaldón, 1959), *Rosa Blanca* (Roberto Gavaldón, 1961) y *Días de otoño* (Roberto Gavaldón, 1962). Por muchos años el cinefotógrafo estuvo interesado en realizar un filme a partir del conmovedor relato que Traven tituló *El puente en la selva*.

En una de las contadas ocasiones en que Figueroa emprendió la escritura de un guión cinematográfico, quiso ofrecer su versión sobre la errancia del "hombre a quien nadie conoce", pero que a él, en cambio, le había otorgado la confianza del trato íntimo y la posibilidad de retratar el rostro de un enigma.

En esta sala se muestran las prefiguraciones literarias y los preparativos de algunas escenas de la película *Macario*. La adaptación fílmica en que colaboró el dramaturgo Emilio Carballido propuso una escena, luego filmada en las grutas de Cacahuamilpa, que jamás estuvo en la imaginación de Traven, narrador a su vez de un cuento que provenía de la tradición popular.

Esta galería ofrece asimismo noticias de la amistad entre B. Traven y Gabriel Figueroa, de acuerdo al relato que de ella hizo el cinefotógrafo en una conferencia dictada en 1974. Al final del recorrido se revisa desde distintos ángulos el final de la primera versión fílmica de la novela *Pedro Páramo* de Juan Rulfo (Carlos Velo, 1966), en la que su director y el escritor Carlos Fuentes intentaron una traducción acaso imposible: hacer visibles los murmullos de un pueblo fantasma.

Ángel Corona Villa (atribuida). Enrique Lucero como la Muerte, e Ignacio López Tarzo en el papel protagónico, en un still de Macario, película dirigida por Roberto Gavaldón. Cacahuamilpa, Guerrero, México, 1959. Colección Fundación Televisa.

Ángel Corona (atribuida). Still de las grutas de Cacahuamilpa que sirvieron de locación para la película Macario. Guerrero, México, 1959. Colección Fundación Televisa.

469

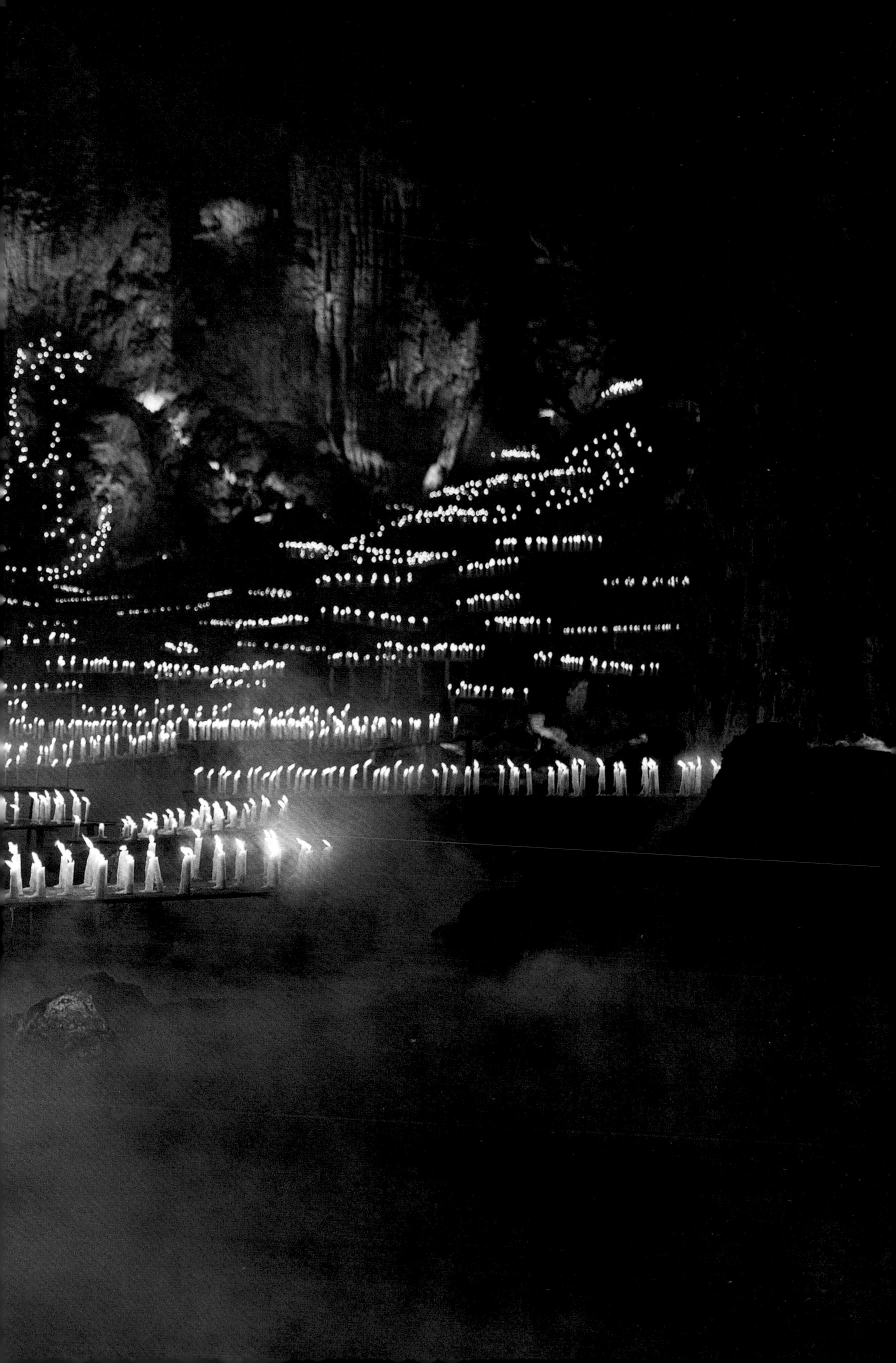

EXT. PAISAJE RETORCIDO DEL BOSQUE (DÍA)

152 M. L. S.
De una pequeña colina. EFECTO ESPECIAL: vemos la formación de un remolino, o una masa de polvo que avanza hacia la CÁMARA con velocidad vertiginosa, hasta cubrir la pantalla. (Punto de vista de Macario). La tierra es color azufre.

153 M. S.
De Macario. Al ver el torbellino cubre rápidamente el guajolote y esconde la cara para defenderse del polvo.

154 F. S.
De Macario. PUNTA DE VISTA DEL REMOLINO. Momento antes de ser cubierta su figura por el remolino, que continúa su avance e inunda el Cuadro. Se oye el tropel de un caballo que se acerca con la misma velocidad vertiginosa que la imagen, pero sin que se vea la figura correspondiente. Se pierde Macario entre tierra, hojas y viento.

155 M. S.
De Macario que permanece en su actitud defensiva contra el aire. Este empieza a calmarse, haciendo cada vez más clara la figura del hombre, hasta su total visibilidad. El entreabre los ojos, ve que ya no hay peligro, empieza a descubrir nuevamente el guajolote, para comer. Pero se interrumpe y ve hacia el frente con extrañeza.

156 F. S.
Punto de vista de Macario. El hombre tiene frente a sí un caballo al que acaban de frenar en plena carrera. Aunque no es un caballo normal. (No se ve aún al jinete, sólo sus piernas y sus espuelas, magníficas, de plata muy trabajada. El pantallón está adornado con monedas de oro.) El animal es rojo fuego, y tiene también crines y cola con mechones dorados y policromados; todo el color del animal es idéntico al de los caballos de barro de Metepec. (CABALLO BLANCO PINTADO A LA METEPEC)

157 M. C. U.
De Macario. Aparta la vista del animal y alza los ojos rápidamente para ver al jinete. En su rostro vemos que se trata de un jinete extraordinariamente especial.

158 M. S.
Del jinete. Tiene una cara chivesca, malévola, y unos ojillos oblicuos. La piel de cara y manos es absurdamente rubicunda, como si el material de que están hechas no fuera carne, sino el mismo cartón de que se hacen los "judas", y hubieran sido pintadas con el mismo color. Adornan el sombrero (y tal parece que crecen en la cabeza y salen por ahí) dos cuernos en hiestos. El intruso se moja los labios, sonríe tan amable y torvamente como le es posible.

159 M. C. U.
De Macario, que no alcanza a creer lo que está viendo.

160 F. S.
En primer término, de espaldas, Macario. El intruso le dice:

PRIMER INTRUSO
Oiga, compadre... pero qué bueno está ese guajolote que va a comerse. (PAUSA BREVE) Y... ¿ no va a invitar un pedacito?

Ángel Corona Villa (atribuidas). Gabriel Figueroa y su equipo preparando las tomas de la escena en la que el Diablo, interpretado por José Gálvez, se le aparece a Macario (arriba). Still de Macario correspondiente a la misma escena (derecha). México, 1959. Colección Fundación Televisa.

PÁGINAS 472, 474 Y 476: Guión de la película Macario, adaptación cinematográfica del cuento de B. Traven, realizada por Emilio Carballido y Roberto Gavaldón.

EXT. ORILLA REMANSO (DÍA)

169   M. L. S.

Es un lugar de altísimos árboles. La luz se filtra como en una catedral, ennobleciendo los troncos, transfigurando todo y dando reflejos extraordinarios al agua (seguramente de una laguna) a cuyo borde crece la brillante, húmeda, y florida vegetación. Se ve cada rayo de sol. Se oye el cuchicheo del agua. Cantos de pájaros. Entra Macario a Cuadro, y siente inmediatamente el efecto tranquilizador del sitio. Escoge un sitio, a la orilla del agua, y se sienta. Deja suelto al burro.

170   M. S.

Macario siente al fin un gran alivio después de la terrible aparición. Se dispone a disfrutar de su animal. Está a punto de arrancar una pierna al guajolote, cuando un reflejo del agua llama su atención.

171   F. S.

Punto de vista de Macario. Vemos la figura de Macario reflejada en el lago, en la actitud anterior. Al mismo tiempo, empieza a aparecer la imagen del segundo intruso, reflejado detrás de Macario.

172   F. S.

De Macario con el segundo intruso. Macario se vuelve hacia atrás, y vemos al Otro, con su rostro vagamente conocido, que destila nobleza y dulzura. Se trata de un peregrino, vestido tan pobremente como Macario, de cara delgada y cabello largo; grandes, luminosos, francos ojos; expresión enérgica y nobilísima. Parece fatigado y vagamente triste. Hay un silencio.

173   M. C. U.

De Macario desde el punto de vista del intruso. Ha entendido quien es él que llegó y su sorpresa, su miedo, son de muy distinta índole a los que le provocó el intruso anterior.

174   M. C. U.

Del segundo intruso, punto de vista de Macario. Su expresión no se ha modificado.

175   F. S.

De los dos. Macario disimula el gesto voraz con que iba a arrancar la pierna del guajolote, casi no se atreve a sostener al animal.

SEGUNDO INTRUSO

Hombre: yo te pido —hazme una pequeña caridad.

Ángel Corona Villa (atribuidas). Gabriel Figueroa y su equipo preparando las tomas en que Dios, personificado por José Luis Jiménez, se le aparece a Macario (arriba). Still correspondiente a la misma secuencia (derecha). México, 1959. Colección Fundación Televisa.

EXT. PARAJE DESOLADA (DÍA)

181 M. L. S.
Entra a Cuadro Macario a un sitio que parece de origen volcánico. Árboles secos, profundo silencio. Los cascos del burro resuenan. Macario se deja caer a la sombra de unas rocas, que parecen la entrada de una cueva. Está desalentado.

182 M. S.
De Macario. Descubre una vez más el guajolote. Esto le reanima. La codicia vuelve. No se oye el menor rumor. Macario tiende las hojas de plátano como un mantel y coloca encima el guajolote. Ha llegado el momento: saca su gran cuchillo de monte y se dispone a usarlo para partir el animal. El movimiento de Macario ha provocado algo que él no nota: a sus espaldas se desliza una serpiente, que repta alejándose hacia el interior de la cueva.

183 ACERCAMIENTO
Al animal, PANNING. El reptil avanza, la CÁMARA lo sigue. Se pierde en la oscuridad, pero ha quedado en Cuadro la figura yacente de un hombre uniformado según la epoca, un oficial: tiene botas; una capa lo cubre. Está bocabajo, cara y manos invisibles. Se ve tan maltrecho como si fuera un fugitivo, o desertor. Empieza a moverse, como despertando.

184 ACERCAMIENTO
De la pierna de guajolote. Es arrancada por el cuchillo de Macario. La CÁMARA PANNEA siguiéndola en su trayecto rumbo a la boca de Macario. El va a dar la mordida. Se escucha la voz FUERA DE CUADRO del Tercer Intruso.

TERCER INTRUSO (F. de C.)
Amigo... ¿Todo ese guajolote es para ti solo?

Ángel Corona Villa (atribuidas).
Roberto Gavaldón y su equipo en la filmación de la escena donde la Muerte conversa con Macario (arriba). Enrique Lucero, personificando a la Muerte, y Macario, interpretado por Ignacio López Tarso, en un still correspondiente a la misma escena (derecha). México, 1959. Colección Fundación Televisa.

P.P. 56.

Gabriel Figueroa y Juan Rulfo

Douglas J. Weatherford

En una conocida fotografía, Gabriel Figueroa abraza a Juan Rulfo y mira hacia la cámara con confianza: se nota que Figueroa se siente tan cómodo frente a la cámara como detrás de ella; por el contrario, Rulfo —cuya timidez era notoria— evita la mirada de la lente y se separa sutilmente del abrazo de Figueroa.

Esta imagen es testigo de una colaboración breve pero significativa que existió entre dos de los artistas mexicanos más renombrados del siglo XX que fueron, en muchos sentidos, muy distintos. Gabriel Figueroa era un individuo extrovertido y prolífico que participó en la creación de más de doscientas películas. Juan Rulfo era más bien introvertido y publicaba poco. A pesar de sus diferencias, estos dos hombres dejaron legados creativos que cambiaron el destino del cine y de la narrativa en México; y aunque sus trayectorias profesionales coincidieron apenas tres veces, su colaboración representa un atractivo e importante capítulo para las carreras de ambos.

Gabriel Figueroa y Juan Rulfo. Archivo Gabriel Figueroa.

IZQUIERDA:
Juan Rulfo. *El actor Pedro Armendáriz durante el rodaje de la película* La Escondida. *Hacienda de Soltepec, Tlaxcala, México, 1955. Fundación Juan Rulfo, A.C.*

Dos visiones de México: *La Escondida*

Si no se conocían antes, Gabriel Figueroa y Juan Rulfo se habrían encontrado por primera vez en noviembre de 1955, cuando los dos llegaron a la hacienda de Soltepec, en el estado de Tlaxcala, a la filmación de la película *La Escondida*, que se realizaba bajo la dirección de Roberto Gavaldón. Gavaldón y Figueroa ya habían trabajado juntos en otras películas y eran dos de las figuras más influyentes en la industria cinematográfica nacional. Por su parte, Juan Rulfo era, a finales de 1955, un escritor al borde de la fama. Publicó *El Llano en llamas* dos años antes, pero *Pedro Páramo* apenas había llegado en marzo a las librerías.

La acción de *La Escondida* se ubica durante la Revolución mexicana y Gavaldón invitó a Rulfo, como aclara Alberto Vital, "a supervisar que la historia estuviera lo más apegada posible al sentido histórico y no lo desvirtuara".[1] El autor no era una persona anónima en el set de *La Escondida*. Un artículo periodístico de la época indica, por ejemplo, que Pedro Armendáriz y María Félix le habían comentado a Rulfo que tenían interés en protagonizar la adaptación de su novela recién publicada.[2] Es posible, sin embargo, que al cumplir su responsabilidad en la supervisión histórica, el autor no haya sido una figura muy visible ni importante en el set. Por cierto, el propósito

PÁGINAS ANTERIORES:
Vista de la hacienda Tetlapayac en un still *de la película* Pedro Páramo, *adaptación fílmica de la novela homónima de Juan Rulfo, dirigida por Carlos Velo. El casco de esta hacienda sirvió, en 1931, como locación del episodio* Maguey *de* ¡Que viva México!, *película inconclusa dirigida por Sergei M. Eisenstein y fotografiada por Eduard Tissé. Hidalgo, México, 1966. Colección Fundación Televisa.*

verdadero de la presencia de Rulfo podría haber sido la intención de Gavaldón de congraciarse con un joven y talentoso autor y mejorar así sus posibilidades de filmar una obra rulfiana en el futuro, algo que logró el director cuando hizo *El gallo de oro,* en 1964.[3]

No obstante, no son las responsabilidades que tenía Juan Rulfo como asesor histórico en *La Escondida* lo que nos atrae de este primer encuentro entre él y Figueroa. Más bien, el escritor jalisciense llegó al estado de Tlaxcala con una cámara en la mano y se dedicó a sacar fotografías en el set y fuera de él.[4] Rulfo no era el *stillman* oficial de *La Escondida* —ese cargo pertenecía a Ángel Corona— y sus fotografías reflejan más bien sus propios intereses como fotógrafo y no una necesidad por documentar la filmación. En ese sentido, las imágenes que sacó Rulfo, en noviembre de 1955, ofrecen un contraste interesante con la fotografía oficial de Figueroa (y de Corona) y nos brindan la oportunidad de aprender más sobre las filosofías creativas de ambos artistas.

La fotografía de *La Escondida* es excelente y se apoya en muchas de las tendencias de composición fílmica que habían hecho de Figueroa una celebridad mundial. Lo novedoso de la película es que no se filmó en blanco y negro y es, precisamente, una de las primeras películas que Figueroa fotografió a color. A pesar de esa innovación, la obra no abre un nuevo terreno en cuanto al argumento ni en cuanto a la visión icónica que ofrece de la nación. *La Escondida* imagina a México tal como el cine nacional lo había mitificado y romantizado para el consumo masivo durante las dos décadas previas de la llamada *Época de oro,* que se despegó con el estreno de *Allá en el Rancho Grande* en 1936, y que acabó, según muchos estudiosos, en 1956 con la última película que hizo Pedro Infante.

Ahora, es cierto que un cinefotógrafo no trabaja en el aislamiento y tiene que subordinar gran parte de su propia creatividad a la visión artística del director. Figueroa entendía las limitaciones de su propia autonomía y afirmaba en muchas entrevistas sentir compasión por la presión que sufrían sus directores. La flexibilidad de Figueroa como fotógrafo se descubre en la gran variedad de estilos fílmicos que contiene su *oeuvre,* estilos que corresponden en gran medida a las diferencias entre los directores con quienes trabajaba el camarógrafo.

A pesar de la intervención del director en su obra creativa, sería una equivocación subestimar la importancia de Figueroa en la creación de las expresiones cinematográficas predominantes a mediados del siglo XX. La contribución que Figueroa ofreció a Emilio Fernández, Roberto Gavaldón y a tantos otros directores de la época, incluía no sólo su dominio de los requisitos tecnológicos de la profesión sino también una sensibilidad del cine como forma artística y social.

Figueroa buscaba inspiración en las artes plásticas y es, a menudo, la pasión que el cineasta sentía por los grandes muralistas y artistas gráficos de su país lo que define su estilo fílmico. Figueroa se enorgullecía de su espíritu nacionalista y fue una fuerza motriz en el intento de la industria cinematográfica de los años de la *Época de oro* de traducir el nacionalismo del muralismo al cine. El movimiento cultural encabezado por el muralismo al que se incorporó el cine tenía el propósito de crear un mito nacional accesible a todos los mexicanos. Ofrecía, sin embargo, una visión hegemónica de México que era a menudo estilizada, idealizada y romantizada. Por su parte, la fotografía de Figueroa suele privilegiar el artificio y es, como ha sugerido Carlos Monsiváis, un "triunfo de la alegoría sobre el realismo".[5] Era precisamente este sentido de la naturaleza lírica de la realidad mexicana (en películas como *María Candelaria*, 1943; *La perla*, 1945; *Río Escondido*, 1947 y otras) lo que dio a Figueroa su renombre, y lo que ayudó al cine mexicano a alcanzar nuevos públicos en México y alrededor del mundo.

La Escondida cabe bien dentro de esta tradición de embellecer el pasado nacional pero, mientras la cinta refleja bien las visiones artísticas de Gavaldón y Figueroa, se desvía del camino creativo que tomó Juan Rulfo como escritor y como fotógrafo.

PÁGINAS 482 - 485:
Juan Rulfo. *Imágenes captadas durante la filmación de la película* La Escondida. *Hacienda de Soltepec, 1955. Fundación Juan Rulfo, A.C.*

Es indudable que Rulfo y Figueroa compartían ciertas afinidades. Los dos manifestaban un afán por la innovación técnica como parte de la expresión artística, mostraban un manejo hábil de un lenguaje arquetípico y cultivaban un amor por México y su gente. Alberto Vital, en la más asombrosa biografía que de Juan Rulfo se haya publicado hasta la fecha, sugiere que el autor era "admirador de Figueroa". Indica además, sin embargo, que Rulfo se inspiró en el cine de la *Época de oro* —con Figueroa como uno de sus representantes predominantes— para refutar su concepto del país. "Por la importancia del cine en el imaginario colectivo", aclara Vital, "Rulfo resolvió ubicar como trasfondo —como contraste y reflexión para su propia obra literaria y gráfica— el empleo de los iconos sociales y del paisaje que hacían los directores y fotógrafos más influyentes".[6]

No he encontrado ninguna entrevista u otro documento donde Rulfo ofrezca en detalle su opinión sobre *La Escondida*. A pesar de esta ausencia, Rulfo dejó en sus fotografías un rico e interesante comentario sobre el proyecto fílmico. El archivo fotográfico que se conserva en la Fundación Juan Rulfo incluye muchas fotos que Rulfo tomó durante la filmación de *La Escondida* y muchas otras que hizo el jalisciense en sus andanzas por el estado de Tlaxcala durante sus momentos libres. De las fotografías que Rulfo sacó en el set de *La Escondida* algunas muestran la acción de la película mientras ruedan las cámaras. Otras retratan en posturas formales e informales a las estrellas de la cinta: Pedro Armendáriz, María Félix, Jorge Martínez de Hoyos y otros. Existen otras pocas imágenes que ponen a la vista el equipo de rodaje con sus cámaras y luces. El grupo más extenso de fotografías, no obstante, es el de actores secundarios, extras y otros espectadores anónimos que en el momento de ser fotografiados se encuentran fuera del alcance de las cámaras de Figueroa, que grababan la acción del *film*. Esta inclinación a alejarse del centro y a recorrer la periferia en busca de una realidad ignorada es una calidad que define la tendencia artística de Rulfo como fotógrafo y como escritor.

Un conjunto de mujeres indígenas comiendo frijoles y tortillas, no lejos de la hacienda que servía de fondo para tantas escenas de la película, por ejemplo, le interesaba en particular a Rulfo.

El jalisciense tenía un gran interés en las culturas nativas de México, una preocupación que culminó en una carrera extensa en el Instituto Nacional Indigenista. Aunque su ficción carece, en su mayoría, de personajes y de costumbres indígenas, la fotografía de Rulfo es a menudo una seria tentativa de documentar con mesura las vidas cotidianas de un pueblo frecuentemente olvidado en el avance de México hacia la modernidad a mediados del siglo XX. Rulfo rechaza las representaciones estilizadas de la población nativa de México, ya sean míticas o degradantes. En cambio, trata de observar a los sujetos indígenas en sus actividades y ámbitos cotidianos. Estos hombres, mujeres y niños son testigos silenciosos de una existencia dominada a menudo por las necesidades y la pobreza. Aunque a Figueroa también le conmueve la idea de explorar el entorno mexicano

en el arte, la deformación lírica que define la mayoría de sus películas ofrece un acercamiento que Rulfo resiste. "Claro que así no eran los indígenas de Xochimilco", comenta Nelson Carro del cine de Figueroa, "ni los revolucionarios, ni los pescadores de perlas, ni las cabareteras...".[7] Es en gran parte una preferencia por revelar sin embellecimiento la existencia habitual de los mexicanos ordinarios lo que separa la fotografía de Rulfo de la mitificación de Figueroa y de Gavaldón. No obstante, Carro advierte sabiamente que sería equivocado rechazar el lirismo de Figueroa cuando la fidelidad "no se exige en ninguna de las otras artes".[8]

Para la filmación de *La Escondida*, Gavaldón contrató a numerosos extras no profesionales, gran parte de los cuales eran hombres y mujeres indígenas de los alrededores. Estos individuos aparecen en varias escenas de la película, pero permanecen callados y funcionan más como accesorios que como seres humanos, mientras los actores profesionales hablan por ellos e intentan reflejar sus vidas y experiencias. La actuación, claro, es siempre una simulación, una reproducción falsa del original. Pero la presencia de estos indígenas auténticos en el set de *La Escondida,* y la cámara de Rulfo que los retrata, sirven para revelar y, tal vez, denunciar la manipulación de la experiencia campesina que filmaron Gavaldón y Figueroa.

Esto no quiere decir que Rulfo no se interesó también en los actores profesionales ni en el proceso de filmación. El escritor sacó varias imágenes, por ejemplo, de una secuencia que abre y cierra la película. En ella, un grupo de mujeres necesitadas vende aguamiel a los viajeros sedientos en una estación de ferrocarriles. Gabriela (protagonizada por María Félix) es una viajera del tren cuando ve a esas vendedoras y recuerda con cierta pena el pasado, cuando ella se ganaba la vida haciendo lo mismo. Gavaldón intenta explicar el carácter interesado y la tez clara de su protagonista cuando un personaje explica: "Lo cierto es que salió tan alzada como la güera de la madre [...]". A pesar de esta aclaración, es difícil asociar a Félix y a las otras actrices —hermosas, maquilladas y vestidas con ropa atractiva— con la realidad cotidiana de la pobreza en el campo.[9] Pero, como es el caso en tantas obras de Figueroa, lo que más importa no es lo auténtico sino lo mítico.

Las fotografías que Rulfo hizo de esta secuencia son memorables. Una, por ejemplo, capta a una de las vendedoras con su jarra de aguamiel. Rulfo está parado en el tren (tal vez al lado de Figueroa) y desde esa altura retrata con ternura a la protagonista. El resultado es una foto excelente que, al

Ángel Corona Villa (atribuida). María Félix interpretando a Gabriela, durante la filmación de una escena de La Escondida, *Hacienda de Soltepec, 1955. Archivo Gabriel Figueroa.*

adoptar la perspectiva hegemónica de la película, con toda su fuerza folclórica, podría haber sido sacada por Figueroa mismo.

En otras fotografías, sin embargo, se adivina de nuevo el ojo crítico de
Rulfo, quien tomó varias imágenes de María Félix también vestida de vendedora de aguamiel. En algunas de ellas, sin embargo, Rulfo capta a *la Doña*
entre tomas, en los momentos de descanso, y ofrece una interpretación original de la estrella. En estas representaciones, como ha explicado Alberto
Vital, Rulfo "consiguió darle a la heroína de la pantalla un aire familiar y cotidiano y de 'entre bambalinas', a la vez que respetaba la belleza y el porte de
la señora, sólo que quitándoles un aspecto estereotípico ya para entonces
emblemático".[10]

El encuentro de Figueroa y Rulfo, en Tlaxcala, en 1955, reunió a dos de
las figuras artísticas más influyentes del siglo XX. Figueroa proveía la perspectiva oficial del proyecto fílmico y se dedicaba a la creación de una realidad lírica. Rulfo, de otra mano, era un testigo ocular no oficial del proceso
de filmación y buscaba descubrir la realidad encubierta y advertir, "sobre la
pervivencia de un México real detrás de la vocación del cine de la época".[11]
Aunque ambas visiones de México sean discordantes, cada una es válida y
ofrece una idea diferente respecto el arte y sobre la variedad de formas de
hablar sobre la identidad nacional.

Figueroa y las adaptaciones de la obra de Juan Rulfo

La primera adaptación fílmica de un texto rulfiano se filmó en 1955, cuando Alfredo B. Crevenna dirigió un largometraje homónimo basado en el cuento *Talpa*. Desde entonces han aparecido numerosos proyectos fílmicos que se

asocian con el escritor jalisciense. De estas obras, dos de las más significativas datan de mediados de la década de los sesenta y fueron fotografiadas por Gabriel Figueroa: *El gallo de oro* (1964), dirigida por Roberto Gavaldón, y *Pedro Páramo* (1966), dirigida por Carlos Velo.

Una revisión completa de la filmografía rulfiana revelaría que muchos cineastas lucharon por traducir la ficción del escritor jalisciense a la pantalla grande. En 1980, por ejemplo, Jorge Ayala Blanco lamentó: "en términos generales, [la filmografía de Rulfo] la integran mediocres y serviles, cuando no grotescas o muy alejadas versiones de sus obras narrativas".[12] De los filmes hechos antes de 1980, Ayala Blanco elogia sólo dos: *El despojo* (1960) y *La fórmula secreta* (1964). Ayala Blanco no era el primer crítico, ni sería el último, en cuestionar la filmografía asociada con Juan Rulfo. La crítica de estas cintas no es enteramente equivocada. Es, sin embargo, exagerada, selectiva, a veces más personal que objetiva y frecuentemente anticuada. Ciertamente la temprana filmografía rulfiana incluye un número de obras perspicaces y bien hechas. Mientras tanto, en las últimas dos décadas, varios cineastas creativos se han inspirado en la vida y la obra de Rulfo para rechazar la declaración frecuentemente repetida de que es imposible traducir la literatura rulfiana a la pantalla grande.[13]

Gabriel Figueroa e Ignacio López Tarso durante la filmación de El gallo de oro. *México, 1964. Colección Fundación Televisa.*

La fotografía de Figueroa, en sus dos adaptaciones de textos rulfianos, es excelente y con pocas excepciones ha sido elogiada por la crítica. A pesar de la participación de Figueroa, y de otros escritores y cineastas renombrados en la adaptación de *El gallo de oro* y *Pedro Páramo*, estas dos obras no lograron escaparse del lamento de Jorge Ayala Blanco y de muchos otros. Su recepción no ha sido completamente negativa, claro, y cada película ganó múltiples premios nacionales.[14] "Un tanto subvaluada en su periodo de estreno —ha opinado Carlos Monsiváis sobre la película que mayores elogios ha recibido— *El gallo de oro* es, creo, excelente".[15] No obstante la opinión de Monsiváis, Juan Rulfo no estuvo de acuerdo con los resultados de las dos cintas y muchos críticos las consideran tentativas malogradas de adaptar la prosa del escritor jalisciense al cine.

Gabriel Figueroa fue un lector asiduo y aficionado de la ficción de Rulfo. En su esencia, los cineastas —especialmente el director y su camarógrafo— son lectores esmerados que se acercan detalladamente a un texto escrito. En *El gallo de oro* y *Pedro Páramo*, entonces, podemos ver los frutos de la lectura que Gabriel Figueroa y otros han hecho de la obra de Rulfo. Hace falta un estudio cuidadoso que ofrezca una nueva evaluación de ambos filmes y que explore la manera en que Figueroa ha interpretado la ficción de Rulfo por medio de su fotografía. Tal investigación va más allá de las limitaciones de este ensayo, en tanto mi propósito aquí es más humilde. Quiero concentrarme en la conflictiva relación entre Carlos Velo y Gabriel Figueroa durante la filmación de *Pedro Páramo* para explorar algunos de los logros y las fallas de esta primera adaptación de la novela de Juan Rulfo.

Dos stills de la película El gallo de oro. México, 1964. Colección Fundación Televisa.

Un intento fallido de renovación del cine nacional: *Pedro Páramo*

Pedro Páramo se filmó del 17 de enero al 18 de marzo de 1966 y la cinta se estrenó en enero del año siguiente. El proyecto había empezado, sin embargo, más de media década antes, en 1960, cuando Carlos Velo le propuso la idea a Manuel Barbachano. Velo era un exiliado gallego que había sido una figura importante en el movimiento documentalista de España en los años treinta, hasta que se exilió en 1939. En México, Velo trabajó en el campo de

los noticiarios y dirigió el Noticiero Mexicano EMA. Volvió después a dirigir documentales, incluyendo *Torero* (1956), su obra más aclamada. Había sido vecino de Juan Rulfo y se entusiasmó con la posibilidad de llevar la novela de su amigo a la pantalla grande. *Pedro Páramo* sería su primer largometraje y Velo, que parecía haber sentido con agudeza la responsabilidad de la iniciativa, pasó gran parte del lapso entre 1960 y 1966 preocupado por los detalles de la adaptación. Velo incluso consideró la ayuda de Juan Rulfo.

Carlos Fernández en la filmación de una escena de la película Pedro Páramo. *México, 1966. Colección Fundación Televisa.*

Aunque no intervino en la adaptación del guión de su novela ni en su rodaje, Rulfo viajó en 1961 con el director al sur de Jalisco y sus alrededores para ayudarle a buscar locaciones para la filmación de la película y recorrer la geografía que tanto le había inspirado.[16]

El avance del proyecto entusiasmó mucho a la prensa y a la industria cinematográfica. El cine mexicano estaba en ese momento en un estado de decadencia y no pocos tenían la esperanza de que el filme llegara a ser una fuerza para motivar la producción de películas de calidad. Un artículo representativo de esa expectativa apareció el 29 de marzo de 1966, en el periódico *Esto,* para anunciar que el rodaje de la película había concluido y que se había iniciado el proceso de edición. El artículo ostenta un título llamativo: *Pedro Páramo: ¿El film más importante de nuestro cine?,* y avisa con cauta confianza que "quizás sea la cinta más ambiciosa de toda la historia del cine mexicano".[17] La ilusión de la época no parecía imprudente: la iniciativa se basaba en una novela aclamada y gozaba del respaldo del Banco Nacional Cinematográfico y del distinguido productor Manuel Barbachano. El reparto era talentoso (aunque muchos se han quejado de la actuación de John Gavin como Pedro Páramo), Carlos Fuentes había ayudado a escribir el guión y Gabriel Figueroa había aceptado fotografiar la cinta.

Las elevadas expectativas agudizaron la decepción del público y de la crítica cuando *Pedro Páramo* se estrenó, a principios de 1967, en el Distrito Federal. El filme fue acogido después con una recepción fría en el Festival de Cannes. Gabriel Figueroa, Carlos Fuentes y otros, formaron parte de la delegación que viajó a Francia para la proyección. Ignacio López Tarso, que interpretó el papel de Fulgor Sedano, también estuvo presente y explicó: "la pasamos de maravilla, pero la proyección fue horrible. El público salía en grandes oleadas y si no hubiera sido porque estábamos muy a la vista, creo que todos los de la delegación nos hubiéramos ido al hotel a llorar".[18]

Juan Rulfo, por su parte, expresó su insatisfacción con la adaptación cuando se le pidió su reacción en una entrevista: "Es muy mala. Fue muy mala película. La hizo [Velo quien era más bien] un biólogo [...] y entonces, de pronto, se le ocurrió hacer cine y me agarró a mí de chivo expiatorio".[19]

La mediocridad de esta primera adaptación de *Pedro Páramo* no se debe a la falta de previsión de su director, que se dedicó enteramente durante media década al proyecto. Más bien, la preparación exageradamente detallada de Velo durante tantos años parece haberlo vuelto indeciso, como ha indicado López Tarso: "dudaba muchas veces y cuando te pedía algo lo hacía sin convicción".[20] Emilio García Riera también ha apuntado los efectos nocivos en Velo de sus "años de infinitas discusiones, dudas y vacilaciones guiadas por el prurito de asegurar algo tan imposible como una obra perfecta".[21] A pesar de la opinión de García Riera, la culpa principal de Velo no fue andar a la caza de la perfección sino perder de vista el tono y la textura de la novela de Rulfo. Su adaptación ordena de otra manera partes de la cronología fragmentada de la novela, elimina en gran medida la presencia de múltiples voces y perspectivas y nos deja con una cinta sin la ambigüedad, la confusión y el espíritu enigmático y juguetón del original. Al mismo tiempo, la adaptación de Velo pierde casi por completo el profundo sentido arquetípico de una novela que empieza con un descenso a un mundo infernal.

A pesar de sus problemas, la adaptación de Velo no es tan pobre como han sugerido algunos, y veremos en breve algunos de los logros del filme. Primero, vale la pena examinar el papel que desempeñó el cinefotógrafo mexicano más renombrado en los resultados de la cinta. Muchos críticos han recalcado la eficacia de la fotografía en *Pedro Páramo* y es cierto que el talento de Gabriel Figueroa añade una dimensión valiosa a un proyecto que dejó de inspirar a su público. No obstante, parece una exageración la descripción loable de la contribución de Figueroa que aparece en la guía oficial del *film*: "El estilo fotográfico de Gabriel Figueroa se adecúa con toda naturalidad a la atmósfera poética de *Pedro Páramo*, donde ha realizado uno de sus más valiosos trabajos".[22] No obstante su valor, la fotografía de Figueroa en *Pedro Páramo* no llega al nivel de sus obras mejores y se frustra en gran

medida en su intento de recrear la "atmósfera poética" de la obra maestra de Juan Rulfo. La tendencia de la crítica ha sido la de hacer a Velo responsable de las debilidades de la adaptación y elogiar levemente la aportación de Figueroa. Así lo hizo Carlos Monsiváis cuando opinó que "las inercias de la dirección ocultan la creatividad fotográfica".[23] Sin embargo, Figueroa fue un partícipe vital en la filmación y su rol en la fortuna de esta adaptación malograda merece examinarse.

Ahora bien, no quiero exagerar la culpabilidad de Figueroa, cuya fotografía es uno de los placeres de ver esta película. De hecho, la decisión de emplear los talentos de Figueroa parece una decisión acertada. Figueroa sentía una fascinación por el significado arquetípico del paisaje, por ejemplo, y empleaba el espacio y la iluminación con agilidad para enfatizar la fuerza del ambiente. Además, Velo había decidido filmar en blanco y negro —la especialidad de Figueroa— en una época en que ya predominaba la fotografía a color. Parece obvio que Figueroa sería el camarógrafo indicado para recrear el mundo rulfiano donde un hijo olvidado desciende a Comala, un pueblo muerto que se encuentra "sobre las brasas de la tierra, en la mera boca del infierno".[24] La visión que ofrece Velo de la llegada de Juan Preciado a Comala no satisface, sin embargo, y deja al aficionado del arte de Figueroa pensando que Velo podía haber utilizado mejor los talentos del mejor camarógrafo nacional. La falta de habilidad de Velo para recrear satisfactoriamente el paisaje metafórico de la novela, sugiere una distancia creativa entre él y su director de fotografía. Esta distancia se aprecia en otros momentos del filme y nos hace preguntar por qué los dos cineastas no lograron trabajar juntos con mejores resultados.

La falta no parece pertenecer solamente a Carlos Velo. En primer lugar, Figueroa habría llegado al proyecto con prioridades muy diferentes. Mientras

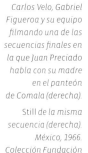

Carlos Velo, Gabriel Figueroa y su equipo filmando una de las secuencias finales en la que Juan Preciado habla con su madre en el panteón de Comala (derecha).

Still de la misma secuencia (derecha). México, 1966. Colección Fundación Televisa.

Velo había pasado varios años pensando *en* y preparándose *para* el rodaje de la adaptación, Figueroa llegó tarde a la iniciativa que era, para él, sólo una de las muchas películas que filmó en esos años.[25] La cantidad de obras en que trabajaba Figueroa, y su marcha acelerada de rodaje, no eran algo nuevo para el camarógrafo que había trabajado con éxito en circunstancias difíciles con otros directores (Luis Buñuel, por ejemplo). Sería más fructífero, entonces, buscar en otra parte el origen de la separación creativa que existía entre el director y su cinefotógrafo.

En las entrevistas que dio en los años posteriores a la filmación de *Pedro Páramo*, Velo vacilaba entre el enfado y la resignación al hablar de su único largometraje. En una entrevista con José Agustín, por ejemplo, el director manifestó su irritación con la presión que había sentido para cambiar su visión original:

> Me siento frustrado con la realización de *Pedro Páramo*. Mi guión no pude filmarlo: se alegó que era muy largo, cuando sabemos que hoy las películas no tienen medida; se sugirió que era muy fuerte, no para la censura sino para "nuestros públicos". [. . .] La maldita circunstancia de ser mi primera película profesional me hizo cometer el error de aceptar todo esto. Así es que la culpa es mía por haber aceptado estas ideas y estas "amables sugerencias" que hicieron híbrido, frío, el *film*, cuando contaba con un guión magnífico, con actores estupendos, llenos de entusiasmo; sin embargo todo fue sometido a un rasero de producción, a un nivel de mediocridad industrial odioso.[26]

En una biografía reciente de Carlos Velo, Miguel Anxo Fernández sugiere que Gabriel Figueroa se añadía a la presión que sentía el director. Figueroa, que era un oficial importante de Clasa Films Mundiales, la compañía productora de la película, se entremetió en el proyecto, según Anxo Fernández, "para afrontar los costos de producción con mayores garantías".[27] "Este hecho —opina Anxo Fernández— condicionaría el resultado final porque, al asumir Figueroa responsabilidades en el financiamiento, tiraba para atrás todo lo posible, y estaba muy preocupado de que el *film* afrontase cuestiones morales que después impidiesen el estreno. En este sentido, Velo hace un doble juicio sobre el operador, al que admira y del que es amigo, aunque tenga una perspectiva bien distinta que le impide llevar adelante su guión original".[28] Anxo Fernández sugiere, además, que Velo no estaba contento con la fotografía de la cinta y añade una crítica al trabajo que hizo Figueroa en *Pedro*

Páramo que, por su exageración, parece revelar una leve influencia nacionalista en el biógrafo gallego: "El tratamiento fotográfico, con ser entonado y
vistoso, capaz de llevarnos a ese mundo necrológico que pretende transpi-
rar la película, no dejó muy satisfecho a Velo por la escasa receptividad de

Figueroa a salirse de un trabajo
de 'prestigio' y arriesgar un poco
más en la línea de choque pretendida por el proyecto. Es una
foto excesivamente académica,
formalista, casi protagonista en
sí misma".[29]

Gabriel Figueroa tampoco
estaba satisfecho con su colaboración con Carlos Velo. Como
ya se ha mencionado, Figueroa
aceptaba la obligación del cinefotógrafo de someter su visión
personal a la del director. No
obstante, no es difícil descubrir
que Figueroa agradecía traba-
jar con esos directores que le tenían más confianza y le daban más libertad
creativa. "De más [*sic*] de doscientas películas que yo he hecho —explicó
Figueroa en una entrevista— no llegan a cinco los directores con los que
yo he tenido la libertad de trabajar". Figueroa subraya la "completa libertad" que le ofrecían Emilio Fernández y John Ford y alude a la autonomía
"en menor medida" que recibió de Julio Bracho, Roberto Gavaldón y Juan
Ibáñez. Añade además a Buñuel quien le daba, según él, "la libertad absoluta
de manejar la iluminación [...]".[30]

Figueroa hablaba poco de su participación en la filmación de *Pedro
Páramo*. No menciona seriamente la experiencia en sus *Memorias*, por ejemplo, y no parece haber querido iniciar una discusión de ese proyecto en las
entrevistas que hizo. No obstante, cuando Antonio Castro le preguntó directamente "¿Cómo trabajó con Carlos Velo?", la respuesta fue iluminadora:

> Carlos Velo era muy bueno para los documentales. Hizo algunos excelentes
> para Barbachano. Pero *Pedro Páramo* era su primera película y no estuvo a
> la altura de las circunstancias. [...] A mí Velo no me hacía caso. Por ejemplo
> teníamos un ojo de buey de esos muy bonitos en la pared, y yo quería hacer
> la secuencia con una *dolly* pero Velo se empeñó en hacerlo contra la pared,
> y dijo que le gustaban las paredes. Hasta su mujer se dio cuenta y le dijo
> que era mejor que hiciera caso de mí que hacer las cosas contra la pared.
> [...] Velo siguió dirigiendo pero desgraciadamente cosas menores, porque
> era una persona inteligente, pero como decía Pedro Armendáriz mi abue-
> lita también es muy inteligente pero no sabe nada de cine.[31]

La tensión entre Figueroa y Velo que se descubre en las entrevistas que los dos dieron después de *Pedro Páramo* parece haber existido también durante la filmación y se debe tomar en cuenta al investigar las razones de la mediocridad del filme. No obstante sus debilidades, la adaptación entretiene y es mejor de lo que han sugerido muchos. Representó a México en el Festival de Cannes en 1967, ganó en 1968 un par de Diosas de Plata y sigue proyectándose con frecuencia. Y, aunque Velo se aleja sin buenos resultados del tono y la textura de la novela, hay varios momentos en la adaptación en que él y Figueroa, trabajando juntos, aciertan al ofrecer una traducción creativa y provocadora de la novela rulfiana.

Eduviges (arriba) y Juan Preciado (izquierda) en dos escenas de la película Pedro Páramo. México, 1966. Colección Fundación Televisa.

La representación de doña Eduviges como un fantasma que sigue repitiendo el horror de su suicidio, por ejemplo, logra captar lo macabro del Comala muerto que llega a conocer Juan Preciado. Velo nos deja ver las cicatrices en el cuello de esa mujer desesperada y fantasmagórica y, después de un chillido que Juan Preciado escucha en la casa abandonada de Eduviges, la cámara de Figueroa nos muestra lo que él no ve, un cuerpo seco que cuelga en el rincón. Cada adaptador tiene que hacer cambios al texto original para poder traducir la palabra escrita al lenguaje visual. La imagen de Eduviges colgada desde hace mucho tiempo en la habitación donde duerme Juan Preciado no aparece en la novela rulfiana; pero la creatividad de la idea (desarrollada en el guión de Carlos Velo, Carlos Fuentes y Manuel Barbachano)[32] y la fuerza del encuadre que logra filmar Figueroa, comunican eficazmente el concepto original de Rulfo.

Lo que a mí más me gusta de la película, es el uso creativo de la fotografía y de la puesta en escena. Un espectador cuidadoso puede darse cuenta de que Velo, con la ayuda de Gabriel Figueroa, desarrolló no pocos motivos sutiles que logran comunicar su visión del Comala trastornado de Rulfo.

En muchas escenas, Velo filmó la conversación de dos personas. El paralelismo que se debe sentir con tal tipo de toma doble se rompe, sin embargo, cuando se coloca en medio de esa pareja un objeto, una persona o una acción (a veces captados con el uso de la profundidad de foco). En una escena, por ejemplo, una soga cuelga en la pared entre Fulgor Sedano y doña Eduviges. En otra, el padre Rentería recibe la confesión de Dorotea mientras los dos se separan, visual y metafóricamente, por la pared del confesionario. En otro momento, Susana San Juan aparece en una ventana, en el fondo de la toma, y observa la conversación entre su padre y Florencio, que se encuentran en primer plano. La figura de Susana se ubica en medio de la toma doble, separando literal y figurativamente a la pareja.

Velo y Figueroa ofrecieron, en estas escenas y en muchas otras, una abundancia de imágenes que destruyen el equilibrio del cuadro y sugieren la frustración inherente en la comunicación humana. La desilusión que sienten los pobladores de Comala se enfatiza aun más con el empleo frecuente de líneas diagonales (sombras, tablas, etc.) que crean otro *leitmotiv* visual en la cinta. Estas líneas que dividen la escena y, a veces a los personajes, dan a entender que reina el desorden en la comunidad y funcionan como si fueran navajas que rasgaran el cuerpo y el espíritu del ser humano.

La contribución de Figueroa en la creación de estas escenas acertadas es significativa. Ilustran muchas de las características que había desarrollado el camarógrafo en otros lugares: el uso de una iluminación expresionista con sus claroscuros, la presencia de ángulos y líneas en un contexto metafórico y el empleo de la profundidad de foco (*deep focus*) para extender el espacio visual. Al mismo tiempo, se percibe la tendencia de Gabriel Figueroa a imaginar el espacio como un elemento importante en la narración del argumento. La puesta en escena se organiza cuidadosamente, los encuadres suelen enfatizar un estilo cerrado y formalista, y la composición se configura con sus posibilidades artísticas en mente. No obstante, Velo y Figueroa no volvieron después de *Pedro Páramo* a trabajar juntos.

Gabriel Figueroa en una fotografía de Juan Rulfo

Las carreras profesionales de Gabriel Figueroa y Juan Rulfo se entrecruzaron apenas tres veces. Figueroa fotografió dos de las adaptaciones más importantes de la obra del escritor jalisciense (*El gallo de oro,* en 1964, y *Pedro Páramo,* en 1966), mientras Rulfo fue colega de Figueroa cuando fungió como asesor histórico durante la filmación de *La Escondida* (1955). En la colección de *stills* que documentan la filmación de *El gallo de oro* y *Pedro Páramo* que se conserva en las bodegas de la Fundación Televisa no aparece ninguna imagen de Juan Rulfo. La razón de esa ausencia es obvia: el autor no participó en estos dos proyectos fílmicos. No ayudó a escribir los guiones y prefirió no visitar los sets durante el rodaje. Es probable, entonces, que la única vez que Figueroa y Rulfo estuvieron juntos en un set fílmico haya sido en noviembre de 1955, cuando se rodaba *La Escondida*. Los dos tenían cámaras en esa ocasión y tenemos como testigo de la disímil filosofía creativa de los dos hombres la cinta que filmó Gabriel Figueroa y las fotos fijas que hizo Juan Rulfo. De las imágenes que tomó Rulfo durante el rodaje de *La Escondida* existe sólo una en la colección de la Fundación Juan Rulfo en que aparece Gabriel Figueroa. La composición de la foto es un poco descuidada e informal y se tomó —como es típico de mucho de la obra fotográfica de Rulfo— sin que los sujetos supieran que estaban siendo retratados. Figueroa está parado al lado de su cámara y casi desaparece detrás de la figura de Roberto Gavaldón.

Videogramas digitales de varias escenas de la película Pedro Páramo. *ARRIBA: El padre Rentería y Dorotea; Juan Preciado y doña Eduviges. AL CENTRO: Juan Preciado y Damiana Cisneros; Florencio, Susana y su padre, Bartolomé San Juan. ABAJO: Eduviges y Fulgor Sedano; personaje no identificado, Pedro Páramo, Eduviges y Fulgor Sedano. México, 1966.*

El valor metafórico de la reproducción —probablemente fortuito— es inmediatamente visible: el cinefotógrafo, aunque integral al éxito de un *film*, es secundario, y tiene que subordinar su propia visión artística a la del director. La importancia del director en los resultados, no completamente satisfactorios de la aportación de Figueroa a las adaptaciones de la ficción de Rulfo, hace aún más seductora una anécdota contada por Mariana Frenk quien afirma haber estado con Rulfo en 1965 cuando se les acercó un hombre en la calle, diciendo: "Juan, yo voy a hacer tu *Pedro Páramo*". Los derechos para la novela, claro, ya se le habían concedido a Carlos Velo. El hombre en la calle, según Frenk, era Luis Buñuel.[33] Y los aficionados de la fotografía de Figueroa nos quedamos con la sospecha de que ese otro exiliado español también hubiera pedido la ayuda de Figueroa para fotografiar —¿tal vez con más éxito?— la obra maestra de Juan Rulfo.

Notas

1 Alberto Vital, *Noticias sobre Juan Rulfo: 1784-2003*, México, Editorial RM, 2003.

2 Jaime Valdés, "Resulta que Juan Rulfo no ha dicho 'Esta boca es mía'", *Novedades,* enero 26 de 1956, pp. 15-17.

3 Víctor Jiménez, director de la Fundación Juan Rulfo, sugirió esta posibilidad en una conversación que tuve con él en abril de 2008. En correspondencia conmigo, Jiménez ha reiterado la probabilidad de que Gavaldón haya contratado a Rulfo por haber querido desarrollar una relación profesional con el escritor para "aprovechar su talento en un futuro cercano". Jiménez apunta que Rulfo era ya, para finales de 1955, un escritor prometedor para el cine. *Talpa*, la adaptación homónima de un cuento rulfiano que dirigió Alfredo B. Crevenna, se rodó también en 1955 (para estrenarse en 1956). Era un proyecto importante para la industria cinematográfica en México. Costó más de un millón de pesos, se filmó usando la nueva técnica de Cinemascope y compitió con *La Escondida* cuando las dos cintas representaron a México en el Festival de Cannes, en 1956. Es lógico suponer, como aclara Jiménez, que Gavaldón haya notado y haya querido aprovechar el potencial del joven autor que había escrito el argumento en que se basaba *Talpa*, uno de los proyectos fílmicos más importantes del momento. Además, como recuerda Jiménez, Rulfo escribió *El gallo de oro* a partir de 1956, para acabarlo en 1957 y, aunque no aparezca la versión fílmica de este texto hasta 1964, para octubre de 1956 (si no antes), se había anunciado el comienzo de los preparativos para hacer una adaptación de *El gallo de oro*, con Gavaldón como director. (Víctor Jiménez [entrevistas personales], abril y junio de 2008.)

El temprano interés en las posibilidades de adaptar textos rulfianos se ve en una entrevista que Sergio Kogan, uno de los productores de *La Escondida*, dio en octubre de 1956: "Ahora bien, una verdadera buena historia no la he tenido sino hasta hace unos cuantos días. Se trata de un relato especialmente escrito para cine por Juan Rulfo, titulado "El gallo dorado'" (Sergio Kogan, "¿Tiene Ud. un buen argumento? ¡Tráigamelo!" en *Esto,* octubre 10 de 1956, p. 4.)

4 Una selección significativa de las imágenes que tomó Rulfo durante su estancia en el estado de Tlaxcala, en 1955, se ha publicado en varios

Juan Rulfo. *Gabriel Figueroa y Roberto Gavaldón durante la filmación de la película* La Escondida. *Hacienda de Soltepec, Tlaxcala, México, 1955. Colección Fundación Juan Rulfo, A.C.*

lugares. Véanse, por ejemplo, las que se incluyen en *México: Juan Rulfo fotógrafo*, España, Lunwerg Editores, 2001.

5 Carlos Monsiváis, "Gabriel Figueroa: Las profecías y los espejismos de la imagen", *Nexos*, núm. 31, mayo de 2008, pp. 53-63.

6 *Op. cit.,* n. 1.

7 Nelson Carro, "Gabriel Figueroa y el Cine Mexicano" en *Gabriel Figueroa y la pintura mexicana*, México, Conaculta/INBA/Imcine/ Dirección General de Publicaciones/Museo de Arte Carrillo Gil, 1996, pp. 39-46.

8 *Ibidem.*

9 *La Escondida* se basa en un la novela homónima de de Miguel N. Lira. La trama cuenta una historia inversa a la que relata la película de Gavaldón: Gabriela es de buena cuna y no de origen humilde.

10 *Op. cit.,* n. 1.

11 *Ibidem.*

12 Jorge Ayala Blanco [ed. e introducción] en Juan Rulfo, *El gallo de oro y otros textos para cine*, México, Era, 1980, pp. 9-17.

13 Para un resumen de algunas de las más importantes cintas asociadas con Juan Rulfo, *cfr.* mi ensayo *Juan Rulfo en el cine*, septiembre 9 de 2007, en la página oficial de la Fundación Juan Rulfo http://www.clubcultura.com/clubliteratura/clubescritores/juanrulfo/especial_cine.

htm. Otro ensayo mío, *Pedro Páramo: la película,* incluye algunas de las observaciones que expongo aquí, y varias más, sobre la adaptación de *Pedro Páramo* que hizo Carlos Velo. [*Cfr. Club Cultura* 20, nov-dic 2007, pp. 66-71.]

14 *El gallo de oro* ganó la Diosa de Plata, en 1965, a mejor película, mejor dirección (Roberto Gavaldón), mejor actriz (Lucha Villa) y mejor adaptación (Carlos Fuentes, Gabriel García Márquez y Roberto Gavaldón). *Pedro Páramo* ganó, en 1968, la Diosa de Plata a mejor actriz de cuadro (Graciela Doring) y mejor revelación (Julián Pastor).

15 *Op. cit.,* n. 5.

16 En un artículo publicado anteriormente en *Luna Córnea,* Víctor Jiménez menciona el viaje que Rulfo y Velo realizaron juntos. Se incluyeron varias fotografías que ambos tomaron durante su recorrido. [*Cfr.* "Rulfo, andanzas por el cine", en *Luna Córnea,* 2002, núm 24, pp. 202-215.]

17 "Pedro Páramo, ¿El film más importante de nuestro cine?", *Esto,* marzo 29 de 1966, sección B, pp. 4-5.

18 Susana López Aranda, *El cine de Ignacio López Tarso,* México, Universidad de Guadalajara-IMCINE, 1997, p. 89.

19 Juan Rulfo, "Juan Rulfo examina su narrativa", en Claude Fell [coord.], *Toda la obra,* México, UNESCO-Colección Archivos, 1992, p. 460.

20 *Op. cit.,* n. 18.

21 Emilio García Riera, "Pedro Páramo", en *Historia documental del cine mexicano,* vol. 13, México, Universidad de Guadalajara, 1994, pp. 19-23.

22 Citado en material de prensa realizado para la película *Pedro Páramo.*

23 *Op. cit.,* n. 5.

24 Juan Rulfo, *Pedro Páramo,* México, FCE, 1981, p. 10.

25 La filmografía de Figueroa incluye los títulos de cinco películas en 1965, siete en 1966 (incluyendo *Pedro Páramo*) y cuatro en 1967.

26 *Op. cit.,* n. 21, p. 23.

27 Miguel Anxo Fernández, *Las imágenes de Carlos Velo,* México, UNAM, 2007.

28 *Ibidem.*

29 *Ibidem.*

30 Citado en María Teresa Garrido Lemini, "Vida y obra del camarógrafo Gabriel Figueroa y su importancia y trascendencia en la cinematografía nacional e internacional", tesis, Universidad Intercontinental, 1992, p. 126.

31 Antonio Castro, "Gabriel Figueroa" [entrevista], *Mirada sobre el mundo: Veinte conversaciones con cineastas,* España, Asociación Cinéfila Re Bross, 1999, pp. 75-93.

32 La versión del guión, fechada en 1965, describe la escena de esta forma: "FULL SHOT: EDUVIGES (MANIQUI) y JUAN colgado de la alcayata, sobre la pared de la recámara, el cuerpo momificado de EDUVIGES. JUAN se incorpora y avanza tambaleando en la oscuridad, sin voltear el rostro". (Carlos Fuentes, Carlos Velo y Manuel Barbachano, *Pedro Páramo* (Los murmullos) [guión inédito], México, Clasa Films Mundiales, 1965, p. 54.)

33 Mariana Frenk, "Una conversación a los cien años", en *Los Murmullos: Boletín de la Fundación Juan Rulfo,* núm. 2, 1999, pp. 20-24.

PÁGINAS SIGUIENTES: Folios finales de la novela Pedro Páramo, *escrita por Juan Rulfo y publicada en 1955.*

Allá atrás, Pedro Páramo, sentado en su equipal, miró el cortejo que se iba hacia el pueblo. Sintió que su mano izquierda, al querer levantarse, caía muerta sobre sus rodillas; pero no hizo caso de eso. Estaba acostumbrado a ver morir cada día alguno de sus pedazos. Vio cómo se sacudía el paraíso dejando caer sus hojas: "Todos escogen el mismo camino. Todos se van." Después volvió al lugar donde había dejado sus pensamientos.

"—Susana —dijo. Luego cerró los ojos—. Yo te pedí que regresaras...

"...Había una luna grande en medio del mundo. Se me perdían los ojos mirándote. Los rayos de la luna filtrándose sobre tu cara. No me cansaba de ver esa aparición que eras tú. Suave, restregada de luna; tu boca abullonada, humedecida, irisada de estrellas; tu cuerpo transparentándose en el agua de la noche. Susana, Susana San Juan."

Quiso levantar su mano para aclarar la imagen; pero sus piernas la retuvieron como si fuera de piedra. Quiso levantar la otra mano y fue cayendo despacio, de lado, hasta quedar apoyada en el suelo como una muleta deteniendo su hombro deshuesado.

"Ésta es mi muerte", dijo.

El sol se fue volteando sobre las cosas y les devolvió su forma. La tierra en ruinas estaba frente a él, vacía. El calor caldeaba su cuerpo. Sus ojos apenas se movían; saltaban de un recuerdo a otro, desdibujando el presente. De pronto su corazón se detenía y parecía como si también se detuviera el tiempo y el aire de la vida.

"Con tal de que no sea una nueva noche", pensaba él.

Porque tenía miedo de las noches que le llenaban de fantasmas la oscuridad. De encerrarse con sus fantasmas. De eso tenía miedo.

"Sé que dentro de pocas horas vendrá Abundio con sus manos ensangrentadas a pedirme la ayuda que le negué. Y yo no tendré manos para taparme los ojos y no verlo. Tendré que oírlo; hasta que su voz se apague con el día, hasta que se le muera su voz."

Sintió que unas manos le tocaban los hombros y enderezó el cuerpo, endureciéndolo.

—Soy yo, don Pedro —dijo Damiana—. ¿No quiere que le traiga su almuerzo?

Pedro Páramo respondió:

—Voy para allá. Ya voy.

Se apoyó en los brazos de Damiana Cisneros e hizo intento de caminar. Después de unos cuantos pasos cayó, suplicando por dentro; pero sin decir una sola palabra. Dio un golpe seco contra la tierra y se fue desmoronando como si fuera un montón de piedras.

P.P. # 45

P.P. # 41

P.P. # 46

P.P. # 42

P.P. # 47

P.P. # 48

P.P. # 43

P.P. # 44

Graciela Doring como Damiana Cisneros, en la escena final de Pedro Páramo.
Las marcas de plumón señalan el encuadre elegido para la producción de un still.
Hacienda de Tetlapayac, México, 1966. Colección Fundación Televisa.

ESCENAS FINALES DE LA PELÍCULA *PEDRO PÁRAMO* |
Escena: 79

Exterior. Casco Media Luna. (Atardecer).
Por el camino de Comala, ABUNDIO MARTÍNEZ se acerca a la Media Luna, agachando la cabeza, borracho. PEDRO PÁRAMO desde la soledad de su equipal, grita:

PEDRO: —¡Damiana! Ve a ver qué quiere ese hombre.

DAMIANA sale de la casa restregándose las manos en el delantal y va al encuentro del arriero que ha llegado a la puerta grande de la hacienda y se detiene, balanceándose, para decir:

ABUNDIO: —Dénme una caridad para enterrar a mi mujer.

ABUNDIO cae en cuatro patas y levanta la cabeza aguardando respuesta. DAMIANA le apunta con las manos haciendo la señal de la cruz.

DAMIANA: —¡De las acechanzas del enemigo malo, líbranos Señor!

ABUNDIO se estremece, mira detrás de sí, se incorpora con dificultad y extiende la mano hacia PEDRO.

ABUNDIO: —Vengo por una ayudadita para enterrar a mi muerta, padre.

PEDRO se tapa con el sarape, como si sintiera frío.

PEDRO: —¿Quién eres?

ABUNDIO retira la mano. La borrachera se le ha despejado. En un segundo saca un cuchillo, PEDRO se tapa la cara con el sarape y el arriero

Dos stills de la película Pedro Páramo.
Escena en que el arriero Abundio apuñala a Pedro Páramo (arriba).
Toma posterior donde el cacique se levanta herido de muerte (abajo).
Hacienda de Tetlapayac, México, 1966. Colección Fundación Televisa.

se lanza sobre el cacique, cosiéndolo con cinco puñaladas, al tiempo que escupe las palabras de odio:

ABUNDIO: —¡Soy-el-hijo-de-Pedro-Páramo! Sobre los gritos de DAMIANA, paralizada de terror, ABUNDIO saca por última vez el puñal del cuerpo de su padre, le da la espalda y emprende a traspiés el camino del cementerio.

ABUNDIO (alejándose): —¡Todos... somos... hijos... de Pedro Páramo!

DAMIANA corre hacia el equipal. PEDRO se levanta, en un postrer acto de energía, se zafa de los brazos de DAMIANA y hace el intento de caminar. Después de unos cuantos pasos, cae, con un golpe seco contra la tierra que suena como si se desmoronase un montón de piedras.

Corte

Escena: 80

Exterior. Cementerio (viejo)
Comala. (Atardecer).

Se derrumban algunas piedras del pequeño mo
numento en la tumba del cacique. Después de
un silencio las chicharras comienzan a zumbar
y la CÁMARA RECORRE las tumbas abandonadas
con sus diferentes inscripciones en cantería
rústica

PEDRO PÁRAMO

SUSANA SAN JUAN   ANA RENTERÍA

MIGUEL PÁRAMO   DAMIANA CISNEROS

y por último una humilde tumba de tierra con
una cruz rota, de madera y un solo nombre:

DOROTEA

En el centro del montículo hay un agujero, por
el que salen unas pocas hormigas negras. La
cámara se acerca clavándose suavemente, mientras se oyen voces ahogadas, casi susurros:

VOZ JUAN: —¡Qué bien quepo en tus brazos, mamá Dorotea!

VOZ DOROTEA: —Te arrastré hasta mi
tumba, Juan Preciado. Ya no estarás solo.

VOZ JUAN: —Vine a buscar a mi padre.
Supe de él lo bueno y lo malo.

VOZ DOROTEA: —No lo perdones. No lo
merece.

Las hormigas han ido saliendo poco a poco y
ahora pululan sobre la tumba.

VOZ JUAN: —Siento como si alguien cami-
nara sobre nosotros...

VOZ DOROTEA: —Ya déjate de miedos,
hijo. Nadie nos puede atormentar ahora.
Haz por pensar en cosas agradables, porque vamos a estar mucho tiempo aquí,
enterrados, juntos...

Sobre el chillido burlón de "La Cuarraca" oscu-
rece, sin que aparezca la consabida palabra:

Fin

** Adaptación cinematográfica de la novela Pedro Páramo
de Juan Rulfo realizada por Carlos Fuentes, Carlos Velo y
Manuel Barbachano, en la que se basó la versión de 1966.*

Hoja de contactos con imágenes de la toma final de Pedro
Páramo. *Colección Fundación Televisa.*

The University of Arizona
**Conference on the Life,
Literature and Cinema of
B. Traven**

Con la ponencia Remembering B. Traven. A Brief Narration,
*Gabriel Figueroa participó en el seminario dedicado a la vida y
obra del escritor celebrado en la Universidad de Arizona en 1974.
Archivo Gabriel Figueroa.*

BREVE NARRACIÓN | En abril de 1974, la ciudad de Tucson fue sede de un simposio en torno a "la vida, la literatura y el cine de B. Traven", organizado por la Universidad de Arizona. Entre los invitados a ese encuentro académico se contó el cinefotógrafo Gabriel Figueroa, quien participó con la lectura de un texto de su autoría titulado *Remembering B. Traven. A Brief Narration.* [Recordando a B. Traven. Una breve narración]. En su relato, dedicado a Antonieta, "mi amada esposa", Figueroa hizo una semblanza del escritor que consiguió celebridad internacional tanto por su obra literaria como por la renuncia a revelar su identidad personal, la cual ocultó bajo una veintena de seudónimos y un borroso itinerario que recorrió otros tantos países y ciudades.

El texto ofrecía asimismo un recuento de los altibajos de la relación amistosa y laboral que Figueroa mantuvo con el escritor, desde los días en que lo conoció por intermediación de su prima y cuñada Esperanza López Mateos, a su vez traductora y representante de Traven, hasta el momento en que atestiguó su agonía.

La persona que firmaba como B. Traven gustaba de la fotografía y el cine. *La tierra de la primavera*, crónica del viaje que el escritor hizo en 1926 al estado de Chiapas, se ilustró con imágenes suyas. En el papel de Hal Croves, supuesto representante de B. Traven, presenció la filmación de varias películas inspiradas en su obra literaria. Figueroa, responsable de la imagen de algunos de esos filmes, fue cómplice en el ocultamiento de la identidad de quien también se hizo llamar Ret Marut y Traven Torsvan.

La correspondencia del cinefotógrafo sirvió al periodista Luis Spota, en 1948, para ubicar al escritor en su domicilio de Acapulco. Sólo hasta después de la muerte de B. Traven en 1969, Figueroa reveló la que él creía era la verdadera personalidad de su misterioso amigo: Mauricio Rathenau.

En la "breve narración" de Figueroa, de la que en esta sala se ofrecen extractos traducidos de su versión original en inglés, se entrelazan tres voces: un narrador que informa sobre los contextos históricos de la posible trayectoria biográfica del escritor; parlamentos a través de los que se hace presente el propio Traven, en boca del marinero que es el personaje principal de *El barco de la muerte*; y la evocación del cinefotógrafo. Este retrato literario de Traven, complemento de los fotográficos que en vida pudo hacerle Figueroa, boceta una de las historias que el cinefotógrafo de *Macario* (Roberto Gavaldón, 1959) hubiera querido convertir en película.

Reportaje donde el escritor Luis Spota anunciaba haber descubierto la verdadera identidad de B. Traven, publicado en Mañana. La revista de México el 7 de agosto de 1948. Hemeroteca Nacional, UNAM.

-SORPRENDIDO POR LA CAMARA...

fin! después de una verdadera "caza al hombre" que duró varios años y en la cual estuvieron empeñados reporteros de distintos países, B. Traven es sorprendido por la cámara de fotógrafo de prensa: Enrique Díaz, el famoso cazador de hits de la Revista MAÑANA.

..¡HUYE!

Al verse sorprendido, el gran novelista gira sobre sus talones y camina a paso rápido hacia el malecón de Acapulco con la esperanza de poder liberarse de la persecución de Luis Spota y sus acompañantes. Pero ya todo es inútil. Una vez colocado sobre su pista, el reportero, a quien cabe mérito de haber descubierto al extraño solitario, ya no dejará a su "presa". Traven deja de ser la incógnita que intrigó al mundo, con su misterio, durante más de veinte años.

Le pregunté quien era. Sonrió mordisqueando su pipa.

"¿Quién es Traven? Eso quisieran saberlo todos los reporteros del mundo!"

Lo acompañe, a pié, desde Francisco Pimentel 17, hasta su casa, en las calles de Soto. En el camino traté de averiguar más datos acerca de Traven. Ortega se limitó a suministrarme aquellos que eran del dominio público:

"Traven —dijo— es, según dicen, alemán. Conoce perfectamente México y sobre él ha escrito muchos libros. Muy pocas personas saben exactamente, cómo se llama, porque el nombre con que firma sus novelas es falso; es un seudónimo. Se supone que vive en Chiapas, en la selva. Es todo lo que se sabe. Lo demás es leyenda..."

Estas palabras, que recuerdo perfectamente, me inquietaron mucho tiempo. Pero, más que esas, las que agregó Ortega, al despedirnos:

"Quien descubra a Traven será un gran reportero".

En aquélla época tenía yo 18 años de edad y deseaba ser periodista. Pero, para ser periodista hay que sufrir mucho y que trabajar más. Ortega era, para mí, en 1941, algo así como un oráculo. Estaba enseñándome a trabajar. Sus palabras, sus consejos, eran sagradas. Sabía que todo lo hacía por mi bien.

Volví a mi propia casa, caminando, con la mente puesta en Traven. ¡Si lograra descubrirlo...! Imagínense a un chamaco inexperto de 18 años, que no sabía ni escribir una carta, pensando en descubrir al hombre cuya pista seguían, desde años atrás, los mejores reporteros americanos. Leí "Puente en la Selva" y, con parte de los 15 pesos que Ortega me pagaba a la semana, compré poco a poco sus otras novelas.

Desde aquella noche decidí encauzar toda mi actividad profesional hacia un objetivo: B. Traven— a quien los piratas chilenos, sin que se sepa por qué, han rebautizado con un Bruno postizo y que molesta al escritor. Aquí y allá recogí información. Supe que una mujer, Esperanza López Mateos, era la apoderada del novelista; supe, también, que por nada del mundo revelaría su secreto.

Pasaron los años. De cuando en cuando, en algún periódico, en alguna revista, — MAÑANA entre ellas — aparecían notas relativas a B. Traven. Recuerdo que Antonio Rodríguez, por conducto de Esperanza, obtuvo contestación a una serie de preguntas que le envió al solitario. El mismo Antonio, no recuerdo si en ese o en otro reportaje, publicó que descubrir a B. Traven era la obsesión de mi vida.

En 1947, mientras cruzaba una laguna profesional de mi carrera, recibí en la Secretaría de Educación la visita de Enrique Gutman, exiliado alemán, tipo de lo más extraño, que se dedica a proteger refugiados políticos, indígenas dedicados a la artesanía en Michoacán y a editar una revista gastronómica:

Me propuso que la Secretaría, por conducto de mi oficina, editara las obras completas de B. Traven, la mayoría de las cuales aún no se conocen en español. Travenista convencido, acepté. El trabajo no pudo realizarse, por diversas circunstancias.

Conocedor de mi interés por todo lo que oliera a Traven, un día Wilberto. L. Cantón me relató que un periodista alemán avencindado en México, había sido el primero en publicar los trabajos de BT.

"Su verdadero nombre —explicó WLC— es Red Marut; allá por los 20, por su filiación anarquista, Red Marut, o sea Traven, llegó a Munich. Se entrevistó con el citado periodista, que entonces dirigía un diario, "La Gaceta", y le propuso le comprara su primera novela: "Der Traun" o "El Barco

3.- ¡SEÑORES, DEJENME EN PAZ!

Spota y Fernando López alcanzan al misterioso novelista, lo rodean y lo acribillan, implacablemente, con preguntas. B. Traven, que porta un bote de lámina, no puede contener su enojo. Le tiemblan las manos y la barbilla. Sus ojos, que oculta con grandes lentes de cristales verdes, revelan su emoción. Luego, en un verdadero acceso de ira, exclama: "¡Señores, déjenme en paz! ¿Por qué me persiguen? ¿por qué me toman fotografías?" Y añade, irritado, mientras sus manos rudas se agitan en un agudo temblor nervioso. "¡Ustedes no son unos caballeros!" Mientras tanto, el "Gordito" Díaz, como si no escuchara, sigue descargando, una tras otra, las placas de su cámara

Recordando a B. Traven. Breve narración

Gabriel Figueroa

Para Antonieta, mi amada esposa
abril de 1974

Gabriel Figueroa: "Usted debe tener algunos documentos que nos demuestren quién es", advirtió el oficial de policía al marino sin pasaporte en la novela *El barco de los muertos,* de B. Traven.

La gente debería preguntar sobre el escritor
¿Por qué no nos dice quién es usted?

B. Traven: Permanezco en mi propio mundo.
No pertenezco a ningún partido
ni a ninguna organización política.
Esto se debe a que ni partidos ni programas,
tampoco proclamaciones ni resoluciones tomadas en
reuniones pueden salvarme del desastre del mundo.

Narrador: *El desastre comenzó en contra del imperialismo europeo.*

15 de marzo de 1917. Abdicación del zar Nicolás II en el gran Imperio Ruso.

7 de noviembre de 1917. Kerensky fue derrocado de su gobierno provisional por los bolcheviques. También la dinastía de los Habsburgo cayó en Viena.

7 de noviembre de 1918. En Bavaria, los socialdemócratas, comunistas y anarcosindicalistas se reúnen en Theresienwiese Park. Tras el encuentro, marchan todos juntos a través de las calles, encabezados por Kurt Eisner, un socialdemócrata de la izquierda independiente de Berlín, quien anunció ese día la conformación de la República de Bavaria. Johannes Hoffmann, Primer Ministro; Gustav Landauer, novelista; Ernest Toller; Eugen Levine y Max Stisner se unen al Comité, al igual que Ret Marut (B. Traven), escritor, intelectual progresista y anarquista. Marut fue director y editor de la revista Der Ziegelbrenner [El Albañil]. Esta actividad determinó su vocación como novelista.

En cada país existían socialistas y pacifistas que mantuvieron sus convicciones con el llamado a las armas en 1914. En Alemania, los artistas, científicos y filósofos lanzaron, en octubre de 1914, el Manifiesto para el mundo civilizado, donde rechazaban las violaciones de Alemania en contra de la neutralidad de Bélgica y otras historias de atrocidades alemanas. El manifiesto hablaba del penoso espectáculo de las hordas rusas, aliadas con mongoles y negros en contra de la raza blanca. Albert Einstein firmó también el manifiesto. Traven condenó la guerra y el nacionalismo en su periódico Der Ziegelbrenner. Actuó y escribió bajo el seudónimo de Ret Marut, indudablemente para ocultar su estatus de extranjero, y con este mismo seudónimo publicó sus primeras cuatro obras en alemán. Letters to Miss S. fue una protesta contra el militarismo y la dictadura.

Las elecciones del 12 de enero favorecieron a los partidos Laborista y de Izquierda, por lo que las masas adoptaron una postura extrema. El Ejército Rojo ordenó ejecutar a nueve peligrosos presos políticos acusados de ser los conspiradores de los asesinatos de los rehenes de derecha. Fue la excusa para la posterior masacre realizada en Munich por las tropas blancas.

Eisner trató de calmar a la población para evitar una tragedia.

Las tropas prusas de Berlín asesinaron a los líderes espartaquistas, Rosa Luxemburgo y Kart Liebknecht. El 21 de febrero, el Conde Arco Valley, un oficial de la armada, asesinó a Eisner. Tiempo después, Gustave Landauer también fue asesinado.

Hitler declaró más tarde que la muerte de Eisner sólo había apresurado el desarrollo que finalmente lo llevó a la "dictadura de los concilios" y probó la traición de Alemania hecha por los judíos.

Una verdadera ola de asesinatos políticos, organizados y ejecutados por criminales nazis.

1 de mayo de 1919. La armada de tropas regulares masacró a cientos de personas inocentes, con la cooperación de Adolfo Hitler, este evento fue la base del poder que tendría más adelante.

Marut fue miembro del "comité preparatorio", que estableció un "tribunal revolucionario", y fue miembro también del "comité de propaganda" durante los seis días de la República Soviética.

Los vehículos para la Guardia Blanca arribaron y abrieron fuego matando a muchas personas. Marut y otros ayudaron a algunos de los heridos en el interior del café, Marut huyó de prisa, pero no alcanzó a llegar muy lejos al ser detenido. Las tropas lo arrestaron, obviamente fue reconocido como miembro del Comité Central.
Mi general vive! ¡Hurra! ¡Mi general vive! ¡Hurra!

El general, que era el Ministro de Guerra, lo acusó de una lista enorme de crímenes. Le advirtieron: "Confiesa voluntariamente o traeremos un testigo y *terminarás haciéndolo de cualquier forma". El testigo vino, testificó de todo lo acordado según los deseos de su amo. Fue enviado a la corte del campo, obviamente no existía ninguna posibilidad de defenderse. La sentencia de muerte fue leída. Después de algunos minutos un tumulto de gente irrumpió en la corte y Marut tuvo la oportunidad de escapar. ¿Ayudado por quién?*

Gabriel Figueroa: Hay otra versión... Tras escuchar la sentencia de muerte fue esposado con otra persona —revolucionario o soldado ¿quién sabe?— y enviado a bordo de un camión militar para ser ejecutado. Entonces abrió la puerta trasera y saltó. La otra persona murió y él arrastró el cadáver hasta que pudo liberarse de las esposas. De cualquier modo, escapó. ¿A dónde? Hacia un país muy lejano.

B. Traven: La salvación llegará al pueblo
a través de lágrimas y mucho dolor,
y mucha tristeza.
La salvación vendrá a través de preguntas
buscando y errando;
sólo si existe la verdad
la sabiduría, la salvación y la luz.

Narrador: *Ret Marut desapareció para siempre y B. Traven comenzó a escribir. Traven mantuvo en secreto su identidad durante toda su vida. Nunca admitió ser B. Traven, ni siquiera con sus amigos más cercanos.*

B. Traven: Tenía poco en común con mis parientes,
al igual que con mi nacionalidad, cualquiera que ésta fuese.
Nací en los altos mares que comunican a todos los países.
¿Qué es esto? Deambular alrededor de la misma mesa
y mantener nuestros pulgares en la misma grieta
que los pulgares de nuestros antepasados abrieron.
Tengo una Patria y, esa, señor, se llama Yo,
en ella soy rey, pueblo, parlamento y legislación.
Soy mi patria y soy su gobierno...

Narrador: *Sólo Traven sabía dónde nació y dónde creció.*

12 de julio de 1912. En una redada de rutina para ilegales extranjeros, en Düsseldorf, Ret Marut declaró que había nacido el 25 de febrero de 1882, en San Francisco, California. Sus papeles de nacimiento fueron destruidos durante el terremoto de San Francisco, en 1906. Oficialmente dijo que era inglés.

1914. Movilizaciones bélicas en Alemania. Marut cambia su nacionalidad de inglés a estadounidense.

B. TRAVEN

DIKTATUR

AXEL HOLMSTRÖMS FÖRLAG   STOCKHOLM

B. TRAVEN

BROEN I JUNGLEN

TIDEN NORSK FORLAG

B. TRAVEN

SIERRA MADRES SKATT

AXEL HOLMSTRÖMS FÖRLAG
STOCKHOLM

DIE TROZA

B. TRAVEN

DER MARSCH INS REICH DER CAOBA

B. TRAVEN

kärran

AXEL HOLMSTRÖMS FÖRLAG STOCKHOLM

Traven

Die Baumwoll-pflücker

B. TRAVEN

DÖDSSKEPPET

AXEL HOLMSTRÖMS FÖRLAG
STOCKHOLM

La biblioteca de Esperanza López Mateos , traductora y representante legal de B. Traven en América Latina, contaba con ejemplares de los textos del escritor traducidos a una gran variedad de idiomas de cuya diversidad aquí presentamos sólo una pequeña selección.

Archivo Gabriel Figueroa.

1930. Su registro legal ante las autoridades de la ciudad de México fue el siguiente:

Nombre: Traven Torsvan Torsvan.

Lugar y fecha de nacimiento: Estados Unidos de América, 1890, hijo de Burton Torsvan y Dorothy Torsvan.

Profesión: Ingeniero.

Religión: Protestante.

Idiomas: Inglés y español.

Domicilio: Isabel la Católica, núm. 17, ciudad de México.

17 de junio de 1940. Nuevo registro. Mismas fechas, excepto que nació en Chicago, Illinois. Domicilio actual: Acapulco, México.

Gabriel Figueroa: Lo conocimos en México como Hal Croves, toda su correspondencia y cartas personales estaban firmadas con las iniciales H.C.

Marut había sido atacado tanto por judíos como por antisemitas que aseguraban que ni era judío ni antisemita, según fuese el caso. Cito a Hal Croves refiriéndose a Traven, en lo que considero son sus ideas fundamentales: "Traven se opone a cualquier cosa cuya fuerza sea impuesta al ser humano, incluidos el comunismo o el bolcheviquismo. Permitan que la gente decida". ¿Saben por qué los nazis gritaron a todo el mundo que B. Traven era alemán? Ellos clamaban que un nuevo escritor había surgido del seno de la literatura alemana. Creo que esto ocurrió antes de que dicho clamor lo explicara todo.

La censura de Göering. Recupero lo siguiente del periódico inglés The Star:

Narrador: "El General Goëring, cuya fama de jefe se deba quizá al hecho de ser diseñador de uniformes, prohibió El barco de los muertos —la historia de un marino estadounidense, escrita por B. Traven— justo el mismo día que los diarios ingleses dedicaban columnas y reseñas al libro. Herr Goëring prohibió este libro en su estado natal: Prusia, ignorando por completo el hecho que sólo Herr Goebels, dada su condición de Ministro de Propaganda y Educación, tenía la facultad de prohibir libros. El poder de Herr Goëring no llegó más allá de su provincia, ya que el resto de Alemania continuó leyendo El barco de los muertos".

Los nazis no incluyeron a Traven entre los escritores judíos. Ellos sólo lo odiaban. Del mismo modo en que lo rusos lo hacen ahora, los nazis castigaban a aquellos que no seguían la línea del partido.

B. Traven: ¡Releve-toi-mat'lot!
¡Iza marinero!
¡Heavee-up!

Ahora despiertas del sueño y sientes tu presencia dentro de mí. Eres mi propia alma, la misma que emerge desde mi cuerpo desde el amanecer del mundo. Soy tu madre y hermana: tú eres mi hijo y amigo.

Ahora eres la realidad tangible. Ahora eres el sufrimiento humano. Volteas la mirada hacia mí, tomo tu mano, caminamos sobre nieve sucia, respiramos el humo que emana de las tabernas, tiritamos, reímos y maldecimos. Ahora escuchamos la llamada profunda de la voz de tu buque. Corremos hacia el muelle 64. Desapareces en la bruma, te perdí entre la niebla. De nuevo me encuentro solo, con un deseo desconocido, junto con esta composición de sueños y realidad que forman tu vida, la vida de ángeles caídos que buscan con audacia alcanzar el muelle, en medio de gritos, sudor, alcohol y lágrimas.

Narrador:

1922. Traven Torsvan quien es Ret Marut, se estableció en México escribiendo artículos para el periódico alemán Wordwards, *desde Tampico. Presumimos que esa conexión provino de la idea de buscar materiales novelescos, que finalmente integró en la edición de* El barco de los muertos. *Así, viajó a través de todo México, en especial por la parte sur. Comenzó a estudiar arqueología y admiró las magníficas culturas maya y zapoteca. Aprendió a amar a los indígenas, sus hábitos, cultura, modo de vida y pensamiento.*

Durante sus viajes a través de las selvas, pueblos y junglas, hizo además de notas, varios amigos. En una ocasión, no podía creer lo que veían sus ojos, cuando estuvo frente a la ciudad de Bonampak, la magnífica zona arqueológica de extraordinarios frescos rodeada de una muy hermosa pero altamente peligrosa jungla. Envió un telegrama a las autoridades correspondientes sobre su descubrimiento —mucho antes de que fuese "oficialmente" descubierta—. También encontró el verdadero sitio donde se encontraba la tumba de Cuauhtémoc, último rey azteca.

Tomó apuntes y fotografías para un libro acerca del sureste mexicano, el cual fue publicado finalmente nada más en Alemania con el título Land des Frühlings.

Gabriel Figueroa:

... Alrededor de 1938 tuvimos la idea de hacer una película sobre un libro que nos encantaba: *Puente en la selva*. Esperanza López Mateos, mi cuñada, estaba encargada de hallar al autor. Nunca pensamos lo difícil que resultaría. Escribió al editor Alfred Knopf, de Nueva York, para hacerle la propuesta. Pronto recibimos una respuesta negativa. Traven dijo que la industria del cine en México no tenía la madurez para filmar sus novelas. Tenía razón pero yo estaba muy desilusionado. Esperanza le envió una segunda propuesta, ella quería traducir sus novelas al español. Fue una segunda negativa. Traven dijo que la traducción de ninguna mujer tendría el poder, la fuerza y la interpretación correcta de la intensidad de los personajes que él describía. La traducción tendría

H. Veracruz, 16 de Junio de 1926. "JUSTICIA" PAGINA CERO

Salió Rumbo a Chiapas la Expedición Científica

Se Inician con Éxito las Exploraciones

En 1926, bajo el nombre de Traven Torsvan, B. Traven realizó una de sus muchas expediciones por el sureste mexicano.

ARRIBA: Nota de prensa y fotografías que documentan el viaje. Colección Fundación Televisa.

ABAJO: Imágenes de Land des Frühlings [Tierra de la primavera], libro que estuvo compuesto por las fotografías y notas que el escritor tomó en aquellas expediciones. Archivo Gabriel Figueroa.

Esperanza López Mateos
fue amiga, traductora y
apoderada de B. Traven.
Su verdadero nombre,
Clara de Murga, cambió
cuando fue adoptada
por la familia del futuro
presidente Adolfo López
Mateos, convirtiéndose en
prima de Gabriel Figueroa.
Cerca de 1932 se casó con
Roberto Figueroa.
Archivo Gabriel Figueroa.

Mr.Gabriel Figueroa Mateos
Col.del Valle
Mexico City

Dear Mr.Mateos:

        Hereby I authorize you to take all
necessary steps for an early production of the film
version of my novel

        Puente en la Selva(Mexico D.F.1941)
        translated from
        The Bridge in the Jungle(New York City,1938)

and which film version is to be done either in Spanish
or in English,or in English and in Spanish. In the case
that by the tenth of January nineteen hundred forty-two
(January 10,1942)no agreement which I can consider
acceptable has been signed by me,this authorization
shall be void and thereafter shall have no value what-
ever and this document is to be returned to my Latin
American representative,Miss Esperanza Lopez Mateos.

Mexico City;September 15,1941.

Witness hereof:

E. 2 Mateo   B.
Esperanza Lopez Mateos   B.Traven

semejanzas flojas. Ella insistió, mostrándole su currículum. Había traducido a Sigmund Freud para Espasa-Calpe Argentina, una casa editorial importante. Hizo una nueva propuesta: ella traduciría cualquier libro que él eligiera. Sin obligación, pago o compromiso. Traven aceptó y poco después tuvo la primera traducción en sus manos. Estábamos muy nerviosos. Traven aceptó con gusto el trabajo de ella y le envió diversos tipos de contratos: para publicación, edición y también la nombró como su representante con todos los derechos para América Latina.

B. Traven: Pienso en la más alta y noble meta sobre la Tierra:
¡Convertirse en ser humano, sólo en hombre!
Nada más para mí elevo mi voz.
Esta es mi causa no la tuya,
soy el único que quiere disfrutar toda la belleza
de las cosas sobre la Tierra,
quiero ser libre, pero la libertad nada más se asegura
si los demás a mi alrededor también son libres.

Narrador: *1945. El tesoro de la Sierra Madre, producida por Warner Bros., fue la primera novela de Traven seleccionada para una película. Fue un clásico. Dirigida por John Huston, con actores distinguidos como Humphrey Bogart, Walter Huston, Alfonso* Indio *Bedoya, es más que una historia de aventuras, es el estudio psicológico de la codicia de un hombre por el oro. Nos cuenta sobre tres estadounidenses desamparados que buscan oro en las áridas montañas de México.*

B. Traven: El tesoro en el cual piensas no vale sólo por los problemas y miedos que encontrarás, este es el verdadero tesoro que perseguirás durante toda tu vida. El refulgente tesoro que buscas noche y día está enterrado al otro lado, más allá de la colina.

Gabriel Figueroa: Después del estreno de la película recibí la siguiente carta de Hal Croves, fechada en Acapulco:

B. Traven: Estimado señor Figueroa: Reciba o no esta carta, no hemos sabido de usted por casi un mes, quizá debido a que se están robando nuestras cartas. La correspondencia que nos enviamos no está llegando a su destino. ¿Dónde están y quién las tiene? No tenemos idea. Aquí somos importunados por los agentes del servicio secreto, por reporteros de periódicos, así como por fotógrafos y Dios sabe quién más. Todo al respecto se ha vuelto tan irritante como ridículo además de que pueden estar buscando a alguien que no existe, y que no ha vuelto desde entonces, por razones que usted conoce bastante bien.

Por otra parte, recibí hace pocos días un cable de Traven en el cual pide información sobre las verdaderas condiciones de salud de E. [Esperanza].

T. [Traven] escapó de sus custodios como nos enteramos apenas hace unos días. H.C.

Gabriel Figueroa:	P: —¿Es usted B. Traven?
B. Traven:	R: —¡No!
Gabriel Figueroa:	P: —¡Muéstreme sus papeles!
B. Traven:	R: —¿Qué papeles?
	P: —Mi general vive. ¡Hurra!
	R: —¿Quiere la tarjeta que me identifica como marino?
	P: —¿Qué barco?
	R: —¡Yorikke! ¡Yorikke!
	P: —¡Sus papeles! ¡Sus papeles! —¡Papeles!
	—¡Pasaporte! —¡Mi general vive!— ¡Pasaporte! —¡Hurra!
	P: —¿Es usted un pacifista?
	R: —¿Qué?
	P: —¿Comunista? ¡Dije comunista!
	R: —Marino, sólo marino...

Narrador: *Confusión —extraño interludio—. Esto sucedió treinta años antes. No. El señor Croves enfrentaba a un reportero mexicano que buscaba a B. Traven. Él usaba los métodos más bajos y sucios, tales como interceptar nuestra corresponden-cia y publicar los expedientes de la inmigración mexicana con fotografías, en una revista. Él identificó a Hal Croves como B. Traven. Todo esto provocó la des-aparición de Croves de Acapulco, donde había vivido desde 1929. Regresó al sur de México.*

Gabriel Figueroa: En algunas ocasiones, cuando estaba en la ciudad de México, se hospedaba en nuestra casa de Coyoacán, en donde teníamos un departamento permanente. Sólo la familia de los veladores vivía allí. A él le agradaba la casa, los perros, los gansos, el jardín, la privacidad y la paz.

Narrador: *1951. Hal Croves se convierte en ciudadano mexicano. "¿Por qué?".*

B. Traven: La palabra *¿porqué?*, con signo de interrogación, es la causa, ciertamente, de toda la cultura, la civilización, el progreso y la ciencia. Esta palabra *¿porqué?* ha cambiado y cambiará de nuevo cada sistema por el cual la humanidad viva y prospere. Terminará con la guerra; y esto muy probablemente acabará con el comunismo de nuevo; esto creará dictadores y déspotas, y los destronará de nuevo; esto creará nuevas religiones que se convertirán en supersticio-nes de nuevo; esto creará la nebulosa del verdadero centro espiritual y sig-nificante que salpicará el super-universo. La palabrita *¿porqué?*, con signo de interrogación.

Gabriel Figueroa:	Septiembre de 1951. Dábamos un paseo en el jardín de la casa de Coyoacán, cuando de pronto los perros corrieron hacia la puerta principal, ladrando con alegría. El señor Croves había llegado aquel domingo. Lo vi acercarse desde cierta distancia, lanzando galletas a los perros. Por primera vez en mi vida no quería verlo. Pero inevitablemente tuve que enfrentar los hechos, un gran abrazo, una emoción difícil. Nos dimos al mismo tiempo las condolencias por la muerte de Esperanza. No quisiera volver a vivir ese momento de nuevo.

Noviembre de 1951. Hablamos de ir a Chiapas, un estado del sur de México, en parte para romper la tensión entre nosotros. Pensábamos filmar *Puente de la selva*. Así que para avanzar fuimos a Chiapas buscando el río adecuado para la producción. El director, el productor ejecutivo —Felipe Subervielle—, mi hermano y yo acompañamos a Hal Croves. Él estaba muy entusiasmado por el viaje. Comenzó a reconocer viejos lugares, pueblos, etcétera. Me mostró la ruta para ir hacia la tumba de Cuauhtémoc. Sólo él y algunos indígenas sabían la ubicación correcta. Además hizo varias observaciones de gran utilidad acerca de la magnificencia de la región.

Un incidente peculiar ocurrió cuando visitamos San Cristóbal. Hay un museo arqueológico pequeño, propiedad de un arqueólogo alemán, Franz Bloom, casado con una fotógrafa notable, Gertrude Duby. Cuando entramos en el lugar, el señor Croves fue el último en hacerlo, permaneciendo sospechosamente en la entrada, Gertrude me reconoció y, con amabilidad, me sujetó del brazo y me mostró varias piezas mayas muy interesantes. Cuando estuvimos a solas, muy en secreto, ella me dijo que su marido, Franz Bloom, era el famoso B. Traven. Me dijo: "Por favor, no le diga a nadie". Por supuesto, mantuve el secreto durante veinte minutos. Tan pronto como salimos de allí, le dije al señor Croves: "Volvamos de nuevo, quiero presentarle al señor B. Traven, es el dueño del museo que acabamos de visitar". El señor Croves, por supuesto, no respondió, algunas veces prefería actuar como si estuviera sordo. Él sabía quiénes eran realmente Bloom y Gertrude.

Narrador:	*Traven siempre insistía en que lo importante e interesante de un escritor era su obra, y no su historia y hábitos personales. Creía que un autor que se permitía a sí mismo ser identificado y reconocido como un autor desperdiciaba su herramienta más importante. El poder para observar y registrar la realidad con honestidad y claridad era su meta principal. Y, para demostrarlo, se dedicó a estudiar, tanto diversos temas, como las principales características de los personajes dentro los ambientes que describía tan vívidamente en sus magníficos libros.*

Quería descubrir la verdad del México prehispánico y los problemas laborales de hoy. Poseía un enorme conocimiento sobre las selvas, insectos, serpientes y las diversas enfermedades que ellos podían causar. Estudió psicología y la

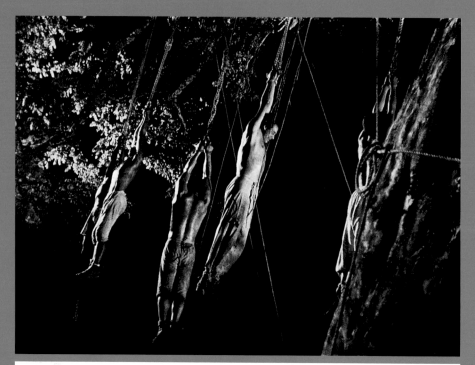

B. TRAVEN   GF   LA REBELION DE LOS COLGADOS

Fotograma de la película La rebelión de los colgados, dirigida por Emilio Fernández en 1954. Se dice que el Indio tuvo que abandonar la filmación de la cinta por problemas con B. Traven, entrando en su lugar el joven director alemán, Alfredo Bolóngaro Crevenna. Imagen procesada digitalmente por Gabriel Figueroa Flores. Archivo Gabriel Figueroa.

Othón Argumedo Albuquerque (atribuida). Gabriel Figueroa y el equipo de filmación de la película La rebelión de los colgados. B. Traven. (sentado a la izquierda) asistió a las locaciones, haciéndose llamar Hal Croves y asegurando ser el representante de B. Traven. Archivo Gabriel Figueroa.

disposición peculiar del indígena mexicano. Aunque las escenas y circunstancias variaban en todos sus escritos, las actitudes de los personajes eran las mismas, al encontrar un sentimiento de decepción ante la civilización y sus falsos valores. Siempre tuvo una cálida simpatía hacia el humilde y el explotado, una gran preocupación por el indígena y su pasado misterioso, al que trataba con un amor profundo.

Como dije antes, Traven siempre mencionó la importancia y el poder de observar la realidad con honestidad y claridad. Demostró mi declaración al enrolarse como trabajador en las diferentes actividades de sus personajes. Trabajó en los campos de aceite de Tampico —La Rosa Blanca—; acarreó carbón —El barco de los muertos—; pizcó algodón y recorrió cuesta arriba las montañas para estudiar a la gente interesada en el oro —El tesoro de la Sierra Madre—; también vivió en diferentes junglas —Puente en la selva y La rebelión de los colgados—; o en pueblitos y aldeas aisladas —La carreta—. Su obra literaria es un llamado continuo y ferviente hacia la conciencia de aquellos que lo poseen todo para despertarlos hacia la luz de los otros que viven en un estado permanente de penuria y hambre. Los libros de Traven tienen una profunda dimensión humana porque él conocía la pena y el dolor de nuestras clases humildes, soportó con ellos, compartió sus necesidades sociales y espirituales. Tomó posesión de sus tragedias, de sus cualidades, así como de sus esperanzas.

En consecuencia, gracias a este contacto profundo y sincero, y al vasto conocimiento que tenía de los temas en los que estaba involucrado, escribió con mano firme todas sus novelas.

Gabriel Figueroa: 11 de enero de 1952. Recibí esta carta de Hal Croves:

B. Traven: Mi querido señor don Gabriel Figueroa: siendo debidamente adoptado como miembro permanente de la H. familia en que usted nació y siendo dicha adopción solemne, legal y oficialmente verificada en presencia de tres testigos imparciales, estuve tan sorprendido por no decir mortificado cuando me di cuenta de que estaba fuera de la cerca, con mucho miedo, en la boda de uno de los, al parecer, dije "al parecer", miembros más importantes de la familia mencionada. Claro, querido señor, ahora intentará lavar sus manos y gritar: "¡¿por qué, con un demonio?! Eso no es así. Le envié a ese chico una invitación y lo hice tres días antes". Eso es lo que cree, pero las circunstancias y condiciones están contra usted".

En primer lugar mi querido señor Figueroa, debe recordar que usted vive en un país hermoso, que con lo bello y encantador que es, no puede compararse con el enorme y nuevo vecino del norte, los Estados Unidos, en cuanto al servicio postal y otros servicios públicos se refiere. Ya que usted quiere tanto a su país, a pesar de ello debería darse cuenta que enviar un telegrama de la ciudad de México a Acapulco tarda, por lo general, cuatro días en llegar; es un hecho del que tengo más de una prueba. Usted envió la invitación a tiempo pero si lo hubiera hecho a cualquier lugar de los Estados Unidos, la habría recibido con tanta anticipación que en un Chevy modelo 1931 habría llegado a la ciudad 24 horas antes de que usted enfrentara a su "predilecto juez civil". ¡Pero hombre, usted está en México!

Gabriel Figueroa: Esto fue en ocasión de la celebración de mi boda con Antonieta. El señor Croves culpó a la oficina postal de Acapulco, que normalmente entrega el correo a 12 mil personas pero que durante los periodos vacacionales entrega correspondencia a 50 mil.

16 de octubre de 1952. El señor Croves estaba conmigo en el hospital donde Antonieta esperaba a nuestro primer bebé. El doctor se acercó con noticias, era niño. ¡Gran felicidad! Saltamos, y fuimos derecho a conocer al nuevo miembro de la familia... el señor Croves me pidió tímidamente un favor, quería tener a Gabrielito entre sus manos... Dijo con voz titubeante...

B. Traven: "Esta es la primera criatura que puedo sentir en mis manos".

Gabriel Figueroa: Poco después envió a mi hijo una carta enternecedora. Comenzaba...

B. Traven: Gabrielito, querido Principito:

Gabriel Figueroa: Desde entonces él tuvo un amor y una dedicación especial hacia mi hijo. Ese interés especial se incrementó con el transcurrir del tiempo. Gabriel estudió en el Colegio Alemán de la ciudad de México y, en cada cumpleaños, el señor Croves era el primero en llegar con un regalo. En la mesa, con gran amor y ternura, conversaba con él, en alemán. Yo comprendía que esa era su única oportunidad para hablar su lengua en México.

Narrador: *Películas de Traven, 1952. La rebelión de los colgados fue filmada en México, con Pedro Armendáriz, en dos versiones: español e inglés. El Indio Fernández comenzó a dirigir esta cinta pero lo despidieron debido a diferencias con el productor José Kohn y con el representante de Traven, Hal Croves. Crevenna la terminó y Figueroa dirigió la fotografía.*

Esta es la quinta de seis novelas sobre la jungla que Traven escribió en las Monterías y las plantaciones de café en el sureste de Chiapas.

B. Traven: Esos libros muestran por qué la Revolución era inevitable aquí. En los campos de caoba los peones eran colgados vivos en los árboles y castigados por no ser capaces de talar y ordenar cuatro toneladas de caoba al día. Con este trato, y con ochenta por ciento de mortandad en el campo, los peones se rebelaron,

Ángel Corona (atribuidas).
Enrique Lucero en el papel
de la Muerte, e Ignacio López
Tarso, como Macario,
en dos stills de la película
Macario. Cacahuamilpa,
Guerrero, México, 1959
Colección Fundación Televisa.

Portada de la edición sueca del libro Rosa
Blanca, tomada de un folleto promocional
de las obras de B. Traven. Archivo Gabriel
Figueroa (izquierda). Cartel promocional de la
adaptación cinematográfica de la novela de B.
Traven, dirigida por Roberto Gavaldón en 1961
(derecha). Un still de Ángel Corona de la misma
cinta. Colección Fundación Televisa (abajo).

sublevándose contra sus patrones, incendiando los campos, y escapando de la jungla para dirigirse hacia la capital. La Revolución ya había estallado en diversos puntos, especialmente en el norte. Muy pronto el dictador Porfirio Díaz fue derrocado.

Narrador: *1955. Canasta de cuentos mexicanos fue filmada con Arturo de Córdova, María Félix y Pedro Armendáriz. Tres relatos breves fueron utilizados para hacer esta película: "Una solución inesperada", "La tigresa" y "Canasta". Fue producida por José Kohn y dirigida por Julio Bracho.*

1959. El barco de los muertos fue filmada por la alemana UFA, con Horz Bucholz y Mario Adorf. Elke Summer tuvo un papel pequeño. Esta película nunca se exhibió fuera de Alemania debido a dificultades con el coproductor José Kohn.

A Croves-Traven no le gustó la película. Esta novela, titulada La historia de un marino estadounidense, es distinta a cualquier otra novela en la literatura.

El barco políglota Yorikke, que navega más allá de la muerte, rebosa de vida. Traven toca numerosas facetas de la vida, en especial la burocracia nacional e internacional, a las que ve como el archienemigo de la libertad individual. Es la protesta de un marino que fue privado de pasaporte y ciudadanía. La completa y apasionada bitácora de El barco de los muertos fue escrita, no desde el punto de vista del capitán sino, por una ocasión, desde la tripulación. El barco de los muertos cuenta la experiencia vivida por Traven a bordo del Yorikke durante su excitante aventura hacia América.

En el libro, Traven dice:

B. Traven: Incluso tu tierra natal, tu lugar de origen, te son arrebatados, hoy es enlatada y puesta en los archivos del departamento de pasaportes y en la oficina del cónsul. Todo es ahora verdaderamente representado sólo por oficiales con credenciales, por hombres que tienen la capacidad de destruir los sentimientos hacia tu país de una manera tan dura y absoluta que ningún rastro de amor hacia tu patria permanezca en ti.

¿Dónde está la patria de los hombres?

Allí donde soy libre para hacer y creer lo que me da la gana, tanto para no dañar a la vida, la salud y la honestidad, propiedad ajena de cualquiera. Aquí y allá sólo está la patria de los hombres, para quienes vale la pena vivir, sudar y morir.

Narrador: *1960. Macario, de B. Traven, el más maravilloso cuento de hadas, es otra película clásica que ganó diez premios internacionales. Fue producida por Clasa*

Films Mundiales; López Tarso y Pina Pellicer fueron los actores principales. Dirigida por Gavaldón, y Figueroa en la cámara.

1961. Rosa Blanca estaba lista para ser estrenada, Clasa Films la produjo, pero la película fue retirada de las pantallas a causa de quejas diplomáticas (según se dijo) de naturaleza controversial, pues trataba sobre el problema del petróleo en México.

Traven llamó a su novela "documento". Ésta era una novela épica de dos estadounidenses en ambos lados de la frontera. La historia golpea donde duele: en los bolsillos del petróleo. La cinta fue "congelada" por más de once años, en 1973 fue su primera exhibición, cuando el presidente Echeverría concedió al fin la "luz verde".

1963. Frustración [Días de otoño] está basada en un relato breve y cuenta la historia del instinto biológico extraviado. Fue producida también por Clasa Films Mundiales, Gavaldón dirigió, López Tarso y Pina Pellicer interpretaron.

1970. Puente en la selva se filmó en Chiapas. Dirigida por Frank Kohner, fue una coproducción estadounidense. Sin comentarios.

Gabriel Figueroa: 1957. Recibimos noticias muy agradables. El señor Croves anunciaba su boda con una dama encantadora, Rosa Elena Luján. Antonieta y yo tuvimos la misma reacción: "¡Excelente para él!", había permanecido solo durante tanto tiempo. Tenía todo excepto el amor. ¡Maravillosa idea! Saldremos con ellos a celebrar. Entonces nos dimos cuenta del gran respeto, comprensión y amor que compartían. Aparte había dos factores importantes: ellos formaban una familia completa, ya que Rosa Elena tenía dos maravillosas, inteligentes y encantadoras hijas a quienes llevó a su nuevo hogar. El otro aspecto importante fue que sus intereses tanto en la vida como en el trabajo eran comunes. Pronto, ella fue para él una sobresaliente traductora y representante de negocios. Él mostró hasta el último día de su vida el mismo afecto, respeto y amor hacia Rosa Elena.

Narrador: *Diciembre de 1966. Herd Heidemann, un reportero alemán de la revista* Stern, *entra en escena. Arribó a México con un baúl lleno de investigaciones sobre la identidad de B. Traven. La revista decía haber gastado 300 mil dólares para obtener cualquier evidencia posible. Cientos de fotografías fueron hechas en Chiapas donde B. Traven vivió primero; copias de 11 x 14 pulgadas de las huellas digitales de Traven. Ellos también viajaron a Chicago y a San Francisco en busca de un acta de nacimiento sin encontrar nada.*

Gabriel Figueroa: Heidemann me visitó en mi casa de Coyoacán, acompañado de un *staff* completo: fotógrafos, gente de cine, un sonidista y un traductor muy amable, el famoso arqueólogo alemán Ferdinand Anton. Ellos hicieron todas las preguntas posibles y fotos de la habitación de Traven donde aún permanecían cincuenta ejemplares de sus libros, cada rincón del jardín, los perros y demás. Heidemann estaba decepcionado por mi reserva, pero le prometí intentar un acercamiento con Rosa Elena, si ella estaba de acuerdo, por supuesto.

Pregunté a Heidemann qué le hacía pensar que el nombre de Ret Marut correspondía a la misma persona del escritor B. Traven. Él respondió que la policía alemana en sus archivos tenía un documento que contenía parte de un discurso de Marut durante un encuentro en Munich, que resultó ser el mismo discurso de B. Traven en su novela *El barco de los muertos*.

Las investigaciones de Heidemann contienen muchas historias falsas, a mi parecer, tales como que Traven era hijo del Kaiser Guillermo II y que su madre fue la actriz de teatro Helen Olttarent.

Narrador: *Con toda la información que obtuvieron probablemente pudieron haber logrado un relato periodístico, tal y como lo hicieron, pero les faltó un punto importante: el vínculo que existía entre Ret Marut, Traven Torsvan Torsvan, Hal Croves y B. Traven.*
Ret Marut: actor teatral y pseudónimo de un periodista alemán.
Traven Torsvan: ingeniero, registrado en México.
Hal Croves: representante de Traven y guionista.
B. Traven: Escritor. Autor de todos los libros publicados en el mundo con el nombre B. Traven.
Todos ellos son la misma persona, sin embargo...
¿Cuál era el nombre original de Ret Marut o Traven?
¿Cuál fue el lugar de nacimiento, quiénes fueron sus padres, cuál era su religión, la ideología de "El hombre que nadie conoce"?

Gabriel Figueroa: ... Hal Croves estaba bastante preocupado con los visitantes.
Además de *Stern Magazine*, tenía otra visita, la *Quiq*, otra publicación alemana interesada en el mismo tema.
El señor Croves me pidió hablar con el Presidente López Mateos, a quien yo conocía muy bien porque era el hermano de Esperanza.

B. Traven: "Por favor, infórmale a don Adolfo acerca de esta nueva situación, no tengo miedo de que me maten, lo que no quiero es que me tomen por sorpresa y me lleven de vuelta a Alemania."

Gabriel Figueroa: "Don Adolfo, al darme el número telefónico de su mesa de noche, me advirtió: 'Use este número sólo en caso de que B. Traven tenga una emergencia'".

Narrador:	*1969 / Primavera / El señor Croves quiere hablar contigo / Está muy enfermo...*
Gabriel Figueroa:	Recibí una llamada de Antonieta, mi esposa, cuando yo estaba fuera, en una locación. Por primera vez en mi vida la palabra "apresúrate" tuvo un significado, volví deprisa y me dirigí a la casa de Croves, me encontré a Rosa Elena a media escalera, apenas miré su rostro comprendí la situación, descendía con urgencia, caminé hacia la recámara, estábamos solos...
B. Traven:	Creéme, Gabriel... este dolor es más de lo que puedo soportar ... hazme un favor...
Gabriel Figueroa:	Me dijo sujetándome de las manos. Hal se inclinaba como si fuera una versión del soldado herido, date vuelta y asegúrate que estamos solos, rápidamente me entregó un papelito... en ese momento Rosa Elena ingresaba en la habitación, guardé el papelito en mi bolsillo... completamente destruido. Ambos sentimos que esa podría ser nuestra última conversación. Habló con una calma lógica, con su habitual gran filosofía, ternura, generosidad y amor... afuera, por la noche, leí el contenido del papelito... "Dame cianad////cianuro)" * "adiós, hermano querido"... dos días más tarde, él nos abandonó... yo sabía que él estaba a bordo de su amado Yorikke, navegando hacia su destino... pero ¿hacia dónde?
Narrador:	*¿Dónde está el mundo? ¿Qué es la tierra donde solemos vivir? Ha desaparecido... ¿A dónde se ha ido la humanidad? / Estoy solo / Aquí no existe un paraíso encima de mí / Sólo hay oscuridad. Estoy en otro planeta, del cual nunca más regresaré para ver a mi gente. Me temo que nunca más veré de nuevo los prados verdes, nunca de nuevo la ondulación de los trigales, nunca de nuevo, me temo, vagaré a través de los bosques y los alrededores de los lagos de Wisconsin, nunca más, me temo, recorreré las planicies de Texas y respiraré el aire de los desolados ranchos de cabras, no puedo regresar a la tierra, mi verdadera madre y, nunca más, me temo, veré un amanecer. Estoy junto a criaturas que desconozco, que no hablan mi lengua, y cuyas mentes, y almas, nunca podré comprender.*

Fin

* La línea que refiere a la petición del cianuro no aparece en el audio de la conferencia aunque forma parte del guión original.

Gabriel Figueroa. *B. Traven, Rosa Elena Luján y Gabriel Figueroa Flores durante una sesión fotográfica en la casa de la familia Figueroa, lugar donde el escritor vivió una corta temporada. Coyoacán, ciudad de México, ca. 1963. Archivo Gabriel Figueroa.*

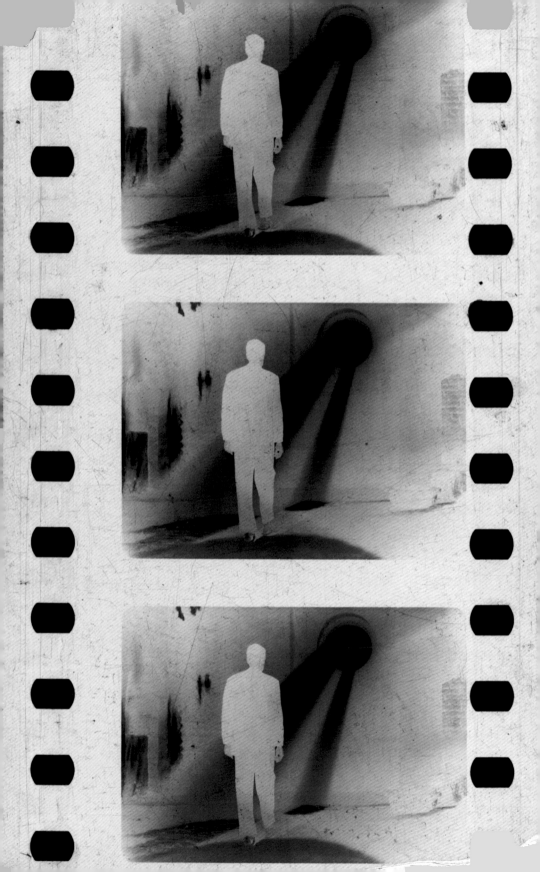

No sólo porque una película es a fin de cuentas el encadenamiento de miles de imágenes fijas, la fotografía es consustancial al cine. Antes, durante y después de los rodajes de las producciones fílmicas se hacen presentes las cámaras que a cambio de réplicas de movimiento ofrecen la contemplación de instantes detenidos. De las pruebas que se hacen a los actores que serán parte del elenco de un filme y el registro de lugares que pueden ser elegibles como locaciones, a los *stills* que son avance o memoria del contenido de una cinta y sirven también para el diseño de carteles promocionales, pasando por las bitácoras de las filmaciones o los reportajes que dan cuenta de la vida de las estrellas, el cine industrial no se explica sin la compañía de las impresiones fotográficas. La proyección de una película terminada es sólo una parte del universo iconográfico que produce y convoca un filme. Pueden permanecer en nuestra memoria tomas o secuencias fílmicas, pero sólo se vuelven tangibles a través de fotografías.

Las imágenes creadas por Gabriel Figueroa Mateos expresan muy bien esa dialéctica entre la fijeza y el movimiento que da sustento a la cultura cinematográfica. Si en sus tiempos de *stillman* retrató escenas para promover películas filmadas por otros colegas, la difusión del estilo que lo definió como cinefotógrafo se benefició igualmente de la labor de quienes, en la producción de sus cintas, estuvieron a cargo de la fotografía fija. En carteleras, carpetas de prensa y exposiciones, el trabajo de Figueroa se anunciaba o mostraba a través de *stills* tomados por Luis Márquez, Manuel Álvarez Bravo o Rafael García.

La misma materia de sus filmes dio a Figueroa, en las últimas décadas de su vida, la oportunidad de reconvertirse en fotógrafo y renovarse como artista visual. Las tiras de fotogramas que le habían servido como pruebas de luz cuando era cinefotógrafo activo, fueron las matrices de un nuevo conjunto de imágenes que sirvieron como evocación de sus encuadres y composiciones, pero también ofrecieron nuevos ángulos y miradores para la revisión de su universo iconográfico. En ediciones monográficas —como la que la revista *Artes de México* le dedicara en el invierno de 1988—, calendarios, folletos y toda clase de impresos, el pasado fílmico de Figueroa se incorporó a la historia reciente de la fotografía mexicana.

Impresiones producidas mediante técnicas analógicas o digitales desplazaron al terreno de la representación gráfica fracciones del tiempo cinemático en que la belleza de Dolores del Río y María Félix nunca dejará de resplandecer.

Negativo de una tira de fotogramas de la película The Fugitive *[El fugitivo], dirigida por John Ford en 1947. Archivo Gabriel Figueroa.*

Piezas diseñadas a partir de fotogramas de las películas Río Escondido *(izquierda) y* La Tierra de Fuego se apaga *(derecha), obsequiadas dentro del número 4 de la revista* Arquitecto *que fue dedicada a Gabriel Figueroa en 1977. Archivo Gabriel Figueroa.*

NUEVA ICONOGRAFÍA | Gabriel Figueroa Mateos conservó en su archivo personal alrededor de 25 mil tiras de fotogramas procedentes de sus trabajos fílmicos. Esos fragmentos de cinta en positivo o negativo, que en principio sirvieron para determinar el revelado y la impresión del material producido en los rodajes, a la larga se constituyeron en fuente de nueva iconografía. Figueroa atesoró tomas sueltas, azarosamente recopiladas en el laboratorio o el cuarto de edición, porque daban la oportunidad de apreciar su estilo visual en un modo menos fugaz que el ofrecido por la proyección cinematográfica.

Como todo cinéfilo ilustrado, Gabriel Figueroa fue consumidor de ese género que bien podría definirse como "cine de papel": el amplio catálogo de publicaciones que permiten acceder al ámbito imaginario de los filmes a través de imágenes fijas, documentan la historia del cine y hacen de éste una vertiente del arte gráfico. Por eso tuvo entre sus proyectos más anhelados la edición de una monografía en que sus filminas fueran los documentos estelares. Si bien ese libro tardó muchos años en aparecer, la divulgación de sus fotogramas por otros impresos consiguió que Figueroa Mateos renaciera como artista plástico.

A Gabriel Figueroa Flores, hijo del cinefotógrafo, corresponde en buena medida el mérito de ese resurgimiento. Desde principios de los años setenta del siglo pasado hasta la fecha, se ha encargado de la restauración y la divulgación de la riqueza iconográfica que se aloja en una vasta colección de pedacería fílmica. Gracias a ese rescate aún no concluido, varias imágenes de Figueroa Mateos han refrendado o redescubierto su condición de iconos, produciendo de paso un conjunto de obras que atestiguan la evolución reciente de las técnicas fotográficas. A lo largo de tres décadas, tanto reconstruidas como reinterpretadas en sus valores formales, reproducidas por medios tradicionales en el cuarto oscuro, retocadas con aerógrafo o Photoshop, impresas como platinos, serigrafías o piezografías, las imágenes del cinefotógrafo de *La perla* (Emilio Fernández, 1945) han ido al encuentro de nuevas miradas.

El cinefotógrafo que en el pasado había sido estudiante de dibujo, *stillman* y retratista, sustentó su estética en el encadenamiento de cuadros animados, donde las acciones y los parlamentos solían ser enmarcados por presencias estáticas. La conversión a estampas fotográficas de sus filminas hizo evidente esa dosificación de la fijeza que caracteriza su cine. Las imágenes del nuevo fotógrafo Gabriel Figueroa Mateos son, al mismo tiempo, la evocación de una vieja película y obras autónomas creadas a partir de una selección de sus fracciones.

Manuel Álvarez Bravo. Gabriel Figueroa revisando las pruebas de luz de la película Sonatas, *que se rodó bajo la dirección de Javier Bardem en 1959. Colección Fundación Televisa.*

De la pantalla a la piezografía: la nueva iconografía de un cinefotógrafo*

Gabriel Figueroa Flores

Gabriel Figueroa y el laboratorista Francisco Gómez revisando pruebas de luz. Archivo Gabriel Figueroa.

El archivo

El proceso de acumulación que formó el Archivo Gabriel Figueroa fue más bien instintivo. Mi padre siempre trató de conservar la mayor cantidad de documentos relacionados con todo lo que hacía. Desde el primer contrato que firmó hasta la última filmina, todo lo tenía ahí guardado. Quería tener memoria de su proceso de trabajo. Era una conciencia histórica preclara, diría yo. En eso le ayudó el estatus que tenía en las productoras, porque

él podía pedirle al *stillman*, o a los fotógrafos que estaban por ahí, que le dieran copias de su trabajo. Siempre lo pedía. Decía: "Yo necesito una copia de esa iluminación, tómela usted y me da una copia de eso".

A lo que más ganas le echó, por muchos años, fue a hacer sus álbumes, que están fechados y tienen información de todos los festivales de cine, toda la gente que conoció, todos los eventos importantes en su carrera, todos los premios, etcétera. A eso se dedicó mucho tiempo. Se entretenía mucho con eso.

Pruebas de luz

No tengo noticias de otra colección como la que mi padre formó con las pruebas de luz que rescató del laboratorio. Esas filminas tenían números impares grabados del lado izquierdo, comenzando con el 1, que indicaban las posibilidades de contraste a las que el material fílmico se podía procesar. Iban del fotograma más claro al más oscuro. Estas pruebas de luz fueron coleccionadas por mi padre, quien pasaba por el laboratorio antes de ir a filmar. El cinefotógrafo tenía la obligación de decir en qué número, a qué luz, qué relación entre blancos y negros quería, para que así se imprimiera toda la escena, de modo que la película tuviera una consistencia en cuanto a luces y tonos.

Las pruebas de impresión se hacían en el laboratorio de los estudios Churubusco, el único laboratorio en blanco y negro que existía y que era, además, excelente. Mi padre llegaba al laboratorio, hacía su revisión y le decía al laboratorista en qué luces iba cada una de las escenas que estaban ahí representadas en las tirillas. Luego mi padre tomaba

* Notas editadas a partir de las pláticas que Claudia Monterde, Acacia Maldonado, Fernando Osorio y Alfonso Morales sostuvieron con Gabriel Figueroa Flores los días 8 de agosto de 2007 y 17 de julio de 2008. La transcripción de las grabaciones magnetofónicas de esas conversaciones fue realizada por Acacia Maldonado. De la edición de la que resultaron las notas que se presentan a continuación, se encargaron Acacia Maldonado, Claudia Monterde y Alfonso Morales.

las filminas, las ataba con una liga, se las echaba a la bolsa y en la casa las guardaba en una lata... Y cincuenta años después, las latas estaban en perfecto estado, al igual que las ligas. Por lo mismo, la selección de filminas que se conserva en su archivo fue aleatoria; el laboratorio la escogió. La verdad no sé si era un proceso que se hacía escena por escena. De haber sido así, mi padre sólo recuperó escenas salteadas. De ciertas películas como *La perla* o *El fugitivo* hay mil y tantas filminas, y de otras, como *Flor silvestre*, hay diez o quince nada más. Debe haber en el Archivo Figueroa alrededor de veinticinco mil pruebas de luz.

Es interesante que dentro de esta colección de filminas se conserven muchos cuadros de tomas que fueron expurgadas de la edición final de la película. Aunque fotográficamente fueran extraordinarias, podía ocurrir que no cupieran, que a los editores no les funcionaran, y entonces se tenían que sacrificar. Mi padre nunca intervino en el proceso de edición. Por eso muchos de estos fotogramas son vestigios únicos de tomas o escenas que se filmaron y no llegaron al la pantalla. Es el caso, por ejemplo, del Cristo en contrapicada de *Río Escondido*, de Pedro asomándose por una puerta en *Los olvidados*, de algunas imágenes ahora muy conocidas de *El fugitivo*. La gente cree que las vio en el cine y no es así. En realidad las vio impresas en alguna publicación o en alguna exposición de Figueroa. No están en la película. La memoria las vincula, las fusiona.

Además de esas pruebas de luz en positivo, mi padre guardó algunos negativos originales de las películas, material que desechaba el editor. Gloria Schoemann tuvo mucho que ver con la posibilidad de guardar todos estos negativos. Ella, como editora, y el jefe o la jefa del laboratorio como cómplices, digamos, le guardaban esos negativos. Este tipo de material es el que hace totalmente atípica la colección.

La primera vez que yo supe de la existencia de estas filminas, acumuladas a lo largo de cuarenta años, fue cuando mi padre tuvo la idea de hacer una monografía sobre su trabajo, a principios de los años setenta. No sé si mi padre las guardó porque pensaba hacer algo con ellas, pues en aquella época era prácticamente imposible trabajarlas. Es decir, nada fuera de la cinematografía. Pero él tenía la costumbre de guardar todas esas cosas, yo diría que obsesivamente.

Gabriel Figueroa of Mexico

La primera exposición fotográfica importante que tuvo mi padre fue en 1950, en Washington, a invitación de la Unión Panamericana de la Organización de Estados Americanos. Titulada *Gabriel Figueroa of Mexico*, en aquella muestra, mi padre tuvo por primera vez conciencia de que su material podía servir de una manera distinta a la que implicaba la proyección cinematográfica. Posiblemente fue en aquel entonces cuando surgió la idea

El director Emilio el Indio Fernández, el operador de cámara Daniel López (de sombrero) y Gabriel Figueroa revisan las pruebas de luz de una película no identificada. Archivo Gabriel Figueroa.

de que los fotogramas le podían servir para algo posterior.

Esa exposición estuvo integrada por *stills*, la mayoría de ellos tomados e impresos por Luis Márquez. La única pieza que provenía de la cámara de Figueroa era un *still* de la película *Enemigos*, de 1933. Si tu ves esta película, te das cuenta de que esa composición nunca estuvo así. Existe una toma de revolucionarios descansando de manera parecida, pero no la composición que hizo Figueroa en aquel *still*. Hizo la placa antes de que los actores comenzaran a filmar. Le pareció que el actor Carlos Cabello debía estar parado y hacer que la composición tuviera otra dinámica. Mi padre me contó que esa imagen no se la aceptaron los productores porque la consideraron demasiado artística y sin el valor comercial que tenían los otros *stills*. Por esa razón él se quedó con el negativo y no la compañía productora. Es curioso que esa imagen que no fuera difundida como *still* en su momento, quizá la única de su autoría que se mostró

en la exposición de 1950, se convirtiera años después en una de sus imágenes emblemáticas, luego de que apareciera publicada en la portada del número que la revista *Artes de México* dedicó a su obra cinematográfica.

El trabajo que mi padre hizo como *stillman* influyó mucho en su cinematografía. Si analizan los inicios de varias secuencias, notarán que se trata de tomas fijas. El principio de *La perla*, por ejemplo, son tomas fijas de mujeres frente al mar. Lo único que se mueve son el mar y los chales. Aparecen dos, tres, cuatro personajes inmóviles, mientras se escucha una narración en *off*. Mi padre solía proponerles a los directores encuadres fijos, con las composiciones que él arreglaba, para dar inicio a las secuencias. A él le gustaba mucho eso, porque sabía que en la memoria del espectador se conservaba más una imagen fija que el movimiento de una toma. Es algo que marcó su cine y su sentido de la composición. Creo que todo esto tiene que ver con que nunca se desligó completamente

Vistas de la exposición Gabriel Figueroa of Mexico, *presentada en la Unión Panamericana de la Organización de Estados Americanos. La muestra estuvo conformada principalmente por impresiones de stills de la autoría de Luis Márquez y algunas de Manuel Álvarez Bravo. Washington DC, EUA, mayo y junio de 1950. Archivo Gabriel Figueroa.*

de su pasado como *stillman*, un oficio en el que aprendió a ver las cosas de manera más pausada, a entender el impacto visual de una imagen estática, a la que era necesario darle el debido tiempo de contemplación. En sus mejores momentos fílmicos hay un alto grado de fijeza, que marcaba el sentido del movimiento y la puesta en escena, a su vez determinados por el corte del editor, quien finalmente decidía dónde empezaba y dónde terminaba cada toma, y el orden en que se montaban. Por eso considero que Gloria Schoemann jugó un papel sumamente importante en el aprecio de la estética visual de mi padre. Como entendía muy bien el impacto visual de las imágenes fijas filmadas por Figueroa, las dejaba correr unos segundos antes de que se iniciara la acción de la secuencia. Y eso marcaba el ritmo de toda la película. A eso se debe la cadencia que tienen las películas de Emilio Fernández y de Roberto Gavaldón.

Exposición en la Cineteca

A fines de los años setenta del siglo pasado empezamos a hacer copias en plata/gelatina de los negativos originales que se conservaban en el archivo. Mi padre me comentó de su interés en reproducir las filminas y me involucró en ese proyecto. Empecé a ampliar en el cuarto oscuro imágenes de *Los olvidados*, *El fugitivo* y *La Perla*. Las primeras copias se realizaron en formato 8 x 10. Años después se organizó una exposición en la desaparecida Cineteca Nacional. Lo que pasa es que yo estuve a principios de esa década fuera de México. Me fui en 1974 y regresé en 1977 o 1978. Mi padre hizo esa exposición un poco para ayudarme, dado que yo empezaba como fotógrafo. Habló con Héctor López, quien accedió a hacerla y a que yo la imprimiera. Amplié las imágenes seleccionadas, alrededor de treinta piezas, en papel AGFA brovira, en formato 11 x 14.

Luis Márquez Romay. Still de Río Escondido *(Emilio Fernández, 1947), que fue parte de la muestra* Gabriel Figueroa of Mexico *en 1950. Archivo Gabriel Figueroa.*

La exposición en Cineteca Nacional fue la primera tentativa seria de reconvertir material filmado por mi padre en una exposición fotográfica. Aunque para mí es muy significativo un intento previo que hizo en 1965 con material de la película *Un alma pura*. En esa película filmó una secuencia de desnudos que tuvo el interés de imprimir como fotografías. Le pidió a Manuel Álvarez Bravo que hiciera unos internegativos para hacerle unas copias en 8 x 10. Cuando mi padre vio las impresiones de la primera exposición en la Cineteca Nacional se entusiasmó muchísimo. Valoró mucho el paso del fotograma de cine a la fotografía fija, en la que seguían estando presentes las composiciones y manejos de la iluminación que lo distinguían como cinefotógrafo. Además esta exposición se hizo con base en una selección muy interesante que hizo mi padre de su propio trabajo. Aunque estábamos muy limitados, porque había muy pocos negativos y sólo podíamos trabajar con ellos, escogió lo que pensaba era lo más representativo de su obra.

Lamentablemente, mi padre guardó el material seleccionado en unas guardas de plástico que se derritieron encima de las tiri-

Dos cuadros de una prueba de luz de la película La rebelión de los colgados *(Emilio Fernández y Alfredo B. Crevenna, 1954).*

DERECHA: *Imagen del personaje Félix Montellano, interpretado por el actor Carlos López Moctezuma, acompañando la noticia de la muerte del actor. Unomásuno, martes 15 de julio de 1980. Archivo Gabriel Figueroa.*

llas. La nitrocelulosa, si no respira y si no tiene un PH controlado, se destruye muy rápidamente. Y como de aquella exposición no hubo catálogo ni memoria alguna, esas impresiones quedaron prácticamente como únicos originales de aquella primera selección de filminas.

La monografía

En la posguerra, en los años cincuenta y sesenta, se desarrolló una cultura fotográfica que permitió a los cineastas convertirse en proveedores de una iconografía que iba más allá de los usos estrictamente cinematográficos. Comenzó a valorarse la posibilidad de comprender el cine y nutrir la cinefilia a través de libros de arte, bien impresos. Magazines como la revista *Life*, donde de por sí se daba un tratamiento fílmico a la edición de los reportajes, dedicaban piezas a la vida de las estrellas y al proceso de filmación de las películas. *Life goes to movies* es un buen ejemplo de ese género de prensa ilustrada con temática cinematográfica. Muchas veces el público no veía las películas pero podía identificar las fotos que había observado en libros o revistas. Mi padre gustaba de esa clase de publicaciones ilustradas. Estaba suscrito a las revistas *Life* y *National Geographic*. Formó una colección de *American cinematographer* y de otras revistas afines que luego donó a la Cineteca Nacional. Tuvo en sus manos el libro de James Wong Hao, a quien conoció cuando vino a México a filmar *Viva Villa*, y también *The Cinema as a Graphic Art*, el libro de Vladimir Nilsen que le sirvió para ilustrar sus conferencias sobre Eisenstein. Yo siento que mi padre pudo haber visto esos libros y revistas y decir: "yo tengo esto que otros no tienen". Quizá desde entonces pensó en hacer una monografía sobre su trabajo.

La búsqueda de un editor para la monografía nos permitió dar el primer gran paso de lo que vendría después. No fue sino hasta 2007 cuando pudimos concretar ese proyecto, gracias al apoyo de Fundación Televisa. A lo largo de cuatro décadas hubo varias personas que se le acercaron a mi padre para tratar de hacer esa publicación pero, por distintas razones, nunca cuajó ninguna de las propuestas. No todo fue infructuoso en aquella búsqueda. Figueroa ya estaba retirado de la actividad cinematográfica y tuvo el tiempo y el ánimo para hacer una investigación profunda de su acervo, sobre todo de las pruebas de luz. Empezó a clasificarlas y hacer una selección, conformada por unas 400 o 500 tirillas, que más tarde se convirtió en su caballito de batalla. A raíz de una entrevista que Ángel Cosmos, el director de *Fotozoom*, quien le hizo una entrevista a principios de los años ochenta, le animó a dar el paso definitivo en la reproducción de las filminas. Era todavía la época análoga. Cosmos convenció a Jesús Sánchez Uribe para que hiciera los internegativos de las tirillas que estaban en positivo —yo venía saliendo de una hepatitis y no podía realizar ese trabajo—. A partir de la selección de mi padre, Chucho hizo como 100 o 120 internegativos en 4 x 5. La tirilla era un positivo, la metía en la ampliadora y la proyectaba hacia un pedazo de película 4 x 5. Esas tirillas tenían muchos rayones, además de los números de las medidas de luz en el lado izquierdo. Con esos negativos 4 x 5 se empezaron a hacer copias en plata sobre gelatina, formato 8 x 10. Se usaron recurrentemente en las siguientes exposiciones y publicaciones dedicadas al trabajo de Figueroa, como la edición de *Artes de México* en 1988.

Con ese primer conjunto de imágenes emprendí la peregrinación para promover la edición de la monografía, luego de la filmación de *Bajo el volcán,* en 1983. Fuimos mi padre y yo a Los Ángeles para ver si podíamos restaurar digitalmente las imágenes. La restauración se hacía en un cuarto de veinte máquinas tamaño refrigerador en las que apenas se podían restaurar unas 70 u 80 imágenes. Se utilizaban computadoras Apple clásica, de pantallitas chicas, que te-

nían a lo mucho un giga de memoria. Mi padre se apantalló pensando que aquello iba a salir carísimo y se decepcionó un poco. Fui solo a Nueva York a entrevistarme con varias personas a ver si se interesaban en esa publicación, basada en fotogramas de positivos y negativos... Ninguna editorial se interesó en el proyecto.

A fines de los ochenta y principios de los noventa intenté en México y en el extranjero conseguir apoyo para editar la monografía de Figueroa. Mi papá se quedó pensando que algún día se concretaría aquel sueño, pero nada. Era extraño que esto le sucediera a una figura que era respetada y reconocida en el medio cinematográfico, que había recibido tantos premios y homenajes.

El calendario y las serigrafías

En 1989 la nueva Cineteca Nacional editó un calendario ilustrado con fotogramas impresos de Figueroa. Fue idea de Fernando Macotela. Esas imágenes se trabajaron a partir de los internegativos de Jesús Sánchez Uribe. Se imprimían en plata/gelatina, en un formato 8 x 10, y después se retocaban, raspando,

Calendario ilustrado con fotogramas de películas de Gabriel Figueroa, editado por la Cineteca Nacional en 1989. Archivo Gabriel Figueroa.

enmascarillando y aplicando aerógrafo. Este proceso duró hasta 1991 o 1992.

La impresión mediante la técnica de la serigrafía se exploró cuando Figueroa recibió, en 1987, el Ariel de Oro por parte de la Academia de Ciencias y Artes Cinematográficas, con motivo de sus cincuenta años de labor ininterrumpida. El primer tiraje de serigrafías se repartió en la Cineteca Nacional, al final de una ceremonia a la que asistió el presidente Miguel de la Madrid. Sólo hicimos cincuenta copias de la imagen *Dos mujeres frente al mar* y la regalamos aquel día. Prácticamente se las arrebataron. Como mi madre era pintora, tenía relación con el taller de serigrafía de Enrique Cataneo. Fue él quien produjo las serigrafías, a través de Multiarte. Todos nuestros amigos pintores imprimían en su taller, porque era el mejor. Le imprimía a Gunther Gerzso, Vicente Rojo, Manuel Felguérez y Joy Laville. No quisiera presumir, pero creo que fueron las primeras fotoserigrafías que se hicieron en México con buena calidad. Se imprimieron en un papel guarro muy bonito, de 76 x 56 cm. Las vio ahí mismo Enrique Catneo y dijo: "pues vamos a hacer una serie, ¿no?". Fue así que surgió la edición compuesta de 10 imágenes de distintas películas, gracias a que se conjuntaron los apoyos de Omar Chanona, que estaba en el Instituto Mexicano de Cinematografía y se animó a pagar la mitad de la edición, y de Mercedes Iturbe, quien organizó una exhibición de Figueroa en el Festival Cervantino y después en la Casa de México en París.

Además del portafolio de serigrafías que se expuso en el Cervantino, se hizo un tiraje extra de trescientos portafolios. Mi padre tuvo que firmar tres mil piezas. Eran diez imágenes, que escogimos entre los dos y que representaban diferentes aspectos de su estilo: un paisaje, una perspectiva, un escorzo, un claroscuro, un retrato, una composición... Esta exposición del Festival Cervantino

también fue de gran importancia por el catálogo, donde escribieron Carlos Fuentes, Carlos Monsiváis y Elena Poniatowska. Las serigrafías prácticamente se vendieron todas. Hubo un coleccionista que compró cien portafolios: un alemán de nombre Jan Van der Reis.

Textura del grabado

A mi padre le entusiasmaba mucho ver su trabajo no ligado al relato fílmico y a una historia que conocía perfectamente bien. No le gustaba ver las películas que hacía. "Perro no come perro", siempre decía. Pero en cambio disfrutaba mucho ver los fotogramas impresos porque era una manera novedosa de apreciar su trabajo. Se emocionó mucho cuando vio por primera vez sus imágenes impresas. Fueron como una revelación para él. Lo que él quería conseguir de la textura del grabado en sus imágenes fílmicas se hacía evidente en las impresiones de fotogramas.

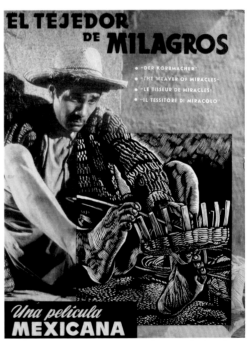

Portada de un impreso publicitario de la película El tejedor de milagros *(Francisco del Villar, 1961) ilustrada con un fotomontaje elaborado a partir de un grabado de Ángel Zamarripa y un still de Ángel Corona. Archivo Gabriel Figueroa.*

Además del recurso de establecer cuadros fijos que posteriormente se animaban, otro signo distintivo de la cinefotografía de Figueroa era el manejo de los claroscuros. Empezaba iluminando áreas y les iba tapando la luz. Iba así construyendo la penumbra, por decirlo así. Le oí hablar en varias ocasiones del método que utilizaba para construir esta penumbra. Me comentaba: "Yo metía ciertas luces que sabía no iban a tener casi ningún efecto sobre la escena. Yo sabía que este cuarto u octavo de tono que estaba metiendo en la escena, casi no iba a registrar, pero aún así, yo sabía que iba a tener un efecto". Y otra de las cosas importantes que resultó de este manejo de la luz es que, obviamente, entre menos luz o menos revelado existiera en el material negativo que él exponía, más evidente era el grano de la película. Por carencia de revelado, por carencia de luz o por la combinación de las dos. Y él usó en muchísimas ocasiones esa combinación, que descubrió por accidente en la filmación de *La fuga*, cuando filmó unas escenas de noche midiendo con el exposímetro de luz incidente, no de luz reflejada. Filmó la escena según lo marcado por el exposímetro, pero a la hora que revelaron se dio cuenta de que el material estaba subexpuesto. Le pareció rarísimo. Se dio cuenta que el grano le daba una textura a la pantalla que se parecía a los grabados de Leopoldo Méndez y de José Guadalupe Posada. Y eso le gustó. Al averiguar qué es lo que había pasado, resultó que, para ahorrar focos, el jefe de la bodega donde se guardaban las luces y los reflectores de cine, les había quitado el espejo cóncavo que recoge los haces de luz y los arroja para dar mayor intensidad. Éste, creyéndose Einstein, le había quitado los espejos para que los focos no se quemaran tan rápido y eso le quitó intensidad a las luces. A mi padre le pareció genial y entonces empezó con el laboratorio a hacer pruebas para ver cómo podía llegar a eso. Y hay algunas escenas de *Enamorada* y de *The Torch* que tienen este efecto. Hubo una llamada por teléfono de Elia Kazan, en los días en que mi padre se rehusó hacer su *Zapata*, en la que el director, mañosamente, le preguntó: "oiga, es que admiramos tanto su fotografía, ¿no le importaría decirle a mi fotógrafo, que aquí está conmigo, cómo le hace usted para que parezca grabado?". Y mi padre dijo: "no, claro que no, échemelo", y le dio la receta.

Mi padre siempre tuvo claros los vínculos que había entre el grabado y la fotografía. Fue amigo de los grabadores del Taller de Gráfica Popular, en particular de Leopoldo Méndez. Tengo entendido que la decisión de que el grabador participara en los créditos de las películas fue de mi padre. Méndez le regaló ejemplares de los grabados que hizo para *Río Escondido* y *Rosa Blanca*. Se fue haciendo de algunas piezas de grabadores o fotógrafos sin ningún espíritu de coleccionismo. Manuel Álvarez Bravo venía a la casa antes de cada exposición y le regalaba una foto.

Platinos

Ante el éxito que tuvieron las serigrafías, inicié la impresión en platino de los fotogramas. Pensé que el mercado se estaba abriendo para poder vender más trabajo de mi padre. Me pareció que esa podía ser una solución para que él tuviera una entrada de dinero extra, porque estaba vendiendo muchas cosas: los grabados, las medallas, vendiendo el terreno, los coches... ¡todo! No creo que estuviera mal de dinero específicamente, lo que pasa es que ya no tenía entradas.

A la par, un amigo mío, Ricardo Garibay, había tomado un curso de platinos en Nueva York después de haber tomado clases en el CUEC conmigo. Me puse a leer, a comprar libros y químicos, y empezamos Ricardo y yo a trabajar en eso. Y nos prendimos. Estuvimos una buena temporada haciendo platinos.

Es un proceso de trabajo muy frustrante, que tiene una magia muy especial porque sólo un puñado de imágenes llegan a emocionarte. No importa que seas muy riguroso o que uses el mismo papel o los mismos químicos, que hagas la misma rutina a la perfección, siempre un platino será distinto a otro, siempre. Y en la mayoría de los casos no para mejor. Es para hacerse el harakiri de veras. Para mí, el platino es el proceso fotográfico más real que existe, en términos de magnificencia. Es decir, el más caro, el más bonito, el más durable, el más elegante.

Hice un catálogo de los platinos y con ellos armé una exposición que se presentó en la Galería de Arte Mexicano, en 1992. Para hacer la impresión de esos platinos usé las copias retocadas producidas con los internegativos de Sánchez Uribe. Para hacer impresiones más grandes, fui al taller de diseñadores gráficos que está abajo de mi estudio. Tenían una cámara que aceptaba negativos 11 x 14. Ponía las copias 8 x 10 abajo, las afocaba con esa cámara y ponía una placa 11 x 14 de película blanco y negro, que era el soporte del nuevo negativo. En aquella galería fue la primera y última vez que en México se presentaron los platinos. La Secretaría de Relaciones Exteriores hizo circular esta misma exposición por el extranjero —Europa, Canadá, Sudamérica—, pero en aquella época los platinos fueron un fracaso total, no se vendieron. Años después, como en 1995, los compró el Museo Muros. No todos, compró la mitad: 13 Las imágenes no eran las mismas que las serigrafías, eran 26 distintas. Quise hacer una selección en que se viera al artista en sus mejores momentos y lo más versátil posible. Siempre ha sido ése mi criterio: proponer cosas del trabajo de Figueroa que sean elocuentes. Al público que ya conocía *Dos mujeres frente al mar*, le hice ver la parte oscura de la fotografía de mi padre: las siluetas, las sombras, la noche.

Gabriel Figueroa revisa sus notas antes de la entrevista que la televisión le hiciera en el mismo espacio donde expuso sus fotogramas, en el marco de la XXXVII Semana Internacional de Cine de Valladolid. España, 26 de octubre de 1992. Archivo Gabriel Figueroa.

Esta fue la primera vez que traduje el trabajo de mi padre a mis propios términos. En el momento en que dejas de ver las imágenes en movimiento y las metes al cuarto oscuro, las empiezas a ver como obras fotográficas. Te pasas horas en el cuarto oscuro viéndolas cómo emergen de los químicos, conociéndolas a detalle cuando las secas y las montas. Eso hace que empiecen a tomar otro valor completamente. Por aquella época tomé conciencia de que como impresor de imágenes me convertía en intérprete.

Gabriel Figueroa durante la inauguración de la muestra en Valladolid donde exhibió sus fotogramas. Le acompaña su hijo Gabriel Figueroa Flores (al fondo) y el Ministro de Cultura, Jordi Solé Tura. España, 26 de octubre de 1992. Archivo Gabriel Figueroa.

La mirada en el centro

Hasta 1988 no existía un compendio del trabajo de Gabriel Figueroa. Algunos *trims* se habían dado a conocer en periódicos —como el que se le facilitó a *Unomásuno* cuando murió Carlos López Moctezuma— o en revistas como *Arquitecto*, que era muy de vanguardia y quería publicar cosas de calidad.

A principios de los años noventa creímos que con la Editorial Porrúa por fin lograríamos hacer la monografía pero, en realidad, se trató de un proyecto malogrado. Aquella historia comenzó cuando vimos la reedición que Porrúa hizo de *México Pintoresco* de Hugo Brehme, que a mi padre le gustó mucho. Se encontraron Miguel Ángel Porrúa y él en una comida, y Miguel Ángel le dijo: "yo le voy hacer uno igual, don Gabriel".

Entre mi padre, Miguel Ángel Porrúa y yo, seleccionamos ochenta imágenes, las cuales se iban a publicar acompañadas de testimonios en versión bilingüe. El libro, titulado *La mirada en el centro,* salió en 1994, sin pena ni gloria. En esa publicación tenía más peso el diseño que las propias imágenes. Le pusieron plecas arriba, como si fueran una especie de claquetas, pero parecían más bien teclas de piano. El texto en español estaba en una fuente y el texto en inglés en otra, en la misma página todo, y la foto se hizo chiquita para que cupieran las plecas, los números,

los firuletes, los bombones, los lunares, que le pusieron a cada una de las páginas. El libro se lo vendió Porrúa a Pedro Joaquín Coldwell, de la Secretaría de Turismo, y él a su vez lo repartió como regalo, como *Merry Christmas*. Esa fue la primera tentativa de monografía. Un fracaso.

Artes de México

Viéndolo a la distancia, creo que fueron gloriosos los primeros años de la década de los noventa para el trabajo de mi padre. Hacia 1990 nació un fotógrafo que no existía. Fue en 1988 cuando Margarita de Orellana y Alberto Ruy Sánchez, amables y cariñosos como siempre, se acercaron a proponernos el proyecto de hacer el número 2 de la revista *Artes de México* sobre Gabriel Figueroa. Lo hicieron de muy buena gana, porque acababan de hacerse de *Artes de México*. Era la segunda entrega y necesitaban proponer algo novedoso. Este número, además de darle un impulso a la visión de mi padre como fotógrafo más allá de lo cinematográfico, ayudó a revalorar al cine que mexicano, que estaba desplazado en la atención del público, que pasaba solamente en la televisión, en

Páginas correspondientes a la entrevista que Margarita de Orellana realizó a Gabriel Figueroa para la revista Artes de México, publicada en invierno de 1988. Archivo Luna Córnea.

los aniversarios de las estrellas. La difusión de los fotogramas impresos a través de las serigrafías y los platinos y, sobre todo, de esta edición de Artes de México, hicieron posible una revaloración de Gabriel Figueroa como artista visual.

Para esta edición mi padre y yo hicimos una selección de imágenes que fueron tratadas mediante el mismo proceso que habíamos llevado a cabo desde fines de los años setenta: impresión analógica con retoque. El diseño fue de Azul Morris, y se publicaron buenos textos, entre ellos uno muy citado de Carlos Fuentes, que por lo que me dicen ya había sido publicado previamente en el suplemento cultural de Novedades. Es un texto muy cariñoso; ellos fueron muy amigos. Además de todo eso, la impresión de la revista fue de buena calidad.

Artes de México fue, para efectos prácticos, la verdadera primera monografía sobre Gabriel Figueroa. Además, fue la primera vez

que se intentó seriamente hacer una cronología y una filmografía serias, realizadas por María Teresa Garrido Lemi, quien se ganó la confianza de mi padre. Ella fue la primera que le dijo a mi papá: "Oiga, don Gabriel, usted hizo doscientas y tantas películas". También en esas páginas fue donde Carlos Monsiváis se retractó de algunas opiniones negativas que había publicado anteriormente, dejándonos ver que realmente había revalorado la obra de mi padre.

A fines de los años ochenta y principios de los noventa, el resurgimiento de Gabriel Figueroa ya no fue en la pantalla grande sino a través de la fotografía fija, en las artes gráficas, en los recintos museográficos y en publicaciones como Artes de México.

El Carrillo Gil y el CNA

Otro momento importante se dio con el ofrecimiento de hacer la exposición Gabriel

Figueroa y la pintura mexicana, realizada en el Museo Carrillo Gil del 14 de agosto al 29 de septiembre de 1996. El curador Elías Levín Rojo se propuso mostrar las afinidades temáticas y formales de la iconografía de Figueroa con obras que pertenecían a la colección de ese museo. Esas correspondencias ya habían sido estudiadas en anteriores ocasiones; de ellas se habla en la edición de *Artes de México.* La exposición pudo haber sido más rica en su vertiente pictórica. Nos faltaron piezas de Siqueiros como el *Coronelazo,* que no nos prestaron, y algunas piezas de Méndez y de Posada, que deberían haber estado ahí.

Este proyecto me permitió producir la primera generación de imágenes digitales, gracias al apoyo del Centro Multimedia del Centro Nacional de las Artes. Hablé con Andrea di Castro y le planteé que teníamos esa invitación para el Carrillo Gil. Me dijo que lo más fácil era pedir un apoyo al Fonca. Me lo dieron para hacer la restauración de veinte o cuarenta imágenes. Para entonces ya no tenía dudas de que la mejor vía para restaurar la obra de mi padre era la herramienta digital, porque te ahorrabas muchas generaciones

Portada del catálogo de la exposición Gabriel Figueroa y la Pintura Mexicana, *inaugurada en el Museo de Arte Carrillo Gil en 1996. La imagen que la ilustra es un fotograma de la película* Río Escondido (Emilio Fernández, 1947). Archivo Luna Córnea.

intermedias que necesariamente degradaban la calidad de la imagen. Ibas perdiendo tonos.

El proceso comenzaba con el escaneo del fotograma original, para después ponerlo en una computadora y restaurarlo con Photoshop 4. Con el archivo quemado en un disco, me iba al laboratorio para que con una filmadora me hicieran un negativo blanco y negro. Con ese negativo, formato 6 x 6, entraba al cuarto oscuro a hacer las copias. Las podía hacer de distintos tamaños, ya no tenía que limitarme al 8 x 10. Y tampoco había necesidad de retocarlas. Esa fue la primera generación de negativos retocados digitalmente que reimprimían de manera analógica.

Recuerdo que en aquellos días tuve un incidente horrible. Después de salir del Centro Multimedia, donde yo estaba escaneando las filminas, nos metimos a ver *Cilantro y perejil,* me acuerdo perfecto. En mi portafolios traía un montón de cosas. De pronto me levanté y ya no estaba, o sea que durante la función me robaron el portafolio con muchas de las filminas que estaba trabajando.

La impresora Iris

Como parte del mismo proceso que llevábamos a cabo en el Centro Multimedia, utilicé una máquina Iris, un prototipo hecho para imprimir digitalmente. Era un tambor grande de metro y medio de largo, al que le pegabas el papel y empezaba a dar vueltas. Había una cabeza conectada a unas mangueritas que succionaban la tinta de unos depósitos y esa cabeza escupía puntitos de tinta electrónicamente dirigidos para que se fueran formando las imágenes. Recorría el papel imprimiendo de ida y vuelta la imagen. Permitía formatos grandes.

Con la Iris empezamos a hacer impresiones de 60 x 70, más o menos. Fueron los primeros formatos grandes en técnica digital, porque ya en el cuarto oscuro podíamos hacer copias muy grandes como los fotomurales que hicimos para la inauguración del Cinemark CNA. La máquina Iris Pictography fue una invención para eliminar el cromalín, era un prototipo para preprensa que servía para hacer pruebas de imprenta. Pero entonces los artistas vanguardistas fueron los que dijeron que eso no servía porque ellos estaban imprimiendo en serigrafía y otras técnicas. Pero estaba en un centro de experimentación visual y por eso estaba esa máquina ahí, porque salían impresiones que llamaban mucho la atención. Pero tenían el problema de que las tintas no eran permanentes. Así que a la vuelta de los años, ya no se ven bien. Son un fantasma de lo que fueron.

Experimenté algo con el proceso thermaldial transfer, pero eran máquinas muy pequeñas, el papel caro y los resultados regulares y, además, no se sabía si iban a ser permanentes.

Procesos híbridos

Después de la Iris hice pruebas con las filmadoras y con la técnica digital. El proceso era híbrido. Todavía existía el proceso fotográfico. Pasaba de una computadora a una máquina que imprimía con láser sobre un papel sensible a la luz y luego revelaba con químicos. Pasaba de un archivo digital a una copia C que es cromógena, la C-print. Pero esas tintas tampoco eran permanentes. Generé con filmadoras negativos hechos de retoques digitales para hacer copias en plata sobre gelatina.

Después del Iris no abandoné la impresión de platinos. Encontré un método para hacerlos a partir de negativos digitales. Tenían la ventaja de no tener que pasar por el cuarto oscuro cada vez que querías hacer una modificación. Te daban un poco de más de rango si necesitabas más contraste o si querías que una parte fuese más oscura. Tienes más control sobre un negativo que deberá ser perfecto para no sufrir a la hora de imprimirlo como platino, proceso que es totalmente arte-

sanal. Utilicé esa técnica para hacer platinos a precios más accesibles, pero los supuestos coleccionistas nunca llegaron. En algún momento pensé hacer fotograbado pero era un proceso mucho más complejo y necesitaba estar en algún taller donde se hiciera. Y el fotograbado que se hacía en México era en zinc de mala calidad.

Primera generación digital

En el momento en que vi el potencial que las computadoras ofrecían para el retoque e interpretación de las imágenes, me interesé en aprender sobre esas tecnologías que te evitaban estar horas en el cuarto oscuro dejando el lomo sólo por una copia. En un archivo digital puedes modificar la imagen tantas veces como tú quieras y revisar al momento la calidad de las copias.

Con el paso de la C-print a las nuevas impresoras, las tintas comenzaron a ser más permanentes en las inyecciones de tinta que en el químico de la C-print. Incluso, estas máquinas de inyección de tinta permitían imprimir en papel blanco y negro de fibra, plata sobre gelatina, no únicamente sobre superficies de color. Y de ahí pasé a las copias con pigmentos de carbón, a las piezografías.

Javier Hinojosa y yo fuimos los primeros en introducir la piezografía a México. En un magazine que compré en Los Ángeles me enteré de la existencia de los "platinos digitales", hacia el año 2000, más o menos. La revista reseñaba cómo habían inventado unos pigmentos de carbón que se depositaban sobre el papel a través de una impresora de inyección de tinta. Y me llamó la atención porque la impresión era permanente y porque el carbón tiene cierta textura. Así que con Javier nos compramos una máquina, el *software*, las tintas y los papeles que recomendaban en la revista y empezamos a hacer copias utilizando ese proceso. Convencimos al LMI para que nos importara esos materiales para hacerlo en nuestras Epson 3000 y de ahí sacamos los primeros portafolios con una calidad extraordinaria. La diferencia era abismal. En un papel mate puedes tener una saturación de negros extraordinaria porque el carbón es lo más negro que puedes conseguir. Y una gradación tonal excepcional, como lo hace el platino —por eso les dicen "platinos digitales"—. Y claro, tienes de 100% de negro hasta el 7% de gris. Entonces cubres todas las gamas, siempre y cuando tengas un buen archivo que imprimir. La piezografía es igual de demandante que el platino. Tienes que decidir cuál es la profundidad y el contraste que estás buscando, escoger los papeles que te den un rango tonal más amplio o las texturas que quieres darle a la imagen terminada. Ahora estoy imprimiendo en un papel de color crema de 500 gr. Es un cartón prácticamente y absorbe las tintas de carbón de forma extraordinaria.

Segunda generación digital

La siguiente generación de impresiones ya fueron preparadas en mi propio escáner, comprado en Los Ángeles hace cuatro años: el Imacon, especial para escanear cuadritos de película. Proviene de la tecnología de guerra digital que desarrollaron los daneses y que luego reconvirtieron para hacer fotografía fina.

Después me compré la impresora Epson 7500 que es más ancha —puedo tener 61 cm de ancho—. Empecé a producir piezas más grandes. Hacía uso combinado del Imacon con el Photoshop versión 5, 6 y 7 y la nueva máquina Epson 7500. Así se produjo la segunda generación de impresiones digitales de los fotogramas de mi padre. Estas impresiones han circulado mucho. En 2007 y 2008 se

Reprografía de una prueba de luz de la película Pueblerina *(Emilio Fernández, 1948), impresa para la exposición* Corre caballo corre *que se presentó en el Colegio de San Idelfonso en 2004. Colección Fundación Televisa.*

organizaron muchas exposiciones con la obra de mi padre, en diferentes partes de México y fuera del país. Con esa técnica produje los portafolios que armé con imágenes de María Félix y Dolores del Río.

Tercera generación digital

Contar con la posibilidad de tener todo el laboratorio en casa me permitió entrar a una nueva etapa. Ahora hay papeles para impresión digital, es decir, de inyección de tinta, que ya son de altísima calidad, así como máquinas que puedes adquirir a un precio razonable, las cuales te permiten tener un control total de la restauración y de la impresión. Cuento con la posibilidad de hacer copias de grandes dimensiones, como las que se mostraron en el calles durante Festival Cervantino de 2007. Trabajo con pigmentos de carbón porque me gustan los acabados, pero ya he visto impresiones

Programa del Festival de Cine Latinoamericano (organizado por la ciudad de Munich en marzo de 1994) ilustrado con un still de la película Enemigos (Chano Urueta, 1933). *Archivo Gabriel Figueroa.*

hechas con las nuevas tintas, una especie de híbrido entre tinta y carbón.

En las impresiones de la tercera generación digital utilicé *software* actualizado —Photoshop 8 y 9—, pero seguí manejando la misma impresión y los mismas tintas. Las imágenes que estaba yo imprimiendo pesaban 20 megas, las que estoy haciendo ahora, van a pesar 100 o 120 megas. La idea es hacer piezas muy grandes pero que matengan la definición y la calidad de los pequeños formatos. La siguiente generación va a ser la imagen monumental de Figueroa. Es el caso de las imágenes que se pueden producir con tecnología HP. Se trata de una máquina que imprime mediante una cabeza que tiene unas gotas de impresión —picolitros—, mucho más precisas y pequeñas, por lo que la imagen es mucho más nítida. Aspiro al tamaño pantalla de cine, digamos. Tengo un nuevo escáner, el Epson 750 pro. A la fecha sigo trabajando en un stock de unas 300 imágenes a lo mucho, escogidas de un total de 25 000 filminas probablemente. No le hemos arañado ni siquiera la punta al iceberg en el archivo de filminas de Gabriel Figueroa.

El intérprete

Empezamos en el Centro Multimedia con la máquina Iris en 1992, y cuando comparo eso que hice con lo que veo que sale de mis máquinas el día de hoy, la diferencia es como de aquí a la luna. Ahora disponemos de diversas tecnologías para escanear y retrabajar una imagen. Hay *software* para reafocar, para quitar grano... En realidad todas las técnicas de la era digital responden a la misma pregunta. Es decir, ¿cómo puedo hacer para que este trabajo se vea mejor? Esa es la cuestión. Y los fotógrafos estamos obligados a adoptar y aprovechar las ventajas de las nuevas tecnologías. La posibilidad de escanear un negativo, meterlo a una máquina, aplicarle filtros de Photoshop y poderla imprimir con cierta inmediatez y calidad, me ha permitido

Fotogramas de la película Los olvidados *(Luis Buñuel, 1950)*
publicados en el libro Gabriel Figueroa, *Fundación Televisa/DGE-Equilibrista, 2007.*

reinterpretar de diferentes maneras las imágenes de mi padre.

Aquí es cuando pienso en el ejemplo de los discípulos del gran maestro chino de la acuarela: ponían en los monasterios a los alumnos a imitar el trabajo del maestro. Entonces lo copiaban hasta que dejaba de ser la obra del maestro. El proceso se invierte: conoces tan bien al maestro que eres capaz de separarte de él. Y muchas disciplinas y prácticas tienen que ver con eso: con la transformación de una copia en un nuevo original. Aquí estamos hablando de soportes fijos que pueden cambiar según el papel o la técnica que se utilice para hacer las impresiones. Pienso en el caso de Isaac Stern: va por el mundo dando el mismo concierto que es distinto en cada lugar donde se presenta. En cada ocasión lo interpreta con pequeñas variaciones y sutilezas que cambian la partitura del original. A eso se dedican los intérpretes, quienes terminan haciendo suya la pieza original. Por eso yo me considero un intérprete.

Esta idea de la interpretación no la tuve clara desde el principio, la he ido madurando. Obviamente, cuando eres impresor hay ciertos problemas que tienes que ir resolviendo. Pero cuando echas a perder 10 copias y ves que todas ellas son distintas, te cae el veinte de que hay muchas maneras de hacerlo. Conforme vas desarrollando la habilidad de interpretación, puedes ir introduciendo variables más sutiles en la obra.

Tú tienes un archivo que no varía pero, en el momento en que lo trabajas y lo abres en diferentes programas *software* o lo ves en pantallas diferentes, puede cambiar. Así que también ahora hay más factores que controlar como impresor. Ya no hay una reproducción fotomecánica y de pronto te enfrentas a los mismos asuntos o problemas que con lo analógico. Esto nos lleva a cuestionar ese mito o creencia que hay en torno a la imagen digital de que "ahora todo es igual". No es cierto, ahora es diferente y más complicado.

Yo retomaría la idea de Ansel Adams de la foto como partitura que el impresor tiene

En 1995 la empresa telefónica Ladatel imprimió, a partir de fotogramas tomados de las películas de Gabriel Figueroa, una serie coleccionable de seis tarjetas telefónicas titulada Ojos del cine mexicano. *La última estuvo dedicada al actor Pedro Armendáriz, personificando a Esteban en la película* La Malquerida *(Emilio Fernández, 1949). Archivo Orozco Rojas.*

que interpretar pero, en este caso, diría que se trata de una partitura ambigua que responde tanto a un canon fotográfico como a uno fílmico. El estilo Figueroa comienza a salirse de la pantalla y a presentarse como un nuevo fotógrafo. Eso era lo que a mí me interesaba más: rescatarlo como fotógrafo, porque como cineasta ya había sido reconocido.

Al fijar la imagen se reinventa, porque tu ojo procesa la imagen de otra manera. Tu cabeza la incorpora a tu memoria cultural de otro modo. Ya lo hemos visto. Una imagen mal procesada o mal interpretada, en cuanto a su emoción, no te deja huella. El cine queda como un referente lejano. En el mejor de los casos podría yo referirme a la memoria de lo que vi en la pantalla cuando estoy tratando de imprimir la imagen de un fotograma.

El traspaso de un fotograma a impresiones que podrían llegar a ser monumentales, plantea necesariamente nuevas lecturas de la obra de Figueroa. Es decir, vienen del cine, vienen de la cámara de Figueroa, pero ya no son algo que Figueroa hubiera podido imaginar para la difusión de su trabajo. El objeto a contemplar ya no se debe sólo a los oficios de Figueroa, ya también es obra del impresor y de las técnicas que utiliza. Primero, porque las imágenes estaban hechas para verse en movimiento. Segundo, porque se muestran en papel, un soporte al que no estaban desti-

nadas en su origen. Con *Dos mujeres frente al mar,* por ejemplo, empiezas a ver que si la haces un poco más oscura, o contrastada, o clara, o le quemas un poco el cielo, o las faldas, o buscas que salgan más los detalles de las sombras de los pies.. Eso hace que empiece a ejercer una cierta interpretación sobre la imagen. Y cuando Figueroa filmó esa imagen no estaba pensando en todas esas cosas, porque estaban en movimiento. Iban a durar tres segundos en pantalla y se te iban a quedar en la imaginación más que en la retina. Entonces todo eso, a la hora que lo traduces a una imagen fija, cambia completamente.

Lo que más me apasiona de todo este trabajo es poder ser el vehículo para que este fotograma de una obra cinematográfica, que contiene la esencia de una dinámica atrapada en ese cuadrito de película, se pueda seguir apreciando a pesar de que ya no exista el movimiento. A pesar de que nunca se haya visto la película. En una conferencia que di hace poco, mostré el fotograma de las dos mujeres frente al mar de *La perla,* y pregunté a los asistentes si conocían o había visto antes esta imagen. La mitad levantó la mano. Al momento de preguntar en dónde la habían visto, nadie se acordaba. ¿Con qué la relacionan? Pues con Gabriel Figueroa y el cine mexicano. ¿Con qué película? Con *La perla.* ¿Y quién la ha visto? ¡Nadie! Estaban por entrar al cine a ver una copia de *La perla* y ya reconocían la imagen de uno de sus fotogramas.

Tienes la obligación de que la emoción que está en el original se transmita a través de una copia: que le veas el volumen, el contraste, que casi puedas sentir cómo las figuras en algún momento van a terminar caminando, darles vida a través de una copia fotográfica. Muchas veces he dicho que soy un intérprete de la obra de Gabriel Figueroa, pero en ocasiones no lo quieren publicar. Mariana Pérez Amor, en su catálogo, no me permitió un texto en donde yo decía esto. Porque no se iban a vender las obras: iban a pensar que no eran de don Gabriel Figueroa: "¿por qué las firmó él y las imprimió el hijo?". Una discusión bizantina, totalmente. Pero yo siempre lo he dicho: soy un intérprete y no sólo de las imágenes de mi padre, sino de cualquier artista que llegue a mi estudio y me encargue el trabajo de imprimir su obra.

Son muchas las tareas que hoy implica el oficio de impresor. Van desde el escaneo hasta la toma de decisión respecto al papel en el que se imprime. Involucra un cuidadoso tratamiento de las imágenes. A mí lo que me queda claro es que lo que verdaderamente permanece son las copias que ya hiciste, en plata sobre gelatina o en piezografía al carbón. Ese es tu original porque es lo que queda. Todo lo demás, lo que retocaste en Photoshop 4 y quieres pasar al CS3, terminará por ser obsoleto. Un cuadrito de película pudo haberse deteriorado tanto que quizá ya no puedas volverlo a escanear en tu vida. Acaso tengas la posibilidad de actualizar en 2008 el archivo digital que hiciste en 1994. La imagen impresa se vincula a un determinado tiempo histórico, remite a una tecnología disponible, expresa la sensibilidad del momento en que se hizo la copia. Hace poco me enteré, en una exposición, de que una de las imágenes más conocidas y reproducidas de Ansel Adams —*Moonrise, Hernandez, New*

Primera plana del periódico La Jornada *que informa sobre la muerte de María Félix, publicada el 9 de abril de 2002. Archivo Orozco Rojas.*

Mexico, 1941— había llegado a la impresión perfecta, la que mejor contenía y expresaba sus valores tonales de acuerdo al autor, varias décadas después de que se habían realizado sus primeras copias.

Todo lo que me parece plásticamente importante de las filminas de mi padre, lo separo y lo escaneo. Mi historia, desde hace varios años, es ésta: saco una lata, reviso las mil y tantas tirillas de una película, separo varias que me parecen extraordinarias y luego las dejo ahí... Nunca me da tiempo y nunca tengo los recursos para que esas joyas que encontré sean escaneadas, restauradas e impresas. Procesar adecuadamente una imagen, desde que la escoges hasta el momento de imprimir una prueba, requiere de semana y media de trabajo. El proceso se inicia con la selección del fotograma menos deteriorado y con la mejor luz. Luego de escanearlo empieza un largo proceso: quitarle los rayones, restaurarla al mejor balance de tonos, al mejor con-

Agustín Estrada. Registro fotográfico de la exposición Gabriel Figueroa. Cinefotógrafo, *presentada en el museo del Palacio de Bellas Artes de febrero a mayo de 2008. En el muro izquierdo de la sala Nueva Iconografía se exhibió un fotograma de la película* La perla, *con distintas técnicas de retoque e impresión. A la derecha, Gabriel Figueroa revisa sus pruebas de luz. Colección Fundación Televisa.*

traste, quitarle el posible deterioro del grano —porque la nitrocelulosa se va degradando, la imagen se va degradando en granos cada vez más amorfos—, y darle una interpretación.

Un nuevo fotógrafo

Tanto para mi padre como para mí, el criterio más importante es el valor estético; no el valor documental ni el histórico. Lo que a mí me importa es que se vea la obra de Figueroa como obra de arte, como una obra plástica. Ese ha sido el criterio que me ha regido para seguir restaurando ciertas obras y no otras.

Opino como ustedes que la conversión en iconografía de la obra de Figueroa es resultado de un proceso largo, que se explica en buena medida por la manera en que circularon las referencias fotográficas a sus películas. Sus imágenes son reconocibles porque se

relacionan inevitablemente con el sustrato iconográfico donde están las obras de Orozco, Rivera y otros representantes del nacionalismo pictórico. Y no hay duda de que a ello también ayudaron la televisión y el video, medios a través de los cuales se siguen dando a conocer sus películas.

Hay otra dimensión que no sólo tiene que ver con la migración de lo fílmico a lo fotográfico sino también con el arraigo de una iconografía. Es decir, no sólo fue el proceso de construcción de un nuevo fotógrafo. La difusión de las imágenes las transformó en iconos. Los fotogramas se convirtieron lo mismo en motivo de un mural en el edificio de *Time Life* que en la ilustración de una etiqueta del tequila Alteño. Alrededor de 1990, en el contexto de la exposición *Treinta siglos de esplendor* que se puso en Nueva York, el pintor

Javier de la Garza utilizó como temas de sus pinturas imágenes de mi padre, sin pedirnos permiso ni darle los debidos créditos.

Mi padre nunca hacía comentarios técnicos sobre los nuevos soportes de su obra, en realidad se inclinaba mucho hacia la parte emocional de la pieza. Lo que le interesaba era que la imagen realmente pudiera transmitir emocionalmente algo. Entonces siempre terminábamos hablando de la fuerza de las imágenes. Hablábamos mucho de la intención de una fotografía; de que los negros estuvieran bien, profundos, con detalles, con misterios; de que la copia fotográfica fuera elocuente. Tenía muchos libros de los que yo también aprendí mucho: Weston, Strand, Álvarez Bravo. Nunca dejó de tener contacto con la fotografía. Hubo una época larga en donde él ponderaba mucho la fotografía fija, pues independientemente de que haya pensado en el *panfocus* o en el *travelling* o en la dirección de cámara, al final él evaluaba una imagen fija.

Mi propio desarrollo como fotógrafo me ha permitido renovar mi aprecio por la obra de Gabriel Figueroa. Lo que he hecho es mantener la vigencia de alguien a quien siempre consideré un gran artista, que por otra parte fue mi padre. He dedicado 25 años a la promoción de ese legado iconográfico. Necesito contar con más recursos para hacer del archivo algo más importante. He querido no solamente revalorar el trabajo de Figueroa sino intentar la traducción de su figura y de su obra a mis propios términos. Creo que, al respecto, el doctor Freud tendría mucho que decir.

Glosario de procesos fotográficos y digitales
Fernando Osorio Alarcón

La obra de Gabriel Figueroa Flores producida a partir de las tiras de prueba de luces de escenas (o fragmentos de éstas) de las películas fotografiadas por su padre, ha transitado por diversos procesos analógicos y digitales de la imagen. Una breve y precisa descripción de estos procesos se antoja necesaria para profundizar en la tecnología de la imagen y sus alcances estéticos.

El orden de presentación del glosario es el mismo que ocupó la tecnología usada por estos artistas.

Tiras de prueba de luces. Tiras de película cinematográfica positiva en donde se imprimían fragmentos de negativos de escenas de una película. Con estas tiras positivas el cinefotógrafo evaluaba la escala tonal —índice de contraste, nitidez, acutancia— que persiguió al definir sus parámetros de exposición, intencionalidad plástica y visual de la escena. Se denominan tiras de luces ya que una vez revelado el negativo original de cámara el laboratorio imprime (exponiendo a la luz) sobre una película positiva un mismo fragmento de una escena (varios fotogramas) a diferentes luces. La intensidad de la luz es controlada por diafragmas de diferentes diámetros que se anteponen al ópalo (difusor) de luz de una impresora cinematográfica. A mayor diámetro de diafragma mayor densidad y viceversa.

Negativos intermedios (o internegativos) a partir de fotogramas de tiras de prueba de luz. La obtención de una imagen negativa a partir de un fotograma positivo se denomina negativo intermedio, internegativo o negativo copia en el campo de la reprografía fotográfica analógica. El proceso consiste en colocar el fotograma positivo en una ampliadora fotográfica y proyectarlo sobre una placa de película negativa de gran formato, por ejemplo de 4 x 5 pulgadas. Esta es una técnica de reprografía que cambia el formato fotográfico del original tanto en dimensiones como en la resolución de la imagen.

Esta placa negativa debe tener una sensibilidad igual o mayor que la del fotograma para conservar al máximo toda la información del original. En fotografía analógica cada imagen subrogada tiende a perder parte de la información del original.

La placa internegativa puede usarse como un original de segunda generación para impresión de positivos en papel de plata sobre gelatina, de paladio, platino o como un original para procesos fotomecánicos, entre ellos la foto serigrafía.

Fotoserigrafía. Proceso fotomecánico a partir de un original fotográfico positivo que se transfiere —la mayoría de las veces por impresión de contacto— a un soporte de plástico sintético (*Nylon*) emulsionado y sensible a luz. Este soporte esta tensado a un marco. Una vez obtenido un cliché (imagen negativa) sobre el soporte —que es un gasa de trama abierta muy resistente— se esparce tinta. La viscosidad de la tinta serigráfica le permite ser transferida a través de la gasa a un papel colocado abajo del marco, para ello se utiliza un rasero de hule con el cual se presiona la tinta sobre la gasa para forzar su paso al papel.

Impresiones de platino o platinotipos. Los platinotipos son imágenes de tono continuo formadas por partículas metálicas de platino. El platino, al igual que todos los metales —como la plata y el hierro— puede formar una imagen fotográfica al estar compuesto de una emulsión fotosensible.

El proceso de impresión es por contacto de un negativo con papel emulsionado con sales de platino y por exposición directa a la luz del sol (POP o printing out paper).

La escala tonal de este proceso es muy rica y posibilita la obtención de negros muy profundo, además de gran detalle en la sombras. Las altas luces están determinadas —en gran medida— por el papel de algodón que se utilice. Este proceso no tiene un aglutinante en el papel o soporte como los papeles de plata que están sobre una capa de gelatina, así que la textura y color del papel son características adicionales que enriquecen el contraste y nitidez de las impresiones finales.

Este proceso es uno de los más estables y permanentes, sin embargo, requiere gran habilidad del impresor para preparar las emulsiones y sensibilizar el papel.

Impresiones a partir de archivos digitales. Antes de definir y explicar estos procesos de impresión es necesario hacer algunas consideraciones:
1. Son procesos de no impacto, es decir, no hay contacto entre una matriz entintada y el papel soporte de la imagen.
2. Las impresiones no son digitales sino analógicas. El término impresión digital no está bien aplicado ya que la imagen digital existe únicamente en la unidad de procesamiento de la computadora o en un dispositivo de almacenamiento.
3. Al ordenar la impresión de una imagen digital se traduce información binaria a voltaje, exactamente en la unidad de procesamiento de la impresora. Son cargas de voltaje de muy baja intensidad las que controlan la salida de tinta almacenada en un cartucho. Dichas cargas de energía controlan a dispositivos semiconductores y piezoeléctricos que regulan con precisión el flujo y salida de tinta de los inyectores o cabezales de impresión.
4. Los inyectores usados por la tecnología de impresión tipo *ink jet,* son aspersores de tinta.

La tinta está formulada con agua destilada y colorantes en una proporción de aproximadamente 80% de agua, 2% de colorante y el resto de soluciones lubricantes y emulsionantes.

5. Durante los últimos diez años la tecnología de la impresión por inyección tinta ha evolucionado muy rápido y en tres ejes principales:

   a. Uso de pigmentos para sustituir colorantes orgánicos y lograr mayor permanencia de la impresión.

   b. Uso de diversos tipos de papel con recubrimientos y acabados diversos para lograr impresiones brillantes, mates y superficies que ayuden a anclar las tintas mas rápido y mejor.

   c. La aplicación de la nanotecnología en el diseño de pigmentos y papeles.

Impresiones tipo Iris (Iris print o Giclée). Impresora desarrollada por Iris Graphics Incorporated en 1987. Sistema de impresión para uso de la industria de las artes gráficas y como una herramienta para generar originales mecánicos para separación de color.

Se usa a partir de 1989 en las artes visuales para reproducir con alta calidad obras de arte y de manera simultánea se populariza el término *impresión Gicleé.* El uso de la impresora Iris ha decaído a partir del año 2000.

La impresora se modificó para usar papeles de acuarela y de algodón de alta calidad con un sistema de inyección continua de tinta líquida.

El proceso de impresión consiste en un torrente continuo de gotas de tinta generadas en gran cantidad, dicho torrente es dirigido al medio de impresión (papel) y a través de un aspersor (nozzle). Todas aquellas gotas que no deben llegar al medio de impresión (las gotas de no impresión) son interceptadas y recicladas. Las gotas que sí deben llegar al medio de impresión y formar la imagen (gotas de impresión) son desviadas a la mitad de su trayecto por un dispositivo electrostático. Las gotas pasan por el dispositivo y son lanzadas hasta llegar al subs-trato de impresión formando un punto. El índice de gotas lanzadas por el aspersor está controlado por un cristal piezoeléctrico que vibra a alta intensidad y logra formar cientos de miles de gotas por segundo.

Las tintas usadas son a base de colorantes cian, magenta y amarillo.

Impresión piezográfica. Las piezografías son impresiones producidas con una impresora de inyección de tinta de chorro o torrente continuo y utiliza tintas de carbón. Los papeles de impresión son de alta calidad y de algodón 100%, algunos pueden estar calandrados con el objeto de controlar el sangrado de la tinta. El uso de pigmentos negros a base de carbón y papeles de alta permanencia repercute a favor de la estabilidad de las imágenes impresas con este sistema.

Este proceso de impresión surgió en 1993 cuando el impresor John Cone, en los Estados Unidos, adaptó la impresora Iris con tintas al carbón. Cone desarrolló diversas mejoras de impresión con carbón, entre otras: *Gaytone 100 LIRIO, Conetech WGFA, LUTS, Conetech Unitone, Digital latinum, Baluarte Ziatype* —con Carl Weese— y concluyó con el sistema *Piezography®BW* que trabaja con impresoras Epson®.

Bibliografía

Juergens, Martin, *Process Identification Sheet from Andrew W. Mellon Workshop* "Contemporary Photography: Digital Prints", 2007.

Lavédrine, Bertrand, *A guide to Preventibe Conservation of Photographic Collections*, Los Angeles, The Getty Conservation Institute, 2003.

PERSONAJES FRENTE AL MAR | En reposo, sin la energía lumínica y la rotación que transforman fragmentos de tiempos y espacios disímbolos en visiones de mundos posibles o insospechados, las películas son cintas enrolladas, tiras de fotogramas, series de fotos que entre sí mantienen sutiles diferencias. Las apariciones y desapariciones que animan a las narraciones fílmicas tienen su unidad básica en el fotograma, la imagen individual en que ha quedado impresa una fracción de los movimientos, acontecimientos y expresiones registrados por la cámara de cine. La sucesión de esas imágenes, a velocidades que rebasan la capacidad de percepción diferenciada de la retina humana, produce los simulacros de vida que nos emocionan como aventuras, comedias, tragedias o melodramas. Varias generaciones de espectadores, a lo largo de muchas décadas, en incuantificables funciones públicas o privadas, han contemplado las modulaciones del tiempo cinematográfico en que intervino la mirada de Gabriel Figueroa, creador de fotogramas que luego de ser apreciados como imágenes móviles dieron pie a una nueva obra desplegada en el espacio de la fotografía fija.

Las películas filmadas por Figueroa han sido estrenos, reestrenos y comodines de funciones corridas; obras que expresaron las ideas estéticas de una época y por lo mismo merecieron el desdén o la crítica de otros gustos; productos de una industria que brilló y languideció; pasajes donde la nostalgia busca indicios de un país remoto que no fue sino efecto de ilusiones compartidas.

En las pantallas grandes de los palacios cinematográficos, en distintos modelos de televisores, en diferentes formatos magnéticos y digitales, se han visto ir y venir las imágenes más conocidas y reconocibles de Gabriel Figueroa. En el curso de esa larga y sostenida proyección han cambiado, junto a los soportes, los espectadores. Los ojos frescos, las revisiones, las relecturas, las reinterpretaciones, descubren en las mismas películas valores o significados que antes no fueron considerados.

La perla (Emilio Fernández, 1945) inicia con una secuencia de mujeres inmóviles contemplando el romper de las olas en una playa de Acapulco. Bien podría verse en ese vaivén no sólo una imagen de lo que para la memoria fílmica de nuestro país han representado obras tan duraderas como la de Gabriel Figueroa. Tal contemplación es también una buena metáfora del cine como espectáculo: la hipnosis o seducción que nos hace gastar horas de nuestras vidas en la observación de un mar de imágenes en que fluyen y refluyen nuestras historias.

Pruebas de luz correspondientes a algunas escenas de la secuencia inicial de la película La perla. *Acapulco, Guerrero, 1945. Archivo Gabriel Figueroa (derecha y página siguiente).*

Reproducción fotográfica sin retoque de un fotograma de la película La perla, *impresa por Gabriel Figueroa Flores alrededor de 1983. Archivo Gabriel Figueroa.*

PÁGINAS SIGUIENTES: Fotograma de la película La perla, *procesado digitalmente e impreso por Gabriel Figueroa Flores en 2008. Colección Fundación Televisa.*

INVENTARIOS | Como respuesta al vertiginoso ascenso de su carrera, Gabriel Figueroa tuvo desde su juventud un ávido deseo por recordarlo todo. La intangibilidad de la memoria precisaba de la concreción de las notas escritas que fueron acumulándose hasta integrar un acervo personal heterogéneo: apuntes en retazos de papeles usados, fotografías, tarjetas escritas a máquina, recortes de periódico con observaciones al margen, pruebas de luz, cartas, o elaborados álbumes fotográficos con nombres, fechas y lugares rotulados sobre cinta Dymo.

La presente selección proviene de dos fuentes principales: decenas de notas que aparecieron esparcidas entre sus papeles —escritas a mano o a máquina— y un cuaderno Scribe, forma italiana, encontrado en el fondo de alguna caja empolvada. Según se ha reconstruido, los apuntes eran utilizados a manera de guiones en entrevistas o conferencias, o como simples datos que, por alguna razón, el cinefotógrafo no quería que cayeran en el olvido. Por

lo general, están estructurados como extensas listas en las que destacan nombres de escritores, directores o libros; películas en las que trabajó o ganó premios; anécdotas con famosas personalidades; filmes agrupados según el género estético al que están inscritos; o largas enumeraciones de filtros fotográficos.

Se presume que las anotaciones del cuaderno fueron realizadas alrededor de 1983, cuando Figueroa se preparaba para filmar la que fue su última película: *Bajo el volcán*. En este documento intercala elucidaciones sobre el proyecto en ciernes —interpretaciones acerca de los personajes y acontecimientos de la novela de Malcolm Lowry, comentarios referentes a la biografía del escritor, detalles de posibles locaciones, ambientaciones y acotaciones técnicas— con apuntes de una teoría fotográfica, un inventario de las secuencias favoritas que filmó que incluyen un breve comentario sobre el proceso técnico, así como transcripciones de frases célebres de cine, pintura, estética o surrealismo.

Estos retazos inconexos de pensamientos, son sólo posibles correspondencias de un mapa mayor que nos acerque a la mente de uno de los principales artistas mexicanos del siglo xx. Inventarios que no son sino la huella de una forma específica de percibir el mundo. | **CM**

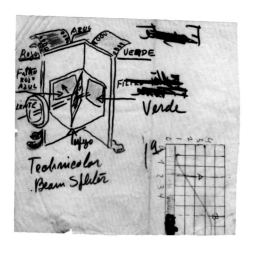

aron Santuola -Altamira COMO

SE

A FORMA DE PERCEPCION ~~DE~~ LA MENTE CONSTITUYE
TRAVEZ DE TIEMPO Y ESPACIO...NOS LLEVAN A LAS
RIMERAS IMAGENES PRIMITIVAS...
LTAMIRA Y LASCAUX/PINTURA RUPESTRE. *alpera—*
OLPEO ARMONICO DE SUS TAMBORES.PARA ANUNCIAR
L PRINCIPIO DE UN PROCESO QUE A TRAVEZ DE SU
ERFECCIONAMIENTO DARIA LA MUSICA..
OS SIGNIFICADOS ESPIRITUALES DE LA DANZA
REARON UNA FORMA DE BALLET/CONV.VISUAL&AURAL. *RISMO*
AUBERVAL/PARIS ~~La rusica~~ ECLIPSE DE SOL
RISTOTELES SIGLO IV-AC.VINCI/BACON 13CT/
683-MICROSCOPIO/LEEUWENHOECH/ZAC.JANSEN/DUTCH.
Quenedy-1812.- Lavenhook ~~1839~~ BAYARD *Papel*
ERMEER I632/CAMARA OBSCURA/GIANBATISTA DELLA-
ORTA/I6CENT./I839/DAGUERROTIPO/NIEPCE/*Fox-Talbot*
INE/LUMIERE/GEORGE MELLIES I8~~8~~95/CAFE LA PAIX
889/GEORGE EASTMAN/PELICULA EN ROLLO/SIN PERF.
893/EDISON KINEMATOSKOPE/(Ia PROY/EN PUBLICO
AMARA/AMADO NERVO/MECANISMO REPRODUCTOR DEL
NACIMIENTO DEL MONTAJE   MOMENTO

915/D.W.GRIFFITH/CLOSE UP/BIRTH OF A NATION
XPRESIONISMO ALEMAN/CUBISMO/DEFORMACION Y
ETORCIMIENTO DE LAS FORMAS OBJETIVAS...
         JACK LONDON-*El Mexicano*
924/S.EINSESTEIN/POTEMKIN/VIVA MEXICO/TRIANGUL
EUNE CLIMAX INSEPARABLE DE REV.ESTETICA Y REV.
buñuel surealismo ~~Ia~~ M.DIETRICH -*Von Sternberg* HUMANA
INE HOLLYWOOD SONIDO/APTOS/CAMARAS ETC.JAKIE
~~Wet DISNEY~~-avion!. HAMLET/BARRYMORE/CORSETTE/ETH
931/MEXICO CINE SONORO/*M.Dietrich* SANTA/BURDEL/ALF.REYES
E FUENTES/BUSTILLO/MAGDALENO/BECA HOLLYWOOD
ANCHO GRANDE/FILMS MUNDIALES/DOLORES/E.FEDZ.
TEINBECK LA PERLA/J.FORD/FUGITIVE/KANE-WELLES
IS BUÑUEL *Pardura* LA VISTA - *Roberson Paul-*
            CINE EXPERIMENTAL,DALI/ N.Y.
STON IGUANA/B.TRAVEN/TESORO/BOGART&RATOFF
VA- PLAYA BOYS *Pantallas gds 180° Technicolor-*
Olivier-Morroe. ...

FARAHDIVA/E.FERNANDEZ & GOODRICH/MUZQUIS
ESCENAS INOLVIDABLES...
✝ HOLLYWOOD DIETRICH & JOSEPH VONSTRENBERG
EN EL ARTE"EL ESTILO ES DONDE EL ESPIRITU
ENCUENTRA SU LUGAR" O.PAZ
COLOR Y BLANCO Y NEGRO/PICASO...
✝ IGUANA AVA GARDNER/HUSTON. Y YO. Huston-chungo
✝ OLIVIER & MARLENE & ARTHUR MILLER/LONDRES
NOVO HOJA DE PARRA/ EL VOLCAN/JINKS

2 ord- Alvarado - T. Power - Von Stroheim

Putas!! Alain Cloan - Alvarado

El Lic. Jacobo Fabludovsky

presidirá

la ceremonia en la que

Monsieur A. Leo Sennegon

Presidente del Jurado Internacional

de Distinción Internacional – París

impondrá al

Lic. Enrique Figueroa de la Vega

Distinción Internacional "Personalité de l'année Personnalité de l'année 1988"

en la Información y la Comunicación

Gastronomía en el Mundo.

Abril 28 de 1989, a las 19:00 horas

en la Cofradía de Loredo

Hamburgo No. 32, México, D.F.

Se suplica su puntual asistencia

Gone With the Wind - color -

La Costa - Grapes of Wrath -

Long Voyage Home - All about Eve

Kane - Casa Blanca

con palabra

Fecha - Alg - Dorys - Portillo Ricson

Tolora

Marbrita

Vino de Honor

Fuentes de luz. Esta interpretación fotográfica es complicada pues implica de la iluminación más simple y funcional a la artística. Esta última está ligada a la composición y ésta a la perspectiva tanto de cámara como de luz y el color —primero hay que tomar en cuenta si se trata de realizar día, noche, tarde, atardecer, amanecer, noche con luna, lluvia, nieve, neblina—. Esto todo para luego analizar cuál es la "fuente de luz" a seguir, tanto exterior como interior.

En exterior día, la posición del sol es la base o si no hay sol tener el ambiente nublado. Esto al pasar al interior es importante seguirlo. En interiores analizar la fuente o fuentes de luz, luz eléctrica, candiles, velas, mechones de petróleo, antorchas o simplemente obscuridad.

Siendo la fuente de luz la que tenga el exterior, si es toma urbana, la luz ambiente —arbotantes, comercios, etc— si es fuera de esto, luz de luna, o si se trata de lluvia la iluminación será a base principal de relámpago con un medio tono general muy bajo en el interior.

Tomando en cuenta el medio ambiente en que se mueve la historia hay que interpretar si se trata de una obra dramática, tragedia, comedia, melodrama, comedia musical, etc. Ambiente y época de la historia.

Plan de iluminación, equipo eléctrico.

Puede recomendarse seguir la luz ambiente a menos que se trate de otra interpretación en la obra, como expresionista impresionista, dadaísta, etc. O simplemente efectista.

Educar la vista para apreciar la iluminación, ésta con sus medios tonos, sombras, etc.

La gama total del blanco al negro. Enseguida el balance, con su perspectiva de luz. La iluminación en general y particularmente en interiores es lo que marca el ambiente, que ya el autor de la obra ha puntualizado y la fotografía tiene que seguirlo.

El color de la atmósfera. Los encantos de la naturaleza.

Densidad cromática, la luz del sol —las sombras largas, las aguas del Pacífico—.

Bajo el volcán. La rueda de la fortuna —símbolo de la Eternidad que nos conduce un año atrás—.

Las manos ensangrentadas del campesino muerto. El cartel *Las manos de Orlak.*

El campesino que soporta la carga de su padre, soporta el peso psicológico eterno del padre. Soporta eternamente el pasado.

La quema de la carta de Ivonne. Vuelan los papeles quemados como zopilotes. El Parián —la muerte—. El libro es en cierta forma una invitación a la esquizofrenia, es simultánea a la exaltación o a la depresión, a la seducción y abandono, fascinante y exhaustiva, al gusto y a la intimidación, y lo hace fundamentalmente sentirse en casa en un mundo terrorífico que pocas veces se lo ha imaginado uno.

La inexperiencia de la obra puede ser entendida por la indumentaria del Cónsul. Tuxedo, corbata negra pero no lleva calcetines. Lowry vivió su vida en tal forma que pudiera consumirla en una ficción.

La Cábala arranca al alma. Sus cadenas terrestres. Nos eleva a las supremas esferas, nos abre todos los cielos y nos descorre los velos de la Eternidad. Dante: a la mitad del viaje de nuestra vida me encontré en una selva obscena donde el buen camino estaba perdido, el que encontré era tan amargo que solo la muerte: *So bitter is that death is little more.* Es un poco más.

Newsweek
Everything falls meticulously
Into place
Magic— he on whose Herat
The dust of México has lain
Will find no peace in any other land

```
                        ANECTOTAS/
DRAPER/FERNANDEZ PHOT/REVELADO LOCACION/PICL
ALFONSO REYES/LA BANDIDA..              ES.
JOHN BARRYMORE/HAMLET/CORSSETTE/HOLLYWOOD
CHALE CABELLO/"QUE DISPAREN...
JULIO BRACHO ALVARADO/SALA...
MARIAELENA/ALVARADO..LAS MALETAS DELAS P/
JOHN FORD ALVARADO...CAMION CAZADORES...
               TYRON POWER
EMILIO FERNANDEZ/GOODRICH..DULCE OLIVIA..
        COMPADRE MUZQUIS...TORREON,CARCEL
MARIA FELIX..VILLAR & HEDIAS..CHONGO..VIAJE
     "MACLOVIA" PASQUEL...DIAMANTE..
DOLORES, ARCHI/A UD. NO LE VA HA GUSTAR...
SELZNICK/ACAPULCO..PUENTE...ANTONIETA.
S. DALI..N.Y./ENTREVISTA,LIFE" NEGRITA/
LUIS BUÑUEL/PAULINA L./ACAPULCO,P.ROBESON..
PIPILA GTO./YOUNG ONE, ENTREVISTAS IGUALES..
PEDRO ARMENDARIZ/MATALA" CUBA GILBERTO NIÑA.
ARTURO/JENKINS...CARMEN MIRANDA/STARTLET..
GILBERTO SU ESTUDIO..GENERAL RETRATOS..
DON PEDRO CORCUERA..HARE LO QUE PUEDA.
LA IGUANA..BEACH BOYS..EVELYN KAYES CHANGO..
GREG.RATOFF/CIRO'S HUMPREY BOGART..
LONDRES/LAWRENCE OLIVIER/M.MONROE/ART.MILLER.
TEHERAN/FARHADIVA..PRESENTACION...ENCENDEDOR.
SALVADOR NOVO/HOJA DE PARRA..."2as"DOLORES..
ERICK VON STROHEIM/KÖNER
```

Malcolm Lowry. Cuando en 1957 a la edad de 48 años Malcolm Lowry fue hallado muerto en un pequeño departamento rentado, que compartía con su esposa Margerie, en Ripe, England.

—"He was not a writer so much a writer". Empezó la novela —como short story— en 1936. Terminó 11 años después, luego no sólo empezó su trabajo sino su propio pasado, presente y futuro en donde nada se quedó por formar: Peter Rabbit.

La Cábala. Dante. La Mitología azteca. Los menús de los restaurantes. Expresionismo alemán. Karl Freund's...., 1935 —adaptación.

Cervantes, juegos mexicanos de mesa. Los grados del cielo claro —los nazis, la guerra de España y más—.

El volcán es tan rico y evocativo, y a la vez persuasivo argumento para tales pelícu-las, que cuando son hechas con inteligencia y artísticamente merece la atención que el público reserva en películas fáciles que llenan el medio.

El volcán, por la forma en que está escrito, los eventos en la superficie no son esencialmente coherentes o dramáticos, no es la base de *flash back* lo que da a la novela substancia y textura, sino la mente y asociación de ideas del Cónsul, el ir y venir en su atormentada ensoñación.

Ivonne— Have you really resigned?
Cónsul— Absolutely. No more diplomacy for me.
Ivonne— Then there's nothing holding you here any longer.
Cónsul— Magie. He on whose heart the dust of México has lain, will find no peace in any other land.
Ivonne— But nothing's really holding you.
Cónsul— There's nothing more real than magic.
La gran Cucaracha
Casa. Hugh —y el baño—, sombra señora Gregorio.
Plaza —las 3— rueda de la fortuna —martillo—.
Día. Camión a tomalin sinarquista.
Caballo campesino muerto —guardias blancas—.
Dinero con pañuelo con sangre —camión—.
Día. Plaza de toros —Anthony— Edén —torero—.
Mesa copas —diálogo—.
Noche interior —El Farolito— cartas, lectura, pasillo.
Cuarto María —mostrador— enano Emilio.
Ext. Caballo. Lluvia Ivonne —muerte—.
El cementerio —velas—.   Panaglide
Iglesia —sombras—.
Carretila —muerte amarillos—.
Parque —luz y sombra de árboles—.
Casa —recámara, baño—.

Parque 2º —rueda de la fortuna, martillo—.
Sra. Gregorio —tiro al blanco.
Camión tomalín —muerto—.
Cómica de toros.
El Farolito —pasillo, cuarto María—.
Exterior —caballo y muerte.
Cónsul— atmósfera.
Exterior noche —caballo Ivonne—.

Coronación. Donde espían a Leticia Perdigón bañándose.
El fugitivo. En la pugna del Estado de Tabasco contra el clero, no hay calles pero el cura, H. Fonda, regresa a su iglesia abandonada y decide oficiar unos bautizos clandestinamente. "Principio de película".
Two Mules for Sister Sara. Color. Rollo 2. Comienzan c/u, Clint y oficial francés antes de la piñata. De allí ½ minuto, durante la invasión francesa un aventurero combate U.S., 1872.
Kelly's Heroes. Una de las batallas de noche.
Divinas palabras. Interior de la casa donde amortajan el cadáver de la madre —al principio de la película—. La madre del enano.
Bajo el volcán. La secuencia desde que el Cónsul lee la carta hasta que va con María al cuarto.
Los olvidados. Como efecto en el pelo de la niña Alma Delia, cuando salen con el burro cargado de cadáveres del güero, se atraviesa la madre sin saberlo pero ésta lo siente. Finalmente lo tiran en un basurero. Final de *Los olvidados*. Tomada la historia de los archivos de la delincuencia juvenil, fue la primera gran película de don Luis. Premio en el festival de Cannes.

Hemos tomado la secuencia del sueño. Para lograr este tipo de escenas: acelerando los 24 cuadros normales, corriendo la cámara a 96 cuadros, lo segundo para dar a las escenas la lentitud de sus movimientos de pesadilla, la culminación de esta fase de sombras densas, y aunque no se nota por el balance, la

iluminación era de una gran intensidad para poder grabar a esta alta velocidad.

La secuencia final de *Los olvidados*. El granero donde pelean el *Jaibo*, Cobo y mata al Güero —Mejía—, la iluminación es parte reflejo de las luces urbanas mezclada con luz de luna —esto se nota más en el exterior del granero— que nos ayuda en el momento que la niña y el abuelo llegan y se asoman al interior.
La Malquerida. Final total 3 ½ desde *full shot*. Pedro, primer plano, el caballo amarrado, hasta *long shot* con la cruz en primer término. Termina con Dolores, espalda *full shot*.
Nazarín. Interior día. Desde *shot* de la niña enferma hasta la cruz exterior de Pircha 1½.
Pueblerina. Comentaremos el final de la película: Esperamos a que tuviéramos un cielo o nubes dramáticas, tuvimos la suerte

DROGUERIA DEL REGIS/
LIC. FERNANDO DE LA LLAVE (EL VATE)
EL FRIJOL/EL REY CAROL/ISLAS MARIAS...
JAN GENET/OCT. PAZ/PARIS I950/
NITE OF THE IGUANA/BEACH BOYS/AVA GARDNER.
ORSON WELLES/ G.MAIKENWISZ.
JAIME MENASCE...PARIS/HABANA/MEXICO/CAIRO.
DIEGO RIVERA/MIXCALCO...ARQUITECTURA/PRADO..
casey Robinson adf. corazon de Piedra Verde
BUÑUEL /PORTAFOLIO LLENO DE PRESERVATIBOS
EMBAJADA /CENA/PATHE/PERRO/ *eeee eeeee* ...
ALFONSO REYES/LABANDIDA/___CABLE/PUTA OUT¡
BUÑUEÑ/T.V. AGUA PERRIER/CRISTO /ESA NO/
AUDEYR HEPNURN/MEL/ SERVILLETA
HUSTON /EVELIN KAYES /CHANGO
EMILIO FERNANDEZ/MARCUS GOORDICH/
VATE DE LA LLAVE/GIOCONDA...
LA REBELION DE LOS COLGADOS/SALV.NOVO/BRASS
LAWRENCE OLIVIER/MONROE/MILLER/LONDRES
SALVADOR DALI/NEW YORK CINE EXPERIMENTAL
ESCENAS FAMOSAS/
FERNANDO SOLER/JOAQUIN CORDERO/

ABSTRA■cion/

DAR A CONOCER SITIOS O LU-
GARES/DOCUMENTO/HISTORIA/

PUNTO DE VISTA/

LA FORMA LA PODEMOS MOVER

Y DARLE EL SENTIDO DESEADO

TRASMITIR INFORMACION REAL

VIOLENTA DRAMATICA/

Simulacion —
PERSPECTIVAS PROFUNDAS Y
PLANOS BIEN DEFINIDOS DE
SOMBRAS ALUCINANTES, INTRIGAN
EL OJO DEL ESPECTADOR Y NO
PODRIAMOS IMAGINAR AMBULAR
EN ESE AMBIENTE O TOCARLO,
PUES TODO ES UNA ILUSION.
CHIRICO/MAX ERNST/DALI/
PICASO/MAGRIT/MIRO/

de que una gran tormenta se presentó en el momento de realizar esta secuencia. La iluminación es natural, luz reflejada del cielo y la luz del sol. La composición es en ángulos bajos para realzar las nubes y el cielo obscuro, fondo de nuestro escenario cuyo dramatismo nos ayudaba a presentar este duelo a caballo —el cielo obscuro se utilizó como fondo del carro donde se encuentra Columba y el niño, que es donde el drama se refleja principalmente—. Nótese en las panorámicas de las cámaras cuando pasan de un tono al otro del cielo —esta secuencia lució gracias a la naturaleza—. Fue filmada en 10 minutos.

Enamorada. María Félix se va a casar con un norteamericano estando enamorada de Pedro Armendáriz. El novio le ha regalado un collar de perlas que es donde nuestra secuencia comienza, rompiéndose el collar y el compromiso.

María sale a la calle donde pasan en retirada las tropas de Pedro Armendáriz. La iluminación de noche urbana para realzar el dramatismo usamos reflectores potentes y muy bajos para proyectar las sombras de las soldaderas sobre la pared, de allí disolvemos a día —lleno de nubes y bombas— donde María alcanza a Pedro que cabalga y ella lo acompaña a pie igual que todas las soldaderas. Es el final de la película.

Nazarín. Don Luis Buñuel, galdosiano por excelencia, hizo una magnífica interpretación cinematográfica de la obra, llena de amor y religiosidad, interpretada por Rabal, Rita y Marga que le dan vida a sus voces.

Nuestra secuencia comienza en una choza muy pobre. Hay un niño enfermo, su madre y amigas esperan un milagro del sacerdote pues han tratado toda clase de remedios caseros. La iluminación día es a base de luces pequeñas individuales para que en los acercamientos se realcen los detalles de las manos y actitudes de las gentes implorando el milagro, así como la limpia a base de hierbas que le pasan al sacerdote quien bien sabe que él no puede hacer milagros, pero entiende el sufrimiento de la madre y amigas que la acompañan, finalmente sale de la choza para seguir hacia su destino.

Río Escondido. Noche. Secuencia del velorio del niño que mata el cacique, al que el pueblo acude junto a María Félix, la maestra.

Contenido ideológico de la obra de arte

En toda obra de arte hay conocimiento, es decir, elementos de conocimiento e ideología. Esto es porque se une a la vida, a la práctica, a las ideas y representación de una época. Pero el arte o se reduce a un conocimiento confuso, o a un conocimiento o a una ideología aplicados. No se confunde, en las diferentes épocas con la ideología, con los conocimien-

tos mezclados con ilusiones. Saber, estructura como la religión, el derecho o la economía, se distingue de ellas por sus caracteres determinables.

Con el arte se mezclan el juego, la fantasía, la imaginación que se sirve de ficciones tanto para salir de lo real como para entrar en ello profundamente. Tiene su fundamento en un estilo tan profundo como el conocimiento y la ideología, ya que se esfuerza por aprender el contenido total de la vida, en toda su riqueza, en un momento dado, emprendido el conocimiento y la conciencia claras, comprendido igualmente lo que queda "inconsciente" en su momento.

Henry Lefebvre

Pintura

Julio II.
Keneth Clarke.Biblioteca papal.
La escuela de Atenas, Rafael.
Hay dos figuras.
Los personajes en la búsqueda de la verdad.
Escorzo Aristóteles, extiende en mano moderadora.
La mujer... Miguel Ángel.
Un organismo reproductivo.
1870—1914, el Impresionismo.
Seurat—pintura distante.
Monet—paisaje—jardín que construyó.
Cezanne—precubismo—frutas—paisajes—cebollas—duraznos.
Van Gogh—densidad cromática.
Gauguin—su paraíso. Sus colores y las palabras.
Derain.
Matisse—lujo, calma, placer—miniaturas persas.
Arte en los objetos que lo rodean—los recortes—mosaicos moros—arte decorativo.
Bonnard—naturaleza muerta ordenada tal como lo encontraba.
Desnudos de su mujer no sabía de pintura ni de cocina.

PROCESO MENTAL HACIA LA REALIDAD/ABSTRACCION/

EL OJO PERCIVE Y LO HACE OBJETOX CONCEPTO/

CONCEPTO ESTETICO/

EL IMPACTO FOTOGRAFICO DE LLA IMAGEN ES UN MISTERIO/

IMAGEN IMPACTANTE/

COMUNICAR MI EMOCION/

ES MEMORIA/

HACER USO DE LA IMAGEN

NO HAY RECETA ES MAGIA/

PATRONES ESTABLECIDOS/

Picasso no es deformación es emoción—*Las señoritas de Avignon.*
Guernica—blanco y negro.
Robert Hughes.

El paisaje — expresionismo.
Van Gogh— Corriente de energía a través de la luz.La gravedad de los efectos de la luz del sol.Delicadeza y transparencia. Energía.Clima y luz.
Edward Munch—azul y negro—la muerte.
Toulousse Lautrec—azul negro y rojo—.
Emil Nolde.
Bacon—sensibilidad convertida en violencia—azul, negro, dorado.
Kandisnky.
Rouault.
Kokoschka.
Chagall.

XVIII

La magia es el Arte de hacer lo que la naturaleza no puede hacer

El Arte es la mentira que nos permite acercarnos a la Verdad —

El hombre es Artista en cuanto se pone a imaginar y mucho antes de razonar

Paul Klee.
Russeau.
Jackson Pollock.
Rothko.
Aislamiento cultural.

Ausencia de la estética, la moral y la conciencia

1921—Sensualismo—¡Como poder seguir! Liberación de la mente.No hay inspiración racional—instrumento de la libertad—el papel, la mente y los sentidos.

El sueño fue un instrumento inconsciente —la reflexión oculta— la mente soñadora, involuntaria de los sueños. Breton lo puso al servicio del comunismo. Freud—la mente—.

Chirico, Max Ernst, Russeau, Miró, Bosch, Dalí —ligados en espíritu con Gaudí—. Dalí: todos los sentidos de la realidad —brillante sentido de la provocación—.

Man Ray—Magritte, fue lo que no debió ser. Un estilo—rebelión de la mente.

Valores estéticos

Significamos por belleza un cierto valor estético concreto, por ejemplo, cuando nos referi-

mos a la belleza de la figura humana tal como la entendieron los griegos, o los orientales, o los modernos, etc.

Este sentido multívoco complica más todavía la tarea de reducir el valor estético a una expresión racional. La idealidad de los valores estéticos no es una idealidad intelectual o de otra especie sino precisamente de orden sensible.

Samuel Ramos

El arte abstracto, arte intelectualista por esencia, tiende todavía a confundir la emoción estética con una percepción muy intelectualizada de los objetos.

Surrealismo. Cualquier explicación racional, psicológica, moral o cultural será eliminada. *La edad de oro* —(Plan—Sueño. L. B.) Una carreta llena de obreros atraviesa un elegante salón—Un padre mata a su hijo de un escopetazo porque le había tirado la ceniza del cigarrillo. Max Ernst. Jefe de bandidos en la policía en Francia. Prohibieron la película. *Tristana*. Pobres trabajadores con miedos y apaleados. El trabajo es una maldición. Saturno ¡abajo el trabajo! que se hace para ganarse la vida—Este trabajo sólo sirve para llenar la panza de los cerdos que nos explotan. Por lo contrario, el trabajo que se hace por gusto o vocación ennoblece al hombre. Mirame a mí yo no tengo trabajo y ya lo ves, vivo, vivo mal, pero vivo sin trabajar.

Estética

¿Cómo saltar de los sentidos y de la materia al plano de la forma y del pensamiento?

Hay un estado intermedio del hombre, "el estético" en el que se sustrae al imperio de los sentidos y de la razón. En el estado estético, el hombre es libre, totalmente libre, ya que no se halla determinado ni material ni intelectualmente.

Schiller

Sentidos estéticos. El oído musical, el ojo sensible a la belleza de las formas.

Lo bello es lo que place universalmente y desinteresadamente, sin que la imaginación se halle sometida al entendimiento.

Kant

Revelar los valores sobrenaturales de la belleza.

Anti-los psiquiatras. Es mejor el viejo procedimiento, practicar el acto de confesión y no el deseo de curarse.

Visión. Aquel que entre en las posibilidades espirituales de su arte, ayuda a levantar la pirámide espiritual que algún día alcanzará el cielo. El artista es aquel que envía luz dentro de la oscuridad de los corazones. El secreto del poder de visión.

Para adelante o para atrás, este movimiento es el movimiento de la experiencia. Sentido o sentimiento interno es mayor que la realidad exterior.

Blanco y negro. La diferencia entre el color y el blanco y negro: El blanco y negro tiene muchos matices, puede ser sueño y al mismo tiempo presenta la realidad en forma más dramática y más directa al espectador.

La fotografía en b/n acerca los objetos que representa. Lo más difícil es conseguir "volumen" para esto, puede lograrse a base de perspectiva, luz y sombra y equilibrio. En cambio en el color esto no es problema puesto que el volumen lo da la separación de los colores.

La diferencia, válganos un ejemplo, es la misma diferencia que existe entre la pintura y el grabado.

El grabado es más débil que la belleza del colorido en murales o pintura de caballete y la realidad pictórica que éste enc ierra. En

cambio la pintura no puede competir con la fuerza dramática, la crítica social, la propaganda y la imagen de los pueblos en sus angustias y necesidades que puede presentar el grabado. Hay un ejemplo que puede ilustrarnos: durante la guerra reciente en Vietnam el pueblo norteamericano se enteraba por los noticieros de los acontecimientos, (en color) y esto lo alejaba del verdadero dramatismo de los horrores de los bombardeos y masacres del pueblo vietnamita.

Si los noticiarios hubieran sido presentados en blanco y negro estamos seguros que la reacción del pueblo norteamericano hubiera sido distinta, dado el grado de tragedia y dramatismo que encierra el blanco y negro.

Cine. El cine es una creación, su fuerza y belleza objetiva radican principalmente en los logros de equilibrio a través del movimiento. Sin embargo, es en su forma subjetiva donde reside la magia de adueñarse de la mente del espectador y arrancarlo de sus cadenas terrestres para transportarlo hacia lo desconocido, hacia lo infinito, hacia lo que está detrás de la naturaleza y la hace posible.

LA HONESTIDAD DE MIS SENTIMIENTOS...
MI DEDICACION AL TRABAJO..EN EL ORDEN SOCIAL
Y CINEMATOGRAFICO...

EN MI TRABAJO,VALERME DEL ESCORZO PARA LOGRAR..
TODA LA FUERZA EXPRESIVA DEL SER HUMANO....

EN EL PAISAJE..LA MONTAÑA/LAS NUBES DRAMATICAS
/LA FUERZA DEL MAR/LAS PRADERAS Y LOS RIOS...

LA ARQUITECTURA PREHISPANICA/LA COLONIAL Y LA
ACTUAL...ÉSTA,TRATADA EN OCASIONES POR MEDIO
DE LA PERSPECTIVA CURVILINEA....

EN PARTE,ESTO DIO COMO RESULTADO EL HABER
OBTENIDO EN BLANCO Y NEGRO LA CALIDAD DEL
GRABADO.. SU FUERZA...
PARA NUESTRO CINE UNA IMAGEN NUESTRA...
UNA IMAGEN MEXICANA...ACEPTADA Y PREMIADA
EN COMPETENCIA EN LOS FESTIVALES CINEMATO-
GRAFICOS MAS IMPORTANTES DEL MUNDO...
CANNES/VENECIA/KKKKKKK/KARLO VIVARY/BRUSELAS/
HOLLYWOOD CON EL OSCAR Y EL GLOBO DE ORO...ETC./

MIS PRIVILEGIOS... INTERNACIONALES...

HABER COLABORADO CON TRES DIRECTORES GRANDES..

LUIS BUÑUEL/JOHN FORD Y JOHN HUSTON....

HABER FOTOGRAFIADAO LAS OBRAS DE AUTORES
UNIVERSALES....

JOHN STEINBECK/GRAHAM GREEN/TENNESSY WILIAMS/
B.TRAVEN/MALCLM LOWRY/ALBERT MALTZ/

ROMULO GALLEGOS/G.GARCIA MARQUES/JOSE DONOSO/
JUAN RULFO/MAURICIO MAGDALENO/CARLOS FUENTES
JOSE REVUELTAS/MARIANO AZUELA/ /
MARIO VARGAS LLOSA/

HABER TENIDO PROPOSICIONES DE TRABAJO DE....

SAM GOLDWYN/DAVID SELZNICK/ORSON WELLES/
ELIA KAZAN/ABEL GANCE/OTTO PREMINGER/
GREGORY RATTOF/EDDIE SMALL/
MOULINE ROUGE/J.HUSTON/

..Y CON LAS CIAS.

METRO GOLDWYN MAYER
R.K.O.
UNIVERSAL STUDIO
ARGOSY PROD/

Las ilustraciones de esta sección fueron originalmente realizadas por los caricaturistas Antonio Arias Bernal y Ernesto García Cabral para promover la película *El señor fotógrafo* (Miguel M. Delgado, 1952), que llevó en su rol estelar al cómico Mario Moreno *Cantinflas*. Las piezas de la autoría de Ernesto *el Chango* Cabral formaban parte de una serie titulada *Manual del perfecto fotógrafo*. En el Fondo División Fílmica de Fundación Televisa se conservan reproducciones fotográficas de ese material publicitario.

The illustrations in this section were originally made by the cartoonists Antonio Arias Bernal and Ernesto García Cabral to promote the film El señor fotógrafo *(Miguel M. Delgado, 1952), starring comedian Mario Moreno* Cantinflas. *Ernesto el Chango Cabral's drawings were part of a series entitled* Manual del perfecto fotógrafo *(The Perfect Photographer's Manual). Photographic reproductions of this advertising material are conserved at the Fundación Televisa's Fondo División Fílmica.*

GABRIEL FIGUEROA

TRAVESÍAS DE UNA MIRADA

THE HOMELAND IN ILLUSTRATIONS	577
FOOTLIGHTS	578
RANCHO GRANDE	578
MOVING MURALS	579
EL INDIO	580
THE BOLA	581
THE GENERALA	581
METROPOLIS	582
THE SLUMS	583
NIGHT	584
LEISURE AND ENTERTAINMENT	584
LUIS BUÑUEL	585
ÁLVAREZ BRAVO, STILL PHOTOGRAPHER	586
APPARITIONS	586
BRIEF NARRATION	587
THE SMALL SCREEN	588
NEW WAVE	589
LOVE, LOVE, LOVE	589
CONSTELLATION	590
LIGHTING TESTS	591
A NEW IMAGERY	591
CHARACTERS FACING THE SEA	592
TRANSITING THE NATIONAL	593

Ceri Higgins

GABRIEL FIGUEROA AND JUAN RULFO	605

Douglas J. Weatherford

Proof-reader:
Richard Moszka

THE HOMELAND IN ILLUSTRATIONS

Since it first became an independent nation, Mexico has been rendered as the homeland in countless illustrations that, populated by emblems, vistas and portraits, created a lexicon of its landscapes, achievements, peoples and customs and transformed them into a symbolic heritage. One of the effects of the 1910 Revolution was to add fuel to this exaltation of the native soil. Thus, a creative quest for images characteristic of the nation was encouraged, a renewed importance was ascribed to folk art, and the celebration of certain vernacular topics became routine.

In the short and long term, Gabriel Figueroa's best-known works were inscribed in this collective endeavor: the invention of Mexican imagery. Figueroa tried to use the camera to do what other artists had done with prints, music or painting. The images that he created or helped produce are part of the network of appropriations, exchanges and reinterpretations that shaped the identity and visual culture of Mexicans over the twentieth century.

This "illustrated Mexico" is based on intangible settings substantiated by these images and their mutual affinities, associations and transferences: photographic landscapes seen from the same point of view as their forerunners in painting, murals that become photographs, photographs that illustrate books, books that inspire films, films that become ways of remembering.

Carols Fuentes noted that the beauty of Figueroa's images "not only hid a will to artifice but also indicated that they were meant to be added to the world rather than reflect it, rendered to exist on their own rather than as impossible duplicates. The reality on which these images were based will no longer be real one day (environmental destruction, amongst other things, will take care of that) and then art's transfigurations will pass for reality: we will see Figueroa's Mexico, and not the one that really was. Thus, truth always clashes with the facts."

Tr. Pilar Villela

FOOTLIGHTS

Gabriel Figueroa Mateos was born in Mexico City on April 24, 1997. He was orphaned at a very early age and had to learn quickly about the twists and turns of fate. His mother died giving birth to him, and his father was never able to recover from the loss. Along with his brother Roberto, Gabriel spent his childhood under the care of his aunts on his father's side. In this family environment, Gabriel grew up surrounded by hard-working widows and liberal writers who sympathized with various revolutionary warlords.

When the money they inherited from his parents ran out, squandered through the executors' mismanagement, the Figueroa brothers were forced to quit their stud-

ies to make a living. Thus, Gabriel, who was studying drawing and music following his artistic inclinations, had to leave the San Carlos Academy and the National Music Conservatory. He then began studying photography with Lalo Guerrero: the trade that was to become his livelihood for the rest of his life.

Gabriel Figueroa's training as a photographer spanned from 1927 to 1932. He worked at a studio on Guerrero Street, where people had their picture taken in front of hand-painted backdrops under natural light. Then he found employment with Juan de la Peña. The latter ran a business founded by several Mexico City photographers who aspired to compete against Russians working on Hidalgo Avenue. (Since they slashed their prices to acquire a clientele, at times Figueroa—whose daily wage was a peso—had to produce up to a hundred oval-shaped portraits per day.)

But it was at a photo studio named Brooklyn where the mysteries of photography technique were revealed to him. The shop was run by José Guadalupe Velasco: a pioneer in the use of artificial lighting, a grand master in retouching negatives, and a follower of the Bohemian cult for the artistic nude. Famous for his cosmetic tricks—heart-shaped mouths and well-defined eyelashes, amongst others—he had become the favorite of actresses and vaudeville dancers. Years later, his student recalled:

"All the lustful life of Mexico would go there to have their portraits made."

Finally, in association with his friend Gilberto Martínez Solares, the young Figueroa opened his own photo studio. Actresses like Sara García or Consuelo Frank, dancers like Issa Marcué and other performers commissioned him for their promotional pictures. In making these portraits—visibly influenced by Pictorialism and Expressionism—Figueroa fine-tuned his craft as a photographer.

These pictures of celebrities and novel aspects of modern life—published in magazines like *Mexico al Día* or *Filmográfico*—were Figueroa's contribution to a time that was eager to leave behind the cloud of dust raised by the Revolution. Some time later, while working at a studio that Gilberto Martínez Solares had opened on Madero Street, Figueroa befriended Alex Phillips, one of the American cinematographers employed in the nascent Mexican film industry. With his recommendation he was able to start working as a still photographer at the studios where miracles happened, like the reincarnation of Marlene Dietrich in the form of Andrea Palma.

Tr. Pilar Villela

RANCHO GRANDE

In August 1936, after having worked as a still photographer, key grip, camera operator, and assistant cameraman, Gabriel Figueroa finally had the opportunity to become the director of photography on a feature film. Directed by Fernando de Fuentes, the movie *Allá en el Rancho Grande* was a domestic and international success, and it established the formula for a genre that became a trademark of Mexican cinema—the *ranchero* comedy.

Esther Fernández and Latino cowboy Tito Guízar played the leads in this film about rural love affairs, generously seasoned with songs by Lorenzo Barcelata and other eulogists of the *patria chica* (the "little homeland"). *Cruz*, the story that inspired the plot, was written by the brothers Luz Guzmán de Arellano and Antonio Guzmán Aguilera. The latter, best known as Guz Águila, had been a prolific vaudeville theater author over the 1920s, when that form of entertainment was an explosive mix of working-class humor, lewdness and daring political comment.

Filmed during President Lázaro Cárdenas's six-year term—whose administration launched social reforms such as the one that encouraged communal land ownership—*Allá en el Rancho Grande* was avowedly nostalgic for the times of the stately hacienda, transposing its gallantry and serenades into an Arcadian paradise devoid of any class conflict or historical reference. This film promoted a decorous protraction of picturesque nationalism, vindicating symbols of identity—landscapes, customs, ways of speaking,

Ernesto García Cabral.

typical costumes—that did not correspond to any existing reality, but rather to a new folklore invented by the media.

For Aurelio de los Reyes, *Allá en el Rancho Grande* was "the sum and synthesis of the literary tendencies that had been introduced to Mexico over the nineteenth and twentieth centuries or before: (...) one-act farces, vaudeville, zarzuela, variety theater, and parodies of local customs; (it was) Mexican genre theater taken to the screen with the characteristics of Revolutionary Mexican nationalism," but stripped of its politics. The mixing and recycling of these traditions explains, to a large extent, this film's immediate popularity and its

subsequent long shelf-life—in the words of Emilio García Riera, it was "the ranch that made an industry" by being the pioneer in presenting an eternally festive saga that featured a wide array of quarrelsome, easily infatuated singing *charros*, with Jorge Negrete and Pedro Infante as its most notorious representatives.

Tr. Pilar Villela

MOVING MURALS

Gabriel Figueroa always acknowledged the influence of Diego Rivera, José Clemente Orozco, David Alfaro Siqueiros and Leopoldo Méndez's works on his own; they were "my teachers in their way of seeing people and things." In the cinematographer's own account of his associations with Mexican visual art, he emphasized his relationship with Lola and Germán Cueto, as well as with Rivera, when he was young and they were all neighbors in a lane of row houses off Mixcalco Street. He also mentions how he developed a renewed interest in painting after he filmed Lola Cueto's tapestries and works by friends of his like Antonio Ruiz *el Corcito* and Manuel Rodríguez Lozano. Finally, he acknowledges the role played by actress Dolores del Rio—upon her return from Hollywood—in establishing a Mexican mystique that led to a synchronicity between film and all the other arts during the mid-1940s.

There are plenty of examples of the exchange that took place between film and art during those years. Rivera, one of María Félix's many suitors, considered that Figueroa had created the "moving mural painting." Siqueiros stated that the cinematographer's work was part of the quest for new techniques that would set Mexican film apart from traditional media; and Orozco never objected to the fact that Figueroa, "an honest thief," had filmed his oil painting *El réquiem* (1928) for *Flor Silvestre* (Emilio Fernández, 1943). Siqueiros's foreshortened figures and the "curvilinear perspective" of painter Gerardo Murillo (a.k.a. Doctor Atl) often appeared in Figueroa's compositions.

Leopoldo Méndez, who was part of the Taller de Gráfica Popular (People's Printmaking Workshop), made prints to illustrate the credits of several films. In 1949, Manuel Álvarez Bravo and Figueroa filmed Diego Rivera. At that time, the mural painter had a large retrospective and was working on a portrait of Dolores del Río in the role she played in *María Candelaria* (Emilio Fernández, 1943): film was merely paying art back for some of the ways in which it had been influenced by it.

As a cinematographer, Figueroa did not only help promote the imagery of his mentors, he also assisted Álvarez Bravo and Méndez on books that the Fondo Editorial de la Plástica Mexicana published about folk art, Mexican Muralism, and the prints of José Guadalupe Posada.

The show *Gabriel Figueroa y la pintura mexicana*, organized by the Carrillo Gil Museum in 1996, showed once more that watching Figueroa's films often felt like a tour of various painting exhibitions.

Tr. Pilar Villela

EL INDIO

According to his own autobiographical account, which is not unrelated to the construction of his legend, Emilio *El Indio* Fernández Romo (Mineral de Hondo, March 26, 1904–Mexico City, August 6, 1986) became a film director following one person's advice and his inspiration in someone else, while he was making a living as an extra and playing supporting roles in Hollywood films. The advice came from an exiled ex-president, Adolfo de la Huerta, who told him: "Learn how to make films and go back to our country with that knowledge. Make Mexican cinema, and you'll be able to express your ideas in such a way that they reach thousands of people. You can't have a better weapon than that." The inspiration came from Sergei M. Eisenstein and one of the edits made of the footage of what was meant to be—but never was—*Que viva México!*

The son of a Spanish father and a Kikapú Indian mother, Fernández was a young veteran of the Mexican Revolution, which, in his own words, he had joined as a child. He came to the Mecca of film after a long journey through the US, where he was exiled after escaping Santiago Tlaltelolco prison. In 1933 he returned to Mexico with the experience of having participated in westerns, met stars and learned the basics of film production.

The movie industry of his country of origin, which had made the transition from silent to sound films, gave him the opportunity to work on projects such as *Corazón bandolero* (Raphael J. Sevilla, 1934), *Cruz Diablo* (Fernando de Fuentes, 1934) and *Tribu* (Miguel Contreras Torres, 1934). His first starring role was in *Janitzio* (Carlos Navarro, 1934), where he acted out the loves and misfortunes of Zirahuén, a native of the island of Janitzio. Fourteen years later he went back to the same story and location to film

Maclovia (1948), but by then he was already the director of several successful films who had created an exalted image of his homeland.

Gabriel Figueroa and *el Indio* Fernández started collaborating in 1943 on the films *Flor Silvestre* and *María Candelaria*, both produced by the Films Mundiales studio. Figueroa was behind the cameras in twenty-four of the forty-one films that *el Indio* directed over his career. Figueroa's cinematography was a fundamental component of the film rhetoric developed by *el Indio*—a macho man on- and off-screen who was a nationalist to the point of demagogy, an inspired visionary who could also be cloying. At some point Emilio Fernández said, "There is only one Mexico: the one I invented." That invention would have not been possible without the faces of actors such as Dolores del Río and Pedro Armendáriz, the literary craft of Mauricio Magdaleno, the music of Francisco Domínguez and Antonio Díaz Conde, and the images of the cinematographer who Diego Rivera saw as one of his peers.

Tr. Pilar Villela

THE *BOLA*

In the memory made possible by the cinematographer—a device that could present as moving pictures both documents of reality and fictions in which reality is a more or less believable simulacrum, erasing the line between them—the Mexican Revolution was the subject of newsreels, propaganda films, exalted evocations, and carnivalesque visions that smelled of gunpowder and tequila.

During the 1930s—after the political party that could settle the different victorious factions' conflicts was founded—the historical memory of the *bola* (a name given to the unorganized uprisings that were part of the Mexican Revolution) continued its process of institutionalization, while the monument that celebrated the deeds of heroes who had been rivals in their lifetime was being built in Mexico City. During those years, Figueroa worked as a still photographer, camera operator and director of photography. The films he made at this time illustrate the different ways in which moving images reconfigured the memory of facts, characters and contexts from the recent past: *Revolución* or *La sombra de Pancho Villa* (Miguel Contreras Torres, 1932); *Enemigos* (Chano Urueta, 1933); *Vámonos con Pancho Villa* (Fernando de Fuentes, 1935) ; *La Adelita* (Guillermo Hernández Gómez and Mario de Lara, 1937); and *Los de abajo* (Chano Urueta, 1939). Years later, Figueroa would acknowledge that this last movie, as well as *La noche de los mayas*—filmed that same year and also directed by Urueta—were the first to fully show his style, one akin to the aesthetics of the masters of Mexican mural painting.

In the early years of his career, Figueroa was part of a visual re-elaboration of the Revolution that allows us to see the process by which fiction films assimilated records and representations of the armed struggle—prints, *corridos* (narrative ballads), novels, performances, photographs, and archival footage. In the decades that followed, this re-elaboration eventually produced a self-referential genre: films about the Revolution referred to nothing else besides the contexts depicted in other films of the same kind.

These creative licenses allowed the canonical image of Pancho Villa on his horse—taken by the staff of the American Mutual Film Corporation in 1914—to appear side by side with a still of Figueroa's in one of the posters advertising the film *Revolución*, directed by Contreras Torres. According to the latter's version of history, the Revolution featured a triumphant parade in which Carranza, Obregón, Zapata, and Villa were cheered in Mexico City, an effect created by splicing together two different documentary fragments. These manipulations also implied that some things were kept hidden: for many years an alternative ending to *Vámonos con Pancho Villa* remained unshown because it revealed the darker side of the legendary "Centaur of the North."

Tr. Pilar Villela

THE *GENERALA*

Scriptwriter and director Fernando Palacios could recall the precise moment at which he discovered the

Ernesto García Cabral.

Octavio Paz wrote, "María Félix's greatest film was María Félix," and more than a few of the sequences in this film were in charge of Gabriel Figueroa. *Enamorada* (Emilio Fernández, 1946) not only marked the beginning of a friendship and fruitful collaboration between the actress and the cinematographer, it was also the first film of a series through which *la Doña* carved a place for herself in the fictional world of the Mexican Revolution. In movies such as *La Escondida* (Roberto Gavaldón, 1955), *La Cucaracha* (Ismael Rodríguez, 1958), *Juana Gallo* (Miguel Zacarías, 1960), and *La Generala* (Juan Ibáñez, 1970) this woman—considered as one of the most elegant in modern Mexico—was the faithful associate or leader of ragged armies of actors clad as rebels or *soldaderas* (women who accompanied the Revolutionary armies).

On the sets and locations of a make-believe, carnivalesque revolution far removed from any historical validity, Figueroa portrayed María Félix getting drunk, cursing and shooting guns or waking up from dreaming she was a priestess. In one of these evocations of *la bola*, he also shot the close-up that immortalized *la Doña* as a set of glowing, heavy-lidded eyes.

Tr. Pilar Villela

METROPOLIS

In the late 1940s, Mexican cinema was still a glamorous and influential industry, even if the favorable

"spectacular woman" who answered to the name of María de los Ángeles Félix Güerena in front of a shop window in downtown Mexico City. It was Thursday, January 4, 1945, at 5:45 p.m.. Gabriel Figueroa shot the first screen tests of that young woman from Alamos, Sonora, and it was Palacios himself who helped her take her first steps as an actress and introduced her to the world of film.

María Félix's proud beauty first achieved fame in *El peñón de las ánimas* (Miguel Zacarías, 1942). In *La mujer sin alma*, directed by Fernando de Fuentes, Félix played the role of a seductive and domineering woman that she would subsequently reprise in films

such as *La devoradora* (Fernando de Fuentes, 1946) or *La diosa arrodillada* (Roberto Gavaldón, 1947). In 1943 she was the star of *Doña Bárbara*, an adaptation of Rómulo Gallegos's homonymous novel directed by Fernando de Fuentes and Miguel M. Delgado. In this film, Félix played a despotic landowner from the Venezuelan plains. The nickname that the press and audiences used to talk about her adventures (erasing the difference between film and real life) was taken from this movie. In popular mythology, *La Doña*—the diva who inspired great songs and widely publicized romantic involvements—became a figure that embodied a rebellious temperament and meteoric social success.

conditions that allowed its expansion during World War II no longer prevailed. When the state of things in Hollywood—which had focused its resources on supporting the American armed forces and their allies—returned to normal, Mexico City studios lost their dominance over Spanish-speaking markets. Moreover, in a country that was changing because of industrial development and urban growth, audiences' tastes and the topics of interest in film inevitably changed as well.

Even when it continued to be tied to canonical genres, to a roster of stereotyped actors and to an ideology that promoted established values, Mexican cinema echoed the modernization process summed up by the title of a film: *Del rancho a la televisión* (From the Ranch to Television, Ismael Rodríguez, 1952). The city and its various settings—tenements, rooftops, housing projects, shops, cabarets, red-light districts and hospitals—became the primary locations for the lives imagined on the silver screen. Gabriel Figueroa's craft as a cinematographer, widely tested under the open skies of the countryside, could also be applied to creating believable, dramatic atmospheres in enclosed spaces where plots involved thugs and whores, immigrants from the countryside and workers of different trades, helpless children and dreamy young women.

However, the style that had garnered the cinematog- rapher international fame was not the one that Luis Buñuel needed to portray, in all its harshness, the life of *Los olvidados* (The Young and the Damned, 1950)— marginalized children and teenagers who lived on the outskirts of the city. From *Mientras México duerme* (Alejandro Galindo, 1938) to *México 2000* (Rogelio A. González, 1981), Figueroa filmed pictures that directly or indirectly document the emergence, heyday and disappearance of a metropolis whose favorite forms of entertainment included looking at itself in films where it was reviled, courted, conquered, abandoned or proudly displayed.

Tr. Pilar Villela

THE SLUMS

As a genre, illustrated magazines became popular in Mexico between the 1930s and the 1960s. Pictures confirming photojournalism's potential to denounce or chronicle events appeared on the pages of *Hoy, Mañana, Impacto, Siempre* or *Sucesos para todos*. In the stories and pictures of the Mayo brothers, Héctor García, Nacho López, Rodrigo Moya, Juan Guzmán and other "camera aces," there was room for those milieus and realities that only appeared as demagogical fodder for the discourse of the "institutionalized revolutionary" regime, or as sugary melodramas in film.

These photojournalists and their editors did not try to hide the fact that they owed much to film narrative.

Filmmakers and photojournalists often shared the same subject matter, locations, and characters in their work. But in the history of Mexican fiction film there are few cases like Luis Buñuel's *Los olvidados* (1950), the film that depicted life in the slums with disturbing poetic vitality. This was the life that was also portrayed in Juan Guzman's series about the 1950 national census, in Nacho López's story *Una vez fuimos humanos* (1951), or in Héctor García's photograph *Niño en el vientre de concreto* (ca. 1953).

The slums on the city's outskirts and homeless children were already topics that regularly turned up on photojournalists' agendas by the time producer Óscar Dancigers decided to make a film about them. Thus, in this project Buñuel also became a sort of journalist who had to infiltrate the underbelly of the city. The material that would shape the unhappy story of Pedro and *el Jaibo* was found by Buñuel and his team on their walks through Nonoalco, Tacubaya and Romita square, in Juvenile Court files and crime tabloids.

Los olvidados was not well received by an audience that had turned *Nosotros los pobres* (Ismael Rodríguez, 1947) into a success. Buñuel was accused of presenting a demeaning image of Mexico, the same that was said of Nacho López in 1956 when he exhibited a selection of his photographs at a Washington gallery, and of American anthropologist Oscar Lewis in 1965 when he published

Los hijos de Sánchez. Government censorship prevented Lewis's work—the story of other marginalized people living in a tenement known as La Casa Blanca—from becoming a film directed by Italian neo-realist Vittorio de Sica. Twelve years had to pass before the toils and troubles of patriarch Jesús Sánchez and his scattered descendants could be filmed under the direction of Hall Bartlett with a script by Cesare Zavattini.

Tr. Pilar Villela

NIGHT

Gabriel Figueroa said he had learned about the color of the air in an essay by Leonardo da Vinci, and that the Renaissance painter had thus helped him understand the nature of light and shadows. Intrigued by the concept and irked by filmed landscapes' lack of sharpness, the cinematographer started experimenting with the infrared filters that would eventually become the technical trademark behind his aesthetic. Figueroa's celebrated skies resulted from the color conversion that darkened blues, brightened white clouds, eliminated mist and lent great depth of field to outdoor scenes.

Abreast of technical advances in his field—which were put to the test during a shoot but also had to do with the work of processing and printing—Figueroa always knew that the realism of film was merely the result of the skillful use of technical devices. His own toolbox included the knowl-

edge he had gleaned from other cameramen both on set and on screen, what he had learned out of personal experience, but also what was the result of chance: for instance, the extreme graininess produced by mistakes made while processing the footage of *La Fuga* (Norman Foster, 1943).

Nighttime scenes were the perfect means for Figueroa to reveal his mastery of chiaroscuro as well as his affinities with filmmaking styles like German Expressionism and American Noir. Movies like *Salón México* (1948) and *Víctimas del pecado* (1950)—both directed by Emilio Fernández and shot by Gabriel Figueroa—occupy a place of distinction in the endless night of Mexican film: a shelter for outlaws and other unruly marginal characters, a moral frontier, the setting of lustful interludes, depictions of cabarets and the morgue. In these movies' backlit silhouettes, looming shadows and stories of brothels, Mexican society showed that it had lost its innocence around the mid-twentieth century, a time when bustling urban life forced refined traditions to coexist with dissolute behavior.

Figueroa's nocturnal scenes thus provided a place for traumas and nightmares that tested the analytical skills of psychiatry and psychoanalysis. The most crudely realistic movie ever made in and about Mexico until 1950—Luis Buñuel's *Los olvidados*—led Figueroa to film two masterful sequenc-

es featuring the ethereal, desire-laden, transgressive stuff of dreams. In one of them, a young boy, Pedro, dreams of the maternal love and sustenance that reality keeps out of his reach. The other is a daydream with no hope of return: shot down by police, *El Jaibo*, another miserable young thug, tumbles into the "black hole" of death, with no one but a mangy dog for company.

Tr. Richard Moszka

LEISURE AND ENTERTAINMENT

Gabriel Figueroa's cultural prestige is based on a small number of films that form part of an extensive and diverse body of work. Although his career, artistic achievements and personal relationships made him influential in intellectual circles as well as in politics and unions, the director of photography never ceased to view himself as a specialized technician, as a link in a chain of production that involved the craft of many other trades. Like his colleagues at the Sección de Técnicos y Manuales (Technical and Manual Workers' Section) of the Sindicato de Trabajadores de la Producción Cinematográfica (Film Production Workers' Union)—founded in 1945 as the result of a movement headed by Jorge Negrete, Mario Moreno *Cantinflas* and Figueroa himself—the cinematographer observed the highs and lows of an industry that, for many years, was one of society's principal sources of leisure and entertainment.

In the fifty years or more that Figueroa worked for the domestic film industry—one that involved countless *sub rosa* interests and business dealings—he witnessed the rise and fall of various genres, saw stars shine and wane or acquire mythological status, and watched as both innovative and mediocre directors went in and out the door. Figueroa stood beside Fernando de Fuentes when he tried to reprise the success of *Allá en el Rancho Grande* with other films and explored melodrama. He was on the set of movies directed by his old acquaintance, Miguel M. Delgado, where comedian *Cantinflas* transformed himself into a police officer, fireman, musketeer, circus performer, visitor of Hell, photographer or teacher.

In his lifetime, he shot the Mexican Revolution in *Carabina 30-30* (Miguel M. Delgado, 1958) *Cananea* (Marcela Fernández Violante, 1976); romance in *Historia de un gran amor* (Julio Bracho, 1942) and *Corazón salvaje* (Tito Davison, 1967); comedies as different as *Los millones de Chaflán* (Roberto Aguilar, 1938) and *Hijazo de mi vidaza* (Rafael Baledón, 1971); and the sensuality embodied by Ninón Sevilla (*Llévame en tus brazos*, Julio Bracho, 1953) and later, by Isela Vega (*El festín de la loba*, Francisco del Villar, 1972). On all of these film sets, Gabriel Figueroa kept traveling from one location to another, rearranging his lights and focusing his camera with the help of Domingo Carrillo,

Álvaro González *el Frijol*, Daniel López, Pablo Ríos and other collaborators.

Tr. Richard Moszka

LUIS BUÑUEL

Luis Buñuel (Calanda, Spain, 1900–Mexico City, 1983) directed thirty-two films over his lifetime, the first of which was *Un chien andalou* (1929) and the last, *That Obscure Object of Desire* (1977). Twenty of these were made in Mexico, between 1946 and 1965, after the filmmaker had settled here and featured the work of local technicians and actors. Gabriel Figueroa was the cinematographer on *Los olvidados* (The Young and the Damned, 1950), *Él* (1952), *Nazarín* (1958), *Los ambiciosos* (1959), *The Young One* (1960), *The Exterminating Angel* (1962) and *Simon of the Desert* (1964).

In the 1940s, Buñuel had few aspirations when he came to form part of a film industry that did not leave much room for innovation, relying as it did on the tried-and-true recipes to which it owed its commercial success. Besides their hatred of Spain's fascist government led by Francisco Franco, there was little common ground between the Surrealist-associated director who had filmed a razor blade slicing an eyeball in two, and the cinematographer who had made stunning images of sculptural faces and cloudscapes.

It was during the filming of *Nazarín* that the magician of camera filters and the filmmaker who was wary of

landscapes, even in ordinary life, seem to have had their sharpest disagreement: Buñuel, according to his own account in *My Last Sigh*, shocked Gabriel Figueroa when the latter "was setting up an aesthetically flawless frame with the Popocatépetl in the background, crowned with its habitual white cloud. [All I did was turn] the camera around to focus on a thoroughly banal scene that seemed more appropriate, more truthful to me. I confess I have no patience for prefabricated cinematographic beauty, since all it really does is distract from what the film is trying to say and, personally, I don't find it moving."

These differences of opinion did not stop Figueroa from assisting Buñuel on the making of several projects that, to this day, stand as provocative, anomalous offshoots of Mexican filmmaking. In films like *Él*—the story of a man jealous to the point of paranoia—*The Exterminating Angel*—a bourgeois dinner party whose guests can never leave—and the unfinished *Simon of the Desert*—the tale of a religious hermit tempted by the Devil disguised as a woman—the filmmaker who declared himself to be an "atheist, thank God" opposed the guilty Christian conscience against the innocence of imagination. "Somewhere between chance and mystery, imagination flows, man's total freedom," he wrote in his memoirs.

Tr. Richard Moszka

Álvarez Bravo, Still Photographer

Like other outstanding twentieth-century Mexican photographers—*e.g.* Agustín Jiménez, Antonio Reynoso and Nacho López—Manuel Álvarez Bravo (Mexico City, 1902–2002) was seduced by the mystery of motion pictures. For his first film tests, he used a camera he had purchased from Eduard Tissé, the Latvian photographer who had collaborated with Sergei M. Eisenstein on the never-finished *Que viva México!* Álvarez Bravo bought the camera with money he had won upon receiving the first prize in a contest organized by the La Tolteca cement company in late 1931. The newcomer to filmmaking had also been given a thousand feet of 35mm film as a present from composer Carlos Chávez—then-director of the government's Departamento de Bellas Artes (Fine Arts Department)—so he could experiment with camera movements as he documented day-to-day life on the Isthmus of Tehuantepec.

In 1935, Álvarez Bravo presented *Disparos en el Istmo* at the Cine Club Mexicano (Mexican Film Club), probably edited from the footage he had shot in the aforesaid region of Oaxaca, according to Eduardo de la Vega Alfaro. However, his film debut was never followed up by other finished projects. Álvarez Bravo's filmography can be pieced together from certain documented facts (his work-ing as the cameraman on the documentary *El petróleo nacional*, directed by Felipe Gregorio Castillo in 1940), indications of work he did in collaboration with writers (the short *Cuánta será la oscuridad*, based on a short story by José Revueltas), recent recoveries (scenes documenting Diego Rivera, made with the help of Gabriel Figueroa) and footage that is still conserved in certain collections or is known to have been irremediably lost in the fire that destroyed the first Cineteca Nacional in 1982.

Though he also taught courses at filmmaking schools, Álvarez Bravo's longest association with Mexican cinema was through his work as a still photographer after he had joined the union in charge of feature film production. Various movies shot by Figueroa—*La perla* (Emilio Fernández, 1945), *Cantaclaro* (Julio Bracho, 1945), *Sonatas* (Juan Antonio Bardem and Cecilio Paniagua, 1959) or *Nazarín* (Luis Buñuel, 1958)—had, as their star witness, Álvarez Bravo: the Mexican photographer who, according to poet Xavier Villaurrutia, had managed to depict "true evidence of the invisible" in his own work.

As can be seen from a selection of the pictures (see pp. 368–377) he took on the set of *Nazarín*—meant to be used as a production diary and as promotion for the film on which Buñuel and Figueroa's aesthetics had clashed—Álvarez Bravo was aware of the fact that any production is a place where many films seem to be occurring at the same time.

Tr. Richard Moszka

Apparitions

The phantasmagoric tales of movies sustain themselves—among other tangible and incorporeal things—on words: words that compose the stories, novels and screenplays on which film narratives are based, that describe a script's scenes and sequences, that the actors will have to utter before the cameras as dialogues or monologues. Whether the text is an adaptation of a literary work or an original piece especially made for the big screen, the words that cinema requires for its construction will disappear or dissolve in the complex web of visuals and sounds that is the result of the film's final montage. In this leap from literature—which lends the imagination unlimited space—to cinematography—which resorts to imagination based on definite forms and expressions—there are inevitable losses, distortions and reformulations as new works are created.

Gabriel Figueroa was involved in projects that attempted to adapt—with varying degrees of success—the works of Benito Pérez Galdós, Graham Greene, Tennessee Williams, Malcolm Lowry, Carlos Fuentes, Juan Rulfo and B. Traven, among others. With this last short-story writer and novelist, whose most accomplished work was

Ernesto García Cabral.

concealing his own identity, Figueroa established a relationship that transcended filmmaking. Traven's writings inspired various movies that Figueroa shot: *The Rebellion of the Hanged* (Emilio Fernández & Alfredo B. Crevenna, 1954), *Macario* (Roberto Gavaldón, 1959), *Rosa Blanca* (Roberto Gavaldón, 1961) and *Autumn Days* (Roberto Gavaldón, 1962). For many years, the cinematographer remained interested in making a film based on the compelling story Traven had entitled *Bridge in the Jungle*.

This was one of the few times that Figueroa took on the writing of a screenplay: he wanted to offer his version of the journey of "the man nobody knows," who

had nonetheless trusted him enough to become a close friend and allow him to portray his enigmatic life.

The series of pictures on pp. 470–505 shows some of the preparatory work and literary prefigurations for certain scenes of the film *Macario*. The film adaptation involving scriptwriter Emilio Carballido proposed a scene—subsequently shot inside the Cacahuamilpa Caves near Taxco, Guerrero—that Traven had never imagined, though his own story was based on traditional folklore.

The photographs also evince B. Traven and Gabriel Figueroa's friendship, according to the cameraman's account of it at a conference he gave in 1974. The

last photographs reveal the ending, from different points of view, of the first film adaptation (from 1966) of Juan Rulfo's novel *Pedro Páramo*, where director Carlos Velo and writer Carlos Fuentes attempted a virtually impossible translation by rendering the whispers of a ghost town visible.

Tr. Richard Moszka

BRIEF NARRATION

On April, 1974, in Tucson, Arizona there was a symposium on the "Life, Literature, and Films of B.Traven". It was organized by the University of Arizona, and cinematographer Gabriel Figueroa was one of the guests at this academic encounter. Figueroa read a paper titled *Remembering B. Traven. A Brief Narration*. In this account, which he dedicated to Antonieta—"my beloved wife"—, Figueroa spoke about this writer's career as someone who became known worldwide for his literary work, but also for his refusal to reveal his identity. Throughout his life, the man that went by the name B. Traven used other twenty odd pseudonyms, and followed a foggy itinerary that went through as many countries.

Figueroa´s piece also spoke of the ups and downs of the friendship and work relationship that Figueroa had with the writer, ever since they met through Esperanza López Mateos, Figueroa's cousin and sister-in-law. Esperanza was Traven's translator and agent until his death.

The person who went by the name B. Traven liked photography and film. *La tierra de la primavera* [Land of Springtime] chronicles a trip the writer made to Chiapas in 1926, and it was illustrated with his own photographs. In the role of Hal Croves—supposedly B. Traven's representative—he was on the set of several movies based on his literary work. Figueroa, who was responsible of the image in some of these films, acted as an accomplice when it came to hiding the identity of a man that also called himself Ret Marut and Traven Torsvan.

Journalist Luis Spota used the letters that the author had written to the cinematographer to place him in his Acapulco home in 1948. Only after Traven died in 1969, Figueroa revealed what he believed to be the real identity of his mysterious friend: Mauricio Rathenau.

In this room you might hear translated extracts from Figueroa's "brief narration". This narrative involves three different voices: a narrator who tells about the historical contexts of the author's possible biography; dialogues where Traven appears-in the words of a seaman who is the main character in *El barco de la muerte* [The Death Ship]—; and the memories of the cinematographer. This literary portrait of Traven supplements the photographs made by Figueroa while the author was alive, and it sketches one of the stories that the cinematographer

behind *Macario* (Roberto Gavaldón, 1959) would have liked to turn into a film.

Tr. Pilar Villela

THE SMALL SCREEN

During the 1960s, the film industry that Gabriel Figueroa had helped to build—whether as a creator of images, a union leader or a public figure—since the times of *Allá en el Rancho Grande* showed signs of fatigue. Burdened by a rigid trade union structure and producers who only cared about box-office profits, domestic film production betrayed nostalgia for its glory days while failing in its attempts to stay current. When the open calls for the *Primer Concurso de Cine Experimental* (First Experimental Film Contest) and the *Primer Concurso Nacional de Argumentos y Guiones Cinematográficos* (First National Film Script Contest) were published in 1964 and 1965, they evinced that the venerable dream factory had to revamp itself if it was to compete with TV entertainment.

As in other periods, the films Figueroa made in those years reflected the various trends that pervaded Mexican moviemaking around the time when the Apollo 11 mission landed on the Moon. At this point, the cinematographer worked with John Huston, Luis Buñuel and Don Siegel, but also on screen adaptations of successful soap operas or short stories by Juan Rulfo, on projects that were the filmmaking debuts of university theater directors, and on movies

that starred the comedian *Cantinflas*. Figueroa was also a partner in the company formed by the merger of Clasa and Films Mundiales. This studio produced a series of films directed by Roberto Gavaldón based on stories written by the enigmatic author B. Traven: *Macario* (1959), *Rosa Blanca* (1961) and *Días de otoño* (1962). The second of these films showed the criminal dealings of a multinational oil company, and it was not distributed for over a decade.

Given that not only film but real life was saturated with the diversity of color provided everywhere by new synthetic materials, in the 1960s Figueroa continued to learn to work with color photography, a process he had begun to employ in *La doncella de piedra* (Miguel M. Delgado, 1955). At first he felt uncomfortable working with material that he could not view right away, since color film was processed abroad. In his color work, Figueroa would have liked his films to replicate the hues of Luis Barragán's architecture or Rufino Tamayo's paintings. At some point, he even discussed the possibility of translating Paul Gauguin's palette into film with his friend Hoyningen Huene.

By making color films about LSD hallucinations and the love stories at a "beauty institute," the master of black-and-white photography approached the territories of Pop and psychedelic art.

Tr. Pilar Villela

NEW WAVE

The theater directors, painters and writers who represented the spirit of cultural renewal in 1960s Mexico appeared both behind and in front of the cameras at the *Primer Concurso de Cine Experimental* organized by the Film Workers' Union in 1964. Authors and artists such as Carlos Fuentes, Juan José Gurrola, Juan García Ponce, José Luis Cuevas and Carlos Monsiváis believed that artistic expression had no need to limit itself to realism and vernacular topics.

Cuevas, the artist who invented the ephemeral mural painting, had coined the term "nopal curtain" some years before: an expression referring to the orthodox nationalist clique that frowned upon any hint of ties to foreign tendencies or movements. The group *Nuevo Cine* and their magazine led the trend among young film buffs to disassociate themselves from those movies that depicted mariachis, wrestlers, prostitutes, stern parental figures and naïve love affairs, and only found redeeming value in the films of Luis Buñuel. Film clubs—"dumps packed with long-haired youngsters" as a prudish lady described them in a short story by Carlos Fuentes—became the centers of a new, more critical and demanding film culture.

Even though experimental films of this period implied a rejection of the visual rhetoric and means of production that Gabriel Figueroa embodied, he paradoxically collaborated on some of them. Figueroa shot several of the segments of *Amor, amor, amor* (1965): *Lola de mi vida* (directed by Miguel Barbachano), *Las dos Elenas* (José Luis Ibáñez) and *Un alma pura* (Juan Ibáñez). This movie, produced by Manuel Barbachano Ponce, was awarded the third prize at the experimental film contest. *Las dos Elenas* and *Un alma pura* are adaptations of short stories by Carlos Fuentes published in *Cantar de ciegos* (1964).

During the filming of *Las dos Elenas*, Rodrigo Moya took a photograph of Figueroa and his camera operator following actress Julissa on a street in Mexico City's Zona Rosa, and it was made into the cover of the *Nuevo Cine Mexicano* (New Mexican Cinema) brochure published by the Organizing Committee of the 1968 Olympic Games.

When the cinematographer behind *Pueblerina* worked with filmmakers of the Mexican new wave—who championed the latest tendencies in film—he adapted his craft to plots that depicted incestuous relationships, characters aspiring to be as liberal as François Truffaut's, and parties where the guests disguised themselves as murals. The critic Jorge Ayala Blanco described *Un alma pura*—partially filmed in New York—as representing a "mimetic, vulgarly pretentious and cosmopolitan cinema that confuses its trivial neurosis with worldly suffering."

Tr. Pilar Villela

LOVE, LOVE, LOVE

More than a few women that twentieth-century Mexican cinema projected onto the silver screen of film-buffs' desires were shot and lit by Gabriel Figueroa, who thus had a hand in establishing their mythical status. Dozens of actresses, including leading ladies like Andrea Palma and Sasha Montenegro, lent their features as the raw matter for the cinematographer's creative work, while he, in turn, became responsible for portraying fleeting infatuations, painful resignations, devouring passions and love for sale.

In this gallery of female characters—which provide much information about the changing depiction of women and the moral values associated with it—few are as unclassifiable as the one that Pina Pellicer personified in *Días de otoño* (Roberto Gavaldón, 1962). The sad-eyed actress—whose innate melancholy helped her avoid melodramatic excess—brought to life a young loner who made her dreams come true by lying to herself and everyone else about her marital and maternal involvements, which were nothing more than photographic or theatrical montages. The scene in which she dons a wedding gown, awaits her fairytale groom's arrival and then goes looking for him, only to return home and face herself in the mirror, is considered by Ariel Zuñiga to be "one of the most beautiful and complex in Mexican cinema."

The way that Figueroa depicts women also serves to document how difficult it has been for Mexican films to present an image of the body and bodily pleasure that is not guilt-ridden or moralizing. In 1961, Salvador Elizondo wrote, "It puts Mexican cinema to shame never to have produced a film that was, let us say, 100% erotic. When it had finally resolved and almost managed to do so, it came to a shuddering halt on the threshold of this marvelous world, frightened by the boogeyman of its own audacity."

Several films on which Figueroa worked in the 1960s, especially those directed by Francisco del Villar, reveal Mexican cinema's desperate, impotent and convoluted attempts at exorcizing its "devil in the flesh."

Tr. Richard Moszka

Ernesto García Cabral.

CONSTELLATION

Gabriel Figueroa's relationship with the Hollywood film industry was a lengthy and contradictory one. This Californian emporium of the seventh art gave the Mexican cinematographer models to follow, professional contacts, work opportunities and recognition for his work. His ties to left-wing figures and organizations sometimes prevented him from getting work permits on the big studios' productions. During the days when Republican senator Joseph McCarthy launched his anti-communist crusade in Hollywood, Figueroa was among those who lent his support to filmmakers forced into exile.

After Gregg Toland died in 1948, Figueroa was asked by Samuel Goldwyn to take his mentor's place at the studio. He never regretted having turned down the offer that would have made him Goldwyn's employee for an exclusive five-year contract. Instead of pursuing financial gain (he was undoubtedly offered a high salary), he preferred to make the most of the cultural setting in which he had developed his personal style of photography. "I would have made a serious mistake by accepting the contract and with a signature, erasing this whole life filled with creative, talented, beautiful people who have taught me how to lead my own life," he stated years later in his memoirs.

Figueroa's decision to remain in Mexico did not stop him from receiving international awards, nor did it stop foreign directors from praising his work. Figueroa was behind the camera on films directed by Robert Florey, Don Siegel, Norman Foster, Brian G. Hutton, Hall Bartlett, George Schaefer, Daniel Mann, Christopher Leitch, John Ford and John Huston. In Ford's films (*e.g. The Fugitive*, 1947) as well as in Huston's (*Night of the Iguana*, 1963 and *Under the Volcano*, 1983), men who had put their good name in jeopardy—a Catholic priest, a Protestant pastor, an alcoholic consul—found in Mexico either redemption or ruin. With *Two Mules for Sister Sara* (Siegel, 1970), Figueroa dealt for the first time with the style of the modern western.

The most ambitious foreign production with which the Mexican cinematographer ever involved himself was the filming of Hutton's *Kelly's Heroes* in Yugoslavia in 1970.

The documentaries *On the Trail of the Iguana* (Ross Lowell, 1964) and *Notes from Under the Volcano* (Gary Conklin, 1984) show Huston and Figueroa working on two films twenty years apart. The location of the first was Mismaloya in the state of Jalisco, an area that became famous after the invasion of a constellation of film stars who were involved in the screen adaptation of the Tennessee Williams play. The latter documentary was filmed in various towns in the state of Morelos and follows the aimless wanderings of the character whose death Malcolm Lowry set outside the El Farolito cantina. *Under the Volcano* was Gabriel Figueroa's last feature film and includes a cameo by Emilio *el Indio* Fernández playing a crass bartender. "*Es un chingón*" ("He's a son of a bitch"), he says, praising the gamecock he holds in his hands.

Tr. Richard Moszka

LIGHTING TESTS
Because, among other reasons, a film is ultimately a series of thousands of still images, photography and film share the same essence. Cameras are present before,

during and after a film shoot, providing frozen moments for our eyes to contemplate rather than reproductions of movement. From the test-shots of actors who will form part of a film's cast and the records of sites that might be suitable as locations, to the stills that are previews or relics of a film's content and are also used in the design of promotional material, not to mention production diaries and illustrated reports on the lives of movie stars, the industry of cinema cannot be explained without the accompaniment of photographic prints. The screening of a finished movie is only one part of the universe of imagery that a film creates and mobilizes. Although some of the shots or sequences in a film may remain etched upon our memory, they only become tangible in photographs.

The images created by Gabriel Figueroa Mateos clearly express the dialectic between stillness and movement that informs film culture. If, in his work as a still photographer, he captured scenes that were used to promote movies filmed by colleagues of his, the dissemination of the style he defined as a cinematographer also benefited from the work of those who were in charge of still photography on the sets of his own films. On billboards, in press packages and exhibitions, Figueroa's work was publicized or displayed by means of stills taken by Luis Márquez, Manuel Álvarez Bravo or Rafael García.

The material that Figueroa filmed gave him the opportunity to once again become a photographer and recast himself as a visual artist during the last decades of his life. Filmstrips that he had used for lighting tests when he was active as a cinematographer were the source of a new series of images that evoked his framing and composition style, but also provided new angles and vantage points from which to re-examine his image-universe. In monographs (like the one *Artes de México* published in the winter of 1988), calendars, brochures and other sorts of printed matter, Figueroa's cinematic past was incorporated into the recent history of Mexican photography.

Prints made by means of analogue as well as digital techniques shifted fractions of cinematic time onto the field of graphic representation where the beauty of Dolores del Río and María Félix will never cease to shine.

Tr. Richard Moszka

A NEW IMAGERY
In his personal collection, Gabriel Figueroa Mateos conserved around 25 000 filmstrips shot over his career as a cinematographer. These fragments of positive and negative film, which were originally used to determine the processing and printing of the material exposed during shootings, became, in the long term, a new source of imagery. Figueroa treasured isolated takes that he had haphazardly collected from the lab

or editing suite, given that they provided a less fleeting than projections of his films did.

Like any educated film lover, Figueroa was a consumer of a genre that could be called "paper cinema": the wide range of publications that give their readers access to the imaginary world of film through still images, documenting the history of cinema and turning it into a kind of graphic art. For this reason, one of the projects he was most eager to complete was editing a monograph of his filmstrips. Though it was many years before this book appeared, the prior publication of many of these pictures in magazines, catalogues, etc., allowed Figueroa to be reborn as a visual artist.

The cinematographer's son, Gabriel Figueroa Flores, is to a great extent responsible for this resurgence. From the 1970s to the present time, he has taken charge of restoring and disseminating the profuse imagery stored in this vast collection of cinematic odds and ends. It is due to this still unfinished salvage operation that many of Figueroa's images have recovered their iconic status, creating, in the process, a body of work that attests to the recent evolution of photography techniques. Over the span of three decades, reconstructed and reinterpreted in terms of their formal values, reprinted in the darkroom using traditional techniques, retouched with an airbrush or Photoshop, rendered as platinum prints, silkscreens or high-quality ink-jet prints, the cinematographer's images of La perla (Emilio Fernández, 1945) have continued to encounter new publics.

The director of photography who had once been a drawing student, a still photographer and portraitist based his aesthetic on the concatenation of animated frames where actions and dialogue were usually contextualized by static presences. His filmstrips' conversion into photographic prints has shown us the ways in which stillness is characteristic of his films. Gabriel Figueroa Mateos's images as a photographer are at once an evocation of his former movies and autonomous works created from selected fractions of them.

Tr. Richard Moszka

CHARACTERS FACING THE SEA

At rest, without the energy of light and the spinning motion that transform fragments of various times and spaces into visions of possible or unsuspected worlds, films are reels of celluloid, strips of frames, series of photographs that only bear subtle differences between each other. Appearances and disappearances give life to film narratives whose basic unit is the frame—the individual picture that has captured a fraction of the movements, events and expressions recorded by the movie camera. These images, displayed in succession at speeds that exceed the human eye's capacity to perceive them individually, produce the simulacra of life that we find so exciting in the form of adventures, comedies, tragedies or melodramas. Over the course of many decades, at countless public or private screenings, various generations of spectators have beheld the modulations of cinematic time mediated through Gabriel Figueroa's eyes as he created compositions that, after they were hailed as moving images, were displayed once more, only this time in the territory of still photography.

The films that Gabriel Figueroa shot have been shown at red-carpet premieres, at revivals, and even as filler at multiple-feature matinees. These works expressed the aesthetic ideas of a specific period; hence, they have been exposed to the scorn or criticism of audiences with widely differing tastes. They are the product of an industry that had its shining moment and then waned; they are excerpts wherein nostalgia looks for intimations of a distant country that only ever existed in our collective fantasies.

Gabriel Figueroa's best-known and recognizable images have come and gone on the big screens of movie theaters, on various models of television sets and in different magnetic and digital formats. Over the course of this lengthy and continuous screening, viewers have changed along with the media. Hitherto unconsidered values or meanings have been found in the same films because of new outlooks, revisions, re-readings or reinterpretations.

La perla (Emilio Fernández, 1945) begins with a sequence of women standing still, watching waves break on an Acapulco beach. This ebb and flow could well represent what works as enduring as Gabriel Figueroa's have meant to our country's cinematic memory, and the contemplativeness could also be a good metaphor for film as spectacle: the hypnosis or seduction that makes us spend hours of our lives observing an ocean of images in which our stories and histories come and go.

Tr. Richard Moszka

TRANSITING THE NATIONAL
Ceri Higgins

An examination of the fifty-year-long career of Mexican cinematographer Gabriel Figueroa (1907-1997) provides a compelling illustration of the transnational forces integral to the development of Mexican cinema. This article examines Figueroa's central position within the Mexican industry as a case study of how the industrial, political and economic links between the Mexican and international industries—particularly Hollywood—had an impact on the development of cinematography and film aesthetics in Mexico. The Federal Bureau of Investigation's (FBI) surveillance of Figueroa, over an estimated minimum period of twenty-

five years between the 1940s and 1970s, further shows the consequences of US intervention on Mexican culture and on the direction the cinematographer's career took from the late 1940s onwards.

Significantly, the many books, articles and documentaries about Figueroa explicitly state his relationship with Hollywood but never fully analyze it.[1] Most commentators unquestioningly assume that Figueroa was a nationalist director of photography;[2] in so doing, they do not take into consideration Figueroa's complex relations with the US in terms of his cinematographic development. Figueroa often mentioned his connections with Hollywood in interviews, yet critics have tended to simplify or ignore his experience with Hollywood studios and the American government in order to frame his work within a nationalist agenda.

The cinematographer's attitude towards Hollywood was complex as is evident in the often-contradictory comments he made in interviews. For instance: "Hollywood has a system. Not many people have been able to deal with the system, starting with DW Griffiths [and] Abel Gance, and later Eisenstein and Orson Welles. None of these great artists accepted the Hollywood system and because of that, they almost failed."[3] Or, "The Hollywood system is something that some of us have not accepted because it is so impenetrable."[4] By contrast

Figueroa also stated: "Hollywood provided a space for my professional development and an opportunity to get to know the work of and become friends with other cinematographers such as Stanley Cortez, Lee Garmes, James Wong Howe, Bert Glennon and George Barnes."[5]

This apparently ambivalent attitude towards Hollywood—Figueroa's criticism of the system while acknowledging his connections to it—is symptomatic of the Mexican film industry's hot-and-cold attitude vis-à-vis Hollywood. However, on closer examination of Figueroa's professional development and his associations within the international economic and political scene—fundamental to both the American and Mexican film industries—his stance is not as contradictory as it may first appear.

Even before Figueroa entered the film industry, he had become part of transnational processes. One of his first jobs was as an assistant to portrait photographer José Guadalupe Velasco. Critics have never cited the time Figueroa spent with Velasco as influential in the cinematographer's development, yet in his autobiography Figueroa acknowledges the seminal importance of this period with Velasco, who had been working in Chicago and on his return to Mexico, was the first portrait photographer in the country to use artificial lighting.[6] He was popular for his stylized portraiture and his theatrical manipulation of his subjects.[7]

Figueroa's responsibilities as Velasco's assistant included retouching negatives, printing and making portraits in the photographer's absence.[8] Velasco learned techniques in Chicago that he imported to Mexico along with the studio's lighting rig and cameras.[9] Through exposure to American photographic techniques, Figueroa became fascinated with the innovative and imaginative potential of lighting and printing, factors that would be fundamental to his future practice as a cinematographer. His exposure to new lighting and processing procedures became the foundation for his work to come, not only in his film portraiture of stars such as María Félix, Dolores del Río and Pedro Armendáriz, but also with his creation of atmosphere and ambience in studio and outdoor sets.[10]

Whilst Figueroa was working with Velasco, Gilberto Martínez Solares (who was also to become one the foremost cinematographers of his generation) introduced him to Alex Phillips. La Nacional Productora de Películas hired Phillips—a Canadian director of photography in Hollywood—to work on what is considered the first Mexican sound film, *Santa* (Moreno, 1931). Phillips was not the only Hollywood-trained foreigner working on the production. Its director was the Spaniard Antonio Moreno and Mexican actors Lupita Tovar and <u>Donald Reed (Ernesto Guillén)</u> had

been working in the US industry before *Santa*. The lightweight sound system, developed in Hollywood by the Rodríguez brothers, Joselito and Roberto, was imported to Mexico for the film.[11] The transnational nature of the *Santa* cast, crew and new technology was representative of the early sound era in Mexico and, indeed, of the film industry as a whole, with many technicians and actors moving between North and South America and Europe, and the use of equipment developed and manufactured in Europe and the US by expatriates.

When Figueroa entered the industry, many members of the Mexican film community had been or were still working in the US. The directors Chano Urueta, René Cardona, Emilio Fernández and Roberto Rodríguez, the actors Ramón Navarro, his cousin Dolores del Río, Lupita Tovar and Pedro Armendáriz, among others, spent a significant part of their careers in Hollywood or, as in the case of Fernando de Fuentes, had been educated in the US.[12] Figures such as the Argentine producer Gerardo Hanson moved between North and South America, working on Spanish language films for the Southern market and English language versions. Hanson and Paul H. Bush from the US produced *María Elena* (Raphael J. Sevilla, 1936), which was shot in Mexico and cut into a Spanish- and English-language versions in Hollywood.[13]

Indeed, the Mexican film community epitomized

the transnational nature of cinema. Raphael J. Sevilla had moved between Hollywood, Mexico and Spain to direct *Él*, which starred fellow Mexican Virginia Zurí.[14] Ramón Navarro directed *Contra la corriente* in 1935 for RKO. Lupe Vélez worked in England during 1935 and starred in three films. Lupita Tovar was also in England for *The Invader* with Buster Keaton and in Spain for *Vidas rotas*; in the same year Celia Montalván worked in France with Renoir on *Toni*.[15]

Figueroa came into this transnational, multicultural and technically mobile world on the invitation of Phillips, who offered him his first film job as the stills man on *Revolución* or *La sombra de Pancho Villa* (1932, Miguel Contreras Torres). From stills man, he went on to be lighting director on *El escándalo*, directed by Chano Urueta in 1934, *Primo Basilio* directed by Carlos de Nájera the same year and Raphael J. Sevilla's *María Elena* in 1935. Urueta had trained and worked as a director for RKO in Hollywood and had been Tisse's assistant during the filming of Eisenstein's *¡Que Viva México!* during 1931–32.[16] Sevilla had also spent a formative part of his career as a technical advisor at Warner Brothers before he returned to Mexico to direct.[17] Moreover, when Figueroa started in the film industry, the leading directors of photography were non-Mexicans: Canadian Alex Phillips and Jack Draper and Ross Fisher from the US who, like Phillips, were contracted in Hollywood.[18]

Hence the industry that Figueroa entered was, from the outset, a transnational concern. Indeed, Figueroa's rapid rise over the next four years, from stills man to international award-winning cinematographer in 1936, could be seen as a result of the relatively fast growth of Mexican filmmaking. Together with the dearth of adequately prepared local technicians and the encouragement and training he was given in Mexico and the US, his career was effectively "hot-housed."

The key point during the four years of Figueroa's speedy promotion to one of the central figures of the Mexican industry was the period he spent in Hollywood during 1935, or as he puts it: "It was a decisive year for me. I learned the basics of my craft and made friends and contacts who helped me all my life."[19] His stay in the American film capital was funded by the financier Alberto J. Pani. Pani—with his son Rico, a group of entrepreneurs and a large government subsidy—founded the new studio and production house Cinematográfica Latina Americana S.A. (clasa) and offered Figueroa the post of director of photography in the new studios.[20] It is not clear why Pani should want to contract the inexperienced Figueroa instead of Phillips or even Víctor Herrera, the most respected Mexican director of photography at the time. Indeed, Figueroa himself acknowledged his own lack of experience and

Ernesto García Cabral.

at first declined the offer. However, Pani persisted and suggested that Figueroa take a scholarship from the company to study cinematography in Hollywood and to also act as clasa's technical representative to purchase, among many other things, two Mitchell cameras for the new studios.[21]

On his arrival in Hollywood, the apprentice cinematographer spent the mornings at the Goldwyn studios in Santa Monica and the afternoons with Charles Kimball in the editing room, assisting him on the Spanish version of *María Elena* on which he had been lighting director and stills man. It was through his time with Kimball that Figueroa developed his awareness of the importance of the edit.[22]

During this period, another Mexican editor Joe Noriega, an RKO employee, befriended him and introduced Figueroa to Marlene Dietrich, Stan Laurel, and Dolores del Río who, like many other members of the Hollywood community, were immigrants to the United States.[23] But it was Figueroa's contact with cinematographer Gregg Toland that was to be his most profound influence, not only in terms of Figueroa's development as a director of photography, but also as an illustration of the rich, complex cultural and aesthetic web of interactions between Hollywood, Europe and Mexico.

The Transnational Web: Toland and Figueroa

In 1935, although he still

had not reached the height of his career, Toland was considered one of the best directors of photography in Hollywood and had been nominated for an Academy award that year for his work on *Les Misérables* (Richard Boleslawski, 1934). Alex Phillips had provided Figueroa with a letter of introduction to Toland who, like Phillips, had been an assistant to George Barnes and Arthur Miller. Toland "saw something"[24] in Figueroa and took him on as an apprentice to work on the shooting of *Splendor* (Elliot Nugent, 1935). Subsequently, the two men kept in regular contact. Indeed, Toland frequently visited Figueroa in Mexico to advise him on his work over the next five years and Figueroa took every opportunity to observe Toland at work and discuss technical developments with him in Hollywood.[25] This professional and personal friendship continued until Toland's premature death in 1948.[26]

By the 1940s, Toland's contract at Goldwyn was unparalleled in the industry in that it corresponded to the above-line staff of producers, performers and directors. The contract granted him freedom to experiment with new techniques and to develop new technologies and style.[27] For example, when shooting *The Best Years of Our Lives* (William Wyler, 1946) Toland started experimenting with sets that were of conventional domestic size and dimensions, unlike the usual studio set,

which allowed room for the camera and lights. Toland invited Figueroa to come and watch him work and discuss the challenge.[28]

Goldwyn's support of Toland was not, however, that of a beneficent patron supporting a struggling individual artist, as certain articles about the relationship between Hollywood studios and directors of photography have suggested.[29] On the contrary, it was a sound business investment in order to improve the quality and efficiency of the production process, in which the studio's finance department kept a tight control on the relationship between standard studio practices and innovation.[30]

The freedom that Toland enjoyed in his relentless drive to push the limits of the technology and to find the appropriate visual expression for a given film or sequence influenced Figueroa's own insistence to choose the productions on which he worked and his commitment to innovative techniques.[31]

> Good photography means a good deal more to me than a well-photographed picture, [Toland] said. A picture may have carefully considered composition, fine lighting, depth and character and still not be acceptable as "good" photography... the competent cinematographer must get on his film, in addition to the above requirements, pictures that fit the dialogue, the action, and the subject matter of the sequence.[32]

In other words, Toland, and, consequently, Figueroa were determined that the image should function as a manifestation of the internal world of the narrative. This view is linked to Expressionist art in which the emotional and psychological inner core of the subject is rendered through non-realist techniques. Figueroa's self-acknowledged influences—Goya, Dürer, Rembrandt and Turner—were all precursors to the Expressionists in their use of light, composition, chiaroscuro, contrast and their subjective approach to their subjects.[33] He added that German Expressionist films such as *The Cabinet of Dr. Caligari* (Robert Wiene, 1920), *Nosferatu* (F.W. Murnau, 1922), *Metropolis* (Fritz Lang, 1927) and *Faust* (F.W. Murnau, 1926) were influential on him.[34]

Significantly, Toland shot director/cameraman Karl Freund's *Mad Love/The Hands of Orlac* in 1935, the year that Figueroa studied with him. Freund had been a cinematographer at UFA, Berlin's internationally renowned film studios, and shot *Metropolis* with Lang and *The Last Laugh* (1924) and *Satanas* (1920) with Murnau before arriving in Hollywood with many other German émigrés in the early to mid-1930s. Freund, the leading exponent of German cinematography, employed all the established conventions of Expressionist style in his use of fluid camera movements, extreme angles and lighting techniques. His influence is evident in

Toland's work and not only on the films on which they collaborated. *Wuthering Heights* (William Wyler, 1939) for which Toland won an Oscar, *The Grapes of Wrath* (John Ford, 1940), *The Little Foxes* (William Wyler, 1941) and the seminal *Citizen Kane* (Orson Welles, 1941) are a few examples of the way in which Toland incorporated and developed Freund's techniques.

Although Toland (and subsequently Figueroa) significantly extended the application of Expressionist technique in film, the two cinematographers are most renowned for their exploration of depth of field and perspective.[35] The development of new faster film emulsions throughout the 1930s, together with advances in lighting technology, allowed Toland to experiment with smaller apertures and thereby increase focal depth.[36] I argue that Toland's—and certainly Figueroa's—aim in his pursuit of depth of field was an attempt to better express the internal integrity of a film's narrative themes. Their connection to European Expressionist techniques and the aesthetic practices of filmmakers such as Freund confirms this and highlights the transnational nature of not only their personal work, but also of all film production in Hollywood during the 1930s.

Both the Hollywood and the Mexican film industries of the 1930s and early 1940s were spaces where aesthetics and practices convened and struggled with each other. Whereas Seth Fein has so lucidly argued that the transnational, in terms of politics and economics, was integral to the Mexican industry, I would argue that the transnational extended to aesthetic approaches and that this was particularly apparent in the development of cinematography.[37]

As Hollywood repositioned peripheral personalities like Toland to the center of the system, any political ambiguity and conflict within the films could be contained. In doing so, the ruling elite in Hollywood maintained not only control over the means of production—i.e. the technology—but also contained any potentially subversive ideas and philosophies that resulted from any challenge to established conventions.

Further, besides his obvious technical and aesthetic influence, Toland also championed and passed onto Figueroa a reassessment of the traditional role and function of the cinematographer. His unprecedented contract with Goldwyn disrupted the notion of the above-line and below-line hierarchy and Toland maintained a privileged status within Hollywood, despite the fact that his work at times caused controversy and exposed fissures in the system that produced the films.

Figueroa's contact with Toland made him aware of the importance of his own position in the Mexican film industry and culture and he handled his career and subsequent iconic status with care. He used his position to function as a negotiator between the Mexican political elite and the workers, particularly in his union role as the head of the cameramen's and technicians' sector, of which he was a founder member, and in the formation of Clasa Film Mundiales.

Nonetheless, it is crucial to take into account that transnational processes are not fairly counterbalanced or, for that matter, easily analyzed. Figueroa's career and aesthetic drive evolved in a politically and socially complex arena. It would be intellectually convenient to assume that Figueroa maintained complete control over the artistic, personal and professional choices he made, based on simple decisions. Indeed, this is the impression given by his own comments and the writings of commentators such as Issac[38] and Poniatowska.[39] When Figueroa wrote that it would have been a "serious mistake" to accept Sam Goldwyn's offer to take Toland's place at his studios, he justified his decision on the grounds that he preferred to remain in the creative and "mystical ambience" of Mexico.[40] He argued that it would have been impossible to explore cinematographic style in the way he wished outside of his home country.[41] Certainly, these may have been factors in his decision. However, one has to consider Figueroa's choice to remain in Mexico from a more empirical standpoint of his historical, transnational context. That is, the knotty set of political, social and economic ties between Mexico and the US that played out in the constantly evolving contact zone of a new conflict, the Cold War.

Figueroa's Cold War

The close transnational alliances forged between Hollywood and the Mexican industry before and during World War II continued to develop during the post-war period and went hand in hand with Mexico's move to the right in national politics. This political shift coincided with the development of the Cold War and anti-communist purges in the US.

President Miguel Alemán (1946–1952) continued Ávila Camacho's development of the private sector and moved even further away from nationalization and social reform in the name of modernization and progress.[42] Indeed, during the Alemán presidency, social welfare expenditure dipped to an all-time low of 13.3% of total government expenditure.[43] The regime had to find a way to justify its abandonment of peasant welfare and employed the Mexican film industry to modernize and reshape the nationalist discourse of the war years by updating the notion of defending *la patria* against ideologically subversive forces. As a result, the government justified continued promotion of industrial wealth at the expense of social reform by stating that capitalism

Ernesto García Cabral.

assured the security of all Mexicans, despite the fact that the wealth produced did not disseminate beyond the ruling elite. But where were Figueroa and his work situated in relation to these economically motivated political strategies? To tease out the tangled situation outlined above and examine it in relation to Figueroa exposes the inherent fissures of US-Mexican relations during this period and demonstrates how the workings of transnational politics and economics affected Mexican film production during the Cold War period.

During the war, Figueroa had played a key role in Rockefeller's drive for visual education in Latin America. In 1942, he attended seminars along with other

cultural workers, doctors and educators at the Disney studios. These discussions were to develop ideas for short films aimed at Latin American audiences to combat illiteracy and poor hygiene and improve health and agricultural methods.[44]

In 1945, the film magazine *Novelas de la pantalla* outlined Figueroa's ideas for visual education in Mexico. Short films from the US would be adapted and others produced in Mexico in close conjunction with the film union.[45] By 1948, the think-tank sessions of 1942 had developed into a highly organized system of propaganda administered through the United States Information Service (USIS).

US-loaned projectors showed films to workers in

major Mexican industrial companies throughout the republic. An American embassy sound truck transported a screen and projector around the country to project films in schools and colleges and was put into service at political rallies and public events, in conjunction with Mexican operators, under the auspices of the Filmoteca Nacional.

In a looking-glass inversion of the Soviet agitprop trains of the 1920s, trains traveled the country projecting US industrial capitalism rather than universal socialism and transcended the Mexican border, physically and ideologically.[46] However, by 1950 the US State Department had changed its focus and prioritized its contact with "active labor collaborators" not in the name of social welfare and health, nor indeed to further industrial capitalist working practices and systems, but rather to undermine potential communist subversion in the union movement.[47]

Historian Seth Fein has suggested that Figueroa, like Emilio Fernández, "served [...] the anti-communist cinematic crusade of Hollywood (and the US State Department)."[48] Superficially, this may appear to be the case, particularly in the light of Figueroa's enthusiasm for the visual education program and Fein's interpretation of John Ford's 1947 film, The Fugitive, shot by Figueroa and co-produced by Emilio Fernández.

However, despite Fein's compelling account of

the film as an anti-communist propaganda piece, I would argue that the film embodied a more complex situation. Fein defines the Mexican regime under Alemán and Mexico's film industry as collaborators with the rightwing American capitalist agenda.[49] In terms of Alemán's political ambitions, this is certainly true. However, in relation to key figures within the film industry, specifically Figueroa, there is firm evidence to suggest otherwise, making an analysis of Figueroa's role in cultural politics more complicated than Fein suggests.

In a memorandum dated 26 April 1967, the US embassy legation in Mexico City wrote to the director of the Federal Bureau of Investigation (FBI) in Washington with regard to Figueroa:

In view of the Subject's prominence as a motion picture director [sic], his relationship to former Mexican President ADOLFO LOPEZ MATEOS, and the ease with which he obtains visas by waiver from the INS for travel to the United States, this Office feels no continuous investigation of his activities is warranted.[50]

There is no indication as to when the FBI instigated constant surveillance of Figueroa, but available records show that investigation and recording of his movements were firmly in place by 1950, as evidenced in a memorandum from the legal attaché at the embassy in Mexico City to the director of the FBI:

It is believed that the Bureau has considerable material in its files concerning the above individual. [...] FIGUEROA's political tendencies are generally regarded as pro-communist and his name has been connected with various front group activities.[51]

Despite the recommendation in the memo of 1967, observation certainly continued into the 1970s and probably beyond.[52] However limited the information, it is evident from the reasons given to withhold documents by the US Department of Justice and the State Department that Figueroa, far from being considered an ally in the "crusade" against communism, was in fact a risk to US national security.

It was an offer made by John Ford to Figueroa after the shooting of The Fugitive that first revealed the FBI's investigation of Figueroa. Figueroa had signed a three-picture contract with Ford's production company, Argosy. However, the union—the International Alliance of Theatrical Stage Employees, Moving Picture Technicians, Artists and Allied Crafts of the United States (IATSE)—refused him permission to work. The reason given was that Figueroa had instigated a ban on the processing of Hollywood negative stock at Mexican laboratories in support of the strike by US laboratory workers.[53] Richard Walsh, the president of IATSE, had traveled to Mexico to interview Figueroa and, in a letter from Gregg Toland to Figueroa, the actual reason for refusal of the permit appears to be otherwise:

I will try to set down all of the facts and rumors regarding your shooting a picture here […]. I had a call from Herb Aller who is the business manager of the local [union]. He said that he had just talked with Walsh […] and Walsh had said that under no circumstances were you to be allowed to work here. He further said that he had just talked with you in Mexico and that you were a self-admitted communist. […] Then I talked with Ford and he told me how Walsh had arrived in Mexico in an arragont [sic] manner and seemed to want to take over the affairs there. Ford told me of your conversation with Walsh and explained that Walsh had said to you, "You are talking like a communist." You had answered, "Maybe I am and it would be none of your business if I were." […] As far as I can tell from here you will not be accorded the courtesy of working here for which I am truly sorry.[54]

Rather cryptically, Toland adds, "Personally I hope you do what I would do in your position. I'll let you guess what that might be…[T]ry not to introduce my letters to you into any discussions as I send them to you as a personal friend."[55]

Sixteen months later, in September 1948, Toland died unexpectedly of a heart attack at the age of forty-four. Figueroa's refusal to take over Toland's contract with Goldwyn, in the light of his experience with Walsh, went

much deeper than his publicly-stated desire to remain in Mexico to continue his cinematographic ambition to recreate the *mística mexicana* on the screen. With the House Un-American Activities Committee (HUAC) trials resonant in the international arena and the continuation of the committee's investigations, if Figueroa had moved to the US, he would certainly have faced the risk of being subpoenaed. This was confirmed when in 1951 he was named at the proceedings by director Robert Rossen and again in 1952, by Elia Kazan.[56]

Following an interview on 9 March 1950 with Figueroa, Wallace Clarke of the visa office in the US embassy in Mexico City sent a memorandum to the ambassador, which was forwarded to the FBI. The memo records:

[W]hen the conversation drifted to his political beliefs and his membership in various political organizations in Mexico, he was unwilling to respond. He did, upon my asking regarding his membership in the Partido Popular, that he is a member of Partido Popular but that for some time he has taken no active interest because he was not in accord with some the recent expressions of that Party. He remarked that he has never resigned from the Partido but failed to explain why he had not done so… [H]e refused to discuss his political activities or beliefs beyond the statement that he was a member of the Partido Popular and he remarked that he thought

he had said too much when he said that.[57]

Significantly, in public, Figueroa always stated that his politics were a personal matter and categorically denied membership of any political party.[58] Yet, in the manuscript of his autobiography there is a section marked for deletion in which he writes that he was a member of the Partido Popular (PP) for two months, but resigned because of proposed infringements of the party statute. Moreover, he had intimate personal links with leading members of the party. His sister-in-law and cousin, Esperanza López Figueroa (née Mateos), with whom he had a close relationship, was assistant to Vicente Lombardo Toledano, the Marxist former head of the Confederación de Trabajadores de México (CTM) and founder of the PPS in 1948. Lombardo Toledano was the foremost figure in actively challenging US-aligned capital development in Mexico in the late 1940s and early 1950s, and in 1952 he became the presidential candidate for the Communist Party.[59] Figueroa had known him since the late 1930s when Lombardo Toledano was still head of the CTM.[60] In 1949, Esperanza López Figueroa took over the administration of a major strike at the mine of Nueva Rosita y Cloete in Coahuila, on Lombardo Toledano's behalf. Figueroa became involved in the organisation and support of the strike.[61] Although the miners' action ultimately failed, the strike had seriously threatened the close links between the owners—the US-based American Smelting and Refining Company (ASARCO)—and the Alemán regime.[62]

However, it was not only his political associations that put Figueroa under FBI surveillance and his name onto the notorious Hollywood blacklist. His activism in union politics was well known. A keen advocate of the union movement, he resigned from the film union—the Sindicato de Trabajadores de la Industria Cinematográfica (STIC)—in 1945 because of the corruption he witnessed both within the union and the CTM (then under the leadership of Fidel Velázquez). He subsequently took a leading role in the formation of the celebrity-led and endorsed union, the Sindicato de Trabajadores de la Producción Cinematográfica de la República Mexicana (STCPRM).

Despite his involvement with the US and Mexican governments in establishing production links with Hollywood through his contact with RKO and the US laboratories, much of his work for the union movement was in direct conflict with US-owned companies in Mexico, such as ASARCO. This, together with his active support of industrial action by American unions worked against the drive to internalize and project the US-Mexican *relación especial* to the Mexican people. Indeed, it often threatened its fundamental stability. Together with his assistance

of the Republican refugees from Spain at the end of the civil war, his membership (however brief) of the PP and close personal associations with other prominent lef-twing figures in the cultural pantheon, including Diego Rivera and David Álfaro Siqueiros, indeed made Figueroa a prime subject for FBI investigation.

The above evidence produces a conundrum. On the one hand, there is the standard yet questionable presentation of Figueroa as the ultimate nationalist filmmaker, the progenitor of an independent, specifically Mexican classicism, counter to US influence and intervention. On the other hand, Seth Fein presents a transnational Figueroa, integrated into the US-Mexican drive against the left, a key player in the refashioning of post-war Mexican nationalism as anti-communism.[63] In the light of my own research, this hypothesis is equally problematic.

However, these overt contradictions can be examined as integral to transnational processes. It has to be acknowledged that Hollywood itself was, and remains, essentially transnational and neither can one restrict consideration of the transnational in Mexico to its relations with the US industry and successive governments; its dealings with other Latin American countries and Spain has to be taken into consideration, along with the immigration of film workers to Mexico, such as Luis Buñuel, Alejan-

dro Jodorowsky and Luis Alcoriza.[64]

Fein's lucid and incisive analysis of transnational cooperation or "collaboration" serves as a paradigm for analysis. However, it is essential to be vigilant of the fissures inherent in any economic, political, social and ideological exchange. Fein identifies and exposes these at the level of government and within the wider canvas of events. But the inherent paradoxes within the gaps of the transnational process, the central knot of mutually exclusive contradictions, become evident on examination of the work and actions of leading members of the Mexican film community such as Figueroa, whose work was intricately bound up in the transnational alliances forged between the US and Mexico.

Figueroa's career was not a smooth, pre-planned rise to fame to fortune as suggested by his biographers, Elena Poniatowska[65] and Alberto Issac.[66] His development of a cinematic style and its ideological content was not as straightforward as has been suggested by film scholar Charles Ramírez Berg and Seth Fein.[67] As has been demonstrated, Figueroa's apparent choices were often decisions made under extreme political pressure and involved compromise and evasive action to allow him to continue his creative work. Ultimately, I would argue that the transnational economic and political forces that surrounded Figueroa, throughout his career, were fundamental to the development of his aesthetic that would have such an influential and lasting impact on Mexican cinema.

Notes

1 See for example Charles Ramírez Berg, "Figueroa's Skies and Oblique Perspective—Notes on the Development of the Classical Mexican Style," *Spectator*, 13.2 (1992), pp. 24–41, and "The Cinematic Invention of Mexico: the Poetics and Politics of the Fernández-Figueroa Style" in Chon A. Noriega, S. Ricci (Eds.), *The Mexican Cinema Project* (Los Angeles: UCLA archive, 1994), pp. 13–24; Alberto Issac, *Conversaciones con Gabriel Figueroa* (Guadalajara: Universidad de Guadalajara, 1993); Elena Poniatowska, *La mirada que limpia* (Mexico City: Editorial Diana, 1996); Margarita de Orellana, "Palabras sobre imágenes: el arte de Gabriel Figueroa," *Artes de México* 2 (1988), pp. 37–53; Raquel Peguero, "La cámara de un melómano tremebundo," *La Jornada* (Mexico City) 24 April 1997, pp. 1–5; Carlos Monsiváis, "Camarógrafo del Indio Fernández", *La Jornada*, 24 April 1997, pp. 9–12.

2 One writer who has questioned the nationalist exposition of Figueroa's work is Mexican commentator and author Carlos Monsiváis. In a seminal article on Figueroa, he writes that the cinematographer's images transcend the accepted nationalism of post-revolutionary rhetoric and indeed reality itself, to propose fundamental truths about Mexican society. Figueroa, he suggests, did not subscribe to an "unbelievable national aesthetic," rather, his images exposed facets of Mexican society that problematized the elitist nationalist agenda. The cinematographer's visual interpretation of race and social conditions, although superficially seductive, transcend their integral beauty to express the "absence" and "desolation" of Mexican history, the people and the country itself (See Carlos Monsiváis, "Camarógrafo del Indio Fernández," *La Jornada* (Mexico City) 24 April 1997, pp. 9–12). I would concur with Monsiváis's observations. However, he does not go on to examine the implications and causes of the fissures in the political and social issues he perceives as integral to the image. Although transnationalism is implicit in his commentary on Figueroa (and indeed in his writings in general), he does not analyze the exact nature and implications of the relations between Figueroa, the Mexican film industry, US intervention and the US-Mexican elites' mutual interests and motivation in transnational relations.

3 Interview with M. Huacuja del Toro, "Gabriel Figueroa," *El Financiero* (Mexico City) 13 May 1997, p. 31.

4 Interview with J. Galindo Ulloa, "El hombre tras la cámara," *La Jornada Semanal* (Mexico City) 25 May 1997, pp. 2–3.

5 Gabriel Figueroa, "Los discursos de Gabriel Figueroa ante la Sociedad de Fotógrafos de Cine de Estados Unidos," *Proceso*, 958.60, 13 March 1995, p. 60.

6 Gabriel Figueroa, *Autobiography*, typed manuscript, Mexico City: Gabriel Figueroa Flores collection, 1988, p. 24.

7 Velasco used elaborate sets and costumes. He would also change women's make-up and give them cupid-bow lips, painstakingly retouching the negative, adding eyelashes and emphasizing the eyes and mouth. Not surprisingly, the studio became very popular with theater actors.

8 Figueroa, 1988, p. 24.

9 Galindo Ulloa, 1997, p. 2.

10 Figueroa, 1988, p. 24.

11 Emilio García Riera, *Breve historia del cine mexicano 1897-1997* (Mexico City: Ediciones MAPA/IMCINE 1998), p. 76.

12 García Riera, 1998, p. 81.

13 *María Elena* was the first big production planned in both English and Spanish. Produced by Paul H. Bush, Hanson and Sánchez Tello, the film was shot by Jack Draper and Alvin Wyckoff and was Pedro Armendáriz's first film. Other actors included Emilio Fernández, Carmen Guerrero and Beatriz Ramos.

14 Emilio García Riera, *Historia documental del cine mexicano (1929-1937)*, 2nd ed. (Guadalajara: Centro de Investigaciones y Enseñanzas Cinematográficas, 1992a), p. 113.

15 García Riera, 1992a, p. 207–208.

16 J. Lesser, "Tisse's Unfinished Treasure: '¡Qué viva México!,'" *American Cinematographer* (July 1991), p. 38, García Riera, 1998, p. 87.

17 García Riera, 1998, p. 85.

18 Between 1931–36, the only Mexican directors of pho-

tography were Guillermo Baqueriza, Antonio Fernández, Jorge Stahl, Víctor Herrera, Ezequiel Carrasco, Manuel Sánchez Valtierra, Agustín Jiménez, Gilberto and Raúl Martínez Solares, who shot a total of twenty-six films between them. Phillips alone shot over thirty films in the same period, Fisher in the region of twenty-five and Draper, twenty. During this period most of the Mexican cinematographers underwent training in Hollywood. After the success of Figueroa's *Allá en el Rancho Grande* in 1936, contracts increased for Mexican cinematographers, although Phillips still remained dominant until the early 1940s (for credits see García Riera, 1992a).

19 Issac, 1993, p. 26.
20 Although the studios survived, the production company was declared bankrupt at the end of 1935 and it was the Cárdenas government who underwrote the company with one million pesos (Mora, 1989, p. 45).
21 Issac, 1993, pp. 24–25.
22 He always maintained good relations with editors throughout his career, particularly with Gloria Schoemann and Carlos Savage during the 1940s and 1950s. The consciousness of the juxtaposition of shots and the importance of the relationship of the composition between each shot was essential to his subsequent development as a cinematographer (from my interviews with Carlos Savage on 23 September 1999, and with Gloria Schoemann on 7 September 1999).
23 Del Río became a close friend of Figueroa and was to return to Mexico and work with him extensively as an actor and producer during the 1940s and 1950s. For an analysis of the transnational nature of del Río's stardom see A. López, "Facing up to Hollywood," *Reinventing Film Studies,* (London: Arnold, 1999), pp. 419–437.
24 See *op cit.*, n. 6, p. 35; T. Dey, "Master Cinematographer," *American Cinematographer,* March 1992, pp. 35–40.
25 Galindo Ulloa, 1997, p. 2.
26 Gabriel Figueroa Flores holds letters from Toland dated 1946 and 1947 in his private collection.
27 L. Maltin, *The Art of the Cinematographer.* (New York: Dover 1978), p. 17, and D. Bordwell, J. Staiger, & K. Thompson, *The Classical Hollywood Cinema: Film Style and Mode of Production to 1960* (London: Routledge & Kegan Paul 1985), p. 346.
28 Figueroa, 1988, p. 101.
29 Bordwell, *op. cit.*, n. 27, p. 345.
30 See Bordwell, Staiger and Thompson (1985: 108–110) for an overview of the relationship between standardization and innovation within the studio system.
31 Figueroa, 1988, p. 35.
32 George Mitchell, "A Great Cameraman," *Films in Review,* 7.10 December (1956).
33 Figueroa, 1988, p. 185.
34 *Idem.*
35 Although critical discussion of deep focus usually starts with Toland's work on *Citizen Kane* (Welles, 1941), his contemporaries Lee Garmes and James Wong Howe had experimented with increases in depth of field during the 1930s. David Bordwell lists the development of deep focus during this period, citing Wong Howe, Hal Mohr, Bert Glennon and Toland's mentor Arthur Miller as key figures in the use of lenses wider than the 50mm standard (see D. Bordwell, "Deep Focus Cinematography," *The Studio System*, New Jersey: Rutgers University Press, 1995). Although significant, Wong Howe shot *Transatlantic* (the film Bordwell uses as his example) on a 25mm lens. The result was a range of focus from five to thirty feet, that is from a mid shot to long shot (see B. Salt, *Film Style and Technology History and Analysis*, England: Starword, 1992, p. 202), which is much shorter than Toland's usual range.
36 Throughout the 1930s new, faster stock was being developed. Eastman introduced its Super Sensitive panchromatic negative in 1931; the Agfa-Ansco introduced its Super Panchromatic negative 32 ASA to the US in 1934; Eastman its Super X Panchromatic negative 40 ASA in 1935; and in 1938, Agfa introduced Agfa Supreme 64 ASA and Agfa Ultrapan 120 ASA, while Eastman introduced Plus X 80 ASA (which was to become the standard for the US industry) and Eastman Super XX speed 160 ASA (M. Cormack, *Ideology and Cinematography in Hollywood 1930-39*, England: MacMillan Press, 1994, p. 83).
37 Seth Fein "Culture across Borders in the Americas," *History Compass*, 1.1, August 2003; online: http//www. Blackwell-compass.com/subject/history (accessed: 3 April 2006).

38 *Op. cit.*, n. 1.

39 *Idem.*

40 Figueroa, 1988, p. 197.

41 H.J. Rivera, "Recibió 'el mejor/mayor premio de mi vida' él de la Sociedad Americana de Cinefotógrafos," *Proceso*, 958 (60) 13 March 1995, p. 60.

42 For an account of the relationship between Hollywood and the Mexican industry during the Cold War, see Seth Fein "Transculturated Anticommunism, Cold War Hollywood in Postwar Mexico" in Chon A. Noriega (Ed.) *Visible Nations, Film and Video in Latin America* (Minneapolis: University of Minnesota Press, 2000, pp. 82–111). Also see Julie M. Erfani, *The Paradox of the Mexican State: Rereading Sovereignty From Independence to NAFTA* (Boulder: Lynne Rienner Publishers, 1995, pp. 59–83) for an appraisal of government economic policy under Ávila Camacho and Alemán during the 1940s and 1950s.

43 Erfani, 1995, p. 74.

44 Figueroa, 1988, pp. 131–132.

45 Emilio García Riera, *Historia documental del cine mexicano (1943-1945)* (2nd ed., Guadalajara: Centro de Investigaciones y Enseñanzas Cinematográficas, 1992c, p. 215).

46 For a detailed account of the work of the USIS and its links to the Mexican government agenda, see Seth Fein "Transnationalization and Cultural Collaboration: Mexican Film Propaganda during World War II," *Studies in Latin American Popular Culture* 17 (1998), pp. 79–104.

47 Seth Fein, "Everyday Forms of Transnational Collaboration: U.S. Film Propaganda in Cold War Mexico," in G. Joseph, C. Legrand, & R.D. Salvatore (Eds) *Close Encounters of Empire – Writing the Cultural History of US-Latin American Relations* (Durham NC: Duke University Press, 1998), p. 412.

48 Seth Fein 'Transculturated Anticommunism, Cold War Hollywood in Postwar Mexico', in Noriega, C. A. (ed.) *Visible Nations, Film and Video in Latin America*. (Minneapolis: University of Minnesota Press 2000), p. 87.

49 The term collaboration is problematic when viewed from a European context. This may be because of the strongly negative associations the term has in European history, making it resonate with betrayal and coercion.

50 Memorandum 4-26-67 Ref.: (105-3040) Re.: Mex. letter to Bureau 3-6-67 fbi file no. 100-368518.

51 Memorandum from the legal attaché at the embassy in Mexico City to the director of the fbi, 10.3.50 fbi file no 100-368518. I made a request for copies of information held on Gabriel Figueroa in March 2003 under the Freedom of Information Act. In September 2003, I received 21 out of 35 pages reviewed. The fourteen absent pages were withheld for the following reasons:
1) under section 552 b1 and b2 they related to other government departments and information concerning these areas was referred directly to them.
2) under Section 552a b1 that information contained in these papers had to be kept secret in the interest of national defense or foreign policy, b2 that the information related solely to internal personnel rules and practices of the agency and b7C and D that information contained could be expected to constitute an unwarranted invasion of personal privacy and could be expected to disclose the identity of a confidential source, that is, an informant. The other department referred to in section 552 b1 and b2 was the Department of State who responded to my request in November 2003, with files on visa applications and the paperwork relating to the refusal to grant Figueroa a US visa.

52 File A13 138 509 United States Department of Justice, Immigration and Naturalization Service, Mexico City, 12 May 1970. The US finally granted Figueroa a multiple entry tourist visa at the end of the 1960s. However, when in 1986 John Huston asked him to shoot *Prizzi's Honour*, the State Department refused permission for Figueroa to work in the US. Although he had a multiple entry tourist visa it was marked with X326 and the letter D. He was always stopped at immigration while officials carried out checks on him (Rivera, 1995, pp. 63–64).

53 Issac, 1993, p. 38; Figueroa, 1988, p. 40.

54 Gregg Toland, Letter to Gabriel Figueroa, 25 May 1947 (Mexico City: Private collection of Gabriel Figueroa Flores).

55 Richard F. Walsh was the elected President of IATSE until 1974. Walter F. Diehl, his assistant, succeeded him as President until his retirement in 1986.

56 Issac, 1993, pp. 42–47;
Figueroa, 1988, pp. 133–136 &
212–234; Rivera, 1995, pp. 62–
63. Zanuck had approached
Figueroa to shoot *Viva
Zapata!* with director Elia
Kazan in 1950. Figueroa was
unable to gain entry to the
US to meet with Kazan and
John Steinbeck (who had
also scripted *La Perla*) to discuss the script. However, the
director and scriptwriter
arranged to meet him in
Mexico. Figueroa had strong
disagreements about the
representation of Emiliano
Zapata and recommended a
rewrite, which Steinbeck did.
Figueroa declined to work on
the film and it was shot eventually in Texas, not Mexico.
He remained on friendly
terms with Kazan until the
director gave his name in his
testimony to HUAC. Figueroa
recounts the story in most
interviews (See Issac, *op. cit.*,
n. 1, pp. 42–44; de Orellana, *op.
cit.* n. 1, p. 41; Figueroa, *op. cit.*,
n. 6, pp. 209–211).
57 Memorandum from Wallace
Clarke to the Ambassador,
9.3.50 fbi File 100 – 368518.
58 *Op. cit.*, n. 1: Issac, p. 38-49, de
Orellana, p. 44; Poniatowska,
p. 64.
59 Fein, *op. cit.*, n. , p. 415.
60 Figueroa had produced a
short film financed by the oil
companies. Instead of supporting the companies' brief,
which was to voice their bid
against the proposed nationalization of the industry to
the oil workers, Figueroa
subverted the film and fore-
grounded the huge profits
made by the companies and
the low wages and bad conditions suffered by the workers. Lombardo Toledano had
approved the film on the
union movement's behalf.
Not surprisingly, the film was
"disappeared." See Figueroa,
1988, pp. 110–111.
61 Figueroa, 1988, pp. 201–207.
62 For example, ex-president
Abelardo Rodríguez was a
major shareholder in the
company. Also, the threat
was such that miner leader
Francisco Solís (and friend of
Figueroa's) was assassinated
on his return to Coahuila
(Figueroa, 1988, pp. 201 & 206).
63 Fein, 1998, p. 433.
64 For an overview of relations and business between
the European industry and
Hollywood up to 1930, see
Higson and Maltby (1999).
65 1996.
66 1993.
67 See Ramírez Berg,
"Figueroa's Skies and Oblique
Perspective—Notes on the
Development of the Classical
Mexican Style," *Spectator*, 13
(2), 1992, pp. 24–41 and 1994.

Antonio Arias Bernal.

GABRIEL FIGUEROA AND JUAN RULFO

Douglas J. Weatherford

In a well-known photograph,
Gabriel Figueroa embraces
Juan Rulfo and looks confidently into the camera. It is
clear that Figueroa feels as
comfortable in front of the
camera as he does behind it.
For his part, Rulfo—whose
shyness was notorious—
avoids the lens's gaze and
subtly pushes away from
Figueroa's embrace.

This photograph is wit-
ness to a brief but significant
collaboration between two
of the most renowned Mexican artists of the twentieth
century. In many ways they

were very different beings. Gabriel Figueroa was an outgoing and prolific individual who was involved in the making of more than 200 movies. Juan Rulfo, on the other hand, was an introvert and seldom published. Notwithstanding these differences, these two men left creative legacies that changed the destiny of film and narrative in Mexico. And although their professional paths crossed only three times, their collaboration represents an appealing and important chapter in both their careers.

Two Visions of Mexico: *La Escondida* (1955)

If they did not know each other before, Gabriel Figueroa and Juan Rulfo would have met in November 1955 when the two arrived at the Soltepec Hacienda in the state of Tlaxcala to film *La Escondida* under the direction of Roberto Gavaldón. Gavaldón and Figueroa had already worked together on other films and were two of the most influential figures in the domestic film industry. On the other hand, at the end of 1955, Juan Rulfo was a writer on the verge of being famous. He had published *El Llano en llamas* (1953) two years earlier, but *Pedro Páramo* (1955) had only been in bookstores since March.

The action of *La Escondida* takes place during the Mexican Revolution and Gavaldón invited Rulfo, in Alberto Vital's words, " to ensure that the story followed the historical context as closely as possible without

detracting from it."[1] The author was not an unknown on the set of *La Escondida*. A newspaper article from the time period indicates, for example, that Pedro Armendáriz and María Félix had mentioned to Rulfo their interest in acting in the adaptation of his recently published novel.[2] It is however possible that in fulfilling his responsibilities as a historical supervisor, the author was not a very visible or important figure on set. Indeed, the true purpose of Rulfo's presence might have been Gavaldón's intention of ingratiating himself with the young and talented author and thus improve his chances of filming one of his stories in the future—a purpose the director finally achieved when he made *El gallo de oro* in 1964.[3]

But what interests us about this first encounter between Figueroa and Rulfo has little to do with the author's responsibilities as *La Escondida*'s historical advisor. Indeed, the Jalisco native had come to Tlaxcala with a camera in hand and spent his time taking photographs on and off set.[4] Rulfo was not the official still photographer for *La Escondida*—it was Ángel Corona—and his photographs reflect his own interests as a photographer rather than any need to document the filming of the movie. In that sense, the pictures that Rulfo took in November 1955 offer an interesting contrast to Figueroa's (and Corona's) official photography and provide an opportunity for

us to learn more about the two artists' creative philosophies.

La Escondida's cinematography is flawless and relies upon many of the same tendencies in filmic composition that had made Figueroa a celebrity around the world. The novelty of the piece is that it was not filmed in black and white and happens to be one of the first films that Figueroa shot in color. Despite this innovation, the work breaks no new ground in its storyline or in the iconic vision that it offers of the nation. *La Escondida* envisions Mexico exactly the way that national cinema had mythologized and romanticized it for popular consumption during the previous two decades of the so-called Golden Age of Mexican cinema, which began with the release of *Allá en el Rancho Grande* in 1936 and ended, according to many researchers, in 1956 with Pedro Infante's last film.

To be sure, a director of photography does not work in isolation and has to subordinate much of his own creativity to the director's artistic vision. Figueroa understood the limitations of his own autonomy and mentioned in many interviews that he felt compassion for his directors and the pressures they felt. And Figueroa's flexibility as a photographer is seen in the large variety of film styles contained in his body of work, styles that largely correspond to the differences between the directors with whom he worked as a cameraman.

Regardless of the directorial intervention in his creative work, it would be wrong to underestimate Figueroa's importance in the creation of the mid-twentieth century's prevailing cinematic expressions. What Figueroa offered to Emilio Fernández, Roberto Gavaldón, and so many other directors of the period included not only his mastery of the trade's technological requirements but also a sensibility for cinema as an art form with social impact.

Figueroa sought inspiration from the visual arts, and it is often the passion he felt for his country's great Muralists and printmakers that defines his filmic style. Figueroa was proud of his nationalist spirit and was an important force in the film industry's attempt, during the Golden Age, to translate the nationalism of the Muralist movement to film. The cultural movement that the Muralists spearheaded, and of which the film industry became a part, hoped to create a national myth accessible to all Mexicans. It offered, however, a hegemonic view of Mexico that was frequently stylized, idealized, and romanticized. For its part, Figueroa's photography tends to privilege artifice and is, as Carlos Monsiváis has suggested, a "triumph of allegory over realism."[5] It was precisely this sense of the lyrical nature of Mexican reality (in films such as *María Candelaria*, 1943; *La perla*, 1945; *Río Escondido*, 1947; etc.) that made Figueroa famous and that helped Mexican cinema reach new domestic as well as international audiences.

La Escondida fits well into this tradition of embellishing the nation's past, and while the film is a good reflection of Gavaldón's and Figueroa's artistic visions, it deviates from Juan Rulfo's creative goals as a writer and photographer.

Undoubtedly, Rulfo and Figueroa had many things in common. They both had an interest in technical innovation as a part of artistic expression, had a flair for applying archetypal language, and cultivated a love for Mexico and its people. In the most important Juan Rulfo biography published to date, Alberto Vital suggests that the author was an "admirer of Figueroa's." He nonetheless also indicates that Rulfo was inspired by Golden Age cinema (with Figueroa as one of its leading representatives) to refute its concept of the nation. "Due to the importance of film in the collective imagination," Vital explains, "Rulfo resolved to use as a backdrop—to contrast and reflect on his own literary and photographic work—the same social icons and landscape that the most influential directors and photographers had used."[6]

I have not found any interview or other document where Rulfo relates his opinion about *La Escondida* in any detail. However, Rulfo did leave a rich and interesting commentary about the film in his photographs.

The Fundación Juan Rulfo's archives include plenty of photographs that Rulfo made during the filming of *La Escondida* and many other snapshots that the Jalisco native took while wandering around the state of Tlaxcala in his off-hours. Of the photographs taken on the set of *La Escondida*, some show the action of the film while the cameras are rolling. Others document the film's stars in both natural and more formal poses: Pedro Armendáriz, María Félix, Jorge Martínez de Hoyos, etc. A few other images show the filmmaking equipment, including cameras and lights. The most extensive group of photographs, however, includes those that Rulfo took of other cast members, extras and anonymous spectators who, at the moment of being photographed, are outside the reach of Figueroa's cameras recording the action of the film. This tendency to separate himself from the center and wander around the periphery in search of an unseen reality is a quality that defines Rulfo's artistic tendencies as a photographer and as a writer.

A group of indigenous women eating beans and tortillas not far from the hacienda that served as the background for so many of the film's scenes, for example, was of particular interest to Rulfo, who took several pictures of them.

The writer showed a keen interest in Mexico's native cultures, a concern that culminated in a lengthy career at the Instituto Nacional Indigenista (National Indigenist Institute). Although his fiction is mostly devoid of indigenous characters and customs, Rulfo's photography is often a thoughtful, sober-minded attempt at documenting the daily lives of a people often forgotten in Mexico's mid-century drive toward modernity. Rulfo rejects stylized representations of Mexico's native population, whether mythical or debasing. Instead, he seeks to observe his indigenous subjects in their everyday activities and settings. These men, women and children are silent witnesses to an existence often dominated by hardship and poverty. Although Figueroa is also moved by the idea of exploring the Mexican situation through art, the lyrical distortion that defines most of his movies is an approach that Rulfo resists. "Of course that is not how the Indians of Xochimilco were," Nelson Carro comments about Figueroa's cinematography, "or the revolutionaries, or the pearl divers, or the cabaret dancers..."[7] It is largely this preference for revealing without embellishment the habitual existence of ordinary Mexicans that separates Rulfo's photography from Figueroa and Gavaldón's mythmaking. Nonetheless, Carro thoughtfully reminds us that it would be a mistake to reject Figueroa's lyricism when fidelity "is not something required of any of the other arts."[8]

For the filming of *La Escondida*, Gavaldón hired

Antonio Arias Bernal.

a number of non-professional extras, many of them local indigenous men and women. They appear in various scenes in the film, but remain silent and function more as props than human beings, while the professional actors speak for them and attempt to reflect their lives and experiences. Acting is, of course, always a simulation, an inexact reproduction of the original. But these real native people's presence on the set of *La Escondida* and Rulfo's camera photographing them serve to reveal—and perhaps denounce—the manipulation of the rural experience filmed by Gavaldón and Figueroa.

This does not mean that Rulfo was not also interested in the professional actors or

in the filmmaking process. The writer took several pictures, for instance, of a sequence that opens and closes the film. In it, a group of impoverished women sell *aguamiel* (agave juice) to thirsty travelers at a train station. Gabriela (played by María Félix) is a passenger on a passing train when she sees these vendors and remembers, not without embarrassment, her youth, when she too earned a living this way. Gavaldón tries to explain his leading lady's light skin and egotistical nature by having a character say, "The truth is that she's as conceited as her fair-skinned mother [...]." In spite of this explanation, it is difficult to associate Félix and the other actresses—beautiful, wearing fashionable clothes and makeup—with the daily reality of rural poverty.[9] And yet, as is case with so many of Figueroa's works, what is most important is not authenticity but rather myth.

Rulfo's photographs of this sequence are memorable. One of them, for instance, captures a vendor with her pitcher of *aguamiel*. Rulfo is standing on the train (perhaps beside Figueroa) and snaps the woman's picture from this elevated position. The result is an excellent image that adopts the film's hegemonic perspective, with its folkloric emphasis, and that Figueroa himself could have shot.

In other photographs, however, Rulfo's critical eye is once again obvious. The writer took several pictures of María Félix also dressed as an *aguamiel* vendor. In a few of these, Rulfo captured *La Doña*—as Félix was known—during a break between takes and offers an original interpretation of the celebrity. In these depictions, as Alberto Vital has explained, Rulfo "was able to give the movie star a familiar, everyday, 'behind-the-scenes' look, while respecting her genteel beauty and bearing, only stripping away their by-then already emblematic, stereotypical aspect."[10]

The 1955 meeting in Tlaxcala between Figueroa and Rulfo brought together two of the twentieth century's most influential artists. Figueroa provided the project's official perspective

and focused on creating a lyrical reality. On the other hand, Rulfo, as an unofficial eyewitness to the filmmaking process, sought to reveal the hidden reality and point out, as Vital indicates, "the survival of a real Mexico hidden by the aspirations of that period's filmmaking."[11] Although these are two clashing visions of Mexico, each one is valid and offers a different view of art and a different ways of addressing the issue of national identity.

Figueroa and Adaptations of Juan Rulfo's Work

The first film adaptation of a text written by Rulfo was shot in 1955 when Alfredo B. Crevenna directed *Talpa*, a feature-length film based on the story of the same name. After that, a number of film projects associated with the Jalisco native appeared. Of these works, two of the most significant date back to the mid-1960s and were shot by Gabriel Figueroa: *El gallo de oro* (1964) directed by Roberto Gavaldón, and *Pedro Páramo* (1966), directed by Carlos Velo.

A comprehensive review of Juan Rulfo's filmography would show that many filmmakers struggled to transpose the writer's fiction to the big screen. In 1980, for example, Jorge Ayala Blanco bemoaned the fact that, "in general terms, [Rulfo's filmography] is made up of mediocre, servile or otherwise grotesque adaptations that bear little reference to his narrative work."[12] Of the films made

prior to 1980, Ayala Blanco praises only two: *El despojo* (1960) and *La formula secreta* (1964). Ayala Blanco was not the first critic, or the last, to lambaste the films based on Juan Rulfo's work. Though the criticism heaped upon these films is not wholly inaccurate, it is nonetheless exaggerated, discriminatory, sometimes more personal than objective, and often antiquated. Indeed, Rulfo's early filmography includes a number of insightful, well-made works. Meanwhile, in the past two decades, several creative filmmakers have returned to Rulfo's life and work rejecting the often repeated claim that his literature is impossible to translate to the big screen.[13]

Figueroa's photography in his two adaptations of Rulfo texts is flawless and, with few exceptions, critically acclaimed. In spite of Figueroa's involvement and that of other renowned writers and filmmakers, the adaptations made of *El gallo de oro* and *Pedro Páramo* did not escape the disapproval of Jorge Ayala Blanco and many others. Response to these two films has not of course been altogether negative, and both have won several national awards.[14] "A bit undervalued when it premiered," Carlos Monsiváis has said about the film that has received the most praise, "*El gallo de oro* is, I believe, excellent."[15] Despite Monsiváis's opinion, Juan Rulfo was not happy with the results of either movie and many critics consider them failed attempts at adapting Rulfo's prose to film.

Gabriel Figueroa was a fan and an assiduous reader of Rulfo's fiction. In essence, filmmakers—especially the director and the cameraman—are careful readers who will scrupulously examine a written text. In *El gallo de oro* and *Pedro Páramo*, we can thus see the fruits of the reading that Figueroa and others have made of Rulfo's work. A detailed study is needed that might provide a new appraisal of both films and explore Figueroa's cinematographic interpretation of Rulfo's fiction. Such an investigation is beyond the limits of this essay, however, as my purpose here is more modest: I would like to focus on Carlos Velo and Gabriel Figueroa's conflictive relationship during the filming of *Pedro Páramo* in order to explore some of the achievements and failings of this first adaptation of Juan Rulfo's novel.

A Failed Attempt at Breathing New Life into Domestic Filmmaking: *Pedro Páramo* (1966)

The shooting of *Pedro Páramo* lasted from January 17 to March 18, 1966, and the film premiered in January of the following year. However, the project had begun more than half a decade earlier, in 1960, when Carlos Velo pitched the idea to Manuel Barbachano. Velo was a Galician exile who had been an important figure over the 1930s in the documentary film movement in Spain until he left the country in 1939. In

Mexico, Velo worked making newsreels and directed the Noticiero Mexicano EMA. He subsequently went back to directing documentaries, including *Torero* (1956), his most acclaimed work. He and Juan Rulfo had been neighbors and he was enthusiastic about adapting his friend's novel to the big screen. *Pedro Páramo* would be Velo's first feature-length film and, apparently feeling acutely responsible for the project, he spent much of his time between 1960 and 1966 fussing over the adaptation's details, even considering asking Rulfo for help.

Although he was not involved in the writing of the script or its filming, Rulfo traveled with the director in 1961 to southern Jalisco and its environs to assist him in finding suitable locations for the film, and to explore the area that had been such an inspiration to him.[16]

The project's progress sparked much enthusiasm from both the press and the film industry. Mexican cinema was then experiencing a prolonged slump and many hoped that the venture would be a force to reckon with, leading to the production of higher quality films. An article representative of the high expectations appeared in the *Esto* newspaper on March 29, 1966, announcing that the film's shooting had been completed and the editing process about to begin. The article boasts a telling title—*Pedro Páramo: ¿El film más importante de nuestro cine?* or "Pedro Páramo: Our

Cinema's Most Important Film?"—confidently and yet cautiously stating that "it is perhaps the most ambitious film in the entire history of Mexican cinema."[17] The optimism of the moment did not seem rash: the initiative was based on an acclaimed novel and enjoyed the support of both the Banco Nacional Cinematográfico (National Film Bank) and a distinguished producer, Manuel Barbachano. The cast was talented (although many have complained about John Gavin's acting in the role of Pedro Páramo), Carlos Fuentes had helped write the screenplay, and Gabriel Figueroa had agreed to be the director of photography.

The heightened expectations increased public and critical disappointment when *Pedro Páramo* premiered in Mexico City in early 1967. The film subsequently got a cold reception at the Cannes Film Festival. Gabriel Figueroa and Carlos Fuentes were members of the delegation that traveled to France for the screening. Ignacio López Tarso, who played Fulgor Sedano and who was also at Cannes, stated: "we had a great time, but the screening was terrible. The public left in droves, and if we hadn't been seated in such a visible spot, I think all of us delegation members would have gone to the hotel to cry."[18] Rulfo expressed his own dissatisfaction with the adaptation in an interview: "It's very bad. It was a very bad movie. It was made by [Velo, who was actually] a biologist [...] and then it suddenly occurred to him to make movies and he used me as a guinea pig."[19]

The mediocrity of this first *Pedro Páramo* adaptation cannot be blamed on its director's lack of preparation since he dedicated himself entirely to the project for over five years. Rather, Velo's overly detailed preparation during so many years seems to have made him indecisive—in López Tarso's opinion, "he was often unsure, and when he asked you for something it was halfheartedly."[20] Emilio García Riera has also mentioned the negative effects of Velo's "years of endless discussions, hesitations and shilly-shallying, guided by the desire for it to be perfect, which is impossible."[21] Notwithstanding García Riera's opinion, Velo should not so much be blamed for his quest for perfection as for losing sight of the tone and texture of Rulfo's novel. His adaptation reorders parts of the novel's fragmented chronology, largely eliminates its multiple voices and perspectives, and leaves us with a version lacking the original's ambiguity, confusion and enigmatic and playful spirit. At the same time, Velo's adaptation fails to represent the deep archetypal meaning of a novel that begins with a descent into a hellish world.

In spite of its shortcomings, Velo's adaptation is not as bad as some have claimed, and I shall now offer a few examples of the film's achievements. First of all, it is worth examining the role of Mexico's most renowned cinematographer in the results of the film. Many critics have emphasized the effectiveness of *Pedro Páramo*'s photography, and it is true that Gabriel Figueroa's talent adds a valuable dimension to a project that failed to inspire its public. Nonetheless, the flattering description of Figueroa's involvement in the official guide to the film seems exaggerated: "Gabriel Figueroa very naturally adapts his photographic style to the poetic atmosphere of *Pedro Páramo*, which features some of his best work."[22] Though it does have a value of its own, Figueroa's photography in *Pedro Páramo* is definitely not his best work and largely fails in its attempt to recreate the "poetic atmosphere" of Rulfo's masterpiece. Critics have tended to blame Velo for the adaptation's weaknesses while meekly praising Figueroa's efforts. That is what Carlos Monsiváis did when he suggested that "the slackness of the directing overshadows the creativity of the photography."[23] Nonetheless, Figueroa played a vital part in the filming and his role in this unsuccessful adaptation's fate deserves closer examination.

Now, I do not want to exaggerate Figueroa's blame since his photography is one thing that makes watching this film enjoyable. In fact, making use of Figueroa's talents seems to have been a wise decision. The director of photography was fascinated, for instance, with the archetypal significance of landscape, and aptly used space and lighting to emphasize the power of nature. Moreover, Velo had decided to film in black and white—Figueroa's specialty—at a time when color photography had already become the standard. It seems obvious that Figueroa was the cameraman best suited to recreate Rulfo's world where a long-forgotten son descends into Comala, a ghost town located "on the earth's burning embers, at the very mouth of hell."[24] The vision that Velo offers of Juan Preciado's arrival in Comala is not gripping, however, and it leaves fans of Figueroa's art thinking that Velo could have put the talents of the country's best cinematographer to better use. Velo's inability to properly recreate the novel's metaphorical landscape suggests a lack of creative communication between him and his director of photography. This distance between the two is noticeable at other points in the film and makes us wonder why the two filmmakers were unable to work as a team and achieve better results.

The film's flaws do not seem to be Carlos Velo's responsibility alone. In the first place, Figueroa would have had very different priorities when joining the project. While Velo had spent several years thinking about and preparing to shoot the adaptation, Figueroa only became involved at a late stage in what he perceived as simply one more of many films he shot during those years.[25] The cameraman had a huge number of movies under his belt, had worked under difficult circumstances before with other directors (Luis Buñuel, for instance) and was used to shooting at a fast pace. We should thus look elsewhere for the cause of the creative differences between the director and his cinematographer.

In interviews he gave in the years following the release of *Pedro Páramo*, Velo wavered between irritation and resignation when speaking of his only feature-length film. In an interview with José Agustín, for instance, the director expressed his anger over feeling pressured to change his original vision:

> I feel frustrated with the results of *Pedro Páramo*. I couldn't film my script: I was told it was too long, when we know that movies today don't have a set time limit; they said that it was too brazen, not so much for the censors but for "our audiences." [...] But given the damned situation that this was my first film professionally, I made the mistake of consenting to all of this. So it's my fault to have gone along with these ideas and these "friendly suggestions" that made the film hybrid, cold, when it had a magnificent screenplay, with excellent and very enthusiastic actors; but the producers leveled everything according to the industry's detestable standard of mediocrity.[26]

In a recent biography of Carlos Velo, Miguel Anxo Fernán-

dez suggests that Gabriel Figueroa added to the pressure that the director felt. Figueroa, who was one of the executives of the film's production company, Clasa Films Mundiales, joined the project "to make sure that production costs were kept in check."[27] According to Anxo Fernández:

> This fact would affect the final results because, in assuming financial responsibilities, Figueroa held back all he could, and he was very concerned that the film might deal with moral issues that would later interfere with its release. In this sense, Velo has two opinions about his cameraman, admiring him and being his friend although he had a very different perspective that stopped Velo from filming his original script.[28]

Anxo Fernández further suggests that Velo was not happy with the film's photography. However, there seems to be a nationalistic bias in the Galician biographer's exaggerated criticism of Figueroa's work on *Pedro Páramo*:

> The finical, precious style of photography that manages to transport us into the deathlike world that the film attempts to convey did not leave Velo very satisfied because Figueroa was unwilling to turn his attention away from the film's "prestige" and take more risks in terms of the impact that the project was trying to achieve. The photography is excessively academic, formalist, almost a main character itself.[29]

Nor was Gabriel Figueroa satisfied with his collaboration with Carlos Velo. As I have already stated, Figueroa had accepted his obligation as a cinematographer to subordinate his own personal vision to that of the director. Nonetheless, he obviously preferred to work with directors who implicitly trusted him and gave him more creative freedom. In an interview, Figueroa explained that, "In the 200 or more movies that I've made, less than five directors have given me the freedom to do my work." Figueroa underscores how Emilio Fernández and John Ford gave him "complete freedom," while he still had a degree of autonomy—albeit a lesser one—with Julio Bracho, Roberto Gavaldón and Juan Ibáñez. He also mentions Buñuel, who gave him "absolute freedom in handling the lighting..."[30]

Figueroa seldom spoke of his involvement in the filming of *Pedro Páramo*. He does not mention the experience in any detail in his *Memorias* (Memoirs), for instance, and he did not bring up the project in the interviews he gave. Nonetheless, when Antonio Castro asked him bluntly "How was it to work with Carlos Velo?" his answer was enlightening:

> Carlos Velo was very good at documentaries. He made a number of excellent ones for Barbachano. But *Pedro Páramo* was his first feature and he did not rise to the occasion [...]. He never listened to me. For instance, we had

one of those really beautiful circular windows higher up on a wall, and I wanted to do a sequence with a dolly, but Velo insisted on doing it against the wall, saying he liked walls. Even his wife understood and told him he should listen to me instead of doing it against the wall. [...] Velo kept directing but unfortunately they were just small things, because he was an intelligent person, but as Pedro Armendáriz says, my grandmother is also very intelligent but she doesn't know a thing about films.[31] The tension that is noticeable between Figueroa and Velo in their post-*Pedro Páramo* interviews seems to have existed during the filming as well and should be taken into account when one looks for reasons for the film's mediocrity. In spite of its flaws, the adaptation is entertaining and indeed better than many critics have suggested. It represented Mexico at the Cannes Film Festival in 1967, won two Diosas de Plata in Mexico in 1968, and continues to be shown regularly. And although Velo strays from the novel's tone and texture without achieving anything positive in the process, there are several moments in the adaptation where he and Figueroa, working together, manage to provide a creative, provocative rendering of Rulfo's novel.

The depiction of the character of Doña Eduviges as a ghost who keeps reenacting her horrible suicide, for instance, captures the eeri-

Antonio Arias Bernal.

ness of Comala as the ghost town that Juan Preciado explores. Velo shows viewers the scars on this desperate, spectral woman's neck and, after Juan Preciado hears a scream in Eduviges's abandoned house, the camera reveals what he cannot see—a shriveled corpse hanging in the corner. Every adaptation has to modify the original text in order to translate the written word into visual language. The image of Eduviges's withered cadaver hanging in the room where Juan Preciado sleeps does not appear in Rulfo's novel; but the creativity of the idea (developed by Carlos Velo, Carlos Fuentes and Manuel Barbachano in their screenplay)[32] and the power of the image captured by Figueroa effectively communicate Rulfo's original concept.

What I like most about this film is its creative use of photography and *mise en scène*. Attentive viewers will see that Velo, with Gabriel

Figueroa's help, developed a series of subtle motifs that convey his vision of Rulfo's disturbing world.

In various scenes, Velo filmed a conversation between two people. The parallelism that one should feel in this type of two shot is subverted when Velo and Figueroa place another object, person or action (sometimes captured in deep focus) between the two speakers. In one scene, there is a noose against the wall between Fulgor Sedano and Doña Eduviges. In another, Dorotea confesses to Father Rentería while the confessional's screen separates the two both visually and metaphorically. Elsewhere, Susana San Juan appears at a window in the background observing the conversation between her father and Florencio in the foreground. Susana's figure is placed in the middle of the two shot, separating the other characters literally and figuratively.

Antonio Arias Bernal.

In these scenes and many others, Velo and Figueroa created an abundant series of images that disrupt the frame's balanced composition and suggest the frustration inherent to human communication. The disillusionment of Comala residents is emphasized by the frequent use of diagonal lines (with shadows, boards, etc.) that create another visual leitmotiv in the film. These lines split scenes and sometimes characters to suggest the community's prevalent disorder, as if they were knives cutting through the flesh and spirit of humanity.

Figueroa played a significant part in the creation of these striking scenes. They illustrate many of the characteristics of the style that the cameraman had previously developed elsewhere: the use of expressionistic lighting and chiaroscuro, the inclusion of angles and lines in a metaphorical context, and the use of deep focus to expand the visual space. At the same time, one notices Gabriel Figueroa's tendency to envision space as an important element in the telling of a story. The *mise en scène* is precisely organized, the framing is typically tight and stylistically formal, and the composition reflects the artistic possibilities the cameraman had in mind. Nonetheless, Velo and Figueroa never worked together again after *Pedro Páramo*.

Gabriel Figueroa in a Juan Rulfo Photograph

Gabriel Figueroa and Juan Rulfo only crossed paths professionally three times. Figueroa shot two of the most important adaptations of the writer's fiction (*El gallo de oro* in 1964 and *Pedro Páramo* in 1966) while Rulfo had been a historical advisor on *La Escondida* (1955), which Figueroa had also filmed. In the collection of stills stored at Fundación Televisa warehouses that document the filming of *El gallo de oro* and *Pedro Páramo*, there are no images of Juan Rulfo. The reason for this absence is obvious: he was not involved in either project. He did not assist in writing these films' screenplays and preferred not to visit the sets during shooting. It is therefore likely that the only time that Figueroa and Rulfo were on the same set was in November 1955 during the filming of *La Escondida*. Both men had cameras on that occasion and, as evidence of their divergent creative philosophies, we have the motion picture that Gabriel Figueroa shot and the still photographs that Juan Rulfo took. In the series of pictures taken by Rulfo during the filming of *La Escondida* (and conserved in the Fundación Juan Rulfo collection), there is only one in which Gabriel Figueroa appears. It looks like a casual snapshot and the subjects are not aware they are being photographed, as is typical of much of Juan Rulfo's photographic work. Figueroa stands beside his camera, almost disappearing behind Roberto Gavaldón. The picture's metaphoric value is obvious (though most likely fortuitous): though his role is integral to a film's success, the director of photography is secondary and must subordinate his own artistic vision to that of the director. The director's role in Figueroa's less than satisfactory results in the visual adaptation of Rulfo's fiction makes an anecdote told by Mariana

Frenk all the more interesting: she claims she was with Rulfo in 1965 when a man approached them on the street and said, "Juan, I'm going to make your *Pedro Páramo*." The film rights had of course already been given to Carlos Velo. According to Frenk, the man on the street was Luis Buñuel.[33] As enthusiasts of Figueroa's photography, we are left to wonder whether this director—another Spanish exile—would also have asked Figueroa to film Juan Rulfo's masterpiece, and how successful it might then have been.

Translated by
Douglas J. Weatherford

Notes

1 Alberto Vital, *Noticias sobre Juan Rulfo: 1784-2003*, Mexico City, Editorial RM, 2003, p. 152.
2 Jaime Valdés, "Resulta que Juan Rulfo no ha dicho 'Esta boca es mía'" in *Novedades*, January 26, 1956, pp. 15-17.
3 Víctor Jiménez, the director of the Fundación Juan Rulfo, suggested this possibility in a conversation that I had with him in April 2008. In subsequent correspondence, he has reiterated that it was likely Gavaldón employed Rulfo because he wanted to establish a professional relationship with the writer in order to "take advantage of his talent in the near future." Jiménez points out that by the end of 1955, Rulfo was a promising writer for the cinema. *Talpa*, the adaptation of Rulfo's story of the same name directed by Alfredo B. Crevenna, was also shot in 1955 (and released in 1956).

It was an important project for the Mexican film industry: it cost over a million pesos, was filmed using the new Cinemascope technique, and competed against *La Escondida* when both films represented Mexico at the Cannes Film Festival in 1956. As Jiménez suggests, it is logical to assume that Gavaldón would have noticed Rulfo and wanted to take advantage of the potential of the young writer of the story on which *Talpa*—one of the most important film projects of the moment—was based. Moreover, as Jiménez notes, Rulfo began writing *El gallo de oro* in 1956 and finished it in 1957. And although the film did not appear until 1964, it had already been announced by October 1956 (if not earlier) that an adaptation of *El gallo de oro* was in the works, with Gavaldón as director (Víctor Jiménez, personal interviews, April & June 2008).
An interview that Sergio Kogan—one of *La Escondida*'s producers—gave in October 1956 reveals this early interest in adapting Rulfo's work to the screen: "I actually didn't have a really good story until just a few days ago. This one, entitled 'El Gallo Dorado,' was written especially for the screen by Juan Rulfo" (Sergio Kogan, "¿Tiene Ud. un buen argumento? ¡Tráigamelo!" in *Esto,* October 10, 1956, p. 4).
4 A significant number of the pictures that Rulfo took during his 1955 trip to Tlaxcala have been featured in various publications, for instance, in México: *Juan Rulfo fotógrafo*, Barcelona, Lunwerg Editores, 2001.

5 Carlos Monsiváis, "Gabriel Figueroa: Las profecías y los espejismos de la imagen" in *Nexos* #31, May 2008, pp. 53-63.
6 Alberto Vital, *op. cit.*, p. 154.
7 Nelson Carro, "Gabriel Figueroa y el Cine Mexicano" in *Gabriel Figueroa y la pintura mexicana*, Mexico City, Conaculta/INBA/Imcine/ Dirección General de Publicaciones/Museo de Arte Carrillo Gil, 1996, pp. 39-46.
8 *Idem.*
9 *La Escondida* is based on Miguel N. Lira's novel of the same name. Gavaldón's script differs from the book's plot in that Gabriela comes from a humble rather than wealthy family.
10 Alberto Vital, *op. cit.*, p. 153.
11 *Idem.*
12 Jorge Ayala Blanco (ed. & intro.) in Juan Rulfo, *El gallo de oro y otros textos para cine*, Mexico City, Era, 1980, pp. 9-17.
13 For a review of some of the more important films related to Juan Rulfo's work, see my essay at the Fundación Juan Rulfo's official website ("Juan Rulfo en el cine," September 9, 2007, http://www.clubcultura.com/clubliteratura/clubescritores/juanrulfo/especial_cine.htm). Another essay of mine ("Pedro Páramo: La película") features some of the same observations included here as well as others about Carlos VeloÐs adaptation of *Pedro Páramo*; see *ClubCultura* #20, Nov.-Dec. 2007, pp. 66-71.
14 *El gallo de oro* received Diosa de Plata awards in 1965 for best picture, best direction (Roberto Gavaldón), best actress (Lucha Villa), and best adaptation (Carlos Fuentes, Gabriel García Márquez and

Roberto Gavaldón). *Pedro Páramo* won Diosa de Plata awards in 1968 for best actress in a supporting role (Graciela Doring), and best debut performance (Julián Pastor).

15 Carlos Monsiváis, *op. cit.*

16 Víctor Jiménez refers to Rulfo and Velo's trip together in an article published in a previous issue of *Luna Córnea* that includes several photographs that the two men took while scouting. See "Rulfo, andanzas por el cine" in *Luna Córnea* #24, 2002, pp. 202-215.

17 "Pedro Páramo, ¿El film más importante de nuestro cine?" in *Esto,* March 29, 1966, section B, pp. 4-5.

18 Susana López Aranda, *El cine de Ignacio López Tarso,* Mexico, Universidad de Guadalajara-IMCINE, 1997, p. 89.

19 Juan Rulfo, "Juan Rulfo examina su narrativa" in Claude Fell (coord.), *Toda la obra,* Mexico City, UNESCO-

Colección Archivos, 1992, p. 460.

20 Susana López Aranda, *op. cit.*

21 Emilio García Riera, "Pedro Páramo" in *Historia documental del cine mexicano* vol. 13, Mexico, Universidad de Guadalajara, 1994, pp. 19-23.

22 *Pedro Páramo* press guide, n.p.

23 Carlos Monsiváis, *op. cit.*

24 Juan Rulfo, *Pedro Páramo,* Mexico City, FCE, 1981, p. 10.

25 Figueroa made five movies in 1965, seven (including *Pedro Páramo*) in 1966, and four in 1967.

26 Emilio García Riera, *op. cit.,* p. 23.

27 Miguel Anxo Fernández, *Las imágenes de Carlos Velo,* Mexico City, UNAM, 2007, p. 170.

28 *Ibid.,* pp. 170-171.

29 *Ibid.,* p. 184.

30 Quoted in María Teresa Garrido Lemini's thesis "Vida y obra del camarógrafo Gabriel Figueroa y su importancia y trascendencia en la

cinematografía nacional e internacional," Universidad Intercontinental, 1992, p. 126.

31 Antonio Castro, "Gabriel Figueroa" interview in *Mirada sobre el mundo: Veinte conversaciones con cineastas,* Spain, Asociación Cinéfila Re Bross, 1999, p. 93.

32 The version of the script dated 1965 describes the scene in this way: "full shot: EDUVIGES (MANNEQUIN) and JUAN hanging from a hook, on the bedroom wall, the mummified body of EDUVIGES. JUAN sits up and staggers forward in the darkness, without turning his head." (Carlos Fuentes, Carlos Velo & Manuel Barbachano, *Pedro Páramo (Los murmullos)* unpublished script, Mexico City, Clasa Films Mundiales, 1965, p. 54.)

33 Mariana Frenk, "Una conversación a los cien años" in *Los Murmullos: Boletín de la Fundación Juan Rulfo* #2, 1999, p. 24.